T5-AGT-152

PETRI POMPONATII MANTUANI LIBRI QUINQUE DE FATO, DE LIBERO ARBITRIO ET DE PRAEDESTINATIONE

EDIDIT

RICHARD LEMAY

THESAURUS MUNDI

BIBLIOTHECA SCRIPTORUM LATINORUM MEDIÆ ET RECENTIORIS ÆTATIS

HOC VOLUMEN EDITUM EST AUSPICE SOCIETATE
AMERICANA AD STUDIA RENATARUM LITERARUM
PROMOVENDA INSTITUTA

PETRI POMPONATII MANTUANI LIBRI QUINQUE DE FATO, DE LIBERO ARBITRIO ET DE PRAEDESTINATIONE

EDIDIT

RICHARD LEMAY

LUCANI
IN ÆDIBUS THESAURI MUNDI

PRINTED IN ITALY

TABULA MATERIAE

SOLITVDINI
SOLLICITVDINIQVE
SACRVM

Bind to match sample
(Pontano volume)

lettering:

POMPONAZZI

--

DE FATO.
DE LIBERO ARBITRIO.
DE PRAEDESTINATIONE.

PROLEGOMENA

Operi quod Petrus Pomponatius LIBROS QUINQUE DE FATO, DE LIBERO ARBITRIO ET DE PRAEDESTINATIONE intitulavit finis impositus est Bononiae die 25a Novembris anno D. 1520, ut commemoratur in calce operis. Paulo vero antea, die scilicet 16a Augusti atque etiam Bononiae ubi tunc temporis praeclarissima cum fama lucroque non minimo philosophiam profitebatur,[1] terminatum est alterum eius magnum opus cui titulum DE INCANTATIONIBUS inscripsit.[2]

Ex ipsis quidem Prohemii ac Epilogi verbis liquet Pomponatium nullo modo ut istud suum opus De Fato typis mandaretur intendisse.[3] Neque tantum Pontificis Leonis X e vivis discessio, ut innuitur a quibusdam,[4] sufficiens habenda esset ratio cur modestiam tam singularem auctor observaverit. Sed Lutheranorum de libero arbitrio et praedestinatione fervidae controversiae tunc temporis ortae quaestiones quas in suo opere agitabat Noster iam in primum colluctationis agmen propulerant.[5] Quarum tamen vicissitudines hic delineare longum

1. De Pomponatio variis temporibus ad philosophiam in Gymnasio Bononiensi legendam reconducto, cf. B. PODESTÀ, *Di alcuni documenti inediti risguardanti Pietro Pomponazzi* in « Atti e Memorie della R. Deputazione di storia patria per le provincie di Romagna », VI (1868), pp. 133 sqq.; E. COSTA, *Nuovi documenti intorno a Pietro Pomponazzi* in « Atti e Memorie della R. Deputazione di storia patria per le provincie di Romagna », 3ª serie, XXI (1903), pp. 277 sqq.; F. FIORENTINO, *Pietro Pomponazzi. Studi storici su la scuola bolognese e padovana del secolo XVI*, Firenze 1868, pp. 20 sqq.; C. OLIVA, *Note sull'insegnamento di Pietro Pomponazzi* in « Giornale critico della Filosofia Italiana (GCFI) », n. s. VII (1926), pp. 254-257; B. NARDI, *Corsi inediti di lezioni di Pietro Pomponazzi* in « Studi in onore di Gino Funaioli », Romae 1955, pp. 254-255.
2. Vid. colophon edd. cura G. Grataroli factt. Basileae 1556, p. 348 et Basileae 1567, p. 327.
3. Infra, p. 2, 5 sqq.; p. 453,30.
4. Cf. F. FIORENTINO, *Pietro Pomponazzi*, pp. 65-66. Revera Leo X die 1ª decembris anno 1521 obiit, anno scilicet integro post opus *De Fato* a Pomponatio completum.
5. Post celebrem Lipsiae Disputationem anno 1519 habitam, romana missio Cardinalis Caietani apud Lutherum partes utrasque vehementius incenderat. Exinde tractatum suum *De libertate Christiana*

esset; persuasum nihilominus habere possumus magnum Pomponatii opus de Fato haud longo tempore sub modio latuisse.

Etenim ipsissimo anno quo completum est opus de Fato inimicissimum Pomponatii contradictorem episcopum Lamensem sedis Mantuanae suffraganeum AMBROSIUM FLANDINUM legimus confecisse *Apologiam pro Alexandro Aphrodiseo de fato contra Petrum Pomponatium.*[1] Neque abs re ducimus Fratris CHRYSOSTOMI IAVELLI editam *Quaestionem perpulchram et resolutissimam de Dei praedestinatione et reprobatione* ut Thomae Aquinatis in qu. 23a I partis *Summae Theologiae* expositam doctrinam tueretur[2] ab autore suo destinatam fuisse in contradictionem Pomponatii,[3] quum hic in libro quinto praesentis operis eundem Aquinatis locum ex professo subverterat[4] quasi com-

edidit Lutherus anno 1520; *Bullae* etiam «Exsurge Domine» (die 15ª julii 1520 promulgatae) opposuit Lutherus suum *Adversus execrabilem Antichristi Bullam* Wittembergae datum isto eodem anno. Cf. H. HUMBERTCLAUDE, *Erasme et Luther. Leur polémique sur le libre arbitre* (Thes. Friburg.). Paris 1909, p. 24. *Erasme de Rotterdam. Essai sur le libre arbitre.* Traduit en français et présenté par Pierre MESNARD, Alger 1945: Introduction, p. 29 sqq.

1. Cf. P. F. ARPE, *Theatrum Fati, sive Notitia scriptorum de providentia, fortuna et fato.* Roterodami 1712, p. 60. G. TIRABOSCHI, *Storia della letteratura italiana*, III, 2, cap. 1; ed. Bettoni, Milano 1833, p. 413: «Ei (*Fiandino*) fu in Mantova uno de' più forti avversari del Pomponazzo ... e contro di lui pubblicò un libro sull'*Immortalità dell'Anima*, stampato in Mantova nel 1519. Ed in oltre un'*Apologia pro Alexandro Aphrodiseo de fato contra Petrum Pomponatium* scritta nello stesso anno (?), se ne conserva nella libreria degli Agostiniani di Mantova, oltre la copia che ne rammenta il P. Ossinger (*Biblioth. Augustin.*, p. 341) come esistente in Ventimiglia». Mantuanum exemplar non potuimus invenire dum ibi eramus anno praesenti; de alio exemplari Albintimelii (Ventimiglia), vid. D. A. PERINI, *Bibliotheca Augustin.*, Firenze 1929, vol. II, pp. 72-73. Codicem istum in Bibliotheca Universitatis Ianuensis, *ms A VII, 5*, invenit P. O. KRISTELLER, *Two unpublished Questions on the Soul of Pietro Pomponazzi* in «Medievalia et Humanistica» IX (1955), p. 79, n. 13.
2. Cf. M. D. CHENU, art. *Javelli* in «Dictionnaire de Théologie Catholique», t. VIII, col. 535-536.
3. Chrysostomus iste Iavellus is est cuius observationes super Pomponatii *De Immortalitate Animae* isti tractatui in posterioribus editionibus ipso Pomponatio consentiente, adnectendae erant; cf. M. D. CHENU, *loc. cit.*, col. 536.
4. V. g.: Lib. V, cap. 5, pp. 412-417.

muniorem totius scholasticae traditionis doctrinam exhibentem. IOHANNES tandem GENESIUS SEPULVEDA Collegii Hispanici Bononiae alumnus et etiam historicus, qui ultimum Pomponatii auditor extitit,[1] cum ipsis Erasmo et Luthero in materia de Libero arbitrio et de fato digladiari incepit anno 1526,[2] multis ex Aphrodiseo sed forte mediante Pomponatio depromptis argumentis.

Quibus omnibus sic stantibus non dubitandum censemus opus *De Fato* manuscriptam traditionem aliquanto vivacem per 47 annos cognovisse usquedum typis mandaretur Basileae anno 1567 cura GULIELMI GRATAROLI medici Bergomensis tunc e patria profugi vitamque in Basileensi Academia degentis.[3] Quod extantium adhuc codicum copia confirmatur. Nam quindecim codices sive integrum sive partialem textum exhibentes[4] ad nostram notitiam pervenerunt nec pro certo affirmare audemus vel omnes nunc extantes codices nos jam detexisse, nedum antiqua traditio manuscripta his integre exhibeatur.

Perpauca tamen dantur exteriora indicia quae lumen quicquam effundant in textus traditionem; quae alio loco, dum codices scilicet recensebimus, ostendemus. Neque codices quidem a litterarum historicis ante tempestatem nostram recensi sunt, quandoquidem neque TOMASINI,[5] neque BOURDELO-

1. Cf. I. G. SEPULVEDA, *Antapologia in Erasmum Roterodamum pro Alberto Pio principe Carpensi* (*Opera Omnia*, Col. Agripp. 1602, p. 602); C. OLIVA, *Note sull'insegnamento . . .*, GCFI, n. s. VII (1926), p. 182; MICHAUD, *Nouvelle Biographie Universelle*, art. *J. G. Sépulvéda* (t. 39, pp. 83-85).
2. I. G. SEPULVEDA, *De Fato et Libero Arbitrio libri III*. Romae 1526. Cf. P. F. ARPE, *Theatrum Fati*, p. 55; P. MESNARD, *Erasme de Rott. Essai sur le libre arbitre*: Introduction, p. 58.
3. Vid. infra pp. XXXVII-XXXVIII. Cf. *Nouvelle biographie universelle*, art. *G. Grataroli* (t. 17, p. 381). Inspicere nequivimus G. GALLIZIOLI, *Della vita e degli scritti di Guglielmo Grataroli*, Bergamo 1788, a Michaud citatum; vid. tamen F. C. CHURCH, *The Italian Reformers 1534-1564*. New York. Columbia University Press 1932, pp. 194-201; 309-312; 376-378.
4. Codd. K, N, O et P partialem textum exhibent, cett. vero codd. quinque libros integros exhibent et etiam *Epilogum* quem tamen E omittit.
5. I. P. TOMASINI, *Bibliothecae patavinae manuscriptae*. Utini 1639, p. 99 volumen XI operum Pomponatii in privata M. A. Gabrielii bibliotheca asservatum describit, *libros V de Fato* atque librum *de*

TIUS[1] operis *De Fato* qua talis manuscriptam traditionem delineare curaverunt. His nostris tandem temporibus C. OLIVA[2] notitiam codicum A, B, E, F, et K tradidit; paulo postea L. THORNDIKE codices A, E, F, I, L a limine salutavit;[3] deinde P. O. KRISTELLER huic enumerationi codd. C, D, G, H, M adiunxit[4] et posterius O et P.[5] Solus N hic additur neque his ascitis,

Incantationibus, et quidem hos solos, continens. Ex ordine librorum in codice Gabrielii contentorum duximus solos nobis notos codices A et E huic descriptioni respondere, additis tamen in utroque quibusdam aliis operibus. Eorum igitur identitatem cum codice Gabrielii XI excludimus, praesertim cum cod. E in Bibliothecam Ambrosianam videtur accessisse iam anno 1613 (cf. infra, p. XXI); cod. vero A omnibus his temporibus Aretii mansisse videtur. P. O. Kristeller tamen suggerit Gabrielii codicem nunc *Ambrosianum S 92 sup.* (G nostrum) e fundo Pinelliano extare: cf. *Two unpublished Questions* . . ., p. 77 n. 6. Sed et Pinelliani codices in Ambrosianam recepti sunt a. D. 1609. Cf. A. RIVOLTA, *Catalogo dei codici Pinelliani dell'Ambrosiana.* Milano 1933, pp. LXXIX-LXXX.

1. *Operum Pomponatii evulgatorum et manuscriptorum nomenclator e bibliotheca Io. Bourdelotii.* Paris 1633. Dicit Bourdelotius sibi esse *De Incantationibus* codicem et quidem manu Gregorii Lucensis transcriptum «dictante doctissimo praeceptore» (p. 11, 17, 19); cui tamen fides adhibenda non est cum operis colophon ab ipso Bourdelotio citatum ferat: «Haec opera scripta est per me G. anno Domini MDXXXVI, die VI octob» (*Nomenclator*, p. 19) quando certe praeceptor iam decem annis antea obierat. Codex Bourdelotii *De Incantationibus* continens nunc in Bibliotheca Vaticana asservatur sub numero *Reg. lat. 1325*. Cf. C. OLIVA, *Note sull'insegnamento* . . ., GCFI, n. s. VII (1926) pp. 84-85. H. OMONT, *Catalogue des manuscrits de Jean et Pierre Bourdelot, médecins parisiens*, in «Revue des Bibliothèques», I (1891), p. 95, *cod. n. 216*. Verisimiliter opus Pomponatii *De Fato* non possedebat Bourdelotius (cf. *Nomenclator*, p. 21).
2. C. OLIVA, *Note sull'insegnamento di Pietro Pomponazzi* in GCFI, n. s. VII (1926), pp. 83-103; pp. 179-190; pp. 254-275 (deinceps citat.: *Note*).
3. L. THORNDIKE, *Vatican Latin Manuscripts in the History of Science and Medicine* in «Isis», XIII (1929) pp. 53-102; Id., *A History of Magic and Experimental Science*, V (1943), p. 99. n. 10.
4. P. O. KRISTELLER, *A New Manuscript Source for Pomponazzi's Theory of the Soul from his Paduan Period* in «Revue Internationale de Philosophie», Bruxelles, V (1951), pp. 146-147 (deinceps cit. *RIP*).
5. Codicis O notitiam nobis privatim communicavit P. O. Kristeller post iter Italicum a se peractum anno 1952; codicis vero P existentiam a doct. F. Cranz revelatam accepimus mediante Kristeller dum editionis curam iam expleveramus mense februario anno 1955; quem codicem a nobis statim examinatum infra descriptum invenies, pp. XXXV-XXXVII.

ut diximus, omnino improbabile fit alios in futurum codices reperturos fore.

I. DE CODICUM RECENSIONE

Omnes hic recensos codices in imaginibus ope lucis factis examinavimus verbotenus, Columbiano Neo-Eboracensi (D), quem prae manibus semper habuimus, exemplari utendo ad nostram collationem faciendam.[1] Codicem deinde Patavinum (P) jam completo nostro labore inventum de visu postea examinare potuimus, sicut et unumquemque codicem alium praeter Monacensem (I) et Mutinensem (N) annis decurrentibus per nos ipsos inspeximus. Hic recensentur codices:

A Codex Aretinus 390 e Bibliotheca Fraternitatis Laicorum B. M. Virginis. Chart., in-fol., misc., saec. XVI, 310ff. Continet varia POMPONATII opera et lectiones[2] isto ordine disposita: ff. 1r-120v: *De Fato* sine titulo, ff. 121r-188v: *Lucubratio de Incantationibus*, ff. 191r-220v: *Super tertio Physicorum Aristotelis*,[3] ff. 221r-262r: *Expositio in XII Metaph. Aristotelis*,[4] ff. 264r-309r: *Super Parvis Naturalibus Aristotelis*.[5] Olim fuit car-

1. Gratias nostras libentissime reddimus asservatoribus manuscriptorum rarorumque librorum Bibliothecae Universitatis Columbiae Neo-Eboracensis, et praesertim dom. Roland Baughman directori, cuius obviae voluntati ascribendum est quod Columbianus Pomponatii *De Fato* codex ad Bibliothecam primum accesserit, ad usum exinde nostrum quam benignissime destinatus fuerit quo editionem istam pararemus. Sed et aliorum aliarumque manuscriptorum asservatorum nunquam remissa amoenitas haud parum iuvit ad laborem nostrum sereno aestu complendum.
2. MAZZATINTI, *Inventari dei manoscritti delle Biblioteche d'Italia*, VI, (GAMURRINI), p. 235 hunc codicem numeravit 389, alterumque Pomponatii opera continentem codicem numeravit 390; verus autem ordo vice versa constat; cf. F. FIORENTINO, *Di alcuni manoscritti Aretini del Pomponazzi* in «Giornale Napoletano di Filosofia», VIII (1878), pp. 109-124; iterum in «Studi e Ritratti», Bari, 1911, pp. 63-79. B. NARDI, *Gli scritti del Pomponazzi* in GCFI XXIX [3ª ser., IV] (1950), p. 210. Idem, *Le opere inedite del Pomponazzi* in GCFI XXXII [3ª ser., VII] (1953), pp. 62 sqq.; pp. 173 sqq. Idem, *Corsi inediti*, passim.
3. B. NARDI, *Corsi inediti*, nº. XI, p. 267.
4. B. NARDI, *Corsi inediti*, nº. X, p. 267.
5. B. NARDI, *Corsi inediti*, nº. XXV, p. 281.

dinalis Stephani Bonuccii cuius *ex-libris* interiori tegmini adhaeret.[1] Omnia eadem manu exarata ipsaque eadem quae et ff. 111r-fin. cod. Aretin. 389, qui et ipse unici Pomponatii opera continet. Scriptura nitida parumque abbreviata.

Pars cod. *A* continens *De Fato* in 12 quinterniones distribuitur notatos *a-m*; recentior vero numeratio in summa mg dextra numeros 61-70 erronee foliis quinternionis *k* tribuit, dum folia quinternionum *g*, *h* et *i* numerat 71-100. Textus *De Fato* incipit *f. 1r*: «PROHEMIUM. Non defuturos esse scio...»; circa 30 ll. in pagina. Adnotationes emendationesque paucissimae eadem manu exaratae in mgg reperiuntur; praesertim vero quasi indicia constituunt ut lector per ea ad textus loca parallela manuducatur.

Ut aetatem vero eius decernamus, una cum altero pomponatiano codice Aretino 389 considerari debet.[2] Magna etenim

1. Stephanus iste Bonuccius (1521-1589) 38us vicarius generalis Ordinis Servorum B. M. V. auditor Pomponatii nunquam potuit existere, ut bene vidit Oliva (*Note*, p. 88) adversus Fiorentino. Forte Stephano accesserunt codices ab altero Bonuccio, Augustino (1506-1553), qui et ipse vicarius generalis 29us eiusdem Ordinis fuerat vel etiam et ipse Pomponatii auditor (C. Oliva, *ibid.*,). In eodem vicariatus officio utrumque praecesserat ille Hieronymus Amidei Lucensis, avunculus Gregorii Frediani Lucensis multarum praeceptoris lectionum transcriptoris eximii. Cf. B. Nardi, *Le opere*, in GCFI XXXII [3ª ser. VII] (1953), p. 175 et n. 3. Idem, *Corsi inediti*, p. 257. De familiari Gregorii cum avunculo commercio ex sequenti iudicandum tradimus loco: «Et sic ad laudem Dei sit impositus finis huic 2° de partibus, die sabbati die 11ª iulii 1523, et hodie factae fuerunt vacationes generales usque ad principium studii novi, scilicet decembrem futurum. Et ego Gregorius credo quod ista sit ultima lectio quam debeo audire a praeceptore, quoniam die lune vel die mercurii volo Bononia discedere postquam diis amantibus evasi doctor, et ire Lucam patriam meam ubi avus meus est, permanere si Deus secundabit et in medendo mihi favebit; sin minus est discedere et ire Romam ad reperiendam fortunam, quoniam avunculus meus magister Hieronymus vicarius (127v) generalis apostolicus totius ordinis servorum vocat me». *Paris. Biblioth. Nation ms. lat. 6537*, fol. 127r-v.
2. Cf. F. Fiorentino, *Di alcuni manoscritti Aretini*, passim. Codicem Aretinum 389 magna cum sollertia recensuit B. Nardi, *Le opere*, in GCFI XXXII [3ª ser. VII] (1953), pp. 62 sqq., et *Corsi inediti*, passim.

in parte ab eodem librario et quidem, ut videtur, auditore quodam Nostri Bononiae rescripti sunt isti duo codices Aretini et inter annos 1523 et 1525 compaginati saltem fuerunt, ut bene vidit FIORENTINO. Terminum a quo deprehendimus ex adnotatione *die 2a januarii 1523* primo folio codicis 389 apposita. Etenim secunda pars istius codicis, nempe ff. 81-110, anno 1519 dum lectiones audirentur a GREGORIO FREDIANO rescripta est;[1] quare tempus 1523 ad totius in unum codicis compaginationem potius quam ad exarationem pertinere videtur. Terminum vero ad quem, scilicet 1525, sumimus ex hoc quod lectiones anni 1524-1525 super *Parvis Naturalibus* subito expliciunt cum lectione 23a, die 16a januarii 1525 collecta (cod. Aretin. 390, f. 308v) atque sic interrumpitur tota lectionum operumque Pomponatii series in duobus aretinis codicibus contenta. Rescriptio igitur ff. 111r-fin cod. Aretin. 389 et totius codicis Aretin. 390 inter annos 1523-1525 collocanda est et ab uno eodemque librario effecta.

Quare – et hoc ad auctoritatem codicis *A* in textus traditione multum refert, – videtur in circulis ipsius Pomponatii auditorum Bononiae originem duxisse sicuti aliae lectiones ibidem rescriptae. Caeterum antiquam, ut infra ostendetur,[2] traditionis formam exhibet una cum cod. Ambros. A 52 inf (E), qui et ipse in circulis discipulorum ortum habuisse videtur. Circiter 150 individuas variationes vel mendas exhibet, quas in malam lectionem vergere fatendum est, quanquam aliquibus in locis solus *A* rectam lectionem exhibet.[3] Aliis etiam laborat defecti-

1. Codicis Aretini 389 ff. 81r - 110v manu ipsius Gregorii Frediani Lucensis nobis videntur exarata eademque esse quae et ipse Gregorius vocat «scartaffacium parvum» a se scriptum. Cf. *Paris. Biblioth. Nation., ms. lat. 6533*, fol. 146v. Vid. quae de hoc scribit B. NARDI, *Corsi inediti*, p. 268, lin. 13-16 et p. 275, lin. 13-27.
2. Pp. XLIII-XLVI.
3. Aliquae mendae purum errorem sapiunt, v. g. 56,6 inverunt (invenerunt); 74,18 verberberaret (verberaret); 94,11 perducta (producta); 95,5 ut pluribus (ut in pluribus); 101,11 sermonem (sermone); 106,21 se verti (everti); 112,23 conscilia (consimilia); 124,17 exiit (exigit); 193,20 sublimiora (sublunaria); 217,15 mordatur (moriatur); 218,27 periat (pereat); 297,14 peccati (peccanti); 306,8 falsita videtur (falsitatis videntur); 388,14 perfectio (imperfectio);

bus cum 38 verba per se solus omittat, sed et amplius quam 700 alia praesertim una cum codice *E* omittat sive in homoeoteleutis sive ex pura negligentia. His concessis multo tamen meliorem textum quam cod. *E* tradit, ita quidem ut suae classis primum locum faciliter obtineat.

B Codex Bononiensis e Bibliotheca Universitaria 2368.[1] Chart., in-fol., saec. XVI, 108ff.; olim fuit Conventus Sancti Salvatoris Bononiensis Bibliothecae cod. 174.[2] Sigillum Bibliothecae Nationalis Paris. bis videtur, scil. f. 2r et f. 108v.[3]

Codex *B* opera 15 diversorum librariorum exaratus est hac scilicet methodo quod unusquisque diversam scripsit peciam (si peciam licet usum bononiensem appellari!) quae efficitur ternio vel quaternio vel etiam quinternio quo arctior laxiorve manus exaraverit textus portionem satis aequalem sibi assignatam. Pecias quasque signavit litteris *a-q* una et eadem manus forsan ac ea quae emendationes marginales diversis inseruit

414,21 ponitur (punitur); 417,2 et 428,9 sagitte (satagite); 428,18 multos, tum (multum).

Aliae autem inutilem repetitionem verborum exhibent, v. g.: 83,4 fiunt; 103,11 secunda; 103,26 idem; 103,30 neque; 112,3 nam *etc.* Frequenter etiam abbreviationes pro passivo quasi in indicativo plurali leguntur, v. g.: 194,22 transmittat (transmittant); 407,4 reiterant (reiterantur). Multae aliae mendae apparenter ex mala abbreviationum lectione oriuntur, v. g.: 107,8 debent (debet); 107,23 per (propter); 112,23 fuerint (fuerunt); 127,18 difficultates (difficultatem); 225,6 quanta (quantum): 226,3 rationabiles (rationabiliores); 259,23 voluntas (voluntatis); 360,13 liberi (liberos) *etc.* His non obstantibus aliquando A solus rectam lectionem praebet v. g.: 13,6 optionis; 192,7 comprehendit (N aprehendit; *alii* comprehenditur); 452,19 sic argumentans (*in mg.* alius hic).

1. L. Frati, *Indice dei codici latini conservati nella R. Biblioteca Universitaria di Bologna* in «Studi Italiani di Filologia classica», XVII (1909), p. 34 n°. 1165. Notus etiam erat F. Fiorentino, *Pietro Pomponazzi*, p. 65.
2. Bibliothecae Sancti Salvatoris Conventus Bononiensis inventarium ca. annum 1533 confectum non continet nostri codicis mentionem. Cf. M. H. Laurent, *Fabio Vigili et les bibliothèques de Bologne au début du 16ème siècle*, pp. 266-347 (*Studi e Testi*, n°. 105. Città del Vaticano, 1943). Neque ipse Vigilus usquam eum nominat in investigationibus a se factis per bononienses bibliothecas.
3. Quod codex fortasse aetate napoleonica in Galliam migravit.

peciis praeter quam in *h*, *k*, et *m*, ubi ipse librarius semetipsum quandoque sponte emendavit; titulum etiam eadem additoris manus inscripsit f. 1r: «Petri Pomponatii De Fato. Continet multos errores» cuius tamen ultima tria verba alio atramento exarantur. Eadem quoque manus f. 41r (p. 168, 13) observationem addidit, de qua propter excaesam marginem dubium est utrum ab auctore an ab emendatore emanaverit, cum semel ad minus in prima persona alloquatur; idem dicendum videtur de alia adnotatione f. 101v (p. 428, 26) propter abbreviationem *aptice* vel *aplice* quae legi posset *apodictice* vel *apostolice*, quia agitur de proprio et novo praedestinationis modo ab auctore posito. Librarius etiam *f* cum nota « opinio perreti » signavit in mg f. 43r locum (p. 175, 7) ubi cum erubescentia opinionem secundum quam monstra non caderent sub divinam sollicitudinem Aristoteli attribuit auctor. Librarii tandem *e* et *p* initiales capitum litteras titulaque ornaverunt atramento tamen eodem. Inter quatern. *a* et tern. *b*, scil. inter ff. 8 et 9 duorum excisorum nunc deperditorum foliorum vestigia remanent eo praecise loco ubi desideratur additamentum ad p. 33 ut in codd. *C2* et *L2* traditum.

Librariorum autem quindecim unusquisque ita suos particulares in re orthographica modos observavit dubiasque archetypi lectiones suo ingenio emendavit ut minoris sane pretii nobis astiterit iste codex ad genuinam textus traditionem restituendam;[1] affinitas tamen eius cum vulgata familiae *b* traditione

1. En specimina errorum:
1ª *man.*: 6,1-2 querendam (quaedam); 16,10 iccirco (iure); 28,15 intentionem (inventionem).
2ª *man.*: 38,21 omnibus quae concurrunt (iis ad quae ipsa voluntas concurrit); 49,9 extimata (existimata); 52,4 conanantur (conantur); 54,23 reperui (reperi); 57,20 patitur (pariter); 58,18 peritia pastorum (peritia astrorum); 59,14 nobilitate (voluntatem), 64,24 receptio (repetitio).
3ª *man.*: 70,3 eorum a ceteris (istorum dederis); 77,22 variari (narrari); 88,23 voluntate (voluntarie).
4ª *man.*: 99,7 effectus (defectus); 108,26 destruetur (destrueretur); 118,18 praetermittentur (praetermitteretur); 119,8 latius sanius (satius). 14ª *man.*: 402,1 Pretinus (Ficinus); *etc. etc.*
Uno solummodo loco codex B unicam rectam lectionem tradit: 381,21 peccatis (peccatum).

haud ardue percipitur.[1] Individuas circiter 1440 mendas eius numeravimus atque 80 alias variationes a nullo alio participatas, circiterque 1200 verba omisit.

C Codex Cantabrigiensis, Clare College ms. Kk 4, 8. Chart., in-fol., saec. XVI,[2] 75ff. in quinterniones a-g, h6 distributorum;[3] f. a1 desideratur; textus incipit f. a2r (1 in numer. recentior.) *Petri Pomponatii Mantuani libri quinque de fato, de libero arbitrio et de predestinatione*, pergitque usque ad f. h5v(74v) scriptura parum eleganti vel nitida, ca. 40 ll. in pagina.

Permultas emendationes tam interlineares quam marginales exhibet ab eodem librario exaratas, sed duplex emendationum series distinguenda est: prima scilicet, cum librarius vel suum in transcribendo errorem animadvertens statim correxit, vel collationem cum archetypo transcriptione expleta effecit;[4] altera

1. Multo saepius cum codicis L erroribus vel variis lectionibus concordat B quam cum cuiuscumque alterius, v. g.: 119,8 L¹ *exhibet* sanius, L² latius, B latius sanius; 122,13-14 L *exhibet* promittendo (permittendo), B permittendo (4ª *man.*), promittendo (*correct. ex* permittendo 5ª *man.*)
2. M. R. JAMES, *A descriptive Catalogue of the Western Manuscripts in the Library of Clare College, Cambridge.* Cambridge 1905, p. 39, n. 21.
3. Quinternio *g* (ff. 61-69) novem tantum folia continet, dum ultimus, scil. *h*, f. 70r incipiens, sex numerat (ff. 70-75). Folia numerantur 1-74 manu recentiori.
4. Prima collatio manifeste deprehenditur cum errabunda emendantur quin extra archetypi traditionem divagetur, v. g.: 5,5 intendentem *ex* intendendum; 109,8 poenitus destruerentur *ex* peribunt; 109, 12-13 decreverimus *ex* determinavimus; 109,17 difficile *ex* derisibile; 111,25 habeat, *ad. in mg.* vel haberet; 115,18 animadvertis *ex* animadverteris; 115,25 alias *ex* aliter; 145,1 contingentia *ex* providentia; 145,2 impermutabilis *ex* impertibilis; 168,7 imponere *ex* intelligere; 170,5-6 *scribebat* infinitum cognoscere non potest *loco* infinitum qua infinitum est cognosci non potest *quod correxit mutando* cognoscere *in* cognosci *addiditque in mg* qua infinitum; 171,12 *omittebat* abstractione ab ipsis singularibus *quod correxit eradens* singularibus *et pergens ab omissis verbis, iterum rescripsit* singularibus *suo loco*; 173,7 *post* animadvertunt *pergebat* veluti est videre *sicut in linea 3ª superiori, sed errorem notans erasit* veluti est videre *et pergit* multotiens *etc.*; 175,1 quod est sollicitudo *ex* quoniam non est sollicitudo in his; 175,14 difficultatem *ex* difficilia; 177,17 aliquem *erasit addiditque in mg* hominem *deinde iterum erasit* hominem *rescripsitque* aliquem. Innumerabilia sunt loca in prima collatione taliter emendata.

vero ex collatione cum archetypo alterius familiae perducta.[1]

Duplici suarum lectionum serie non obstante aliorum cunctorum codicum archetypus dici non potest codex *C*. Nam f. 20r (p. 93, 26) ad textum: «et re ipsa aperte non consonante» sequens occurrit adnotatio in mg: «in alio legitur rei ipsi aperte non consonante» sicque de facto posterius emendatus est textus. Item f. 58v (p. 345, 8) loco lectionis vulgatae: «propter poenitentiam et dolorem et mentis amaritudinem meruit veniam» *C* omittens verbum 'propter' pergebat sic: «penitentiam et dolorem et mentis amaritudo meruerunt veniam»; quod erroneum esse advertens statim correxit elimando 'penitentiam et dolorem' in 'penitentia et dolor'. Sed ulterius sive ex ipso sensu sive post collationem cum archetypo perspiciens verbum 'propter' omissum illud addidit in mg, denique reduxit ad accusativum casum verba 'penitentiam et dolorem . . . amaritudinem' elimavitque 'meruerunt' in 'meruit'. Quae omnia evidenter exemplaris potius quam archetypi notam prae se ferunt.

Contaminatam igitur traditionem nunc exhibet codex *C* cuius primam transcriptionem et collationem vocamus *C1*, secundam vero collationem *C2*. Omnia fere verba in homoeoteleutis a *C1* omissa — eisdem plerumque locis ac parallelus codex *G* — restituit *C2*, alia tamen multa desideranda dimittens.[2] Emendationes autem quasi adamussim hausit *C2* extra primae transcriptionis traditionem in qua primum cum codicibus *G* et *P* concordabat, et cum *K* in tertio libro. Si modo lectiones *C1* alioqui cum familia *d* communes reiiciuntur a *C2* qui eis substituit lectiones stirpis *b*,[3] nunc vero contrario modo procedit *C2*[4] sed multo rarius. Traditioni stirpis β frequentius etsi non

1. V. g.: 3,19; 4,10; 21,9; 27,21; 29,24; 32,7; 32,17; 131,15; 230,10; 232,15; 253,6; 253,19; 255,10; 263,9; 263,20; 264,24; 264,26.
2. Praecipua operatio C^2 tribuenda versatur circa 980 verba suppleta ex 1016 a C^1 pratermissis: errores vero 205 emendavit C^2 qui alios 580 immutatos in C^1 reliquit aliasque lectiones proprias C^1 in numero 132 non mutavit.
3. Vid. supra, not. 1.
4. 40,2; 42,14; 86,10; 116,17; 291,7; 294,30; 299,1; 315,10; 318,21; 358,16; 361,25. Stirpem β proximius imitatur C^2 in his, sed non ubique.

exclusive assimilatur *C2*,[1] sed et lectiones *B*[2] vel *L*[3] quandoque reiiciuntur a *C2*. Tandem authentica quaedam additamenta a solis *C2* et *L2* offeruntur;[4] ex quo concludere licet utrumque collationem suam super archetypo familiae *b* operatum esse, sed iam probabiliter recognito et aucto.

D Codex Columbianus X 195 P 77 sup. P 5 e Bibliotheca Universitatis Columbiae Neo-Eboraci.[5] Chart., in-fol., saec. XVI, 181 ff. numeratorum, sed unum sine numero includitur inter ff. 175 et 176. Circa 30 ll. in pagina. Fol. 1r: *Petri Pomponatii Mantuani libri quinque de fato, de libero arbitrio et de praedestinatione*. Coriariis sub operculis conglutinatus et *autographus* ibi inscriptus; sed opercula cum inscriptione multo recentioris sunt aetatis.[6]

Humanistica scriptura nitidissima exaratus, perpaucas tum eiusdem librarii, tum alia manu scriptas emendationes exhibet, sed etiam rubricas quasdam magna ex parte cum illis quae et in *F*, *G*, *I* et quandoque *H* inveniuntur concordantes. Omissiones cum in homoeoteleutis, tum ex pura negligentia exhibet

1. Praeter exempla p. XIX n. 4 superius data, ecce alia ubi C² cum solis β, aut B, aut L concordat: 277,6; 279,26-27; 307,17; 307,25; 370,24; 420,14; 427,15; 438,26; 452,18,25; 453,23.
2. V. g.: 257,2; 291,7; 294,30; 299,1; 307,25, etc.
3. V. g.: 232,15; 264,24; 285,34; 309,3; 371,19,25; 453,23; 445,16.
4. V. g.: 33,18 sqq. (*append.* 1); 61,22; 72,20; 93,15. Cf. infra, pp. LIII-LV.
5. Primo a P. O. KRISTELLER laudatus (*RIP*, p. 146, n. 3) sed nusquam recensus (vid. tamen infra, not. 6), ad Bibliothecam Universitatis Columbiae Neo-Eboraci accessit iste codex mense martio anno 1950, HERBERTO REICHNER venditore existente qui nobis per litteras indicavit se illum ab alio librorum venditore Monacensi in Bavaria acquisiisse; istum vero a quodam bavariensi professore qui eum in Italia antea obtinuerat emisse.
6. In Bibliotheca SS. Ioannis et Pauli Venetiarum apud PP. Praedicatores quondam asservabatur, secundum D. M. BERARDELLI, O. P. (A. CALOGERÀ, *Nuova Raccolta d'opuscoli scientifici e filologici*, vol. 38, Venetiis 1783, pp. 117-118) quidam codex manuscriptus *517*, chart., in-fol., saec. XVI, 181ff., idem fortassis ac codex D noster: eodem enim praecise foliorum numero ambo constant, scil. 181, in numerato ordine, sed codex D revera 182 ff. habet cum unum inter 175 et 176 non numeratum mansit. Codex I, cui ex altera parte simillimus est D, et ipse folia 182, sed totidem numerata continet.

multas cum aliis codicibus eiusdem stirpis sed per se solus nusquam.[1] Individuae autem circa 20 mendae quibus laborat omnes prima facie sanabiles[2] non impedirent quominus *D* codex suae familiae archetypus extiterit, in qua codices *F*, *H*, *I* collocaremus[3] cum illo ex quo fluxit editio GRATAROLI. Unde nota autographi in operculis ad hoc ad minus restringenda; communes enim huius stirpis errores, etsi non copiosiores, autographi sane meritum excludunt.

E Codex Ambrosianus A 52 inf. Chart., in-fol., saec. XVI, misc., 288 ff. script. Dono IO. BAPT. CAPPONI Bononiensis anno 1613 datum.[4] Continet opera POMPONATII et LUDOVICI AB ORE FERRATO.[5] ff. 1r-136r: *Liber de factto* (sic) *Excellentissimi Philosophi m. petri pomponatii mantuani. PROHEMIUM.* Explicit f. 136r: *Et sic terminatur quintus et ultimus liber de Fato.*

1. Circiter 400 verba in homoeoteleutis omittit codex D, in quo concordat toties fere cum codice I, quandoque etiam cum ed (in 350 verbis omissis) vel F (in 200 verbis omissis). Quibus concluditur F et H codices non immediate a D pendere cuius traditioni attamen certo assimilantur. Errores deinde 225 communes inveniuntur in D et I quorum 135 participantur ab ed, 200 etiam ab F, 115 vero ab H. Ut autem ratum habuimus codicis D praecipuas variationes in apparatu nostro notare, hic laudatorum errorum specimina ibidem faveas invenire.
2. V. g.: 69,12 *decem verba in dittographia rescripta*; 83,7 in *bis repetitum*; 83,18 contitenere; 96,2 alterum *delet.*; 98,23 queve; 119,15 congressum; 121,2 deum; 182,12 movitas; 187,12 autem; 229,25 agat; 234,21 *unum* quo *exsculpsit*: 279,32 peccant; 286,25 rex; 306,22 *om* et; 312,23 *om* de *ante* determinata; 312,26 dubitio; 320,9 actum; 338,5 differentiam; 359,13-14 servarentur; 418,7 ferem; 400,8 divinae; 422,22 flagitiosiorum
3. Superius tamen vid. not. 1; forsan I tantum ex D fluxit.
4. Ut apparet ex inscriptione, forsan ipsius Bossae manu exarata in folio ante primum numeratum: «Opuscula 1. Petri Pomponatii de fato, De precationibus (*sic*), In duodecimum metaphysicorum, 2. Item Ludovici Bucaferrei Lecturae dierum festorum dono datae a viro doctissimo Io. Bapta Capponio Bononiensi, in Patrio Gymnasio artis medicae doctore, nonis septemb. anno 1613 Petro Paulo Bossa Bibliothecae Ambrosianae prefecto». Obiit I. B. Capponius anno 1626; cf. *Nouvelle biographie universelle*, VI, 630.
5. Cf. A. M. AMELLI, *Indice dei codici manoscritti della Biblioteca Ambrosiana*, in «Rivista delle Biblioteche e degli Archivi», XX (1909), p. 144.

Finis. Epilogus sive peroratio desideratur. ff. 138r-178r: *Petri Pomponatii De precationibus Tractatus. Prefatio Ad Amicum suum Ludovicum Panizam mantuanum philosophum et medicum. Significasti mihi per litteras tuas* . . ., (i. e. *De Incantationibus*).[1] Expl. f. 178r: *Et ad rationes in primum dicendum est quod procedunt secundum principia philosophorum qui ignorantes fuerunt eorum quae per fidem revelata sunt. Finis*. ff. 179r-186v et 261r-288v: *Expositio fidelissima mgi Petri Pomponatii mantuani in 12m Metaphisicae*;[2] a medio f. 186r manus et atramentum mutantur usque ad 186v *fin.*: verbum autem ligationis f. 186v cum sequenti scil. *colligamus ergo fragmenta* iterum reperitur in summo f. 262r. Ff. 187r-219r (I-XXXIII in antiqua numeratione): *Magistri Petri Pomponatii in 12m Metaphisicae anno 1517*. Expl. f. 219r (XXXIII): *Hec de XII libro metaphisicae per magistrum Petrum Pomponatium Mantuanum anno domini 1517, et hic obiit anno 1525 in mense maii die 17 Bononiae* (eadem manu?). Sequitur tabula capitum in *12m Metaph.* et alia pro *commento 36 sequentis* quod de facto sequitur ff. 219v-222r (XXXIIII-XXXVII). ff. 224r-228r al. man.: *Ludovici ab ore ferrato lecturae diebus festivis fragmenta aliqua*. f. 230r (*carta prima*) sqq.: *Prelectio super comm. 29 die 9 januarii* ead. man. usque ad f. 259r (*carta 30*) ubi invenitur tabula ad easdem; f. 261r-v ead. man. ac sectio sequens i. e. ff. 262r-288v sed inordinate hic compaginatum.[3]

Codex igitur *E* in quatuor praecipuas sectiones distribuitur. Prima habetur ff. 1r-186r med. una eademque manu exarata. Continet solius POMPONATII opera. Secunda pars ff. 187r-223r (I-XXXVIII) alia manu exarata opera POMPONATII et SIDERO-

1. Ut bene vidit P. O. KRISTELLER, *RIP*, p. 146 n. 3. L. THORNDIKE, *A History of Magic* . . . , v, p. 99, n. 10 dubia expressit: «May include the *De Incantationibus*, but more likely to be the works printed Venice 1525». Tum erroneus titulus, tum deficiens colophon confusionem generarunt; nullum tamen opus traditum in isto nostro codice in editione venetiana anno 1525 data reperitur.
2. Cf. B. NARDI, *Corsi inediti*, n°. x, p. 267. Idem, *Le opere*, in GCFI (1953), p. 51, n. 3; p. 181, n. 8.
3. Cf. B. NARDI, *Corsi inediti*, p. 267,6-9.

STOMI continet. Ex colophone autem f. 219r post annum 1525 videtur scripta. Tertia pars ff. 224r-260v extenditur alia etiam manu, sed ff. 230-259 separatim olim numerabantur. Opera tantum SIDEROSTOMI continet. Quarta pars ff. 261-288 POMPONATII *Expositionem in 12m Metaph.* ff. 179r-186r med. inchoatam complet incipiendo tamen in med. f. 186r ubi desinit prima manus. Partes aliae praeter primam post 1525 videntur exaratae. Tempus vero exarationis primae partis nullibi declaratur; quod tamen ducimus circa vel ante 1525 fuisse, cum textum *De fato* exhibet antiquissimum, certo saltem auctoris recognitioni anteriorem, de qua infra discutiendum.[1]

Non autem hic habemus volumen XI ex armario M. A. Gabrielii patavini a TOMASINI descriptum[2] quia sive diversum ad librum *De Incantationibus* colophon, sive aliorum in codice operum praesentia vetant quominus unus alteri assimiletur codex. Pari vero ratione ac de codicibus Aretinis supra descriptis censemus, prae vicinitate nempe textus *De Fato* ad alias Pomponatii vel Siderostomi lectiones, exaratum esse manuscriptum a quodam discipulo in Gymnasio Bononiensi sive etiam Patavino. Praeter multimodas pristinae formae varias lectiones quas exhibet, tam crebris de caetero individuis mendis et omissionibus laborat ut eum quam ineptissime transcriptum fuisse fatendum est. Errores etenim plures 2600 numeravimus variasque lectiones incertas circa 500; verba etiam 1600 sive ex negligentia in haplographiis, sive etiam ad instar strictioris exemplaris per se solus omisit, aliaque ca. 650 in haplographiis communibus cum cod. *A*.[3]

1. Infra, p. XLVI et sqq.
2. I. P. TOMASINI, *Bibliothecae patavinae manuscriptae*, p. 99.
3. En mendarum specimina quaedam:
4,25 educet (adducet); 6,21 impossibile (inquisibile); 7,21 inrefrangibilitatem (inrefragabilem); 8,28 futilia (fatalia); 10,16 conveniens (consequens); 17,24-25 intentionibus (demonstrationibus); 18,15 queratur (credatur); 24,6 individuum (infinities); 29,21 operare (oportere); 37,18 tribus (sibi); 39,14 Aristoteles (Averroes); 41,25 non (nunc); 44,12 manifestum est (falsum est); 54,16 apparet (oportet); 54,24 unum (virum); 58,18 serrante (secante); 61,13 motus extrinsecus (movens extrinsecum); 71,6 materialem (naturalem);

F Codex Ambrosianus D 201 inf. Chart., in-fol., saec. XVI,[1] 202ff. quorum 9 in principio et 5 in calce vacant. Coriariis sub operculis conglutinatus integrum *De Fato* textum ff. 1-188 continet intitulatum: *Petri Pomponatii Mantuani Libri quinque de Fato, Libero Arbitrio et de Praedestinatione* (f. 1r).

Humanistica scriptura nitidissima exaratus perpaucas emendationes eadem manu factas exhibet aliquasque rubricas plerasque similes illis quae et in *D* et *G* reperiuntur, quasdam etiam proprias addit. Maximam cum *D* et *I* affinitatem praebet et in exteriori forma, et in textus traditione; sed illius stirpis archetypi locum occupare non potest, maxime propter copiosiores omissiones in haplographiis.[2]

73,11 ordinate (ordinantem); 124,5 ad impossibilia naturae sunt (cum impossibilia natura sint); 126,15 huiusmodi (homini); 242,14 idenptitatem (causalitatem); 251,5,7 insensatum (instrumentum); 255,15 stricti (Stoici); 271,2 suppositione (suspensione); 274,3 metaphysice (phisicorum); 274,2 exaustum (inexaustum); 286,11 contradictioni (conditoris) etc. etc.
Alia vitia praecipua quibus in re sive orthographica sive paleographica codex E scaturit haec sunt:

1. quasi semper legit 'circa' loco 'esse' vel vice versa;
2. passivum interpretatur ut plurale activum vel vice versa: 'versent' loco 'versetur', 'vident' loco 'videtur' etc.
3. $\overset{o}{g}$ et $\overset{i}{g}$ promiscue legit 'ergo' vel 'igitur' fere semper contra reliquorum codicum interpretationem;
4. 'primo', 'prima', 'ideo' saepius leguntur 'isto' vel 'ista';
5. exhibet 'ait' loco 'dicit' vel 'dixit' quasi ubique;
6. scribit 'ab' loco 'a' ante consonantem litteram, v. g. 'ab Deo'.

Multos praeterea errores a se commissos celare attemptavit chartam atramento maculans, quae loca mendosa nihilominus clare inspiciuntur fuisse. Particularem orthographicum modum insequens librarius Italicum et quidem Tuscum se tradit: scribit enim 'oppinio, fatto, obmitto, demostrativus, mostra, cogniuncta, cogniecturari, danum, danabitur, comprensio, comprendit'. Loco 'Hispania' substituit 'Tuscia' inter optima loca vel climata ubi bonum esset nasci (79,23); dum autem laudat auctor 'Illustrissimum Laurentium de Medicis' in cuius cura fuerat Petrus Roccabonella (82,30) librarius E omisit titulum 'Illustrissimi' ad Laurentium designandum; de Florentia ibidem omisit scribere 'quae in montibus sita est'; p. 82,2 loco 'in talia' scribit 'in Italia'.

1. A. M. Amelli, *Indice . . .*, (Rivista delle Biblioteche . . ., XXI (1910), p. 46) miratur utrum codex iste autographus sit necne.
2. Etenim praeter 200 verba eisdem in locis ac cod. D, alia 225 verba ex se solo praetermisit.

Simili etiam rubrica ac *D* et *G* lectorem remittit ad addenda in p. 33 quae tamen nusquam exhibet. Quia vero tales rubricae in *F* eadem manu ac librarii primi adduntur, posterius codice *D* exaratus videtur *F*, eodem tamen ex exemplari. Circa 280 individuas mendas in *F* computavimus sed parum a traditione stirpis δ evagantes.[1]

G Codex Ambrosianus S 92 sup. e fundo Pinelliano.[2] Chart., misc., in-fol., saec. XVI, 373ff. Opera POMPONATII continet: ff. 4r-67v (1-64[3]) *De Incantationibus*. ff. 70r-171r *Petri Pomponatii Mantuani Libri quinque de Fato, de Libero Arbitrio et de Praedestinatione*; expl. f. 171r: *Leonis X. Finis. A. B. C. D. E. F. G. H. I. K. L. M. N. omnes sunt quaterniones*. ff. 176r sqq.: *Bulle Pii II.*

Una eademque manu exarata sunt *De Incantationibus* atque *De Fato* cum emendationibus. Rubricas etiam exhibet similes rubricis in *D* et *F*, sed multo abundantiores maiorique constantia a principio usque ad finem textus perductas; rubricam de

1. V. g.: 6,10 fidem (fides); 6,12 ad (sed); 11,15 rationantur (ratiocinantur); 13,20 *om* mundana; 23,14 *om* portenta a; 26,19 *om* et determinantes; 31,9 egent (indigent); 69,17-18 respondent (respondeant); 70,15 volupta; 72,6 eius (eis); 92,25 potest (potuit); 141,19 regulat (regulatum); 169,20 imateriale (materiale); 193,12 *ad* providentiam et; 234,17 sensui (sensu); 235,8 similitudinis (intelligibilis); 242,18 voluntates (voluntatem); 243,6 Thamistii; 273, 11-12 resolutionem (solutionem); 273,26 voluntate (voluntario); 279,6 omissione (omissio); 295,23 ratione (actione); 312,29 credendum (concedendum); 318,9 implicatur (impleatur); 330,18 indeterminatum (determinatum); 350,32 universalia (universaliter).
2. AD. RIVOLTA, *Catalogo dei codici Pinelliani dell'Ambrosiana*, Milano, 1933, p. 167, n.° 169, perperam legit eius initium quasi esset: «Non in futuros . . .». Vid. etiam supra p. XI n. 5.
3. Tria folia in principio adduntur quorum primum vacat, secundum autem et tertium tabulam ad totum codicem exhibent ut in *Catalogo* a RIVOLTA confecto; primum autem *De Incantationibus* textum exhibens folium in antiqua numeratione nunc computatur quartum, reliquorum vero foliorum numeratio post primum immutata mansit, sic quod textus *De Incantationibus* exhibetur ff. 1(4)-64 quae nunc sunt 4-67 codicis G; post autem f. 64 antiquae numerationis statim invenitur f. 68 quod vacat sicut et sequens f. 69; deinde textus *De Fato* incipit f. 70r novae numerationis.

addendis ad p. 33 similem *D* et *F* ipsi tamen textui inseruit; ex quo Codicem *G* certo tempore post *D* et *F* exaratum esse iudicare licet. Ex quodam igitur eiusdem familiae atque *D*, *F* et *I* exemplari videtur *G* fluxisse a quo etiam dependeret *C1* qui particularitates *G* imitatur; posterior tamen videtur *G* ex rubrica ad p. 33 textui inserta. Cum vero usque ad annum 1601 I. V. Pinelli patavini fuit codex *G*[1] qui una cum codd. *C1*, *K* et *P* stirpem γ constituunt, haud temere iudicamus illos recensionem patavinam textus *De Fato* praebere.

Individuas 480 mendas atque 77 varias lectiones probabiliter erroneas in eo computavimus;[2] 62 etiam verba per se solus ex negligentia omittit praeter quam 450 alia communiter cum stirpe sua omissa.

H Codex Ambrosianus, Sussidio C 56.[3] Chart., in-fol., saec. XVI, 192ff. quorum 6 in principio et 8 in calce vacant. Textus sine titulo invenitur ff. 1r-178v. Pingendis litteris initialibus locus in unoquoque capite datur.

Etsi codicibus *D*, *F* et *I* similis sit in exteriori forma elegantique et nitida humanistica scriptura, adeo ut particulares etiam codicis *D* scribendi modos retinuerit (*peximis* p. 79, 24; *sexionis p.* 99,

1. Cf. P. O. Kristeller, *Two unpublished Questions . . .*, p. 77, n. 6.
2. En exempla:
4,23 assumit (assignat); 8,4 calentem (cadentem); 21,18 argumentor (arguitur); 28,24 lumen (lunam); 39,24 contrarium (contrariorum); 45,20-21 determinatur (determinabitur); 47,19 superius (superior); 54,16 producit (produxit); 63,16 utile (utilis); 65,27 increpant (increparent); 67,16 prenuntiata (nuntiata); 69,25 sequitur (prosequitur); 71,17 inevitabiliter (inevitabile); 90,15 Martham (Martiam); 100,20 certissima (certe firma); 108,25 voluntatem (speciem); 117,24 potuit (poterit); 118,21 sceleratissimus (sceleratus); 119,9 coegerentur (cogerentur); 127,21 aiunt esse de essentia (aut est de essentia); 128,7 plurimum (in pluribus); 139,15-16 hi partiti (hii bipartiti); 140,18 corporibus (corruptibilibus); 141,31 inanimadvertentia (inadvertentia); 144,21 corruptibilia (variabilia); 151,15 et determinatam partem (est determinatus de parte); 163,1 de istis (deus); 167,12 serrator (secator); 206,11 dubitabatur (dicebatur); 207,8 voluptates (voluntates); 217,1 florescere (frondescere); 296, 10 oritur (ordinatur); etc. etc.
3. P. O. Kristeller, *RIP*, p. 147, n. primus hunc codicem laudat.

16; 102, 6) codicumque *D*, *F* et *G* communem rubricam ipsi textui inseruerit (p. 150, 24) textum nihilominus multo deteriorem ceteris exhibet. Saepe enim anceps librarius binas lectiones reproduxit,[1] inutilia verba sponte sua addidit,[2] et summatim pinguissimas mendas proposuit[3] plus quam 400; verba etiam 300 circiter ex negligentia maxime in homoeoteleutis locis praetermisit. Parum igitur subsidii ad auctoritatem textus firmandam commodat.

I Codex Monacensis lat. 239. Chart., in-fol., saec. XVI, 182ff.[4] ff. 1r-181v: *Petri Pomponatii Mantuani Libri quinque De Fato, De Libero Arbitrio et De Praedestinatione. Non defuturos esse scio* . . . Sequens adnotatio manu SAMUELIS QUICCHELBERGI

1. V. g.: 53,22-23 utrumque iterumque; 56,2 deus ducit; 61,5 inextrinseco; 65,17 aliqua multa; 173,25 universalia naturalia; 197,7 ut in Deo ut in subiecto; 202,13 deus homo; 214, 7 motus influxum; 247,1 sensum secundum; 252,23 posse potest; 264,29 agit intelligit; 277, 21, eligitur eligere; 289,9 iam id; frequentissime etiam 'quare' et 'quia' continuo scribuntur insimul; promiscue leguntur 'vero' et 'non', 'volitio' et 'nolitio', 'causalis' et 'casualis', 'hoc' et 'homo' etc.
2. V. g.: 30,21 Alexander *videntur* quae; 36,5 dicit enim *tamen* quod; 54, 16-17 *aliquando* varietatem praecessisse aliquam, quandoquidem; 163,7 dicitur *bonum* ordinem; 192,3 modum *rei* cognoscentis; etc.
3. V. g.: 8,17 aliter (taliter); 12,24 singulatur (singula); 14,13 afficientium (efficientium); 19,4 causis (exemplis); 28,20 et cum reperuerit (ut eum reperiat); 31,26 statur (stat); 32,24 factum (fatum); 42, 17-18 evitabiliter (inevitabiliter); 44,12 quod Ius istorum (quodvis istorum); 55,4 imitatus (mutatus); 95,30 sensionis (sessionis); 99, 18 contrarium determinante (contrariorum determinate); 100,20 qui (ni); 114,27 omnia (anima); 124,13 scit (sit); 156,22 addicere (addiscere); 190,9 Origentes (Origenes); 193,27 quare (quaeritur); 198,24 manus (maius); 205,15 pene (Deum); 205,27 methaphisicorum (metheororum); 207,13-14 voluntate (intellectu); 209,24 nobilis (mobilis); 217,16 mortus (morsus); 225,6 questio (quesito); 233,12 obtentum (obiectum); 257,2 ire (in re); 272,19 peccaret (parceret); 273,21 contra eundem malum (in eundem modum); 278,15-16 perfectionem (imperfectionem); etc. etc.
4. C. HALM et G. LAUBMANN, *Catalogus codicum Latinorum Bibliothecae Regiae Monacensis*, t. III (ed. altera, Monachii 1892), p. 61. Aetatem vero codicis perperam dederunt ad annum 1528 auctores *Catalogi* qui forte *anno MDXX* in colophone adnexerunt *et Octavo*, quod ultimum pertinet ad ordinem annorum pontificatus Leonis X.

scripta[1] legitur f. 182v: *Dominus Iulius Speronus hunc librum Petri Pomponatii dedit Domino Alexandro Secundo Fuggaro, ut in paternam bibliothecam conferret, anno DMLX, Mense Octobri. Socrus autem Domini Iulii et uxor Pomponatii sorores fuerunt. Scripsit idem Pomponatius de divinatione et incantatione...*[2] *quos libros* (correct. ex *scripta*) *dixit Dominus Iulius se quoque manu scripta habuisse sed perdidisse.*[3] *Ex-libris* sigillum Electoralis Bibliothecae Sereniss. Utriusque Bavariae Ducum operculo adhaeret. Annos inter exinde 1565 et 1571 e Fuggarorum Bibliotheca Augustae Vindelicorum in Ducalem Bibliothecam Monachii migravit cum aliis codicibus et libris Bibliothecae Fuggarianae.[4]

Nitidissima caeterum manu humanistica exarato affinitas arctissima *I* interest atque codd *D* et *F*. Perpaucas vero emendationes exhibet eadem manu exaratas rubricasque, per quinque tantum folia perductas, similes *D*, *F* et *G*; rubrica tamen de addendis ad p. 33 desideratur.

Certis alioqui indiciis comparet codicem *I* e codice *D* transcriptum fuisse. Etenim aequali foliorum numero uterque con-

1. Samuel Quicchelbergus Belga Iohanni Iacobo Fuggaro bibliothecarius extitit Augustae Vindelicorum inde ab anno 1559 usque ad annum 1565. Cf. O. Hartig, *Die Gründung der Münchener Hofbibliothek durch Albrecht V und Johann Jakob Fugger*, in «Abhandlungen der Königl. Bayerisch. Akadem.», Philos.-Philolog. und Historisch. Klasse, Bd xxviii, Abt. 3. München 1917, p. 33. – Specimen manus Quicchelbergi ibidem datur in tabula viii in fine operis.
2. Verbum simile 'exterum' hic additur quod illegibile fatemur.
3. Iulius Speronus in matrimonium duxerat Nidam Relogiam, Corneliae Dondi dall'Orologio Pomponatii uxoris nepotem; cf. A. Fano, *Notizie storiche sulla famiglia e particolarmente sul padre e sui fratelli di Sperone Speroni degli Alvarotti*, Padova, 1907, p. 55 (item in «Atti e Memorie della R. Accademia di scienze, lettere ed arti in Padova», vol. xxiii, n. s., 1906-1907, p. 249). Hoc tempore, scil. anno 1560 altis publicis in patria officiis fungebatur Iulius Speronus (A. Fano, *loc. cit.*) cum illuc accessit Alexander II Fuggarus, Ioannis Iacobi filius, ad philosophica studia inchoanda; cf. W. Maassen, *Hans Jakob Fugger* (1516-1575). München und Freising, 1922, p. 5; O. Hartig, *op. cit.*, p. 213, n. 2.
4. Cf. O. Hartig, *op. cit.*, pp. 31-46: «Der Abschluss der Gründung durch Erwerbung der Bibliothek Johann Jakob Fuggers 1571.» Sigillum *ex libris* Ducalis Bibliothecae exhibet Hartig, p. 21, quod tamen aliquanto ab illo differt quod in codice I videtur, scilicet sigillum Electoralis Biblioth.

stat, saepe etiam eisdem verbis terminatur eadem pagina in utroque (v. g.: *ff. 37v, 40r, 46r, 52v, 53v, 65v, 66v, 72r, 72v, 79r, 81v, 82r, 82v, 85v, 86r* etc.). Quae similitudo profecto sine materiali unius ab altero dependentia vix concipi potest. Adde quod omissiones easdem in homoeoteleutis uterque exhibet, quibus tamen alias ex sese addit cod. *I*. Nullam tandem particularem codicis *D* rem non reproducit *I*[1] nisi illa 20 loca facile sanabilia quae in *D* supra indicavimus (p. XXI n. 2). Haec duo tamen praecipue notentur: In mg f. 49r (p. 126, 28) altera lectio datur a *D* in qua *I* perperam legit *pro* loco *praeter*; *ed* vero hoc loco habet *primo*. Qui error in *I* et *ed* facile ad obscuram in mg *D* abbreviationem pro *propter* reducitur. Rectam etiam lectionem *praedestinati vero* f. 169r (p. 422, 28) emendare attemptavit *D* alterando abbreviationem *prae* (p̃ in q̃) dum aliunde abbreviatio pro *vero* (vo) non clare scribitur in *D* sicut et in multis aliis locis eiusdem codicis. Totum igitur locum alteratum *quare destinati non* legit *I*, qui in hoc etiam ab *ed* imitatur. His itaque datis mira fit relatio inter codd. *D* et *I* atque utriusque cum *ed*.

Recentior tamen codice *D* videtur cod. *I* cum individuas circa 280 mendas exhibeat.[2]

K Codex Parisiensis, e Bibliotheca Nationali Parisiis, ms. lat. 6450. Olim Colbertinus 1598, deinde Regius 4939.[3] Chart., in-fol., misc., saec. XVI, 190 ff. quae numerantur secundum

1. V. g.: iterationes easdem ostendunt D et I quarum tamen aliquas I linea subducta emendavit: fol. 115r (292,24-26), fol. 119v (302, 8-9); alias quandoque a D emendatas, forsan alia posteriorique manu, non correxit I: fol. 47r (121, 3-4), fol. 51v (133,4); ordinem verborum in D posterius mutatum ut ad vulgatam traditionem revertatur non insequitur I: fol. 78r (198,22).
2. Ecce exempla individuarum mendarum in I:
7, 11 *om* Alexander; 8,12 quae (quam); 20,16 *om* per longum; 22,4-5 monstruorum; 27,26 non (natura); 29,11 scimus (simul); 61,4 elementum (elementa enim); 67,17 sed (si); 70,20-21 *om* si voluntaria; 85,19 opere rationibus (operationibus); 90,18 mihi (nobis); 115,11 redarduunt (redarguunt); 119,19 visse (movisse); 230,20 num (nam); 235,31 rerum (verum); 239,12 animalibus (anima); 283,26 cogniscitur; 300,17 comunem (omnem); etc.
3. *Catalogus Codicum Manuscriptorum Bibliothecae Regiae*, Pars III, vol. IV. Paris, 1744, p. 245. C. OLIVA, *Note*, p. 93; p. 245.

paginas 1-379. Continet opera IOHANNIS HISPANI MONTEDOCHI, MARCI ANTONII ZIMARAE, PETRI POMPONATII, LUDOVICI SIDERESTOMI et quasdam anonymas quaestiones variis a librariis diversisque temporibus exarata. Tertius tantum *De Fato* liber invenitur pp. 333-378 eadem quidem manu exaratus ac M. A. ZIMARAE *Quaestio de quantitatibus interminatis* pp. 301-312 eiusdemque *Quaestio de immortalitate animae* pp. 321-332. Ultima iterum datur pp. 201-224 cum titulo: *Quaestio de immortalitate animae secundum Peripateticos contra oppositum tenentes, scilicet Magistrum Petrum Pomponatium*, alia quidem manu exarata, sed iisdem cum marginalibus adnotationibus et forsan ab ipso librario pp. 321-332 hic et illic insertis.

De tempore et loco exarationis nihil patet praeter quod in circulis studentium in Patavino Gymnasio fortasse originem duxerit. Quaestio autem ZIMARAE *De motu gravium et levium* pp. 237-263 datur: «Alli 14 di Giugno del 38» (p. 263), sed haec verba atramento recentiori; quaestio vero POMPONATII *De remanentia elementorum in mixto*, pp. 263-281, eadem manu exarata ac praecedens quaestio, datur: «die 30 Januarii 1526». Aliquo igitur tempore post annum 1520 veri similius exaratus est liber tertius de Fato a quodam patavino studente qui philosophicas quaestiones de mutua actus voluntatis et intellectus dependentia in eodem specialiter aestimabat.

Certe non habemus hic volumen XII a TOMASINI descriptum[1] quia tum quaestionum tum auctorum diversitate in utroque codice ab iis coaequandis prohibemur;[2] quaestio praeterea

1. I. P. TOMASINI, *Bibliothecae patavinae manuscriptae*, p. 100. Cf. C. OLIVA, *Note*, p. 93; B. NARDI, *Gli scritti del Pomponazzi*, p. 214; P. O. KRISTELLER, *Two unpublished Questions . . .*, p. 77, n. 6.
2. V. g.: tractatus vel lectiones I. MONTEDOCHI in fine codicis Gabrielii a TOMASINI describuntur, in ipso vero codicis Parisiensis limine inveniuntur; quaestio SIDERESTOMI intitulatur *De substantiis abstractis* in Paris. cod. p. 313, titulum vero *Examen Ludovic. Siderostomi super caput 5, 1 de generatione et est caput de Auctione* in cod. Gabr. sortiebatur; quaestio *A quibus moveantur gravia et levia* POMPONATIUM habet auctorem in cod. Gabr. scripta mense iulio 1514, sed M. A. ZIMARAM in cod. Paris. scriptamque eam invenimus die 14ª iunii anno 1518 (pp. 237-263). Multa de caetero in cod. Gabr. a TOMASINI descripta non comparent in cod. Paris., v. g.:

POMPONATII *De remanentia elementorum in mixto* pp. 263-281 lectiones in suo explicit varias exhibet ab his quae a TOMASINI dantur ex codice Gabrielii.[1]

Traditionem codicum *C1* et *G* praesertim insequitur *K*, multis tamen a librario sua sponte emendatis. Errores 325 et varias lectiones 105 in eo computavimus, verbaque omissa circa 260; quae pro unico tertio libro, ut constat, deteriorem textum faciunt.[2]

L Codex Vaticanus lat. 5733. Chart., in-fol., misc., saec. XV-XVI, 411 ff. variis in temporibus diversisque manibus exaratorum.[3] POMPONATII continet sequentia: ff. 1r-95r: *Petri Pom-*

POMPONATII *Expos. super V, VII et VIII Physic.*; VINCENTII MADII *Super Prohemio Physic.*; M. A. IANUAE *Super Prohemio Phisic.*

1. Scilicet: Averrois *Gabr.*, Commentatoris *Paris.*; devitat *Gabr.*, evitat *Paris.*; nec *Gabr.*, neque *Paris.*
2. En specimina variarum lectionum:
223,11 assentior (consentio); 227,14 particulariter (partialiter); 227, 16 subiectum (substantiam); 228,8-9 libertas voluntatis (libertas in ipsa voluntate); 228,19 oppugnantur (impugnantur); 229,5-6 recordari tantum errorem (recordari tanti erroris); 230,24 ipse habet in mente sua (habet in mente sua ipse consiliarius); 231,1 consuleret (consulimus); 231,4 cognitionem (cognoscentem); 233,11 ulla (nulla); 237,28 effectore (efficiente); 238,9 ostendit (contendit ostendere); 253,12 causalitatem obiecti (actionem obiecti); 253,17 motionem voluntatis (actionem voluntatis); 254,6 intellectum autem ut informat (intelligitur ut informatus); 254,18 odisse (odire); 255,3-4 obiectum esse anceps ita ut neque bonum neque malum cognoscatur (intellectum esse ancipitem); 262,6 relegatus est a Iove in rupem Scythiae (eum relegavit Iupiter in Rupe Scythica); 262,21, 22 protestatus . . . pertinaciter (protestantes . . . pertinaces); 280, 18-19 necessitatem (inevitabilitatem); 300,14 necessariis (inevitabilibus); 307,24 apud autores (ab autoribus); 308,5 consultat (conculcat); 308,9 omittendas (bonum esse eas omittere); 309,25-26 quod non solum philosophis sed et theologis adversatur (quod adversatur nedum philosophis sed et theologis); 315,20,21 motum caeli (motum caelestem), caelum (corpus caeleste); 316,30 actus voluntarii (actus voluntatis).
3. Cf. L. THORNDIKE, *Vatican Latin Manuscripts* . . ., in « Isis » XIII (1929), p. 75; p. 80, et n. 47; p. 92. P. O. KRISTELLER, *RIP*, p. 146, n. 3; *Two unpublished Questions* . . . , p. 78 n., et p. 77 n. 6. Praeter Pomponatii opera haec in eodem codice continentur:
ff. 189r-195r: Hermetis Liber de quindecim stellis (cf. L. THORNDIKE, *Vatican Latin Mss.*, p. 75; L. DELATTE, *Textes latins et vieux français*. Paris 1942, pp. 241-275); ff. 195r-200v: Epistola Petri Pe-

ponatii Mantuani Libri quinque de Fato, de Libero Arbitrio et de Praedestinatione, in quintern. *a-h*, quatern. *i* et tern. *h* distributi; ff. 97r-183v: *Pomponatii expositio super VII librum Physic. Aristotelis* alia manu, expl. f. 183v: *Explicit expositio magistri Petri Pomponatii Mantuani super 7 lib. Aristotelis de physico auditu in Almo Bononiensi Gymnasio MDXVIII*;[1] ff. 235r-241r: *Quaestio Petri Pomponatii de remanentia elementorum in misto dum legeret 3m de celo super commento 63, anno salutis MDXVIIII pridie idus junii, 1a lectio. De remanentia elementorum in misto non est questio in libro de celo sed potius in primo de generatione* etc.; ff. 410r-411v: *Petri Pomponatii Mantuani Libri quinque de Fato, de Libero Arbitrio et Praedestinatione.* Ultimus ille textus inchoatus tantum ab eadem manu quae et ff. 1-95 integre emendavit atque additamentum exaravit ad p. 33 duobus foliis inter folia *a*6 et *a*7 insertis quae numeravit 7 et 8, pristinum sic ordinem quinternionum deturbans novamque numerationem 1-95 integrae sectioni imposuit. Ut correctorem igitur textus *L* istam manum vocamus *L2*; ut vero scriptorem ff. 410r-411v eam vocamus *O*.

De Fato textus ff. 1r-95r manu arctissima sed nitida et parum abbreviata exaratus est. Emendationes spontaneas ipse librarius *L* quandoque effecit; emendationes autem ab *L2* adductas maioris momenti videntur. A principio etenim usque

regrini ad Sigerum de magnete (a. D. 1269); ff. 200v-205r: Magistri Guillelmi Anglici liber urinarum; ff. 211r-229v: Averrois Destructio destructionis a Cal. Calonymo translata, a. D. 1328; ff. 243r-251r: Quaestio . . . Hieronymi Bagolini super t. c. 41 XII Metaph.; ff. 252r-257v: Quaestiones (*anonymae*) super diversis Averrois textibus; ff. 262r-272r: Quaestio de organo vel sensisterio sensus tactus sub Excell. mag. Matheo Curtio; ff. 275r-287r: Ars Algebrae, liber Mahumed filii Moysi Algorismi de Algebra et almucabala (cf. L. THORNDIKE, *loc. cit.*); ff. 290r-292r Demonstrationes Hypocratis in t. c. 12 I Physic.; ff. 294r-403: Quaestiones diversae de quolibet (fol. 355r: 'Anno Domini 1330 Iohannes Bacco [Baconthorp?] fuit,' fol. 372v: 'Prima propositio est contra Iohannem de Ripa'); ff. 404r-408v: Damnationes Stephani Parisiensis 1270 (*correct. in* 1276) die mercurii post festum S. Nicolai: Utrum sola fide tenendum animam intellectivam esse formam substantialem hominis . . . , prima conclusio ponitur contra Aureo(lum).

1. Cf. B. NARDI, *Corsi inediti*, p. 273, n°. XVI.

in finem textum correxit *L2*, sed solummodo fere ad *L1* locupletandum potius quam ut emendatam recensionem procuraret; nam ex pratermissis ab *L1* 865 verbis suplevit 535, ex erroribus vero 670 in *L1* solummodo 115 emendavit.[1]

Addenda ad p. 33, quae iam in cod. *C2* vidimus in marginibus descripta atque per rubricam in *D*, *F* et *G* memorata, hic ab *L2* gemina recensione dantur; prima quidem prolixior politiorque hic unice legitur, secunda vero densior quibusdam variis lectionibus exceptis concordat cum recensione in *C2*.[2]

Reliqua in codice adiecta apte convenirent studentibus in Bononiensi vel Patavino Gymnasiis; praesertim autem Bononiensi, cum omnia pomponatiana in codice ad Bononiensem periodum pertineant.

Prius additis ad p. 33 exaratus est *L1*. Librarius autem *L2*, penes quem erat textus quem noverat ab auctore auctum, primum inchoavit novum codicem *O*; codice *L* posterius invento, exscriptum jam textum emendare maluit, quare *L2* produxit qui cum suis additionibus assimilatur *C2*.[3]

M Codex Vaticanus Ottobonianus lat. 1283. Chart., in-fol., saec. XVI, 320 ff. In folio ante primum recentius addito leguntur alia manu ac textus exarata: *Ex codicibus Illustrissimi et*

1. Errorum L^1 ab L^2 non emendatorum en specimina:
7,8 aliquis (aliqui); 7,17 veritatem (varietatem); 12,1-2 reperiantur (reponuntur); 13,7 similem (syllogismum); 18,15 placidum (placitum); 19,27 invenit (invenerit); 23,7 apparerent (apparent); 24,1 etiam (eiusdem); 24,15 deficient (deficeret); 38,1 paucis (paucioribus); 43,8 vel (animal); 56,20 concurrere (currere); 60,25 diversi modi (diversimode); 91,12 suppositum (supponi); 109,2 posito (positio); 136,3-4 necessaria in illis (necessariam illis); 224,8-9 libertatem libertatis (libertatem voluntatis); 254,6 intellectum autem ut informat (intelligitur ut informatus); 315,14 in mentem (immediate); 315,20 caeli (caelestem).
Correctorum nunc specimina:
11,11 impediat (impediatur L^1); 18,24 probat (probatur); 26,9-10 rarenter (rarentur); haberi (habent); 56,18 actu volitionis (actum volitionis, *deinde* actu voluntatis); 61,8 extrinseco (intrinseco); 71, 30-31 prosequendas (prosequentes); 85,22 ergo (quoque).
2. Vid. infra, p. LIII sqq.
3. I. e. cum additis ad p. 33,18; 61,22; 72,20; 93,15.

Excellentissimi Domini Johannis Angeli Ducis ab Altaemps[1] et in media pagina: *Petri Pomponatii de fato, libero arbitrio, et praedestinatione*; quae eadem manus etiam f. 1r in summa pagina addidit: *Petrus Pomponatius* ante initium textus ibi intitulati *Liber de fato, de libero arbitrio et de Praedestinatione* post piam dedicationem: *christi nomine*. Textus *De Fato* includitur ff. 1r-320r, ca. 19 ll. in pagina, manu laxiori.

Emendationes copiosas effecit altera manus *m* quae et doctrinas libri fervide quandoque reprehendit, v. g.: 123,1,8; 124,22; 125,11; 163,18; 172,20; 176,11; 185,15; 187,21,25; 188,26; 194,1; 199,23; 200,7,16; 202,17; 211,18; 296,24; 345,12.

Non obstante correctoris *m* intercessione, mendosissimum textum praebet *M* qui alioqui traditioni stirpis *a* assimilandus est; circiter 2150 individuos errores computavimus verbaque 1120 in homoeoteleutis vel alia ex causa omissa.[2]

1. Iohannes Angelus primus Dux ab Altaemps (Hohenembs) filius fuit Roberti, et Corneliae Orsini, atque nepos cardinalis Marci Sittich ab Altaemps, qui anno 1561 apud Tridentinum Concilium legatione functus erat; cf. A. BAUDRILLART, *Dictionnaire d'Histoire et de Géographie Ecclésiastiques*, t. II (1914), col. 786-791, s. v. *Altemps, Marc Sittich d'*; ZEDLER, *Allgemeines . . . Gelehrten Lexikon* (1732), s. v. *Altaemps, J. A.* – Celeberrimus librorum amator et codicum Iohannes Angelus ingentem exquisitamque bibliothecam sibi constituerat; obiit anno 1620. Haec de Altaempensi celebri bibliotheca quae tunc Romae venundabatur ad mensem Augustum anno 1685 referunt J. MABILLON et M. GERMAIN, *Museum Italicum*, Lutet. Paris. 1687, pp. 78-79: «Bibliothecae Altaempensis libri editi magna ex parte distracti; manuscripti adhuc venales ad duo millia...» Sed multi Altaempenses mss. ab Alexandro VIII († 1690) tunc empti sunt ut in privatam Ottobonianam bibliothecam reconderentur, in qua remanserunt usque ad annum 1748, quo tempore Benedictus P. XIV ab haeredibus Card. Petri Ottoboni illos acquisivit et ad Vaticanm accedere ordinavit. Cf. *Enciclopedia Italiana*, t. 34, col. 1046 b. De modo autem atque tempore acquisitionis codicis a Iohanne Angelo nihil invenimus traditum.
2. En errorum M specimina:
4,16 citra (circa); 4,26 nullis (nobis); 5,5 permisit alteram (fortassis altera); 6,2 existimando (existimatio); 9,8 credunt (concedunt); 9,18-19 dictione probatum (divisione prolatum); 9,19 numeros (modos); 13,1-2 compositam (compactam); 13,4 patri (principia); 16,2 inconveniens (incontinens); 19,8 infrenabili (infallibili); imitabili (inevitabili); 19,15 nimium (innumera); 19,18-19 sapientes (se ipsum); 22,3 demostenem (democritum); 27,15 quintae (coniunctae); 27,25 tertium Aristotelis (secundum Aristotelem); 32,6 unum quem

N Codex Mutinensis γD. 6, 26 (Camporiensis 178) e Bibliotheca Estensi Mutinae. Chart., in-8, saec. XVI, 156 ff. scriptorum.[1] Textus incipit sine titulo f. 1r sed in recto alterius folii praecedentis non numerati legitur titulus, forte eadem manu inscriptus: *Praeclarissimi Philosophi / Petri Pomponatii / Mantuani de / Fato, De Libero / Arbitrio et / Praedesti/natio/ne.* Duorum possessorum, scilicet Henrici et Iosephi Campori, sigilla eodem folio non numerato apparent. In versa operculi facie recens cartula ab aliquo bibliothecario vel venditore agglutinata codicem extollit velut 'autographum'. Vix dimidiam operis partem continet, cum terminetur f. 155v (p. 203, 21) in medio capite septimo libri secundi; praeterea mendosissimum textum de caetero proximum *M* exhibet, a quo tamen directe transcribi non potuit cum multa in *N* inventa omittantur ab *M*.[2]

O Codex Vaticanus lat. 5733, ff. 410r-411v. Vide supra ubi de codice *L*.

P Codex Patavinus, e Bibliotheca Universitaria Patavii, ms lat. 682.[3] Chart., in-fol.,[4] misc., saec. XVI, ca. 272 ff., variis

(numquam); 32,11 tuum fiat (enunciat); 32,29 a mane (humanae); 37,3 phiramenias (perihermeneias); 38,19 nunc de digressis primum (unde digressi fuimus); 54,24 Buridianum (Buridanum); 61,16 maturos (mortuos); 63,21-22 vira girata (imaginata); 137,3 enumeratio operis (enumerantur opiniones); 141,15 negatur (ne igitur); 142,13 omnes inopinantes (*sic*) et fert (communiter opinantes et fere); 330,20 resurescentationem (repraesentationem); etc. etc.

1. L. Lodi, *Catalogo dei Codici Manoscritti posseduti dal Marchese Giuseppe Campori*, compilato da Luigi Lodi, vicebibliotecario dell'Estense. Parte II (saec. XVI), Mutinae, p. 217.
2. Brevitate eius textus non obstante, fere 1000 mendis laborat N. En mendarum specimina:
8,16 includunt (habent); 13,15-16 differant (differentiam habeant); 14,6 non (modo); 20,1 et 29,16 appensibilia (appensilia); 22,13 intentione (inventione); 27,18 ex (est); 28,18 alius (Calias); 39,19 dictiones (actiones); 41,14 concedere (comedere); 43,18 nisi (viso); 54,25 Umlo Baridamen (Iohannem Buridanum): 58,6 sive extrinsece (sine extrinseco); 59,1 agere (cogere); 70,16 mentalis (nunc talis); 72,10-11 naturam (numerum); 108,2 dicentibus (obiicientibus); 108, 28-29 mundiale (materialium); 110,12 geometra (geometer); 119,26 questio (responsio);
3. Vid. supr., p. XII not. 5.
4. Folia tamen 1-59 atque 90-113 magnitudinis 21,5 × 29 cm., ali-

manibus variisque temporibus exaratus. Continet opuscula varia PETRI POMPONATII, LUDOVICI AB ORE FERREO (SIDERESTOMI), ALEXANDRI APHRODISIENSIS et BERNARDI TOMITANI. Ff. 1r-59r (et uno non numerato inter 57 et 58): *Petri Pomponatii Mantuani philosophi Excellentissimi Libri quinque de fato et libero arbitrio et de predestinatione.*

Integros libros primum et secundum continet, ca. 34 ll. in pagina; tit., prima et ultima cuiusque capitis sententia atramento rubro scripta. F. 58r in fine (*rub.*): *Explicit secundus liber de fato. Incipit tertius*, sed hic de facto textus interrumpitur.

Multis individuis mendis refertus textus alioquin assimilandus est stirpi γ et praesertim *G*, cuius multas particularitates reproducit.[1] Rubricas etiam *G* plerasque dat, quandoque vel errore maculatas.[2] Rubrica autem de addendis ad p. 33, quam

quantulo minora sunt reliquis quae sunt 22 × 32cm. in mensura.

1. V. g.: 5,12 pluribus (quampluribus); 5,24; 7,6, 9,17 et 10,6 *etc.*: *ordo verborum idem in* GP; 6,8 *omm* aliquos; 7,20 ispiusque (ipsumque); 8,1 merito (merita); 8,4 ferroque (ferrove); 10,20 *omm* et; 13,13 non *lin. subduct. delend.*; 15,17 diverse (adversae); 16,18 proposita; 22,17,18 *omm* ibi (*bis*); 27,21 casus (casualis); 29,22 indeterminate (indeterminatione); 64,26-27 *omm* ex occurrentiis; etc. Alias tamen G particularitates non imitatur P, v. g.: 4,23 asserit P, assumit G (assignat *cett.*); 5,7 factum P, falsum G (fatum *cett.*, *et* GP *correct.*): 28,24 lumen G, lunam P *et cett.*; 28,29 lune *ad* G, *non* P; 144,21 corruptibilia G, variabilia P *et cett.*
Cod. C tandem particularitates aliquas observat P, v. g.: 10,18 *add* fato; 12,27 impossibile CP, inopinabile G *et cett.*; 14,19 fiant CP, fiunt G *et cett.*; 22,18 invenit CP, inveniret G *et cett.*; 23,14 protendendo CP, portendendo G *et cett.*; 27,28 determinate CP; etc. . . Propria codici C permulta adhuc non imitatur P, v. g.: 48,1 voluerit C; 49,28 frigidando C; etc.
Individuas denique innumeras exhibet varias, v. g.: 1,8 ac copiosse; 1,17 formidosior; 3,19 praefactione; 5,4 per (ad); 6,7 disentiunt; 6,22 probet; 9,4 huiusmodi; 9,9 ponunt; 9,16 in suo genere; 10,22 efficientem (effectum); 13,20 recta (certa); etc.
Saepissime vero lectiones stirpis γ proprias exhibet, v. g.: 2,8 autorum pene; 3,19 *om* in primo libro; 4,10 solet; 5,18 esse; 6,3 posset; 7,1 veram; 7,21 infrangibilem; 8,17 repugnantiam; 10,15-16 ponit; 11,18-19 voluntate; 12,15 ipsis; 15,17-18 adverse; etc.
2. V. g.: 7,28 rubricam de Virgilio in G *om* P; 16,15 Zopyrus physionomus P, Zopyrus physiognomus de Socrate G; 21,16 argumentatio contra Alexandrum GP, *sed pergit* G: 'quod casualia et fortuita causam habeant determinatam'; 93,20 Expositio cap. 14 G, Responsio

G in textu continebat, non comparet in *P*; quod signum validum interpretatur *P* immediate a *G* transcriptum non fuisse.

ed PETRI POM/PONATII PHILOSOPHI / ET THEOLOGI DOCTRINA ET / ingenio praestantissimi. Opera. / *De naturalium effectuum admirandorum causis,* / *Seu de Incantationibus liber:* / *Item de Fato:* / *Libero Arbitrio:* / *Praedestinatione:* / *Providentia Dei, Libri V.* / In quibus difficillima capita et quaestio/nes theologicae et philosophicae ex sana or/thodoxae fidei doctrina explicantur, et mul/tis raris historiis passim illustrantur per au/torem qui se in omnibus Canonicae scrip/turae sanctorumque doctorum iu/-dicio submittit. / Cum Caes. / Maiestatis Gratia / et privilegio. / BASILEAE, EX OFFICINA / HENRICPETRINA [1567.] – *In-16*, 1015 pp. cum liminaribus epistolis G. GRATAROLI editoris. *De Fato* continetur pp. 329-1015.

De Incantationibus hic denuo in lucem prodit post editionem eodem loco eodemque ab editore factam anno 1556;[1] sed operis *De Fato* haec est editio princeps et unica. Codice vero ad textum *De Incantationibus* edendum usus est Gratarolus quem anno circiter 1530 Patavii emerat quemque secum dum relicta Italia anno 1550 in Germaniam migraret asportaverat;[2] sed librum *De Fato* ipse fatetur habuisse solummodo post *De Incantationibus* editum. Narrat enim in liminari *Epistola*[3] Gratarolus se aliquot annis ante 1567 in Germaniam peregrinasse in comitatu vicedomini Carnotensis Electorem Palatinum visitantis; qua occasione data IOHANNI LANGIO se occurrisse dum per 4 vel 5 dies Heidelbergae, in civitate Electorali commoraretur. Quo tempore coniectari licet ipsum Langium, qui iam multis annis

cap. 14 P; 150,18 Solus hic modus verus DFGP, *sed pergunt* GP: 'scilicet positio (secundum positionem P) Christianorum'; 151,26 Deum cognoscere alia a se ut (et DF) illorum est causa DFGP.

1. PETRI POMPONATII MANTUANI, *De naturalium effectuum causis, sive de Incantationibus ..., nunc primum ... in lucem fideliter editum. Adiectis brevibus scholiis a Guglielmo Gratarolo Physico Bergomate.* Basileae, 1556.
2. *De naturalium effectuum causis*, ed. 1556. Epistol. limin., f.†4r.
3. Ed. Basileae 1567, Epistol. limin., f. a4r; f. a6v.

antea Pomponatii auditor Bononiae fuerat,[1] Gratarolum certiorem fecisse de alio magno Pomponatii opere *De Fato* cuius exemplar *I* hisce recentioribus temporibus in Bibliothecam Fuggarianam Augustae Vindelicorum accesserat vel forte iam in Ducalem Bibliothecam Monacensem translatum erat.[2]

Si quidem codicem *I* Augustae Vindelicorum vel Monachii viderit Gratarolus, nil mirum quod tanta cum stirpe δ et praesertim *I* affinitate gaudeat editio ab eo data. Duobus potissimum locis concordant editio et codex *I*.[3] Multitudinem vero individuarum variationum vel mendarum quibus editio maculatur[4] sine difficultate attribueremus mediae transcriptioni

1. Cf. G.N.P. Alidosi, *Li Dottori Forestieri che in Bologna hanno letto Teologia, Filosofia, Medicina ed Arti liberali*. Bologna, 1623, p. 63. C. G. Jöcher, *Allgemeines Gelehrten Lexikon*, vol. II, Leipzig 1750, s. v. *Lange, Johannes* (1485-1565). – I. Langius philosophiam publice in Germania professus usque ad annum 1518, Bononiam tunc ad medicinae studium inchoandum accessit; doctor deinde in medicina factus Pisae anno 1522, per quadraginta annos postea medici officio functus est apud quinque diversos Palatinos Electores Principes.
2. Cf. supra, p. XXVIII et not. 4.
3. Pp. 126,27 et 422,28; cf. supra p. XXIX. Caeteroquin innumera ed parentelae cum stirpe δ indicia dari possunt. Haec summatim nunc accipiantur: 38 vicibus ed in homoeoteleutis ipsissima omittit verba 350 ac codd. DI (259,27; 261,11; 270,12; 270,22; 271,13; 276,22; 303,6; 313,1; 329,3; 329,12; 389,27; 415,28; 423,6; 431,13; 436,24; 442,31) vel codd. DFI (45,11; 71,19-20; 76,1; 81,6; 99,4; 112,18; 125,11; 135,1; 145,16; 152,18; 184,29; 188,27; 206,12; 209,21; 216,16; 233,23; 236,2; 251,11; 253,13; 258,14), vel etiam DHI (297,26; 350,15).
Inter vero mendas ed communibus cum quibusdam aliis, circa 135 computavimus ubi cum δ concordat et quidem 50 cum his solis, v. g.: 12,28; 20,18; 29,24; 39,17; 45,11; 53,23; 67,18,21; 74,22; 75,8; 84,16; 95,22; 105,3; 120,5; 127,17; 128,14; 151,25; 171,1; 171,18; 173,20; 189,17; 190,17; 192,3 *etc.* Quandoque tamen ed lectionem stirpi δ oppositam exhibet una cum aliis stirpibus, v. g.: 26,23; 61,5; 63,22; 83,4; 88,22; 95,9; 99,17 *etc.*
4. Individuas mendas 1391 in ed computavimus atque circiter 75 varias lectiones singulares, praesertim inter pp. 82-92 (ed: pp. 443-456) reperiendas. Praeterea sicuti notavimus (not. 3 supra) circiter 135 mendas cum stirpe δ communicat ed, atque circiter 100 alias cum isto vel illo codice singulariter. Adde quod 602 verba per se sola ex negligentia omisit in homoeoteleutis, 350 alia vero coniunctim cum stirpe δ et ad centum vel plura cum aliis.

quam sive per se (quod in mora 4 vel 5 dierum vix effici potuisset), sive per alium Gratarolus sibi procurari fecerit. Quaedam autem loca ab *I* omissa in editione dantur;[1] cuius rei ratio dari posset quod Gratarolus suam transcriptionem super alio codice contulerit; sed et iste codex eiusdem stirpis δ fuit, cum tam multa stirpi δ et editioni communia inveniantur.[2]

II. DE TRADITIONIS PARTITIONE ET INDOLE

Secundum certas concurrentium codicum vicissitudines bifariam principaliter partienda nobis visa est manuscripta textus traditio: una etenim ex parte in unum coeunt codices *A*, *E*, *M*, *N*, *B*, *L*, *O*, satis profecto frequenter ut distinctam alterique ex codicibus *C*, *G*, *K*, *P*, et *D*, *F*, *H*, *I* constitutae contrapositam efficiant familiam.

Primae etiam familiae codices e fluido in tempusque alterato fonte derivari videntur; secunda vero duas exhibet stirpes quas tamen ad unicum primaevum fontem reduci libet eo quod satis communi oppositionis ad alteram nota gaudent. Primam exinde familiam vocabimus *b* secundam vero *d*. Cumque stirps *C*, *G*, *K*, *P* aliqualiter distinguatur contra stirpem *D*, *F*, *H*, *I*, eam notabimus signo γ, alteram vero littera δ designabimus.

1. V. g.: 45,21 I *om* Si ab alio; 52,29-30 I *om* erunt abusus et deceptio; 70,20-21 I *om* Si voluntaria; 90,1-3 I *om* immortalem ... esse; 203,11; 288,19-20 I *om* ideo ... futuros cognoscit; 298,16,25; 312, 15; 328,18; 341,24-25 I *om* convertitur ... non peccare; 379,5-6 I *om* in hominibus ... diversa; 412,8; 434,13-14 I *om* procedit ... collatio; 436,21-22 I *om* potest ... reprobatus.
2. Bibliothecae Escorialensis *Index Generalis* saec. XVI exeunte digestus alium codicem P. Pomponatii *De Fato et Libero Arbitrio* exhibentem memorat (P. G. ANTOLIN, *Catálogo de los códices latinos del Escorial*, v, Madrid 1923, p. 437) sub signaculo III. E. 10; quem tamen modernus catalogus non enumerat, quamvis alterum Pomponatii opus *De Incantationibus* in codice antiquius IV. E. 16 vel VI. G. 7, nunc vero ç. IV. 3 signato hucusque servatum est (P. G. ANTOLIN, *op. cit.*, I, Madrid 1910, p. 299) atque in altero nunc signato f. III 2, cuius tamen antiqua signatura non datur ab ANTOLIN (*op. cit.* II. 1911, p. 175). Forsan ideo multis cum aliis codicibus periit codex *De Fato* exhibens in incendio anno D. 1671 facto.

A. *De traditione familiae b.*

Textus quidem traditio in *b* intricatissime implicatur timemusque ne historicam, ut ita dicamus, veritatem in ea explicanda attingere non valuerimus. Ut autem secundum ordinem procedamus, primo examinabimus familiae *b* vulgatas lectiones quantum alterius familiae lectionibus opponuntur; secundo ad codicum *A* et *E* magis particulares lectiones, quas notabili in parte participant codices *M* et *N*, accedemus, quasque recensionem particularem, scilicet ω, constituere agnoscemus; tertio et ultimo ad speciales codicis *E* lectiones descendemus in quibus antiquissimae recensionis vestigia cernemus.

1. *Vulgatae lectiones familiae b.*

Quamquam lectiones, quas huiusmodi familiae vulgatas vocamus, non omnes in unoquoque familiae codice reperiantur, certa tamen ratione propriam familiae *b* speciem constituunt. Si tamen cum alterius familiae lectionibus comparantur, quaedam rectae apparent, quaedam evidenter mendosae, quaedam autem imperfectiores in *b* quam in *d* videntur; quod exemplis manifestandum ita proponimus:[1]

a) *rectae lectiones in 'b'*: 2,8; 3,19; 26,1; 32,17; 41,17; 49,18; 63,22; 64,6; 69,12; 74,10; 82,4; 86,3; 96,14; 110,4; 111,20; 112,19; 115,24; 118,11; 122,12; 122,21; 162,25; 163,14; 188,25; 202,13; 209,7; 209,16; 212,7; 237,15; 247,25; 255,10; 269,25; 276,24; 277,6; 282,16; 286,24; 340,5; 383,24; 409,24; 420,19; 448,6.

1. Quod sufficienter ex apparatu nostro critico, ubi innumeras tales concordantias dedimus, apparebit, ut hic taediosam atque redundantem earundem speciem exhibere minime oporteat. Quare quotienscunque opus erit, ad apparatum criticum te conferas. Insignes tantum atque ad praesens examen requisitas particularitates hoc loco notabimus, quandoque in apparatu repetitas, quandoque vero nusquam in apparatu servatas, praesertim ubi de singulari errore agitur.

b) *mendosae lectiones in 'b'*: 57,12; 84,9; 116,21; 121,25; 125,14; 131,17; 134,8; 137,21; 158,3; 170,4; 189,17; 201,12; 218,23; 236,17; 295,5; 324,10; 361,25; 362,27; 385,26; 386,2; 408,18.

c) *imperfectiores lectiones in 'b'*: 15,22; 43,21; 44,19; 84,9; 86,17; 113,18; 220,2; 341,14; 392,5; 405,19; 433,15; 438,8; 442,17.

Praeter ista liquida oppositarum exempla, multa alia adduci possent ubi invicem intermiscentur stirpes, vel unus etiam codex unius familiae alii stirpi assimilatur.

Specimina in quibus primo recta lectio, deinde mendosa occurrit, hic sequuntur:

11,24	AEMBCGed	vs	NLPDFHI
36,22	AENLC2	vs	MBCGPDFHIed
45,1	MNLCFed	vs	AEBGDHI
47,22	AMBLCGed	vs	ENDFHI
50,11	AEMNLG2	vs	BCG1DFHIed
57,1	MNBLCGH	vs	AEDFIed
59,13	AEMNBLC2H	vs	GDFIed
63,3	LCGDFHIed	vs	AEMNB
64,23	EMNLCed	vs	ABGDFHI
85,10	AEMLed	vs	NBCGDFHI
85,10	AEMNBLCG	vs	DFHIed
100,8	AEMNBLGH	vs	CDFIed
100,24	NCG	vs	AMBFH (ELDIed)
116,2	BLCGDFHI	vs	AEMNed
116,17	AEMN	vs	BLC2DFHIed(C1G)
118,11	AEMNCGed	vs	BLDFHI
137,12	AEMNCGI	vs	BLDFHed
140,12	MNBLCed	vs	AEGDFHI
151,25	AEMNC	vs	BLDFIed (GH)
153,19	AEMNCG	vs	BLDFHIed
175,2	EMNLCG	vs	ABDFHIed
197,3	EMNBLCGed	vs	ADFHI
197,5	BLCGDHIed	vs	AEMNF

209,7	AEBLD2Ied	vs	MCGD1FH
216,14	MGFed	vs	AELCDH (BI)
219,29	AEMBLC	vs	GDFHIed
221,17	AEMBLC	vs	GDFHIed
225,4	AMBCK	vs	ELGDFHIed
262,16	EMBLCed	vs	AGKDFHI
330,13	AEBLCKFHed	vs	MGDI
331,20	MBLCGF	vs	AEDHIed
352,4	EBLCFed	vs	AMGDHI
361,13	AMLGed	vs	EBCDFHI
375,13	AMBLGH	vs	ECDFIed
412,8	AEMBL2Ced	vs	L1GDFH
413,23	AEBCGed	vs	MLDFHI
434,7	ELCGed	vs	AMBDFHI

Magna igitur ex supra allatis exemplis incertitudo sequitur quoad familiarum auctoritatem, cum unaquaeque plura mendosa contineat. Compertum vero nobis est saepius familiam *b* rectam lectionem ferre; attamen instabilitas traditionis *b* talis apparet quam ulterius nos investigemus oporteat.

Stirpem *BL*, quam β nominabimus, imprimis oportet ab aliis distinguamus. Quam cum, tum ratione ordinis verborum, tum frequentiorum cum codicibus *AEMN* communium lectionum causa primae familiae adscripsimus, non semel tamen, ut visum est, cum familia *d* potius concordat; quandoque enim vel ipse *B* cum secunda familia concordat, v. g.: 36,22; 50,11; 57,16; 85,1,10; 130,16; 165,16; 361,13; 389,2; 397,11; 409,24; 432,15; 434,7; 441,7; quandoque vero *L* potius hoc contigit v. g.: 11,24; 41,17; 49,8,18; 57,12; 63,3; 121,11; 122,21; 129,4,20; 141,8,21; 156,10; 190,14; 201,12; 202,13; 209,16; 218,33; 225,4; 271,16; 309,3; 331,7; 371,25; 392,5; 413,23. Tot autem denique locis β a prima familia divergit ut stirpem *AEMN*, quam nominamus ω, per se distinguendam esse fateamur. En praecipua loca ubi hoc accidit: 68,7; 116,2,17; 118,11; 119,20; 134,13; 141,25; 144,12; 149,16; 171,13; 182,1; 191,12; 197,5; 208,17; 230,22; 231,9,10; 252,20; 253,25; 254,11; 268,3; 270,

11; 271,5; 274,1,5,11; 279,26; 282,14,27; 285,14; 289,2; 290, 15; 310,3; 313,2; 319,8; 334,17,28; 337,9; 340,9; 376,18; 391, 14; 404,9.

2. *Recensio AEMN* (ω).

Arctiori igitur similitudinis vinculo tenentur codices *AEMN*, ut supra visum est, adeo quod propriam speciem secum retineant; attentius autem inspicienti notabiliter etiam codices *AE* ab aliis duobus differre videbuntur. De illis quae ad solos *AE* pertinent primo videamus.

Nullum operis titulum codex *A* praebet, titulum vero ab aliis diversum exhibet codex *E* in quo tamen nulla fit mentio de praedestinatione neque p. 1, 6 in *AE*, quamquam totus liber quintus de hac materia disserit quae et in aliorum titulo codicum memoratur.[1] Unici etiam *AE Prohemium* partem hanc inscribunt quam ipse auctor praefationem vocat p. 3, 19 et p. 454, 7.[2] Notabiliter variantes lectiones exhibet prohemium in *AE* quas ex antiquiori recensione fluxisse censemus, v. g. 1,16: *accusatoribus* in *calumniatoribus* mutatum est in aliis recensionibus eo quod verbum *accusaretur* eadem linea iam occurrebat; paulo post: 2, 2 *calumniatoribus* codd. *AE* mutatum est in *iis*. Ulterius 3,4 cum AE ferunt: *multi et greci et latini*, *immo fere uniuscuiusque nationis tractatus in hac materia composuerint*, haec alii ferunt: *praeclara graecorum et latinorum*, *immo fere uniuscuiusque gentis ingenia de his tractatus composuerint*, qui et clausulam *in hac materia* posterius transferunt ut Alexandri libellum *hanc materiam pertractantem* designet.

Praecipua tamen prohemii mutatio in fine illius occurrit p. 3, 11-15. Nova etenim recensio in aliis aptius congruit praesenti operis divisioni in qua quintus liber de praedestinatione tractans philosophicas astrologicasque rationes transcendit de quibus in

1. Mentio 'De Providentia' quam ed fert in titulo, a nullo codice datur.
2. Cod. *Berardelli 517* excepto (cf. supra, p. xx, n. 6); utrum autem ab ipso Berardelli vocatum fuerit *prohemium*, an ipse codex talem appellationem exhibuerit affirmare non possumus. Codex D Columbianus *prohemii* appellationem non habet.

antiquiore prohemii recensione quaestio fiebat. Quod confirmatur etiam si parallela in fine librorum secundi et quarti loca inspiciuntur ubi tales astrologicae rationes toti operi in pristina conceptione finem faciebant. Alia etiam prohemii loca antiquiorem recensionem in *AE* sapiunt v. g.: 1,9 etiam dictum (prius scriptum); 1,12 praedicabor (et dicar et habebor); promere voluero (recensebo); 2,1 Quare pariter ego his nostris calumniatoribus respondeo (quare pariter neque ego aliud iis responsum volo nisi quod); 2,3 removerent (retraherent); 2,10 innumerabilium (infinitorum); doctorum (auctorum); 2,12 proprias (peculiares); 3,8-9 videre meo nihil dicat (ut mea fert opinio nihil scribat) *etc.*

His itaque datis haud inique putamus auctorem suum prohemium recognovisse; id quod etiam per libros primum, quartum et quintum eum perduxisse patet, si peculiares *AE* lectiones cum aliis comparemus:

I lib.: 5,10 dicta *AE* (obiecta *cett*); 6,25 mentem (sententiam); 9,9 supra patet (ex dictis apertum est); 21,8 ut dixi *om AE*; 21,24 arbitramur (opinamur); 27,16 illarum causarum (causam); 28,19 eum (thesaurum ipsum); 41,6 et 8 sit . . . sit . . . (sitque . . . sit enim . . .); 43,23 voluerint (placuerit); 44,1 videtur posse stare (potest stare ut videtur); 45,16 *ad* de necessitate *post* determinate; 47,18 et recipiendo (in recipiendo); 58,7 se habet (etiam); 60,14 solus homo (ipse solus); 70,24 ut virtus sit sibi visa (ut sit visa); 76,3 libro (in fine libri); 81,24 ipsi sic opinantes (ipsos sic opponentes); 93,26 falso (fatuo); 97,12 *ad* proceditur *post* infinitum; 120,4 aliter (alternative); 126,4 imponit (attribuit); 127,1 operationem (electionem). Alia etiam videantur ibidem ubi tamen non adeo claret utrum recognitiones sint necne: 8,8; 14,19; 15,7; 16,9; 17,4,18; 32,16; 33,1; 36,21; 39,5; 42,26; 53,20; 65,17; 70,14; 73,2; 75,21; 79,18,22; 83,6,7; 86,24; 87,4; 89,17; 93,14,26; 105,7; 111,13; 113,2; 121,25; 122,8; 124,23; 133,10,11.

Plurimas de cetero in libro primo mendas exhibent *AE* sic quod neque perfectam, neque authenticam utique recensionem praebere valeant, v.g.: 5,14; 8,4; 11,12; 14,17; 15,19; 20,2;

26,30; 28,31; 50,17; 52,24; 60,5; 63,10; 92,4; 94,3; 95,21; 98,6; 103,25; 117,2; 117,9; 118,5; 120,27; 121,9; 122,4; 123,21. Ad quae adiungendae sunt omissiones communes permultae in homoeoteleutis.

IV lib.: 350,24 dicere (praedicere); 353,28 causa peccati (causa *cett*); 354,14 ipsum eruere ab errore (ab illo errore eruere); 361,7 sed (immo); 364,12 *om* neque insequuti sumus modum respondendi aliorum; quod quomodo sit non oportet repetere; 365,3 *om* igitur; 365,25 opinionem (responsionem); 367,13 prohiberi (prohibere); 368,27 indulgentia (poenitentia); 369,22 constituat (construat); 370,12 offensionem (offensam); 373,23 *om* aliquando; ipsum (eum); 375,17 a natura (in natura); 376,1 recta (recte); 381,19 inducant (inducunt) 381,26 et 27 reperti essent (reperti sint), reperti sint (reperiantur); 383,24 aequale (aequaliter).

V lib.: 387,18 *om* huius; 392,15 aut (autem); 394,15 *om* quod; 396,16 *om* Deus, pro; 397,13 scit (sit); 399,2 *om* non procedit; 401,1 *ad* in Deo; 405,13 illi (illa); 412,21 *om* propter quid sit; 418,12 *om* communiter; 419,24 *om* universum; 425,19 *om* et invalidum; 433,7 alia (aliqua); 433,18 et non (non autem); 443,12 aliquando vero non (aliquando vero preces non exaudit); 448,3 *ad* quod; 448,12 ut (sicut).

Praeter vero ista arctissimae ligationis, quam per litteram α indicavimus, inter codices *A* et *E* vincula, magnam etiam eorum cum codicibus *M* et *N* affinitatem agnoscamus oportet; quod per quinque libros valet v. g. (*I*) 68,7; 116,2; 116,17; 118,11; 119,20; 134,13; (*II*) 141,25; 144,4,12; 148,22; 149,16; 161,13; 161,25; 171,13; 181,9; 182,1; 191,12; 192,15; 194,2; 194, 7,15; 197,5; 208,17; 219,18; (*III*) 223,15; 224,18; 229,20; 230,22; 231,9; 231,10; 238,6; 241,15; 252,20; 253,25; 254,11; 261,18; 261,23; 263,16; 264,24; 268,3; 270,1; 270,11; 271,5; 271,10; 274,11; 279,26; 282,27; 284,27; 285,14; 289,2; 290,15; 292,12; 292,16; 300,25; 307,28; 310,3; 313,14; 314,12; 314,25; 316,8; 320,6; (*IV*) 334,17; 337,9; 340,9; 375,18; (*V*) 391,14; 404,9.

Quare hanc *AEMN* affinitatem per litteram ω designavimus. Cum autem ante finem libri secundi expliciat *N*, ab isto igitur loco et deinceps de solis *AEM* agitur in recensione ω; item in Epilogo sive Peroratione, ubi deficit *E*, littera ω stat pro *AM*. Codices vero *M* et *N*, quos stirpem μ vocamus, neque ab *A* vel *E*, neque ab invicem pendere possunt cum plura uterque exhibeat quae in altero nusquam reperiuntur; notabilium vero errorum communium ratione patet utrumque a communi fonte derivari v. g. 17,24 procedentibus suppositorum (praecedentibus propositorum); 18,4 subsequentibus partibus (subsequenti vero parte); 18,9 *om* et tueantur; 19,4 tam (eam); 31,3 fatalia (fato talia); 39,5 non (nos); 52,25 rationem (rem); 53,27 in quantum (quoniam dum); 56,6 moverunt (invenerunt); 56,20 possent (possem); 79,12 distinctionibus (dictionibus); 80, 8 sui potestatem (sua potestate); 84,21 rationibus (tractatibus); *etc. etc.* Aliqui autem errores *MN* (μ) ab aliis primae familiae codicibus scil. *BL* (β) participantur quin *AE* (α) sequantur eos v. g.: 12,25; 14,9-10; 20,8 *etc.*; quare ad *MNBL* (μβ) concordiam designandam utimur littera λ.

3. *Antiquissima codicis E recensio*

Codicum *A* et *E* magna inter se non obstante affinitate, adhuc ab *A* tantum differt *E* quod in isto peculiarem vel etiam antiquissimam inveniri recensionem fateamur oporteat. Ut autem illud uno ictu pateat non pigebit hic congregare notabiles codicis *E* variationes quarum cum unaquaeque in apparatu nostro critico refertur, loca tantum indicata hic invenias:

Lib. I: 4,4,13; 20,13; 22,3,6; 23,4; 30,22; 39,4; 40,13; 41,4; 42,26; 47,27; 55,1,15; 59,8; 67,22; 71,10; 78,26; 79,23,27; 80, 29; 82,30; 127,23; 129,27.

Lib. II.: 138,20; 142,19; 148,4; 155,28; 159,3,8; 172,20; 173,8; 176,5; 180,30; 203,18; 205,30; 216,16; 219,22.

Lib. III: 232,15,23; 237,2; 244,31; 247,14,20; 248,20; 249,8; 254,4; 257,11; 259,2; 262,8; 264,1; 265,5; 267,4; 268,9; 272,6, 16; 273,1; 276,2,19; 277,7,28; 280,29; 282,9; 294,26; 297,21,32; 301,12; 305,25; 307,12,21,27; 308,6,7; 309,10; 311,25; 312,15; 314,9; 318,2; 322,21.

Lib. IV: 325,2; 326, 8,14; 328,9-10; 336,1; 340,16; 343,11; 344,6,9; 346,11; 357,7; 355,4,24; 357,27; 364,14; 365,12,16; 369,3,7; 373,26; 385,20,24,27,28,31; 386,4.

Lib. V: Praecipue vero in quinto libro confirmatur hanc recensionem antiquiorem omnibus aliis et quasi inchoatam libri delineationem exhibere:

a) Contrahuntur aliquae conclusiones quae in aliis in extenso rescribuntur: 391,11; 408,25-2; 422, 15-16.

b) Constringuntur etiam aliae sententiae a caeteris in modo apodoseos rescriptae: 389,10; 396,25,26; 400, 18-19; 404,25; 408,10-11,13; 409,14,27; 416,8; 421,9; 424,16; 425,2; 430,3-4; 443,12; 447,5.

c) Multae clausulae, sive explicativae, sive apologeticae ex toto praetermittuntur: 389,19; 393,1-2,14-15; 394,18-19; 395, 19-26; 396,11-13; 397,2; 408,6-9; 412,24-1; 413,4,8-10; 417, 7-9; 418,8-10; 420,11-12; 422,15-16, 27-28; 423,11; 424,10-11; 425,20-21; 426,21-23; 427,10-11; 428,26-9; 429,25-27; 430, 20-22; 431,1-2; 432,7; 434,10-13,22-23; 435,8-10,28-29; 437,22; 23-24; 438,5-6; 439,23-24; 441,7,12,24-25.

d) Exempla quaedam sive omittuntur ex toto, v. g.: 445,17 - 4 (de praetore in civitate) et loca inferiora ubi ad idem exemplum auctor alludit in aliis recensionibus, v.g.: 446,7-10; 448, 1-2; sive notabiliter perstricta dantur: 427,16 - 15 (de Petro Roccabonella); 447, 11-16 (parabola de laborantibus in vinea); 450,3-8 (parabola de creditore et debitore).

e) Ecce tandem alia loca ubi non semper liquet utrum auctor vel librarius incuriosus textum alteraverit: 387,19,20; 388,1,21; 389,1-2,12; 390,28; 391,7,23; 393,8; 399,23; 415,26; 416,9; 417,3,4,7,14,16; 421,8,13; 423,12; 428,18; 432,23,; 436,8-9,14-15,19; 438,8; 439,9,10; 443,27; 444,7,20; 449,16,21; 450,18-19.

4. *Conclusiones de primae familiae traditione.*

His itaque datis persuasum habuimus traditionem primae familiae *b* ab una statione ad alias aliqualiter migrasse. Prima extitit recensio *E* antiquissima sine epilogo vel subscriptione atque cum rudi quinti libri lineamento. Auctor quidem fortassis in mente primo habuit ad tractatum Alexandri *De Fato* nuper a BAGOLINO translatum et Veronae editum anno 1516 responsionem parare.[1] Quintum autem *de praedestinatione* librum adversus THOMAM AQUINATEM praecipue addendum decrevit sive, ut ipse innuit,[2] quia quaestionis cum antedictis connexio decurrente argumento menti eius occurrerit, sive etiam quoniam, quod omnino praetermittere non licet, Lutheri doctrinae jam his temporibus propalatae conscius auctor factus est ex Cardinalis Caietani missione his temporibus perfuncta.[3] Cuius inchoatae recensionis potitus discipulus quidam probabiliter Bononiae existens codicem *E* cito confecit auctoris manum parum intelligens. Eandem ab auctore emendatam subscriptioneque et *Epilogo* auctam versionem transcripsit librarius codicis *A* qui tamen non statim cum opere terminato, sed forte anno 1523 vel 1524 laboravit (cfr. supra pp. XIV-XV).

1. Iam ab anno 1517 de isto opere conficiendo propositum agitabat Pomponatius, ut ipse innuit in *Apologia*, I, I (ed. Bonon., 1518, fol. VIIr, col. I; ed. Venetiis 1525: *Tractatus acutissimi . . .*, fol. 55v, col. a: «Verum reservo ad specialem tractatum quem facere intendo de voluntate et libero arbitrio». Cf. C. OLIVA, *Note*, p. 268). Prima huius operis conceptio deduci potest ex fine *prohemii* in traditione codd. AE ubi auctor praecipue secundum philosophiam et astrologiam materiam se tractaturus fatetur; cui assertioni si conferuntur finis libri secundi et finis quarti, qui quasi protasis quaedam cum sua apodosi operi conclusionem astrologicam dabant, forsan tunc primum operis concepti lineamentum ex hac comparatione deducere licebit. Post autem quintum de praedestinatione librum additum, similis collatio quarti (385 sqq.) cum *Epilogo* auctoris propositum revelat.
2. V. g.: lib. V, cap. I, p. 387.
3. De familiari inter Pomponatium et Caietanum usu vid. B. NARDI, *Le opere*, p. 187, n. 1; deque Lutheranae doctrinae hisce temporibus celeri expansione facta, cf. H. HUMBERTCLAUDE, *Erasme et Luther . . .*, pp. 24 sqq.; P. MESNARD, *Erasme de Rotterdam. Essai sur le libre arbitre*, Introduction, passim. Haec denique fatetur Iohannes Hispanus MONTEDOCHUS, Pomponatii quondam collega in Bononiensi Gymnasio (E. COSTA, *Nuovi documenti*, p. 293), dum a fratribus ordinis Praedicatorum in generali capitulo redargueretur cui interfuerat: «Et quia eos male tractabam, dixerunt tertia die me esse hereticum, et probabant a signo: quia semper arguebam in materia de praedestinatione». Ms. *Paris. Bibliothèque Nationale, ms. lat. 6450*, p. 139.

Cumque ab α ad μ certo interfuerit recognitio, saltem in fine prohemii, et probabiliter in titulo operis atque in libris primo, quarto et quinto, secundam scilicet quae in μ invenitur recensionem admisimus. Sed et haec simul cum α multotiens recensioni β opponitur, quare siglo ω indicamus consensum codicum *AEMN*. Recensio vero β cuius species librario potius quam auctori ascribi potest, ex quodam eiusdem familiae *b* exemplari orta est.

B. *De traditione familiae d.*

Iisdem communibus lectionibus quibus familia *b* distinguebatur e converso definitur familia *d* quae codices *D*, *F*, *H* et *I* atque *editionem* Grataroli ex una parte comprehendit, codicesque *C*, *G*, *K*, et *P* ex altera parte intima affinitate coniunctos sibi annumerat.

Attamen ut apparuit ubi de oppositione lectionum inter *b* et *d* dictum est,[1] non absolute concludendum est recensionem *d* ipsius auctoris recognitionem referre; mendosis saltem multis locis in *d* probari posset totam familiam ex apographo iam corrupto derivari; in cuius testimonium sufficiat omissiones in homoeoteleutis numerosas familiae *d* revocare. Alioquin lectiones familiae *d* magna ex parte debentur cuidam librario qui dicendi rationem attemptavit meliorem facere, nec tamen omnino feliciter.[2]

1. *De stirpe* γ.

Lectiones variantes communes circa 530 exhibent codices *C*1 et *G*, quos *K* in tertio libro et *P* in primo et secundo fere ubique sequuntur; quos ideo in stirpem unicam collocamus. Errores

1. Supra, pp. XL-XLIII.
2. Felices emendationes possunt dici sequentes inter alias: 25,6; 43,21; 44,19; 121,4; 131,5; 138,6,7; 138,18; 151,22; 156,10; 220,2; 230,7; 285,14; 392,5; 426,17; 433,15; 438,8; 442,17; cum quo tamen stat quod multo saepius ineptas alterationes exhibet familia d, v. g.: 8,17; 57,16; 61,5; 82,4; 96,13-14; 99,10,17; 156,10; 157,7; 166,26; 202,24; 206,28; 253,6 (cum A); 277,6; 289,2 (cum β); 309,3 (cum L); 340,18; 371,25 (cum L); 384,27; 392,5; 396,25; etc.

etiam ad 300 communes numerantur. Quod tamen a familia *b* patenter divergat stirps γ non vetat quin frequenter cum ea potius quam cum stirpe δ concordet.[1] Caeterum propriae stirpis γ lectiones nihil plus addere videntur quam unius librarii studium ad textum quibusdam locis meliorem sua sponte faciendum;[2] quod maiori constantia in primo, tertio et quinto libro operatus est. Altera ex parte archetypum stirpis γ ab aliquo familiae *d* exemplari potius ortum esse fatemur, quia tum ordine verborum, tum multitudine lectionum cum stirpe δ communium familiae *b* opponitur. Non autem abs re erit istam stirpem γ patavinam recensionem autumare, cum unumquodque nunc exstans membrum aliqualiter ad originem Patavinam referre possumus.[3]

2. *De stirpe* δ.

Stirpis δ lectiones propriae permultae videntur mendosae, v. g.: 7,3; 9,27; 11,24; 12,6,28; 20,18; 29,24; 31,22; 32,17; 39,17; 41,22,24; 51,7-8; 53,6,23; 59,3,17; 62,8; 63,20,22; 64,6; 65,8; 74,22; 75,8-9; 77,10,26; 84,16; 85,10; 88,11,22; 91,24; 95,9,22, 29; 96,22; 99,17; 101,22; 104,2,11; 105,3; 112,18; 120,17,23; 125,8; 131,10; 137,24; 138,3,27; 141,29; 145,25; 157,26; 164,

1. In quantum scilicet stirpem δ in multis illius propriis mendis non comitantur, ut confestim manifestabitur.
2. Quod assequi libet ex sequentibus locis:
Lib. I: 3,11; 4,10; 7,21; 8,17; 10,15,16; 17,7,13,23; 18,6; 21,9,10; 25,17; 29,17; 29,23,24; 32,7,17,21; 41,26; 50,29; 51,26; 52,3; 60,21; 62,16; 69,29; 70,23; 72,12; 74,1; 75,22; 80,6; 85,18; 86,2; 88,17; 93,21; 99,10; 100,5; 101,3; 105,17; 106,8,25; 117,30; 118,9; 128,18; 130,22; 131,15; 133,20; 133,29; 135,14.
Lib. II: 137,6,19; 138,16,21; 142,23; 146,25,26; 149,11; 152,1; 157,16; 161,2,25; 162,15; 172,5; 175,1; 176,19; 186,8; 187,2,3; 193,2; 195,24; 215,8.
Lib. III: 228,10; 228,27; 229,2; 237,8; 237,22; 248,28; 249,19; 253,3; 273,26; 275,12; 276,20; 279,25; 283,32; 290,4; 291,7; 297,1; 297,4; 300,5,14; 302,20; 309,1,11,12,13; 310,1,3; 311,22; 317,1; 319,4; 323,23.
Lib. IV: 325,17; 326,1; 335,29; 346,14; 357,1; 364,6,15; 379,10.
Lib. V: 402,15; 404,2; 406,6,18; 410,12; 419,10; 420,1; 426,16; 427,10,17; 433,17; 444,3,5,11,20; 445,1; 446,18; 449,18; 450,2; 451,11; 452,3; 453,20.
3. Istud nobis continuo suggessit doct. Iosephus BILLANOVICH ut nostram codicum divisionem inspexit.

6; 165,16; 171,18; 190,17; 192,3; 197,26; 208,22; 209,21; 216, 16; 218,24; 221,1; 223,4; 227,10; 229,18; 238,8,10; *etc. etc.*

Cumque aliunde quaedam stirpis δ mendae ab isto vel alio membro alterius stirpis participantur, et praesertim ex β, v. g.: 36,22; 49,2; 68,7-8; 78,18; 87,16; 91,28; 113,19; 116,17; 118, 11; 127,23; 141,8; 151,25; 153,19; 156,9; 162,20; 165,16; 167,7; 181,9; 182,18; 190,14; 206,15; 221,9; 252,1; 253,11; 256,1; 271,16,19; 276,22; 300,19; 319,8; 330,22; 346,7; 350,23; 367, 30; 380,14; 383,24; 392,5; 393,12; 397,11; 412,8; 413,23; 414, 4; 420,33; quandoque etiam a γ scilicet: 43,9; 44,19; 50,28; 59,13; 88,19; 98,6; 102,2,9; 116,15; 133,15; 134,7; 166,25; 172,1; 212,7; 219,29; 221,10,14; 240,26; 253,30; 276,11; 281, 4; 288,11; 290,7; 330,13; 340,17,18; 350,16; 378,20; 383,27; 385,26; 388,28; 410,25; 411,5; 412,8; 415,17; 420,11; paucae tandem etiam ab aliquo membro stirpis ω participantur, v. g.: 45,1; 47,15; 72,22; 132,17; 140,12; 143,12; 161,19; 175,28; 177, 9; 197,3; 205,27; 225,4; 233,23; 239,13; 247,19; 276,22; 280,1; 286,26; 287,4; 290,10; 294,5; 331,20; 338,10; 386,10; 390,1; 413,23; 414,4; concludendum est igitur stirpem δ non absolute separandam esse a caeteris vulgatae traditionis membris veluti scilicet ac si ex toto noviter recognitam ferret recensionem; novam etenim lectionem aliis de necessitate anteponendam raro tantum invenimus in stirpe δ, ut subinde dicetur.

At singula illius stirpis membra, uno *H* excepto, quadam textus excellentia fulgent: pauciores videlicet in universum errores exhibent; forma etiam exteriori nitidissima atque magnitudine scripturaque consimillima gaudent adeo ut communem eis originem tribuamus, scilicet quae in bononiensis librarii officina exarata et aliqualiter publici iuris facta sint. Exinde *autographi* appellatione cito gavisa sunt quaedam eius membra, ut scilicet *D* et *F*.[1] Quia vero rubricam solam absque additamento ad p. 33 contineant codices *D* et *F*, alia quidem manu in margine *D* ac librarii primi, ideo ducti sumus ad tempus exarationis quam cito post libri compositionem occur-

1. Supra, pp. XX-XXI et p. XXIV, n. 1.

risse fatendum, cum nempe additiones L^2 et C^2 iam non exi-sterent.

Immediatam quoque inter codices *D* et *I* dependentiam supra agnovimus,[1] non tam arctam inter *D* et *F* vel *H* (v. g. 94,16; 100,24; 209,7; 228,28; 408,18). Quare invicem posita membra in hac stirpe admittimus ita ut *DI* insimul, deinde *F* et *H* atque *editio* GRATAROLI separatim considerentur in codicum stemma stabiliendo.

Quatuor lectiones probabiliter recentiores in recensione d.

En quatuor loca in recensione *d* quae nobis recentiores vi-dentur auctorisque recognitionem adhuc sapiunt:

a) 44,6-9: recensio ω exhibet *vana esset* linea 6a loquendo de consultatione, quae verba omittuntur in recensione *d* ubi linea 8-9 additur *et sic vana esset consultatio*; stirps autem β omittit utraque loca, quod facilius explicari posset ex recensione ω quam ex *d*, unde β recensioni ω hoc loco associamus. Lectio vero recensionis *d* quo elegantior eo recentior videtur, nisi forte absentia verborum *vana esset* in archetypo ductus fuerit scriba *d* ad alteram clausulam posterius adducendam;

b) 45,11: recensio *b*, quam *H* sequitur, argumentum de ine-vitabilitate actus voluntarii ubi voluntas de necessitate eligeret prosequitur; sed inepte profecto, cum ad hoc deducatur quod dicat voluntatem sine voluntate interveniente inevitabiliter agere. Quare in codice *L2* correcto, locus emendatur linea certis verbis omittendis subducta; quam emendationem sequuntur codices *C* et *G*; stirps autem δ plura quam oporteret, scilicet verba *Si primum* etiam omittit, forsan quia emendatum ar-chetypum perperam legerit scriba archetypi δ.

c) 147,22: lectio recensionis *b* recta dici posset, quamvis am-bigua; quasi diceret homines libere agere cum aliter facere non possint. Ideo emendatum locum in recensione *d* legitur *et ali-ter facere quam faciant possunt* quia libere scilicet agunt; vis etiam argumenti exigit tantam subtilitatem, quia auctores de quibus agitur, praecise quia norunt hominem libere agentem

1. Supra, pp. XXVIII-XXIX.

aliter quam faciat facere posse, aliam determinationem in Deo ponere necesse fatentur praeter generalem providentiae notionem de homine considerato ut agente libero. Recensio γ patenter mendosa hic invenitur quamquam ex *d* potius quam ex *b* oriunda.

d) 300,25-27: ordo verborum recensionis *a* minus conveniens videtur quam in recensione *d*, quam etiam β hic sequitur; quae tamen mutatio verborum majoris momenti est quam ut soli scribae tribuatur.

Si igitur ad invicem comparentur *b* et *d*, auctoris recognitionem, saltem his quatuor in locis, in *d* agnoscere forsan non inconvenit.

C. *Additiones in C2 et L2.*

Notabiles in marginibus vel in additis foliis exhibent additiones manu eadem exaratas *C2*, alia vero manu *L2*, quas utrumque unico ex fonte, quem archetypum *b* auctum putamus, sumpsisse aestimandum est. Reliquas vero omnes suas emendationes diverso ex fonte quam prima scriptio *C1* sumpsit *C2*, qui tunc traditioni *b* assimilatur (cf. supra pp. XVIII-XIX); at *L2* eodem ex fonte quam *L1* emendabat (cf. supra pp. XXII-XXIII). Additiones autem *C2* et *L2* novae ad pp. 33,18; 61,22; 72,20; 93,15 inveniuntur, non aequalis tamen pretii quamquam omnes acceptandas decreverimus. Duae etenim ultimae absque auctoris intercessione explicari possent; quod certo dici non potest de duabus alteris.

a) In prima enim additione cogens argumentum adducitur ad absolutam naturalis agentis determinationem probandam, quam tamen alibi tangebat auctor quasi esset propositio per se nota, ut etiam dicebatur ante additionem (p. 33,16-17, p. 45, 8 sqq., 291,31, *etc.*). Sed in lectionibus in Gymnasio Bononiensi posterius datis, scilicet annis 1521-1522, super II *De Generatione*[1] asserit Pomponatius se talem doctrinam *in libro suo de fato*

1. *Cod. Vatic. Reg. lat. 1279*, ff. 37r-300v. Cf. B. NARDI, *Corsi inediti*, n°. XXII, pp. 276-278.

tenuisse;[1] et quidem simillima inveniuntur in utroque loco scilicet in lectione 85a super II *De Generatione* data penultimo die mensis maii anno 1522, et in additamento nostro ad p. 33 a *C2* et *L2* allato. Alia sane ad idem redundantia legebantur v. g. p. 45,8 sqq., p. 101,15 sqq.; modus vero quo adducitur

1. *Cod. Vatic. Reg. lat. 1279*, f. 299v: «Sed ut dixi *in libro meo de fato*, credo quod in his quae sunt per naturam, deducta omni voluntate, mihi videtur quod secundum Aristotelem quidquid evenit inevitabiliter evenit, deducta causa libera. Et facio magnam vim in dicendo 'inevitabiliter eveniet' et 'necessario eveniet'. Nam inevitabiliter moriar (f. 300r) et mors est inevitabilis, non tamen moriar necessario et mors est necessaria, quoniam non semper moriar: cum ero mortuus, non amplius moriar. Necessarium est illud quod semper est; quare deducta voluntate, quicquid eveniet inevitabiliter eveniet. Nec hoc est contra fidem . . . quoniam Deus potest multa; et puto quod ratio concludat ad hoc. Quoniam per te: si cras potest pluere et non pluere, et tamen pluit, oportet ergo quod potentia sit determinata; quaero ergo de determinante: aut est causa necessaria, aut non? Si necessaria, ergo sic de necessitate operabitur; si dicas quod contingens et deveniet ad esse: ergo determinabitur per aliquod; quaero iterum de determinante. Et sic in infinitum, vel deveniendum est ad unum quod non determinetur ab alio; sed est necessario, quare necessario aget, quare etc . . . Quod si dicatis: deveniemus ad aliquod quod ex se determinavit: sed hoc non potest dici, quoniam determinare se non potest esse nisi cum voluntate, quod exclusimus, quare etc . . . Quare dico quod de materia valet (*scil. propositio, f. 299v*: ex posteriori sequitur prius secundum speciem et non secundum numerum). Si haec nubes, ergo haec aqua. Non de forma, quoniam potest non sequi; sed hoc est quia sunt aliae determinationes impedientes quas nescimus. Ideo propter hoc dixi quod non valet. De materia bene valet, quare . . . In agentibus vero per voluntatem dicit Philosophus: valet a priori ad posterius secundum speciem et non secundum numerum: oportet quod sit homo, non oportet quod sit iste homo. Sed hoc nihil cogit, quia homo non generat nisi velit; reducitur ergo ad voluntatem liberam; et tamen necessarium est quod sit aliquod individuum, dicit Philosophus. Non possum capere, quoniam si reducitur ad voluntatem liberam, etiam artificialia; et post vult quod de necessitate aliquod fiat. Quare oportet dicere: aut quod non est verum hoc, vel quod voluntas subiicitur fato. Quare Avicenna negavit istam impossibilitatem necessariam. Tenui<t> quod potest esse quod non eveniat necesse qu<od> a voluntate producitur, quia potest non esse. Ideo ita me determino: vel quod Philosophus dixit falsum, vel voluntas subiicitur fato; quare etc . . .».
Ista nobis per litteras communicabat B. NARDI simul et alia loca in quibus praeceptor opus suum *De Fato* laudabat in lectionibus post annum 1520, v. g. *Reg. lat. 1279*, ff. 267v, 268v etc.

fragmentum ad p. 33 additum eo praecise loco ubi textus de tali doctrina loquebatur quasi esset per se nota, stylus etiam argumenti et aristotelicae fontes ut IX *Metaphysicae*, ipsum auctorem revelare nobis videntur; quid etiam dicemus de rubrica *fine quaere hic addenda* codicum *D*, *F* et *G*, quae auctoritatem additionis comprobare certe videtur.

Ipso igitur lectionum circiter tempore ducimus hanc additionem ab auctore excogitatam codicibusque inserendam decretam esse. Quod confirmatur per hoc quod rubrica, saltem in *D*, primae transcriptioni videtur alia manu posterius inserta; idem dicendum videtur de omnibus codicibus quae rubrica tali carent.[1] Ut vero archetypus ex quo *C2* et *L2* additionem hauserunt, ita etiam codices *F* et *G* additionis tempore posteriores itaque forent. Vel forte archetypi utriusque recensionis tam cito publici iuris iam essent effecti quod talem rubricam accipere non potuissent.

Mirum tamen est quod duas eiusdem argumenti recensiones contineat *L2*; etsi enim ad idem revertuntur, alia tamen altera politior extat, sed quae in unico *L2* reperitur. Ex quo duximus breviorem recensionem communem *L2* et *C2* antiquiorem; sed politiorem ipsi textui adneximus.

b) Secundam additionem, quae p. 61,22 invenitur, authenticam diiudicamus quam aliis verbis, sed eodem sensu, in altero Pomponatii opere scilicet in *De Incantationibus* reperimus. Non enim ultra mirandum erit quod ideas easdem frequenter, ut ex apparatu nostro partim videre est, in istis diversis operibus inveniamus, cum eodem anno utrumque compositum fuerit.

D. *De rubricis.*

Praeter marginales emendationes eminent in quibusdam codicibus rubricae quae textum dividunt pedetentimque argumen-

1. Hic ad memoriam reducamus oportet codicem B aliquorum excisorum foliorum vestigia exhibere, ut supra descripsimus (p. XVII), quae forsan additamentum proprio loco praebebant. Codices igitur A,E, H,I,M,N et P una cum editione Grataroli, additamenti vestigia nulla servarunt omnino; quod profecto de codice I mirum est cum a D rescriptum videtur.

tum exsequuntur, quasque librario tribuere maluimus cum lectorem in tertia persona de auctore alloquerentur. Paucae quidem in familia *b* inveniuntur totaliterque diversae quam in altera familia; etenim quasi solus *E* tales continet per 38 primas paginas post quas omnino desinunt.

In familia *d* vero quamvis inaequali constantia in unoquoque codice familiae inveniantur, communem tamen speciem induunt. In unico *G* extenduntur 207 rubricae a principio usque ad finem codicis in marginibus aequaliter sparsae; ex quibus 35 in primo et secundo libro, nunc eadem nunc alia manu ipsissimis exscriptae verbis in *D*; 16 etiam eadem manu in secundo libro in *F*; unica tandem in *H* textui contexta (150,24) reperiuntur. Insuper quinque alias solis *D* et *I* communes eadem manu in *I*, alia autem in *D*, exaratas per quinque prima folia utriusque codicis legimus; tres item in solis *D* et *F* in secundo libro, quibus codex *D* addit 13 unicas in primo et secundo libro.

Ex quibus coniicimus rubricas commune fuisse librarii inceptum in cuiusdam venditoris officina laborantis qui codices ad venditionem destinatos quo iocundius legerentur ornavit. Sic etiam corroboratur opinio nostra de familiae *d* origine.

Ecce igitur quomodo manuscriptorum ad invicem relationes per figuram suggerendas aequum diiudicavimus (vid. stemma, infra, p. LXIV) nec tamen in animo habuimus alias traditionis vel deperditas vel nobis adhuc ignotas partes immutabili opinione negare.

III. DE HAC NOSTRA EDITIONE

His omnibus perpensis, ad textum *De Fato* critica ratione constituendum ita res postulabat ut nullam manuscriptorum familiam alteri anteponeremus, nedum stirpem singulam vel etiam singulum quodcumque membrum in ducem adsciseremus ceu inconcussae auctoritatis resplendens iubar. Nimiis etenim vel traditionis instabilitate, vel singulorum librariorum futili interventu marcescit prima familia scilicet *b*, quam ut firmum, aliis reiectis, auctoritatis indicium in quocumque casu praestaret. Compertum namque est superius traditionem *b* assiduo fluctuare usquedum ad novissimam familiae stirpem β deveniatur; quae deterioribus profecto exemplaribus tantum sistit, quando vel emendati *C2* et *L2* adhuc imperfectiores remanent.

Quod vero ad secundam scilicet *d* familiam attinet, haud dubitandum est unamquamque stirpem in ea maculatam speciem ferre, quod scilicet ambo apographa e quibus ortae sunt librariorum plus quam auctoris manum perpessa videantur. Certis tamen locis auctoris recognitionem revelant, sed, ut videtur a corrupto exemplari mutuatam.

1. His vero concessis, nihilominus ad vulgatam textus traditionem patet aditus dummodo cohaerentium stirpium ratio habeatur. Quod sane in textum constituendo ubique pro posse nostro observavimus hac scilicet ratione:

a) recensionem ω ceu antiquiorem adamussim postposuimus ubicumque ceteri codices in varia sed adhuc recta lectione cum ea conflictabantur, varias tamen recensionis ω lectiones in adnotationes relegando, patentes autem librariorum errores ubique omittendo.

b) recensio δ etiam ex se sola ceteris concordantibus codicibus nunquam anteponitur nisi in evidenter melioratis, eo quod librarii cuiusdam verius quam auctoris exercitationem affert;

c) idem quoque dicendum de recensione γ quam ipse codicis *C* librarius tam iniquam censuit ut ad alterius familiae exemplar suam transcriptionem funditus mutare elegerit;

d) praeter peculiares additiones de quibus supra diximus, recensiones *C2* et *L2* eximii pretii aestimandae non sunt cum vel emendati codices erroribus adhuc referti inveniantur;

e) omnium prope deterrimam GRATAROLI *editionis* recensionem nusquam sequendam aestimavimus nisi in paucis grammaticis modis (v. g.: 71,21; 388,9; 422,28), quae tamen, quasi traditioni extranea, hamis ‹ › notavimus; *editionis* autem singulas variationes in adnotationibus retulimus quo cunctae ex ea hucusque ductae citationes sub oculis haberentur, paginarum etiam numerationem eius in textu nostro servantes.

f) principium tandem quo textus constitutio fundatur in hoc

denique constat quod novissima vulgatae forma in β (BL) et *d* coniunctim reperitur, ad oppositum recensionis ω. Quandocumque autem opponuntur familiae *b* et *d*, planus efficitur lectionum delectus eo quod plerumque alterutram mendosam esse patet.

2. Lectionum seligendarum ratione sic constituta, multis nihilominus in locis contra regulam nostram procedere debuimus, ubi namque legitimam lectionem ferret sola recensio ω (v. g. 96,13-14; 116,17; 208,17; 289,2; 314,12; 340,9 *etc.*), immo quandoque sola recensio α (v. g. 15,7-9; 300,12-13; 397,13; 405,13). Quandoque etiam deterioris vel deteriorum codicum lectiones recepimus sed rarius, ceteris patenter mendosis existentibus (v. g. 66,4; 118,23; 125,10; 129,17; 154,18; 230,20; 254, 18; 255,3; 339,7; 373,26; 381,21; 412,21,29 *etc.*), etiamsi in sic receptis locis patebat librarium sponte sua recensionem emendasse; aptior etenim codicum auctoritas in emendando diiudicanda quam nostra, ceteris paribus, scilicet dummodo vel una saltem auctoritas acceptabilem lectionem spondeat.

3. Quaedam etenim loca ab omnibus testata codicibus, nobis ut patenter mendosa videbantur, sponte nostra emendare non haesitavimus. Quod tamen haud sine ratione operati sumus. Nam quaedam mendae primo intuitu facile sanabiles erant: sive quod ob auctoris in grammaticis famosam imperitiam redundantia vel impropria verba irrepserant (v. g. *non* 87,13; 338,16; 380,3; 431,3) vel alia superflua adnectebantur (v. g. 18,6; 139, 6; 213,6; 224,20; 230,15; 328,25), sive etiam quia quaedam nulla de causa deerant (v. g. 45,20; 70,1; 330,4; 442,29; 443, 8); verbum *intellectus* perperam deficiens 230,19 supplevimus, aliaque aliis de causis mendosa correximus: 106,8; 169,21; 194,1; 229,19; 367,29; 375,3; 380,23; 443,2; 445,4; loca tandem quarundam citationum erronea correximus: 111,30; 165, 1; 234,16; 261,28,30; 328,25; in loco autem ex Cicerone 159, 7 verbum *Hierone* non restituimus. Tantum in sequentibus locis coniecturas fecimus, scilicet: 112,2; 143,8; 374,13-14; 376, 3; 388,22; 442,12; 449,22. Ordinem quoque novum verbo-

rum his locis excogitavimus ut rectus sensus haberetur: 357,18; 380,13-14; 388,5. Quaedam tamen emendanda non putavimus ut v. g. 30,24; 31,20; 87,9; 443,1,14, cum iam sensus clare in his pateret.

Quaecumque igitur taliter emendare debuimus, hamis ‹ › pro addendis vel substituendis, uncis vero [ ] pro omittendis indicavimus. Semicirculos ( ) autem ad textus interpunctionem reservavimus quo longiores quaedam sententiae facilius legerentur.

4. In primo vero libro in quo auctor expresse intendit ALEXANDRI APHRODISIENSIS opus *De Fato* redarguere (cf. 3,6 sqq.; 21,4 sqq.) multa ad normam in lectionibus seligendis retulimus dum eiusdem libelli citationes contulissemus cum HIERONYMI BAGOLINI translatione typis mandata Veronae anno 1516.[1] Qua collatione per integrum primum Pomponatii librum perducta, quaedam incomplete vel perperam a Pomponatio citata invenimus (v. g. 11,22; 13,1; 16,14 *etc.*); quaedam vero non ad verba sed perstrictim, ut ipse auctor se voluisse fatetur (3,19 sqq.; 18,25; 21,10 sqq.; 51,10 sqq.; *etc.*) hinc inde relata; alia denique in omnibus codicibus vitiose rescripta reperta sunt (v. g. 98,3).

Patenter mendosa quaedam emendare non recusavimus (11,14; 12,15; 20,8; 96,20; 98,3) ad sensum servandum, quanquam Pomponatius imprudentis calami accusari potest; sed amplius:

1. «HIERONYMI BAGOLINI VERONENSIS, *In Interpretationem Alexandri Aphrodisei de fato.* Praefatio ad Illustrem Ioannem Baptistam Spinellum comitem Cariati, Veronae Gubernatorem Caesareum. Alexandri Aphrodisei Liber unicus de fato & Libero Arbitrio ad Caesares severum et Antoninum, Hieronymo Bagolino interprete. Eiusdem Hieronymi in Interpretationem Alexandri Aphrodisei de Intellectu ad Ioannem Baptistam Turrium Veronensem praefatio. Alexandri Aphrodisei libellus de Intellectu, eodem interprete. Eiusdem Hieronymi praefatio ad lectores. Alexandri Aphrodisei ex libris questionum naturalium capita tria de fato, de Eo quod in nobis est, de Providentia, Eodem interprete. Errores inter Imprimendum admissi. Cum gratia et privilegio.» *Colophon* (*fol.* F 10r): «Impressum Veronae ab Andrea B. C. Impendio Interpretis. Regnante Divo Maximiliano Imp. E.; Cal. Aprilis MDXVI.»

quo melius perciperetur quomodo Alexandri libello usus fuerit Pomponatius ipsa Alexandri loca in apparatu integra retulimus utcumque a textu nostro discrepantia videbantur; fidelissimas vero et ex integro factas citationes inter signa «...» in textu indicavimus, quemadmodum et Bagolini 19 capitum rubricas quas Noster integras refert.[1]

5. Errores singulorum codicum, cum nihil ad traditionem conferrent, reportare non curavimus in apparatu nostro critico; communes tamen mendas notandas putavimus quotiescumque sive parentelarum signa sive alia originis vestigia praebere possent. Antiquiorum recensionum ω vel α vel etiam *E* lectiones varias liberalius cum erroribus permixtas dedimus; primum quoniam ubi decisio non facilis fuerat, lectorem iudicem constituere maluimus; deinde etiam ut huic inserviretur proposito, scilicet quod auctoris incertitudines et variationes in scribendi ratione praesertim in primo et quinto libro recensionis *E*, lectori patefierent.

6. De manuscriptorum autem orthographia parum nobis fuit curae, hac scilicet de causa quia ad scribarum potius quam ad

1. Hanc in 19 capitula divisionem clamat suam Bagolinus, *praef. f. 3v.* Graecus ab I. BRUNS textus editus (*Supplementum Aristotelicum*, II, pars II[a], Berol. 1892, pp. 164-212) in 39 capitula dividitur. Declarat I. BRUNS (*op. cit.*, p. XXXIII) Bagolinum primum edidisse versionem suam Venetiis anno 1541; et paulo inferius (*loc. cit.*, p. XXXIV) quod: «ex neutra editionum (i.e. 1534 et 1536 graece, Venetiis) pendet Bagolina, etsi cum utraque affinitate coniunctus est». Quibus opponendum est quod magnum Pomponatii opus *De Fato* immediate ab ista Bagolini translatione anno 1516 edita fluxit, ut ipse Pomponatius fatetur (3,6-12); de caetero constat Pomponatium quaedam loca Bagolini in suo opere reportasse (v. g. 7,25 sqq.; cf. etiam Bagolini praefationes in *Appendice VI*) quae non ex ipsa Bagolini *translatione* sed potius ex *praefationibus* editionis 1516 desumpta mutuantur, quae praefationes omittuntur in editione earumdem Bagolini translationum a filio Ioanne Baptista data Venetiis anno 1546 (*Alexandri Aphrodisiensis ... quaestiones naturales et morales et De Fato, Hieronymo Bagolino Veronensi patre, et Ioanne Baptista filio interpretibus* ... Venetiis, apud H. Scotum, MDXLVI). De istis H. Bagolini translationibus vid. articulum a doct. F. E. CRANZ proxime edendum paratum ad opus quod vocatur *Catalogus Translationum et Commentariorum*, s. v. *Alexander*.

auctoris usum per codices deducimur. Nec tamen omnia ad modernum retulimus usum; sed diplomatica codicis *D* transcriptione freti, certos illius scribendi modos incongruos tantum emendavimus[1]; interpunctionem vero eius sicut et cuiuscumque alterius vel Grataroli editionis non servavimus, quoniam nullius sane utilitatis nobis usquam fuit.

Textum itaque sponte nostra in paragraphos divisum et numeratum offerimus quibusdam etiam subsidiis fretum ut longiores partes iucundius legi possent, v. g.: semicirculis ( ) quandoque usi sumus ad intercedentes clausulas in protractiori sententia separandas; methodum quoque ab ipso auctore in primo libro Alexandrum redarguente acceptam (21,10-13) illustravimus, quodcumque capitulum post quintum in numeratas I, II, III sectiones distribuendo; sectas tandem de fato enumeratas in II, I (pp. 139 sqq.) additis ex nostro fonte rubricis clarius indicavimus; deinde obiecta et responsiones tam in II,7 quam in IV,6 numeratis paragraphis distinximus.

7. Aristotelis loca ad BEKKERI textus fidem indicavimus quotiescumque per BONITZII *Indicem* hoc nobis licuit. In quibusdam vero locis (v. g. 23,9) Pomponatii usus ad solam mediae aetatis latinam traditionem reduci potest, cum de variis latinis vocabulis (ut scilicet *ostenta*, *portenta*, *monstra*, *prodigia*)

1. Ecce quomodo orthographiam codicis D in textu nostro mutavimus: scripsimus fecerunt *loco* foecerunt, felicitas *l.* foelicitas, perihermenias *vel* perihermeneias *l.* perhiermeneias *vel* perhiermeneias, quidditate *l.* quiditate, architecto *l.* architetto, subiungit *l.* subiugnit, sumantur *l.* summantur, incepisset *l.* incaepisset, comprehenditur *l.* compraehenditur, ordinibus *l.* hordinibus, hortationes *l.* ortationes, preces *l.* praeces, sagitta *l.* sagipta, iis *vel* his *l.* hiis, inevitabilis *l.* inaevitabilis, amittere *l.* ammittere; scribae usum quo geminae litterae *ii* fiebant *ij* non servavimus; locutionem 'etsi' vel 'et si', quae inconstanter a codice D traditur, secundum modum sequentem dedimus: 'etsi' cum indicativo, 'et si' cum subiunctivo modo. Multae scribendi inregularitates servatae sunt: 'in primis' vel 'imprimis', 'procul dubio' vel 'proculdubio', 'ut puta', 'ut pote' vel 'utputa', 'utpote' etc. Alios etiam inconstantes scribendi modos servavimus, v. g. 'Timeus' vel 'Thimeus', 'Physica' vel 'Phisica', 'Methaphisica' vel 'Metaphisica'; ubique scripsimus peripateticus *loc.* perhipateticus, atque duplici littera "ae" usi sumus contra inconstantem codd. usum ubi casus eam requirebat.

agatur; iccirco ubicumque potuimus ad latinum *Aristotelem* apud COMINUM DE TRIDINO editum Venetiis anno 1560 lectorem remisimus.[1] Cumque ibidem AVERROIS *Commentarii* continerentur, ad illam editionem uno eodem modo recursum habuimus in Commentatoris citationibus memorandis.

Finem nostro labori imponere nolumus quin gratias agamus imprimis doctissimo amicissimoque PAULO O. KRISTELLER, cuius in omnibus rebus quae ad doctrinarum litterarumque saeculorum XV et XVI in Italia historiam attinent alacritati obligati sumus quod ingentem hunc editionis POMPONATII operis *De Fato* procurandae laborem subire non haesitavimus. Charissimae etiam sponsae GHISLAINE, cuius modestiae par est devotissimus affectus quaeque per se ipsa, deficientibus aliis aptioribus Maecenatibus, inconcussi firmamenti vice fungi laetanter elegit ne inceptum nostrum labefactaretur, nullum exquisitius volumus tendi bravium quam ipsum coronatum opus.

Viris tandem doctis qui Collegium efficiunt quod praeest *Societati Thesauri Mundi*, et imprimis affabili IOSEPHO BILLANOVICH, qui hoc opus ut ad maturitatem cresceret constanter consuluit, grati sumus quod hoc Pomponatii magnum opus a nobis critice restitutum postquam tot per saecula inter veterrimorum codicum vel rarae GRATAROLI editionis latebras reconditum manserat, in lucem de novo prodeat, miranda imprimendi arte munitum doctaque patientia novissimi 'Felicis Feliciani' nostri doct. Iohannis MARDERSTEIG a suis benemeritis operariis tam fideliter adiuti.

Dabam Neo-Eboraci,
in Universitate Columbia,
mense Februario, a.D. MCMLVII.

1. Quod scribit B. NARDI, *Di una nuova edizione del «De Immortalitate Animae» del Pomponazzi*, in «Rassegna Filosofica» IV, fasc. II, Aprile-Giugno 1955, pp. 166-167, in abstracto valere fatemur; sed usu cognitum habemus editionem operum Aristotelis et Averrois apud Cominum de Tridino Venetiis datam anno 1560 multo promptius adesse in multis Bibliothecis, quod haud parum confert si familiari usui consulimus.

TABULAE

STEMMA CODICUM

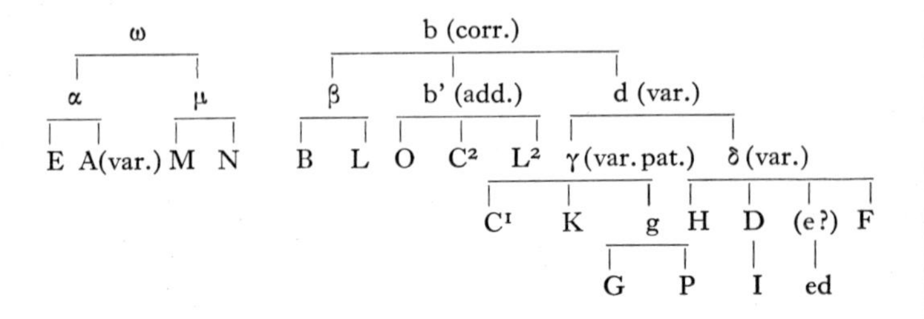

Correctiones (corr.) et additiones (add.) ipsius auctoris; variae (var.) scribarum sunt (var. pat.: variae patavinae).

N.B.: b in apparatu critico nostro stat pro concordantia AEMNBL(O).

NOTAE

In textu:

– in numeratos paragraphos divisio nostra est, sicut etiam *rubricae* ad caput primum libri II additae;
– uncis [ ] indicantur quae delenda putavimus, hamis vero ‹ › quae emendanda vel addenda; semicirculos ( ) ad textum interpungendum reservavimus;
– numerum libri ab auctore adducti fere ubique ad unam romanam formam, scilicet maiusculis litteris, reduximus quo liquidius apparerent loca alioqui inconstantissime a scribis relata.

In apparatu primo:

– lemmata solummodo tunc rescripsimus quando dubitationi remaneret locus quonam referenda esset varia lectio; omnibus vero in liquidis casibus variantem unice reportavimus;
– Siglo *Bagol.* notavimus H. Bagolini translationem Alexandri *De Fato*;
– Siglo *Comin. de Tr.* notavimus editionem Venetiis anno 1560 datam operum Aristotelis et Averrois apud Cominum de Tridino;
– Siglis *ante corr.*, vel *in corr.*, vel *post corr.* potius quam numeris usi sumus ad correctiones indicandas in codd. aliis quam C^1 et C^2, vel L^1 et L^2, ubi rationabilius adhibentur numeri ad certas manus vel recensiones diversas distinguendas;
– semicirculis in primo apparatu notavimus variam lectionem unius vel paucorum eiusdem familiae membrorum ubi a sua familia revera non divagatur, v. g.: 3,19 in primo libro bC^2 (in principio E); *omm* d ed.
– *Bagol.* varia lectio in primo libro inter alias notatur in primo apparatu cum ab aliquo codice vel ab editione offertur contra alios testes concordes; si vero ab omnibus codicibus differt qui tamen manifestum errorem non praebent, semicirculis vallata in apparatu primo traditur brevibus in locis, in apparatu autem secundo in longioribus citationibus; cum tandem omnes codices et editio mendose a Bagolini textu differunt, ultimus in textum eligitur, omnium vero codd. lectiones in apparatu primo dantur;
– Ordo verborum in hac nostra editione is est qui in familia d invenitur et praecipue in cod. D. Quandoque tamen contra omnium ordinem ire debuimus, quod hamis ‹ › in textu indicavimus, v.g.: 357,18; 380,13-14; 388,5.

SIGLA

A = codex Aretinus 390
B = codex Bononiensis Univ. Biblioth. 2368
C = codex Cantabrigiensis, Clare College Kk 4,8
C^1 = codex Cantabrigiensis, prima recensio
C^2 = codex Cantabrigiensis, secunda recensio
D = codex Columbianus X 195 P 77 sup. P 5
E = codex Ambrosianus A 52 inf.
F = codex Ambrosianus D 201 inf.
G = codex Ambrosianus S 92 sup.
H = codex Ambrosianus Sussidio C 56
I = codex Monacensis lat. 239
K = codex Parisiensis BN lat. 6450
L = codex Vaticanus lat. 5733
L^1 = codex Vaticanus lat. 5733, prima manus
L^2 = codex Vaticanus lat. 5733, secunda manus
M = codex Vaticanus Ottobonianus lat. 1283
N = codex Mutinensis γ D. 6,26. Bibliothecae Estensis
O = codex Vaticanus lat. 5733, ff. 410r-411v
P = codex Patavinus, Univ. Biblioth. lat. 682
ed = editio Basileensis Grataroli, Henricpetrina 1567
Bagol. = editio Veronensis 1516 Alexandri *De Fato*, H. Bagolino interprete
Comin. de Tr. = editio Venetiana 1560 operum Aristotelis et Averrois apud Cominum de Tridino
b = AEMNBL(O)
c = AEMNBLOCG(KP)
d = CG(KP)DFHI
α = AE
β = BL(O)
γ = CG(KP)
γε = CK in tertio libro
γη = CG in tertio libro
γι = GK in tertio libro
δ = DFI
δε = DFH
δη = DHI
δι = DI
δο = DFHI
δυ = DF
λ = MNBL(O)
μ = MN
ω = AEMN

TABULA CAPITUM

LIBER TERTIUS

LIBER QUARTUS

LIBER QUINTUS

PETRI POMPONATII MANTUANI LIBRI QUINQUE DE FATO, DE LIBERO ARBITRIO ET DE PRAEDESTINATIONE

PROHEMIUM

5 (1) Non defuturos esse scio qui me de fato, de libero arbitrio et de praedestinatione scribentem superfluum perambitiotiosumque censeant. Nam quid in tam examinatis questionibus dignum adduci potest scriptione quod acutissime, graviter et copiose a maioribus nostris prius scriptum non
10 sit? Quare si ea quae a priscis subtiliter inventa sunt tantum commemorabo, merito cornicula pavonis amictum induta et dicar et habebor; si autem mea recensebo, quandoquidem non nisi futilia et inania dicere possim, ab omnibus spernar et irridebor. (2) Verum iis verbo Fabii Maximi responden-
15 dum puto. Quem, quod |330| cum adversus Hannibalem non dimicaret de timiditate accusaretur, sic calumniatoribus dixisse ferunt: «Immo ego longe formidolosior essem, si

1 *tit sic* Nβγδ; de fato, libero arbitrio F; et praedestinatione O; Liber de factto Excellentissimi philosofi m. petri pomponatii mantuani E; Christi nomine *summa pag. man scribae*, Liber de fato, de libero arbitrio *etc* M; Petri Pomponatii . . . de fato: libero arbitrio: praedestinatione: providentia Dei, libri v *ed 1567 in tit*; Petrus Pomponatius de Fato, Libero Arbitrio et de Praedestinatione Liber Primus ed *1567 p. 329*; *omm tit* AH (*pingendis litteris locus* H). — 4 Prohemium α; prooemium *Berardelli cod. 517*; *omm cett.* — 7 dicant α. — quid enim α. — 7-8 examinata quaestione relatu dignum α. — 8 accuratissime EP. — 9 prius scriptum: etiam dictum α. — 10 tantum: etiam ed. — 10-11 tantum commemorabo: recensuero nonne α. — 11 amictu α. — 12 et dicar et habebor: praedicabor α. — recensebo: promere voluero A; promere E. — quandoquidem *om* E. — 13 non nisi α; non *omm cett.* — 14 invidebor L. — verbis E. — 15 Quem quod: qui G; quod *om* ω. — cum *om* O. — 16 dimicari α. — calumniantibus G; accusatoribus A; accusationibus E. — 17 Immo ego: Ast α.

17-1 Plutarc., *Vitae parall.*: *Fabius Maximus* v 7 (Teubn. 1914, I fasc. II 61). Id., *Apophtegmata*: *Fabius Maximus* (*Moralia*, Teubn. 1935, II 72).

scommata et convitia vestra timerem». Quare pariter neque ego aliud iis responsum volo nisi quod si maledicta sua ab hoc nostro instituto me retraherent, longe vanior et ambitiosior essem.

5 (3) Neque enim tam grande opus aggredi illud meum fuit consilium scilicet ut apud bibliopolas libri nomen meum celebrantes haberentur, sed adversus ignorantiam meam murmurantis conscientiae secretum ad hoc me compulit. (4) Namque, ut verum fatear et ignorantiam meam non 10 erubescam, quamquam infinitorum paene autorum scripta legerim, minime tamen mihi satisfacere potui. Quare cum peculiares dubitationes adversus eorum dicta haberem, eas omnes in unum redigere volui atque libellum compilare, non quidem ut alios doceam, quandoquidem inscius sum, 15 sed magis ut me ignorantem alii doceant. (5) Etenim si corpore laborantes tam studiose sanari procurant, quanto | 331 |

1 Quare pariter α; quare G; quapropter *cett.* — 1-2 neque ego . . . nisi quod: ego his nostris calumniatoribus respondeo α. — 3 hoc nostro instituto: instituto nostro α. — removerent α. — 6 bibliopolam α. — 7 verum adversus α. — 8 secretum b C²; scriptum γ δι ed; secutum H; *vac. loc.* F. — 9 et . . . non: neque α. — 10 innumerabilium α. — pene d (poenem F) ed; fere b C². — autorum: doctorum in hac materia α. — 11 valui A; potuit B. — 12 proprias α. — adversus: circa A; esse (*in rasura*) E. — 14 quando A; quoniam E. — sim ANB. — 15 magis *om* α. — Si enim α.

9 sqq., 4 sqq., Cf. D. Erasmi Roterod. *Epistol. ad Laurinum*, 1ª *die Febr.* a. D. 1523: «Quis nescit de Fato disputatum inter philosophos ante Christum natum? Et hinc ad nos venerunt quaestiones inexplicabiles de Praescientia, de Praedestinatione Dei, de libero hominis arbitrio, de futuris contingentibus: in quibus arbitror optimum esse non admodum anxie versari, quando abyssus est impervestigabilis». (*Opera omnia*, Lugd. Batav. 1703-1706 *col.* 764; Allen, *D. E. Opus Epistolarum* v 1924 p. 225: *Epist.* 1341, 970-975). Item, *De Libero Arbitrio Diatribe*: «Cum enim tum apud Graecos, tum apud Latinos innumeri sint qui . . . tractant de Libero Arbitrio, non mediocris negotii fuerit ex omnibus colligere quid quisque pro Libero Arbitrio aut contra Liberum Arbitrium dixerit» (*Opera omnia*, IX col. 1218; *Erasme de Rotterdam. Essai sur le libre arbitre.* Traduit pour la première fois en français et présenté par Pierre Mesnard. Alger 1945 p. 85). *Cf.* H. Humbertclaude, *Erasme et Luther. Leur polémique sur le libre arbitre.* Paris 1909 p. 13; p. 66.

igitur magis qui nomen philosophi consequi desiderat ignorantiam atque errorem formidare debet! Nam quanto humanus animus suo corpore praestat, tanto sanitatem scientia antecellit. (6) Et quamquam praeclara Grecorum et Latino-
5 rum, immo fere uniuscuiusque gentis ingenia de his tractatus composuerint, quoniam tamen nuperrime ad manus nostras libellus pervenit hanc materiam pertractans Alexandro Aphrodiseo ascriptus, qui quamquam ut mea fert opinio nihil scribat quod et a nostratibus non scribatur, quia tamen
10 nihil nisi peripateticum adducit et admodum copiose, ideo in primo hoc nostro volumine ad eum duntaxat vertetur sermo. (7) In caeteris vero libris passim et de peripateticis et non peripateticis tractabimus, et unusquisque liber in fronte ostendet quid in libro illo agendum sit, velut in sub-
15 sequentibus manifestabitur. Deo itaque opitulante rem ipsam aggrediar.

Caput primum in quo colliguntur quasi per conclusiones quae in Prohemio Alexandri continentur.

|332| (1) Quoniam veluti in praefatione diximus, in primo
20 libro huius nostri instituti intendimus pro viribus nostris

1 igitur *om* α. — 3-4 sanitatem scientia antecellit: scientia (et *ad* E) sanitate α. scientia: suam ed. — 4 Et: fit ed. — 4-5 praeclara Graecorum et Latinorum: multi et (*om* E) greci et latini α. — 5 nationis α; generis γ. — ingenia de his *om* α. — tractatus in hac materia α. — 6 quoniam: qui N ed; quia M; *om* α. — 7 libellus *om* ed. — pervenit *om* E. — hanc materiam pertractans *om* α. — 8 Aphrodiseo b C H; Aphrodisio G δ ed. — 8-9 ut mea . . . scribat: videre meo nihil dicat α. — 9 scribatur: dicatur α. — 11-15 hoc nostro (meo γ) volumine . . . manifestabitur: libro adversus eum disputabimus. In sequentibus vero eorum qui magis astrologiam quam philosophiam profitentur dicta et determinationes recensebimus et quaedam nobis peculiaria ex sententia nostra adducemus α. — 12 passim: postea M. — 17 continentur E. — 19-20 in primo libro bC² (in principio E); *omm* d ed.

7-8 Vid. *Prolegomena*, p. LIX. — 11-14 Astrologica, quae et in ultimis lib. II et IV capitulis, eadem inveniuntur in *Lect. super Lib. Aristot. De Generatione* a. D. 1522 Bonon. datis; cf. *Cod. Vatic. Reg. lat. 1279*, ff. 268r-v (de vitae periodis: infra, p. 211 sqq., et 379 sqq.; de tarantula: infra, p. 216 sqq. et 377 sqq. *etc.*).

examinare ea quae dicuntur ab Alexandro Aphrodiseo in
suo libro *De Fato et Libero Arbitrio*, ideo sigillatim unumquodque eius capitulum ponemus, non omnia eius verba
referendo, sed dumtaxat sententiam, et colligendo eius dicta
5 summatim et quasi per conclusiones.

(2) Primo itaque a *Prohemio* eius incipientes, dicimus: Ut
nobis videtur, Alexander in prima parte sui Prohemii aperta
adulatione adulatur utrisque Caesaribus, scilicet Divis Severo
et Antonino, cum sacrificium eis se offerre dicat. Hoc enim
10 solis Diis convenire videtur. (3) Secundo: proponit quod intendit in hoc suo libro determinare: quoniam de fato et libero
arbitrio. Et quamquam aliorum philosophorum, ut pote Stoicorum, dicta recensebit, tamen Aristotelis sententiam praecipue tuebitur et aperiet. (4) Tertio: ex duobus placitum
15 de fato nulli secundum ordinat. Primo, ratione necessitatis
eius, quandoquidem: «ubique et circa omnia versetur. Nec
enim | 333 | eodem modo circa agenda se habent qui omnia
necessitate et fato fieri credunt, et qui putant aliqua nullis
etiam praecurrentibus causis fieri posse». Secundo eandem
20 considerationem de fato commendat ex non facili inventione
veritatis, immo difficillima: «Cum utrique opinioni multa
ex his quae evidentissima sunt adversentur». (5) Quarto:
assignat rationem cur, cum Aristotelis opinionem solum
veram esse existimet, Stoicorum tamen placita cum funda-
25 mentis simul adducet, et est: «ut ex dictorum adversariorum
appositione veritas nobis apertior fiat ac dilucidior», quo-

1 Aphrodiseo BOCH; Anphrodiseo L; Aphrodisio *cett.* — 4 referendo: ponendo E; *om* O. — 6 primum ed. — 7 sui d ed; illius b. — 9 afferre ed. — 10 videtur: solet γ (C^2 videtur). — 10-11 intendit: vult (*post* libro) ed. — 11 quoniam: quantum ed; quatenus M. — 13 sententiam: dicta E. — 20 fatali LMC² (C^2 *eras.*); C^1 facili. — 21 difficillimo ed. — 23 solam ed — 25 ex dictorum α *Bagol.*; ex *omm cett.* — 26 appositione α *Bagol.*; oppositione β d ed; ex positione μ.

6 Bagol., fol. A^{I} r-v. — 25-26 Vid. Anton. Posii, *Thesaurum* (vol. XII *Operum Aristotelis* apud Cominum de Tridino, Venetiis 1560-1562), *s. v.* opposita: «opposita iuxta se posita magis elucescunt»; *Elench.*, I, 16; *De Interpret.*, 7. 17b16-17; *Topic.*, 15. 106b13; *Rhetor.*, III, 2. 1405a12 *etc.*

niam contraria iuxta invicem posita magis elucescunt, secundum tritum proverbium. (6) Quinto: dat modum quo processurus est in hoc suo examine; quoniam non per modum demonstrativum, sed solum ad certiorem doctrinam
5 intendentem sermonem. (7) Quod fortassis altera duarum causarum dixit: aut ad evitandam arrogantiam et modestiam philosophicam servando, aut quoniam fatum esse, ut post dicit, non est demonstrabile, neque quid sit fatum |334| ipsum, sed tantum dialectice procedendo haec duo decla-
10 rando et ad obiecta respondendo, veluti est natura procedendi in per se notis aut quasi per se notis, sicuti Averrois quoque in quampluribus locis testatur. (8) Sexto: ut mihi videtur, iterum ipsis Caesaribus adulatur cum eodem instituto scilicet per magis certa procedere ipsos in omnibus suis actio-
15 nibus dicat, adeo ut: «nullam sit actionum suarum invenire quae visionem veritatis intentioni praeponat». (9) Septimo et ultimo: eosdem Imperatores deprecatur ut si quid eius Alexandri dictis addendum eis videbitur, aut quod maiorem declarationem faciat, aut quod melius dici videatur (quando-
20 quidem omnia uno libro complecti non possint), rescribere dignentur. Haec ut puto summatim in illo *Prohemio* continentur.

Caput secundum in quo ponuntur ea quae in suo primo capite continentur.

25 (1) *Rubrica* primi capitis est: «Non esse inquirendum an sit fatum, sed quid |335| sit». Quare Alexander sic procedit ad

2 ut Aristoteles dixit in 2° ethicorum c. 40° (*sic*) E *ad in mg*. — 4 solum *om* α. — 6 evitandum ed. — 8 demonstrabile: stabile ed. — 9 sed tamen ed. — 10 ad dicta α. — 12 quamplurimis O ed; pluribus G. — ut in prohemio physicorum et ante illum Aristoteles hibidem E *ad in mg*; videlicet 2° physicorum ‹t.› c. 3°, et 6° physicorum ‹t.› c. 41° et primo caeli ‹t.› c. 2° N *ad in mg*. (*Vid. apparat. 2um inf.*) — 14-15 accusationibus α. — nullam A λ γ H *Bagol.*; nulla E δ ed. — 16 veritatis intentioni γ *Bagol.*; intentioni veritatis *cett.* — proponat E ed.

7-8 Bagol., fol. A²r. — 11 Omnes tres in mg cod. N citationes etiam in mg Comin. de Tr. IV, 219rC reperiuntur. — 25 Bagol., fol. A¹v.

primum: «Fatum esse aliquid et causam a qua rerum quaedam fiunt, satis confirmat communis hominum existimatio». (2) Et quoniam quis dicere potest: hoc non evidenter probare fatum esse (non enim videtur bene inferri ex sic com-
5 muni existimatione sic rem esse), quare Alexander subiunxit: «Nec enim vana aut omnino a vero remota est hominum natura secundum quam de aliquibus inter se consentiunt». (3) Deinde excipit aliquos ab hac regula sive declarat cur aliqui a communi sententia hominum dissentiant, quibus
10 fides tamen non est adhibenda. Et ideo subiunxit: «Et inter hos illi praesertim qui non ob aliquas prius editas ab eis opiniones ut earum consequentiam servent aliter dicere forte coacti sunt». (4) Et exemplificat de Anaxagora Clazomenio: «qui communi hominum credulitati de fato adversatus, non
15 extitit fide dignus; asserit enim nil fato fieri eorum quae fiunt sed vanum penitus esse nomen». Et ut puto, vult Alexander dicere ideo Anaxagoram sic dixisse ut tueretur aliquod aliud |336| ab ipso dictum in quo vel aperte vel consequenter negabat fatum. (5) Si quis autem diceret pugnantiam esse
20 in dictis Alexandri: in *Rubrica* namque et in aliis locis dicit non esse inquisibile an sit fatum sed supponendum; verum cum hic probet fatum esse, cum nihil probetur quod non sit inquisibile (cum *Posteriorum* II questiones sunt aequales numero iis quae vere scimus), fatum igitur esse est inquisibile.
25 (6) Huic puto esse dicendum secundum sententiam Averrois, commento 3° ‹II› *Physicorum* et ex multis aliis locis, istam

3 hoc αMβ C²; haec N d ed. — evidenter b C¹; videntur d ed C². — 4 enim: tamen ed. — inferri ω L; inferre B d ed. — 4-5 sic *ante* communi b C²; *omm* d ed. — hominum *post* communi *ad* μ. — 6 Nec tamen ed. — est communis hominum ed. — 9 dissentiant d ed; dissentiunt α M; disedunt N; discentiunt B; desentiunt L. — 15 asserit tamen ed. — nihil G *Bagol.* (hic nihil *Bagol.*) — 20 dicit *omm* δ ed. — 25 mentem α. — 26 commento 2° 3ⁱ physicorum E. chredo quod potius vult dicere in 2° physicorum c. tercio hoc dixit et ita de facto est *ad in mg* E. — III physicorum *cunct.*

23 *Post.*, II, 1. 89b20. — 26 *Physic.*, II, t. c. 3: «Et non debet aliquis dicere quod ista definitio propter hoc est conclusio demonstrationis: quoniam est dictum in prioribus analecticis quod per huiusmo-

vere non esse probationem, sed tantum aliqualem manifestationem qua utimur in per se notis vel in his quae sunt quasi per se nota. Quae autem talia sint genera argumentationum, si argumentatio licet appellari, non est praesentis
5 instituti. Et sic dictum sit de primo videlicet quod fatum sit.
(7) Secundo Alexander dicit quod quamquam fere omnes fatum esse concordes dicant, disconveniunt tamen in fati quidditate et in quibus fatum inveniatur. Immo aliqui sibimet aliquando disconveniunt et dissentiunt: «nam ad occasiones
10 et occurrentes for|337|tunas opinionem de fato transferunt». (8) Ut existimo, per haec voluit Alexander dicere quod unus homo aliquando credit omnia fato fieri, aliquando vero non credit; ut pote cum sibi aliquod adversum et sinistrum contingit, transfert hoc in fatum creditque ipsum inevitabile esse;
15 cum vero prosperum et dextrum provenerit, existimat illud evenisse ex suo consilio et providentia. Et sic sibi non constat, et secundum eventuum varietatem mutatur in fati opinione.

(9) Tertio ut mihi videtur, Alexander connumerat opiniones diversas de fato. Una est quod quidam existimaverunt omnia
20 quae fiunt fato fieri ipsumque esse quamdam inevitabilem causam et irrefragabilem. (10) Secunda est aliorum: «qui non omnia fato fieri autumant, sed et alias esse eorum quae fiunt causas opinantur, nec fatum quid esse inevitabile et firmum ponunt; sed eorum quoque quae fato fiunt, aliqua non fato fieri
25 sed praeter sortem et fatum, ut poetae dicunt». Hoc fortassis Alexander dicit quoniam fatum apud poetas idem est quod naturale, et praeter fatum quod violentum et non |338| naturale, «ut est illud apud Virgilium de Didone:

1 tamen ed. — 3 quasi *omm* δ ed. — 8 sibi ipsis α M; ipsismet N; sub ipsis met ed. — 13 aliquod *om* ed. — 15 pervenerit E; provenit I ed. — 18 opinionem μ ed. — Alexander tres connumerat (numerat E) α. — 21 infrangibilem γ. — 22 sed etiam alias δο ed. — quae *om* α. — 27-28 naturalem ed. — 28 de Didone *omm* N ed. — IV Aeneid. circa finem *ad* ed.

di syllogismos hypotheticos nullum ignotum declaratur omnino, sed utuntur ad confirmandum illud quod est manifestum per se.» (Comin. de Tr., IV 39rA). — 28-6 Eisdem cum commentis loca citantur in praefatione Bagol., fol. 5r.

Nam quia nec fato merita nec morte peribat

hoc est, morte non per naturam ei debita, sed violenta; et Ovidius:

Est aliquid fatoque suo ferrove cadentem
5 *Insolita moriens ponere corpus humo*

fato suo, hoc est, morte sibi ex natura decreta».

(11) Tertia opinio est aliorum «quibus omnia quae fiunt, fato videntur fieri, et his maxime quae a fortuna sunt adversantur; in his autem quae ad agendum proposita sunt 10 recte agentes, seipsos rectorum actuum causas esse existimant, quandoquidem haec non occurrissent quae occurrerunt nisi haec potius egissent quam illa, cum aeque et non agendi facultatem haberent». (12) Haec autem tertia via non videtur mihi differre a prima nisi quoniam declarat quo- 15 modo consilium nostrum et liberum arbitrium subiiciantur fato, et quod fato fieri et consilio fieri non habent invicem pugnantiam, quandoquidem et quod sic taliter consultemus fato evenit, nisique sic consultaremus non evenisset quod evenit, et praecipue in recto consilio. (13) Hoc autem |339| 20 distincte non ponebatur in prima via. Et fortassis quod secundum primam viam dicendum est nostrum consilium nihil esse quoniam sive consultemus sive non consultemus, non minus evenit; quod tamen repugnat tertiae viae. (14) Mihique videtur quod prima via sit via vulgarium qui dicunt 25 nostra consilia nihil esse et esse ex toto vana; tertia vero via est via Stoicorum et ‹Peripateticorum› dicentium sine consilio res humanas non evenire et ipsa consilia esse etiam fatalia. Quam opinionem infra Alexander intendit destruere.

4 morteve cadentem α. *Hic explicit* O. — ferroque N γ (C[2] ferrove). — 8 sunt: fiunt α. — 14 quantum declarat ed. — 17 repugnantiam γ. — consultamus N d ed. — 19 praecipuum A δ. — 20 ponebat ed. — 25 nulla esse b. — sed esse ex toto ed. — 26 Peripateticorum ed; peritorum *codd.* (*ambo sustentabilia, v. g.* vulgarium *lin. 24, et infra p. 125,2*).

1 *Aeneid.*, IV, 696. — 4-5 Ovid., *Trist.*, I, 2, 53-54: «... fatove ... In solida ...».

(15) Quarto Alexander infert causam quare de fato disputandum sit dicens: «Ob hanc ergo inter philosophantes discordiam necessaria est de fato inquisitio, non an sit, sed quid sit, et in quibus eorum quae fiunt eiusmodi natura
5 reperiatur».

Quinto epilogat circa capitulum dicens manifestum esse fatum ipsumque esse causam eorum quae fiunt, omnesque qui ipsum esse confitentur unanimiter hoc concedunt, quamquam non omnes eodem modo ponant, ut ex dictis apertum
10 est. |340|

Caput tertium in quo ponitur secundum capitulum Alexandri.

(1) Concluso in primo capite fatum esse causam, in hoc secundo vult declarare in quo genere causae fatum ipsum reponendum sit. Ideo in *Rubrica* dicitur: «Quatuor esse omnium
15 causarum genera et fatum agentibus causis annumerandum esse». Primo itaque Alexander dividit causam in sua genera quoniam est causa de numero multipliciter dictorum nullumque talium notum esse potest absque propria divisione prolatum. (2) Secundo dicit causam dividi in quatuor modos
20 ut Aristoteles demonstravit videlicet in agentem, in materialem, in formalem sive in eam quae secundum speciem, et in finalem cuius gratia fit quod fit. (3) Tertio inductione et exemplo probat dictum numerum. Quae omnia cum satis aperta sint, aliter in hoc non extendam sermonem meum.
25 (4) Quarto et ultimo concludit in quo genere causae sit ipsum fatum, dicens: «cum igitur tot sint causae differen|341|tiamque inter se notam habeant, fatum inter agentes causas merito numeraverimus, conditoris statuae artificis rationem servans ad ea quae ab ipso fiunt». (5) Alexander

2 ergo E *Bagol.*; *omm cett.* — 4 fiunt et sunt ed. — 6 manifestum est esse ed. — 9 ponat A δ; ponunt P. — ut supra patet α. — 15-16 et fatum... genera *om* α. — 27 inter se agentes δο (*sed lin. subducta* D *delev.* se). — 28 numeravimus ENL ed.

11 Bagol., fol. A²v-A³r. — 20 *Physic.*, II, 3 et 7. *Metaph.*, I, 3 et 10.

autem, ut mihi videtur, nulla usus est probatione ad hoc. Quoniam si causa est fatum, verisimiliter ad nullum aliud genus reduci potest praeterquam ad efficientem causam, ut patet discurrenti per alia genera. Amplius ex communi ho-
5 minum concessione hoc patet, quoniam omnes qui ipsum ponunt esse, efficientem causam esse ponunt.

Caput quartum in quo continetur tertium capitulum Alexandri.

(1) Cum Alexander in praecedenti capite conclusisset fatum
10 ipsum esse de numero causarum efficientium, nunc in hoc suo tertio capite vult declarare in quem modum efficientium causarum fatum ipsum reponendum sit; nam et efficiens causa multos habet modos. Unde et in *Rubrica* dicitur: «Quot sint agentes causae et sub qua earum fatum conti-
15 neatur». Primo itaque loco praesentis capitis su|342|am proponit intentionem dicens: «Consequens fuerit de agentibus causis sermonem facere», subiungitque rationem: «Sic enim manifestum fuerit an omnium quae fiunt causam fato deputemus, aut etiam aliae praeter ipsum causae sint conce-
20 dendae». (2) Secundo ponit divisionem quandam quam et Aristoteles in II *Phisicorum* ponit de effectricibus causis videlicet quod aliquae agunt gratia finis cum effectum intendunt, aliquae vero nullius gratia: «Eiusmodi autem sunt quaecunque non ex intentione aliqua ab agente fiunt, nec
25 ad finem aliquem terminatum referuntur, cuiusmodi sunt fructuum quorumdam attrectationes et circumvolutiones, capillorum contractus et extensio et his quaecunque simili modo fiunt. Quae quod fiant nulli dubium est, non tamen

1 autem *om* ed. — 12 ipsum *omm* C δ ed; impium M. — 15 capituli N γ. — 16 ponit N γ. — 19 etiam aliae (et aliae *Bagol.*): est alia α; esse alie B. — 21 efficientibus α G. — 23 huiusmodi L (cuiusmodi *Bagol.*). — autem *omm* C² *Bagol.* — 25 determinatum ed. — cuiusmodi E N L *Bagol.*; ut C; eiusmodi *cett.* — 26 contactus E ed. — extensiones ed; *om* E. — 27-28 simili modo: similia ed. — 28 fiunt *om* ed.

7-8 Bagol., fol. A³r-A⁴v. — 21 *Physic.*, II, 5. 196b 17-22.

finem habent et causam quae hoc verbo cuius gratia nuncupatur. Quae ergo sic inconsiderate et simpliciter fiunt nullam habent divisionem quae ratione aliqua comprehendi possit».

5 (3) Tertio Alexander subdividit ef|343|fectricem causam quae cuius gratia agit: quoniam aut a natura agit, aut a ratione proficiscitur: «Nam quae naturam habent suae generationis causam, numero quodam et ordine in terminatum finem procedunt, ad quem cum pervenerint a generatione
10 quiescunt, nisi quid naturale hoc ipsorum iter in praestitutum finem impediat. Quae etiam ratione fiunt finem aliquem habent: nihil enim eorum quae ratione fiunt aliquo non proposito fine fieri potest, sed ad aliquam intentionem haec ‹omnia› referuntur. Ratione vero fiunt quaecunque ab agen-
15 tibus fiunt quae de hisce ratiocinantur atque componunt quonam fieri pacto possint; sic fiunt omnia quae ab arte et voluntate fiunt».

(4) Quarto Alexander ponit differentiam inter ea quae ratione fiunt et ea quae natura fiunt dicens quod: «quae natura
20 fiunt, factionis in se principium et causam habent (est enim huiusmodi principium natura) et fiunt ordine quodam: non |344| quod natura ipsorum operatrix veluti ars ratiocinatione utatur, ast ea quae arte fiunt et electione non intrinsecum sed extrapositum habent hoc principium et causam agentem et
25 ab agente fiunt quod de ipsorum factione ratiocinatur atque discurrit».

1 cuius α *Bagol.*; huiusmodi L; eiusmodi *cett.* — 4 possit α N *Bagol.*; potest γ ed; posset Mβ δo. — 6 a nostra agit ed. — 9 protendunt ed. — 10 praestitum L δι (D *correx. ex* praestitutum). — 12 nihil: non α. — 13 sine M; sine fine ed. — possunt α ed. — 14 omnia ed *Bagol.*; *omm codd.* — vero: non G δυ (D *correx. in* namque); namque δι ed. — 16 quoniam M δυ. — possint α 1 *Bagol.*; possunt λγ D; possit F; posset H; possent ed. — 19 fiunt *post* natura *om* d. — 21 quidem *post* fiunt *ad* ed. — 22 tamen *ante* quod *ad* ed. (circa ea *post* ars *ad Bagol.*) — 23 (ast ea quae: quae vero *Bagol.*) — 24 extrinsecum positum E; expositum NL[1] P δo (H *ante correct.*)

(5) Quinto Alexander vult quod casualia et fortuita reponantur in numerum causarum effectricium quae agunt in ratione finis, dicens: «3° loco in his quae alicuius gratia fiunt numerantur quae a fortuna et casu fieri credita sunt, hoc differentia ab his quae principaliter alicuius gratia fiunt quod in illis, omne quod ante finem fit, finis gratia fit; in his vero, ea quae ante finem fiunt, alterius gratia fiunt sed occurrit eis alterius gratia factis ut finis id quod fortuna casuve fieri dicitur».

(6) Sexto Alexander his divisionibus positis venatur in quo membro dictarum divisionum fatum ipsum reponendum sit. Et primo excludit fatum ab illo membro primae divisionis scilicet quod non agat gratia alicuius; et eius ratio est quoniam: «semper in aliquo fine fati nomine utimur cum ipsum fat<o> |345| factum esse dicimus; iccirco in iis quae gratia alicuius fiunt fatum est reponendum».

(7) Septimo indagatur an fatum ipsum universaliter sit in omnibus quae propter finem agunt. Ideo a membro secundo, scilicet a ratione, fatum ipsum excludit, et utitur his rationibus: Quae fato dicuntur fieri, non possunt non fieri: «sed quae a ratione nostra fiunt, hoc ipso secundum rationem fieri videntur quod qui agit ea quoque non agendi facultatem habet. Quae enim ab artificibus ex arte fiunt non videntur ab his necessario fieri; sic enim agunt singula ut aeque etiam possint illa non agere». Quare sequitur ut quae a ratione nostra proficiscuntur fato non proficiscantur. (8) Secundo idem probat ducendo ad inopinabile dicens: «Nonne praeterea absurdum est domum scamnumve

1-2 reponatur G; reperiantur L; reponuntur M δη. — 3 3° loco *om* ed. — gratia cuius ed. — 5 hac ed; haec FI. — (principalem *Bagol.*) — 6 I^{m} in *om* δ. — 7 et 8 gratiae ed. — ait *post* finis *ad* ed. — 14 semper *om* α. — 15 fato factum esse *Bagol.*; fato *om* A; factum *omm* E ed (*exhibent* fatum esse *tantum*); fatum factum esse λ d. — 16 fatum esse respondeamus ed. — 21 (nostra *om Bagol.*) — 24 iis CPδo ed. (ipsis *Bagol.*) — 25 sequitur: semper λ. — 26 a fato ed. — 27 idem *om* ed. — 28 absurdum est *omm* δ ed.

[ut] fato dicere fuisse facta aut lyram fato concinne compactam esse? Atqui eorum quibus voluntas dominatur et praeest . . . fatum esse causam minime dici potest, aut alias praecurrentes causas externas, aut principia quod fiant vel
5 non fiant aliqua ex his. Nullum enim ipsorum |346| nostrae esset optionis, si hoc modo fierent».

(9) Octavo et ultimo per sillogismum divisivum concludit in quo membro fatum reponendum sit: quoniam in his tantum est fatum quae a natura fiunt. Dicit igitur: «Relinqui-
10 tur igitur fatum in his esse dicere quae natura fiunt, ut idem fatum et natura sint. Nam quod fatale est secundum naturam est, et quod secundum naturam est fatale est. Hominem namque ex homine et equum ex equo generari non dicitur secundum naturam quidem esse, non autem secundum
15 fatum, sed concurrunt hae duae causae ut solo nomine differentiam habeant. Iccirco et primae secundum naturam generationis singulorum causae, divina scilicet corpora et horum ordinatissima circumlatio, fati quoque eaedem causae dicuntur. Omne enim generationis principium est divino-
20 rum ad haec ipsa mundana certa secundum motum ratio atque respectus».

1 ut fato *sic cunct. praeter* N (*Bagol.*: 've' *post* 'scamnum' *legitur fere ac si esset* 'ut'; *concordia codd cum* ed *Pomponatium, potius quam scribas, errantem nominat*). — dicere α *Bagol.*; dicatur B; dicat *cett.* — concinne FH ed *Bagol.*; concine' AI; concine L; concine^{e} G; còciné B; concinnere D; concinno N; continue E; *om* M. — 2 atqui ed; at qui A *Bagol.*; ut qui E; at H; atque *cett.* — 4 omnino vel *post* quod *ad* ed. — 6 optionis A *Bagol.*; opinionis *cett.* — 9 quae natura ed. — 11 est *ante* fatale NBHγ *Bagol.*; *omm* MLδ ed. — 12-13 et quod . . . non dicitur *om* α. — 13-14 non dicitur *om* C; non *linea subdux.* G, *sed iterum in mg rescripsit.* — 14 quidem *sic* ω L. *Bagol.*; *omm* B d ed. — 15 invicem *post* causae *ad* ed. — 16 primae AL ed *Bagol.*; primo *cett.* — 18 et fati ed. — circumlatio b ed *Bagol.*; circulatio d. — 19 omnis AMB ed.

Caput quintum in quo ponitur quartum capitulum Alexandri.

|347| (1) Viso itaque quod fatum est causa et non ea quae agit sine fine intento, immo est agens gratia cuius, cumque tale sit agens natura aut a proposito, fatumque non sit agens a 5 proposito, reliquum igitur est ut sit agens natura. (2) Quare nunc modo vult in hoc 4° capitulo concludere quod rationabiliter quod dicitur de natura etiam dicitur de fato; et hoc insinuatur in *Rubrica* quae dicit: «Fatum non esse causam necessario causantem sed plurimum, quemadmodum et na-10 turam».

(3) Alexander itaque primo proponit suam intentionem dicens: «Cum ergo in his, scilicet in numero causarum efficientium et huiusmodi» i. e. talium efficientium «fatum sit, necesse est ut se habent quae secundum naturam fiunt, 15 ita etiam se habere et quae secundum fatum sunt».

(4) Secundo declarat quomodo se habeant quae natura sunt. Vultque ista, ex quo non necessario fiunt sed plerumque uno modo fiunt (quare ut in paucioribus deficiunt): cum itaque ut plerumque fiunt, secundum naturam dican-20 tur fieri; cum vero ut in paucioribus, praeter naturam fieri nuncu|348|pentur. Veluti et ea quae arte fiunt, aliquando secundum artem dicuntur fieri, et hoc est quasi semper; aliquando autem praeter artem, et hoc est raro, cum peccatum accidit in arte et praeter voluntatem.

25 (5) Tertio ostendit Alexander simile esse in his quae fato fiunt, quandoquidem dictum sit fatum et naturam idem esse. Et quoniam aliqua se tenent ex parte animae et aliqua ex parte corporis, ideo in utrisque hoc ostendit. (6) In homine

3 talis ENδι. — 5 igitur bC² (ergo E); *omm* d ed. — 6 hoc *omm* δ ed. — 8 sinuatur ed. — 9 ut plurimum Nd ed. — 9-10 natura α d ed. — 13 (huiuscemodi *Bagol.*) — 14 habeant ed; habeat L. — 15 (et *om Bagol.*). — sunt: fiunt α (*om Bagol.*). — 17 vult quod E. — ex quo: quae α; quo *om* δo. non *om* ed. — 19-20 dicantur α; dicuntur *cett.* — 27 animae: materiae α.

1 Bagol., fol. A⁵r-A⁶r.

itaque aliquo, quoniam est eius corpus compositum ex quatuor elementis, si contingat ex debita commixtione faciente pro vita longam degere vitam, hic et ex fato longam deget vitam, quoniam et ex natura sic disponente. Non tamen necessario, quoniam est materia variabilis et multis malis subiecta quae potest impediri: quare si non impedietur, dicetur hunc hominem secundum proprium fatum vixisse et mortuum esse; si vero impedietur, dicetur praeter fatum suam vitam duxisse et mortuum esse. (7) Si vero hic vel alter homo ex principiis generationis sit aegrotativus, quantum est ex eius fato malam ducet vitam; verum quoniam non necessario: «amoveri namque haec possunt |349| adhibita super his diligentia et per aeris mutationes et medicorum institutiones et praecepta ac etiam per ipsa Deorum vota» ideo praeter fatum vivere et mori potest. (8) Non minus et idem ex parte animae ostendit Alexander. Nam penes naturales praeparationes diversas in singulis fiunt et diversae electiones, actiones et vivendi consuetudines; quare ex natura aliqui sunt audaces, aliqui vero incontinentes, aliqui avari et sic de caeteris. Verum quoniam haec non necessitant sed tantum inclinant et disponunt, ideo qui natura est audax et se periculis exponit, secundum fatum violentam

5 malis: modis μ. — 7-9 hunc hominem . . . fatum suam α; *omm cett.* — 8-9 praeter fatum suam: secundum fatum suum λ d ed (suam N). — 10 aliter ed. — 12 commoveri C (ordinem hunc amovere possunt *Bagol.*). — 13 (et aeris permutationes *Bagol.*). — 14-15 ac etiam per ipsa Deorum vota *sic* E (et ipsa deorum vota *Bagol.*); per ipsa: ipsorum *cunct. praeter* E. — divinorum ed. — 19 aliqui impertinentes α. — 22 pericula diligit b *Bagol.*

16-18 Bagol.: «reperire quis poterit penes naturalem praeparationem diversas in singulis electiones, actiones et vivendi consuetudines». — 22 sqq. Bagol.: «Nam ei qui pericula diligit et audax est violenta fere semper occurrit mors. Hoc enim est naturae fatum. At ei qui immoderatus natura est, in hisce voluptatibus degere. Incontinentes quoque nisi eorum vita melior facta ab eo quod secundum naturam est fuerit mutata, dolores sustinebunt et mala patientur. His etiam hominibus vitae consuetudines secundum fatum fiunt. Avaris praeterea et natura insaciabilibus circa pecuniarum acquisicionem etiam consonant quae fati sunt. Nam in iniusticiis magna parte eorum vita versatur.» (fol. A[5]v).

mortem incurrit, praeter autem fatum evitat; et qui natura incontinens est secundum fatum dolorem sustinebit et mala patietur, praeter fatum autem contrarium eveniet; avarus autem secundum fatum iniustus vivet, et praeter fatum mu-
5 tata consuetudine iustus vivet.

(9) Quarto Alexander quae dicta sunt probat ex ipsis vatibus. Qui cum aliquem dictorum praemonuissent ut pote audacem violentam mortem passurum nisi sibi praecaveret |350| cumque admonitus talis in tale fatum inciderit, dicunt
10 vates iure hoc sibi contigisse ipsumque sibi causam mortis praebuisse.

(10) Quinto et penultimo Alexander ostendit quantum veritatis contineant dicta vatum dicens: «Non aliter eorum quae fato fiunt nuntios esse quam eos quos phisiognomos
15 (hoc est naturae interpretes) appellamus». (11) Narratque historiam Zopyri physiognomi et Socratis philosophi: «Zopyrus nanque cum quaedam absurda de Socrate dixisset quae ab eius proposito in vita semota erant et super his a Socratis auditoribus derideretur, respondit Socrates non es-
20 se mentitum Zopyrum, 'fuissem enim naturae ratione huiuscemodi nisi ex philosophiae studio meliorem fuissem naturam adeptus'».

(12) Sexto et ultimo Alexander epilogat dicens: «Hec est

1 fatum *om* ed. — 3 autem: item ed. — 9 cum talis admonitus α. — 12 respondit ed. — 13 Non aliter: nam ipsos vates ed. — aliter bC² ed; alios d (ipsos vero vates non aliter eorum *etc. Bagol.*). — 14 quam: veluti ed. — phisiognomos αβNGD; phisognomos M; physionogmos C; phisisognomos F; philosognomos H; phisilognomos I; physiognomonas ed. (*Bagol.* fol. A⁵v-A⁶r: physiognomonas, *sed ultima syllaba scilicet* 'nas' *ad summam paginam A⁶r reportatur ita ut in ima pagina A⁵v appareat ac si esset* Physiognomos). — 16 physognomi M; physionogmi C; phyhiognomi H; *omm* Eed.

16 Cf. Cicer., *De Fato*, 5 (M. T. Ciceronis *Scripta quae manserunt omnia*, recognovit C. F. W. Mueller. Bibl. Teubner. Pars IV, vol. II: *De Natura Deorum, De Divinatione, De Fato*. Lipsiae 1878) p. 255. — 16-22 Bagol.: « Sane cum diceret Zopyrus naturae expositor absurda quaedam de Socrate et ab eius proposito in vita semota et super his a Socratis auditoribus » *etc.* . . .

ut perstrictim et per capita dicamus Peripateticorum de fato sententia». Haec Alexander. (13) Hic esset indagandum quomodo vota possint amovere fatum, et quomodo preces diis factae valeant cum sint Dii apud Aristotelem omnino
5 immuta|351|biles. Verum quoniam de his abunde diximus in tractatu quem edidimus *De Incantationibus*, ideo nunc pertranseo ne idem inutiliter repetatur.

Caput sextum in quo primo recitatur quod in capite quinto dicat Alexander et est etiam nostrum examen.

10 (1) Hucusque Alexander conatus est ostendere quid sit fatum secundum Aristotelem et hoc quasi a priori et per viam divisivam quae, ut dicitur II *Posteriorum*, est definitioni propria. Nunc vero quasi indirecte eam probat per locum a contrario et per contraria sentientes. (2) Et semper vel
15 quasi semper utitur argumento ducente ad incommodum, sive ad impossibile, quod est valde proprium huiusmodi disputationibus. (3) Et primo, quod dato fato aliter quam dictum sit, et quod si detur Stoicorum opinio, tunc auferuntur casus et fortuna. Et hoc est quod dicitur in *Rubrica*
20 istius capitis quinti quae dicit: «Qui fato omnia fieri putant, auferunt casum et fortunam».

I. (1) In prima ita|352|que parte quasi prohemizat et duo facit. Primo nanque proponit intentionem, et causam intentionis. Intentio est: «praecedentibus propositorum de-
25 monstrationibus addere sequentia incommoda his qui omnia fato fieri dicunt». Huius autem ratio est quoniam dicto-

3 possunt ed. — 4 dii *om* α. — 7 pretereo γ. — 13 viam γ. — 18 si α; *omm cett.* — 23 ponit γ. — 24 (si praecedentibus . . . addiderimus *etc. Bagol.*).

6 P. Pomponatii, *De naturalium effectuum causis seu de Incantationibus*, cap. 12, *ad 4am dub.* (ed. Basileae 1556, p. 254 sqq.; ed. Basileae 1567, p. 236 sqq). — 8-9 Bagol., fol. A[6]r-A[8]r. — 12 *Poster.* II, 13. 96b25sqq.

rum manifestior fiet probatio: «sic enim sermonem permiscendo, ex sermonum collatione veritas manifestior fit neque eorumdem saepius meminisse cogemur». Et in his, ut mihi videtur, facit auditorem docilem. (2) In subsequenti
5 vero parte facit auditorem attentum detestando Stoicos et [in] extollendo Aristotelem. Dicit itaque mirum esse quod aliqui, ut pote Stoici, cupiant appellari philosophi, (qui scilicet philosophi omnibus aliis praestant in noscenda veritate) et isti opinionem ponant et tueantur: «ad quam solos inter
10 vulgares confugere videmus, qui nihil sibi dextrum cognoscentes, in ipsum fatum causam occurrentium sibi malorum transferunt. Amplius haec opinio nec sensibus consonat, nec probabiles habet aliquas demonstrationes, immo et id quod in no|353|bis est tollit» i. e. liberum arbitrium; subiungitque:
15 «si hoc Stoicorum placitum credatur, quaenam altera maior extra rationem iactura fieri posset?».

(3) Secundo Alexander accedit ad rem; vultque quod assertores fati non possint servare secundum rem sed tantum secundum nomen fortunam et casum. Quod sic servare est
20 destruere et non servare; nomen nanque non est idem nisi servetur et significatio. Auferre autem secundum significatum casum et fortunam passim philosophis et vulgaribus est contradicere.

(4) Tertio quod dixit Alexander per multa dicta probat;
25 verum perstringendo, haec est ratio: Nihil quod fit a causa determinata fit a casu vel a fortuna. Omne quod fit, secun-

1-2 (permiscentes *Bagol.*). — (notiorem veritatem faciemus *Bagol.*). — 6 quod mirum est γ. — 12 (amplius haec opinio: opinioni scilicet quae *Bagol.*). — (sensibilibus *Bagol.*). — 15 (si hoc Stoicorum placitum: quod si *Bagol.*). — 16 iacturas ed. — 18 possint CPδo ed; possunt bG. — 19 sic servare est: si servarent esset ed. — 26 a fortuna AM; a *omm cett.*

7-16 Bagol.: «Merito namque quis dubitaverit quo pacto Philosophari quidam dicantur et veritatem quae in entibus est attingere et hac aliis hominibus praestare Philosophantes putant et ob id alios ad hoc hortantes dederunt se opinioni quae omnia ex necessitate et Fato fieri dicit, ad quam solos inter Vulgares eos confugere videmus *etc.*»

dum ponentes sic fatum, fit a causa determinata. Ergo nihil quod fit, a casu vel a fortuna fit. Maior ab omnibus est concessa, quandoquidem casus et fortuna sunt causae indeterminatae; et eam multis exemplis Alexander declarat, 5 quae clara sunt in littera. Minor vero est ipsorum Stoicorum qui ponunt omnia esse determinata et certa quae evitari non |354| possunt causasque habent determinatas curruntque cursu infallibili ac inevitabili. Quare sequitur conclusio.

10 (5) Quarto idem Alexander ponit quomodo Stoici cum suo fato servent casum et fortunam. Unde ad rationem negant maiorem scilicet: quod habet causam determinatam non est a casu vel a fortuna. Illa enim non est propria casus et fortunae significatio, sed quod est a causa determinata et nobis 15 incognita, illud vere est casuale et fortuitum. Innumera vero talia sunt secundum Stoicos. (6) Verum Alexander multipliciter conatur destruere hanc defensionem. Primo quidem quoniam sic credens servare nomen casus et fortunae se ipsum decipit et alios in errorem inducit. Nam ea apud ho-20 mines non est significatio casus et fortunae; homines nanque non dicunt illud esse casuale et fortuitum cuius causam non cognoscunt, sed illud esse casuale dicunt quod dicunt causam non habere, vel causae quae talem effectum produxerunt connexionem non habent. (7) Secundo quoniam casua-25 lium et fortuitorum effectuum causae non sunt ignotae; |355| immo sunt aliquando notissimae, veluti quod Calias fodiens terram thesaurum invenerit non est occultum quae causae produxerint hunc effectum. Effectiva nanque causa est effossio terrae facta a Calia; materialis vero quoniam thesaurus 30 ibi reconditus fuerat; quare notissimae sunt. Sed ideo casuale vel fortuitum dicitur quoniam hae causae non ordinatae erant ad talem effectum harumque connexio in causam reduci non potest. (8) Tertio alio exemplo probat: quoniam

2 a *ante* fortuna *omm* EFI. — 3 sint ed. — 12 scilicet *om* ed. — 32 horumque ed. — causam b; causa d; causis ed.

apensilia, incantationes et magica incertam incognitamque causam habere dicuntur; non enim videtur scibile per quam causam haec fiant cum tamen existimentur haec a determinata causa fieri. Haec tamen non casualia vel for-
5 tuita creduntur, quandoquidem, ut dictum est, credantur a determinata causa fieri, licet ignota. Quo fit ut: « quae a fortuna fiunt non quia occulta sit causa sic fieri dici, sed quod careant causatione ‹praegredientis› et principantis causae ».

10 (9) Postea epilogat dicens: « eiusmodi igitur sunt quae de fortuna ab ipsis dicuntur et ita propositis consonantia ». Huic autem sententiae astipulantur ea quae ab Aristotele in fine primi libri *Perihermeneias* dicuntur; infert |356| enim: si omnia determinatae sunt veritatis, nihil casu fieri. Et in
15 VI *Metaphysicae* destruit hanc opinionem de fato, ut est ibi videre per longum processum. (10) Averrois quoque in locis sic citatis Aristotelis dicta commentando idem sentit, et in 48 commento II *Physicorum*, in fine commenti dicit: « Sermo autem dicens quod omnia sunt necessaria nullus est, et

2 dicunt α. — 4-6 Haec tamen . . . causa fieri *omm* αLδ ed. — 7 dicitur μ D; dicit Ied; *om* L. — 8 causationem δυ. — praegredientis *Bagol.*; progredientis *cunct.* — principantis G *Bagol.*; principiantis αLCδo ed; participantis μB. — 11 positis ed. — 13 primi *om* E *sed in mg ad* primi cum dicitur de futuris contingentibus. — 14 determinata ed. — 17 sic: hic ω ed. — commentando *sic* ω L; commendando B d ed. — 18 48: 98 δ ed.

13 *De Interpret.*, 9 (Aristotelis . . . *omnia quae exstant opera . . . Averrois . . . in ea opera omnes . . . commentarii.* Apud Juntas, Venetiis 1550-1552, vol. I fol. 42r ad calcem cap. VI, *Primi Periherm.*, [*i.e. De Interpretatione, cap.* 9] sic scribitur « Librum de Interpretatione Graeci in quinque secarunt sectiones, Averroes in quatuor differentias, Boethus (*sic*) quandoque in duos, quandoque in sex libros, Latini posteriores in duos. Cum autem hoc pacto citari soleat, et nos in duos dividimus, adjecta etiam ad faciliorem intelligentiam in capita divisione ».) Cf. infra p. 21, 2 not. — 15 *Metaph.*, VI, 2-3. 1025b 33sqq. — 17 *Periherm.*, I, 6 [*De Interpret.* 9] (Comin. de Tr. I 48rA). *Metaph.*, VI, t. c. 7 (Comin. de Tr. VIII 184rC-185rc). — 18 *Physic.*, II, t. c. 48 (Comin. de Tr. IV 54r A18).

destruitur in Metaphysica». Boetius quoque in *Commento libri Perihermeneias* et in IV *De Consolatione* idem asserit, et omnes fere Aristotelis interpretes.

(11) Verum quoniam, ut in prohemio diximus, multam
5 mihi inferunt dubitationem huiusmodi dicta, ideo in unaquaque parte in qua mihi continget dubitare, dubitationem ponam, non minus et quomodo mihi videantur rationes peripateticorum posse solvi. Non quidem, ut dixi, studio alios docendi sed magis ut alii doceant me. (12) Quare in
10 subsequentibus capitulis in quibus adversus Stoicos Alexander argumentatur, tria faciam: primo (I) ponam capitulum Alexandri summatim; deinde (II) argumentabor contra eius dicta; tertio (III) respon|357|debo ad obiecta sua. Et sic faciam in hoc capitulo. Peracto itaque primo, secundum ag-
15 grediar.

II. (1) Alexander in hac sua argumentatione vult casualia et fortuita non habere determinatam causam neque esse per se intenta. Contra hoc multipliciter arguitur.

(2) Primo sic: Illud de quo potest haberi perfecta scientia
20 tanquam de conclusione et effectu habet causam per se et determinatam. Casualia et fortuita sunt huiusmodi. Ergo habent causam per se et determinatam. (3) Maior ex I *Posteriorum* est per se nota, quoniam scire proprie est cum causam opinamur cognoscere per quam res est, et demonstrativus

5 mihi: nihil ed. — 8 ut dixi *om* α. — 9 illi γ (alii C[2]). — 10 capitibus γ. — 14 peracto *om* ed. — 20 affectu ed. — 23 cap. 2° ad principium *ad in mg* E. — 24 arbitramur α. — per: propter μ.

2 *Periherm.*, I, 9 (A. M. S. Boetii *Commentarii in Librum Aristotelis* Περὶ Ἑρμηνείας, recensuit Car. Meiser. Bibl. Teubner. Pars prior, versionem continuam et primam editionem continens. Lipsiae 1877, pp. 9,12-12,30; pp. 103-126). cf. *ibidem*, III, 9 (A. M. S. Boetii *Commentarii* . . . Pars posterior, secundam editionem . . . continens. Lipsiae 1880, pp. 185-250.). Idem, *De Consolatione*, IV, passim (A. M. S. Boetii *Philosophiae Consolationis Libri V*, ed. Rud. Peiper. Bibl. Teubn. Lipsiae 1871, pp. 88-120). — 8 Supra 2, 14. — 22-23 *Poster.*, I, 2. 71b 9 sqq.

sillogismus est ex causis propriis et per se. (4) Minor etiam probatur. Nam Aristoteles ipse in IV *De Generatione Animalium*, capite 4°, disputat adversus Democritum de causis monstrorum eumque impugnat, et ponit veras causas mon-
5 strorum. Albertus quoque capite 3° tractatus 3ⁱ, II libri sui *Phisicorum* diffuse dat causas monstrorum.

(5) Verum et hoc ratione probatur. Quoniam si sumantur omnes causae effectus casualis, semper |358| et de necessitate positis illis ponitur casus. Sed causae quae semper
10 et de necessitate si ponantur, ponitur et effectus, sunt causae per se et determinatae. Ergo quilibet effectus casualis habet causam determinatam et per se. (6) Cum caetera pateant, minor manifestatur. Sumpta namque inventione thesauri a fodiente terram ut faciat sepulchrum, exempli gratia,
15 quamquam effossio terrae non semper inducat hunc effectum qui est invenire thesaurum, tamen si in tali terra vel quavis alia esset aurum ibi absconditum, semper sic fodiens ibi terram inveniret thesaurum. (7) Et hoc est quoniam ibi non sumebantur omnes causae inventionis thesauri, hic
20 vero sumuntur. Quare si totum sumatur et non pars, inventio thesauri habet causam per se et determinatam. Et sicuti dicitur de hoc effectu casuali, ita dicitur de quocunque. Quare omnis effectus habet causam per se et determinatam.

(8) Confirmatur. Illud quod cadit sub arte et scientia habet
25 causam per se, ut etiam ab adversariis conceditur. Sed inventio thesauri cadit sub arte et scientia. Albertus nanque

3 capitulo 4° *al. man. ad in mg* E. — 6 et monstra sunt causalia (*sic*) et fortuita ut 2° physicorum exponitur *ead. man. ad in mg*. E. — sui phisicorum: de animalibus E *sed ad in mg*. et etiam 2ⁱ phisic. — causam ed. — 9-10 positis illis . . . de necessitate *omm* N ed. — 12 et per se cum caetera pateant *om* γ. — 14 exempli gratia: ex qua ed. — 22 alio *post* quocumque *ad in mg*. E.

2-3 *De Gener. Animal.*, IV, 4 (Comin. de Tr. VII 244 sqq.) — 5 Albert. Magn., *In II Physic.*, tract. III, cap. 3° (Borgnet III pp. 166-168). — 26 Albert. Magn., *Mineral.*, III, tract. I, cap. I (Borgnet, V, 60a): « Similiter autem in quibus locis et montibus haec (*metalla*) inveniuntur et quibus inditiis, partim est scientiae naturalis et partim est scientiae magicae quae vocatur de Inventione Thesaurorum ».

in III libro suorum *Mineralium*, capite primo, dicit magicam
esse scien|359|tiam et ipsa docet thesauros invenire. (9) Amplius monstra a peritis Astrologis praedicuntur; hoc autem
esse non posset nisi haberent causam in sideribus; ergo idem
5 quod prius. (10) Praeterea, quod monstra sint per se intenta
et habeant causam per se hoc apparere potest quoniam
discurrenti per historias nunquam talia apparent quin magna subsequantur. Quare non minus Aristoteles in libro *De Animalibus* aliquando talia appellat ostenta, aliquando por-
10 tenta, aliquando monstra, aliquando prodigia, veluti et alii
nuncupant. (11) At ut refert Augustinus, capite 8° XXI
libri *De Civitate Dei*: «Ideo homines monstra appellant quia
aliquid significando demonstrant, et ostenta ab ostendendo,
et portenta a portendendo, i. e. futura praeostendendo, et
15 prodigia quod porro dicant, i. e. futura praedicant». Idem
etiam Augustinus, capite 8° XVI libri *De Civitate Dei*, et

1 libro *omm* αγ. — et capite bδ; capitulo Mδυ. — 2 ipsa magistra E. — 4 potest Aδo. — 4 a sideribus determinatam E. — 14 praeostendendo: ostendendo α. — 16 etiam ELHγ; et *cett.*

8-9 *De Gener. Animal.*, IV, 4 (Comin. de Tr. VII 244rA) ubi 'portenta' tantum adhibetur. Antonii Posii *Thesaurus* (Comin. de Tr. Vol. XII) *s. v.* portenta ad hunc locum remittit neque 'ostenta' exhibet. In Bonitzii vero *Indice* τέρατα quidem et τεχμήριον sed nunquam οἰωνός vel σημεῖον in sensu quem vult Pomponatius inveniuntur. Vid. tamen: *Aristotelis Opera*, ed. Firmin-Didot, Index (vol. V, 1874) sub his vocabulis. — 15 *De Civitate Dei*, XXI, 8. (S.A. Augustini, *De Civitate Dei Libri XXII.* recensuit B. Dombart. Bibl. Teubner., altera ed., 2 voll., Leipzig 1935, II [*1ª ed.* 1863, 443, 32] 507): «Monstra sane dicta perhibent a monstrando quod aliquid significando demonstrent, et ostenta ab ostendendo, et portenta a portendendo id est praeostendendo, et prodigia quod porro dicant, id est futura praedicant». *Cf.* Cicer., *De Natura Deorum*, II 3, 7 (Mueller, p. 49): «Praedictiones vero et praesensiones rerum futurarum quid aliud declarant nisi hominibus ea ostendi, monstrari, portendi, praedici? ex quo illa ostenta, monstra, portenta, prodigia dicuntur.» Plus exinde Augustino et Ciceroni quam ipsi Aristoteli innititur Pomponatius in ista citatione. — 16 XVI 8 (Dombart II [118, 1] 136): «Deus enim creator est omnium, qui ubi et quando creari quid oporteat vel oportuerit ipse novit, sciens universitatis pulchritudinem quarum partium vel similitudine vel diversitate contexat . . . Ita etsi maior diversitas oriatur scit ille quid egerit cuius opera nemo iniuste reprehendit». *Ibid.* XXI 8 (Dombart II [441, 21] 504):

8° etiam capite XXI eiusdem *De Civitate Dei* vult esse per se intenta et ad finem producta. Quare ex omnibus colligitur quod dictum ab Alexandro non continet veritatem. (12) Praeterea casualia |360| et fortuita semper fuerunt et semper 5 erunt, nihilque est casuale secundum individuum quod consimile non fuerit infinities et non erit. Praecise ergo ab eadem causa consimilia fiunt; et si diversificentur causae diversificantur effectus. Non igitur temere fiunt quandoquidem habent et determinatas causas. Unde sumpto Calia, exempli 10 gratia, claudo in utero matris: Si Socrates similiter claudus nasceretur, ex eadem causa claudus esset, saltem proxima et immediata, licet fortassis remotae possent esse diversae. (13) Amplius in omnibus in quibus est casus natura ponit potentiam deficiendi; nisi enim posset deficere, nunquam 15 deficeret, quandoquidem nihil fit quod sit impossibile fieri. Ex quo etiam ponit naturam deficiendi, ponit et illud quod potest inducere talem defectum et impedimentum; aliter, ut inquit Commentator commento 48 II *Physicorum*, nisi natura posuisset impedimentum, ociose fecisset illud posse 20 impediri. Ergo natura intendit effectivum casus et materiam; ergo per se intendit quod fit per causas casus; ergo casus intenditur.

1 XXI libri α. — 3 dicta ed. — continent ed. — 6 infinitus MH ed; individuum E. — 7 diversificentur: diversificantur γ; diversarentur α. — 7-8 diversificantur: diversarentur αML; diversificarentur N. — causae diversificantur *om* ed. — 16 cum apetitus naturaliter non sit ad impossibile, primo physic. apud Aristotelem et Averrois [?] 2° metaphisice t. p°. *ad in mg.* E. — 17 defectum b (B *in correct.*); effectum d (B *ante correct.*). — 18 commento: cap. ed. — II *omm* LC δο ed; primi N. — 19 naturam ed. — 20 effectivum ENBCH; effectuum *cett.* — materiam *om* ed. — 21-22 ergo per se . . . intenditur: Ergo casus intenditur, sic ergo per se intendit quod fit per causas casus ed.

« Omnia quippe portenta contra naturam dicimus esse, sed non sunt. Quo modo est enim contra naturam quod Dei fit voluntate cum voluntas tanti utique conditoris conditae rei cuiusque natura sit? Portentum ergo fit non contra naturam, sed contra quam est nota natura. » — 18 *Physic.*, II, t. c. 48 (Comin. de Tr. IV 53v).

(14) Quod si dicatur, ut videtur dice|361|re Aristoteles in VI *Metaphysicae* et communiter expositores ibi, videlicet quod unaquaeque causa casus per se aliquid intendit; quod tamen in unum coeant illae causae quae casum inducunt
5 non habet causam, ut Aristoteles ibi de sitiente quaerente aquas obvianteque latronibus a quibus interficitur exemplificat. (15) Certe istud non videtur satisfacere. Primo quoniam si natura dedit ut possit interfici et apposuit interfectivum, ergo utrunque intendit, scilicet tam interfectivum
10 quam interficiendum. Sed hoc fieri non potest nisi causae etiam simul coeant. Ergo natura intendit illas causas coire; nam effectus intendi non potest nisi intendatur et causa. Quare ridicula omnino videtur esse huiusmodi responsio. Fortassis adversus hoc dictum Alexandri et multa alia adduci
15 possent quae non minorem ambiguitatem inferrent. Sed pro nunc haec sufficiant quantum ad secundum.

III. (1) Ideo ad tertium descendamus, videlicet ad responsionem argumentorum Alexandri. Mihi itaque videtur quod substinendo Stoicos sic potest responderi accipiendo primo
20 aliqua esse in universo quae |362| etsi ut in pluribus sunt apta unum facere, ut in paucioribus tamen possunt impediri; immo et de facto in paucioribus impedientur, aliter enim potentia illa fuisset ociosa. (2) Effectus itaque a tali causa proveniens ut in pluribus nullo modo dicitur casualis. Quo-
25 niam etsi talis causa non semper inducat talem effectum, quoniam tamen ut in pluribus inducit, ideo dicitur esse de-

2 videlicet *om* ed. — 5 habet L; habent *cett.* — 6 obvianteque δ ed; et obviante ANBHγ; et obviat E; et obviare M; et obviantur L. — 7-8 quoniam α, *omm cett.* — 8-9 interfectinum *bis* ed. — 9 intendi ed. — 11 natura: non ed. — 14 et multa: multo ed. — 17-18 ad solutionem videlicet γ. — 19 potest b; possit δo ed; posset γ. — 20 et in pluribus ed.

2 sqq. *Metaph.*, VI, 3. 1027 b 1 sqq. De Socrate sitiente et exeunte foras in latronesque incidente ut ab eis interficiatur apud Averroem potius invenitur, t. c. 7 (Comin. de Tr. VIII 184v).

terminata, licet non eo modo et tantum velut causa semper idem agens. Et effectus est quoquo modo scibilis, licet non ea certitudine qua effectus semper provenientes sciuntur.

(3) Sumpto autem effectu procedente a tali causa ut in
5 paucioribus, hic effectus comparari potest ad causam illam agentem quae ut in pluribus producit oppositum talis effectus; et sic iste effectus comparatus tali causae dicitur esse praeter intentum talis agentis cum bonum intendat, vel saltem non est de prima intentione sed secundaria. Et quoniam sic
10 rarenter talis causa agit, non est notum de illo effectu quando eveniet neque absolute pronuntiari possit. Quamquam enim fortassis scia|363|mus multa nobis talia posse evenire, ex quo tamen rarissime sunt, non scimus quomodo et quando. Quare istud sic scire in universali non debet connumerari
15 inter scientias. (4) Secus autem est de effectibus venientibus ut in pluribus. Nam etsi non sint ita certi veluti ii qui fiunt semper, multum tamen certitudini appropinquant. Si autem effectus iste comparetur ad omnes causas, ut pote ad impedientes et impeditas, et determinantes et determinatas, sic
20 certe est semper et necessarius, scibilis, et habet causam per se vel causas intendentes talem effectum, neque ut sic dicetur esse casualis. Quis enim miraretur aut dubitaret si, quando Socrates incedit per viam et magna tegula cadat super caput eius, caput non offendatur? neque alicui hoc
25 est dubitabile. (5) Quo fit ut fractio capitis sit et casualis et sit per se, in ordine tamen ad diversa; nam absolute comparata ad incessum per viam casualis est, coniuncta tamen cum tegula descendente, est per se. Et quamquam nullum de per se intenderet talem effectum vel saltem primo, quod tamen
30 has duas |364| causas coniunxit per se intendit talem effectum. (6) Unde fit ut respectu causae particularis et inferioris

1 tantum b; tamen d ed. — eodem modo E. — 2 Et *om* ed. — quoque modo αβδο. — 6 oppositum bC²; oppositionem d ed. — 9 primaria EC. — 13 nescimus G. — 14 istud α; illud *cett.* — 18 ad *om* α. — 19 et impeditas *om* ed. — 23 secedit δ. — 24 eius *bis* N. — offenderetur ed. — 27 cum: eum ed. — 30 duas *om* γ. — causas *om* α.

dicatur non per se intentum, et casuale; et respectu superioris et universalis, sit per se intentum et non casuale. Veluti est in exemplo communi de rege mittente duos inimicos per eamdem viam quorum nullus sciat de alio: hoc enim in 5 ordine ad inimicos est casuale, in ordine vero ad regem est per se intentum. Sic itaque stante placito Stoicorum possunt servari casus et fortuna.

(7) Cum itaque sic Alexander argumentatur: Nullum quod habet causam determinatam et per se est casuale; sed 10 omne quod fit, per Stoicos habet causam determinatam et per se, quare etc. Ad maiorem dicitur quod qua habet causam determinatam, nullo modo est casuale. Nullus enim diceret quod si tegula ex alto cadat super caput nudum Caliae et fregerit, hoc esse a casu, quandoquidem hoc semper sic 15 evenit si causae coniunctae accipiantur. Si autem effectus ille ad unam tantum causam comparetur, bene dicimus esse a ca|365|su, quoniam unaquaeque de per se est indeterminata, et casus est causa indeterminata. Provenit igitur deceptio quoniam existimatur effectum casualem non habere nisi unam 20 causam et fieri secundum unum modum tantum causandi, cum multos tamen habeat. Quare et casualis et non casualis dici potest. (8) Si autem inferatur: Est casualis, ergo non erat necessarium ipsum fieri, patet non sequi secundum positionem. Nam non ideo dicitur casualis quia possit non 25 esse, nam et secundum Aristotelem necesse est casualia esse, aliter natura ociose fuisset operata; sed ideo dicitur casualis quia comparatus ad talem causam, est in paucioribus et oportet determinationem fieri, quamvis necessaria sit illa determinatio. (9) Neque etiam sequitur: talis effectus fit a 30 causa inevitabili et per se, ergo non est a casu; idem enim secundum utrumque modum causandi fieri potest. (10) Quod

1, 2 causale ed. — 3 est ut in exemplo ed. — 11 qua: quatenus ed; illud quod H; quod N; *omm* EC. — 16 causam: illarum causarum α. — 19 existimat EMI ed. — causalem Cδι ed; causale H. — 21 casus (*bis*) γ (casualis C²). — 25 nam α; natura *cett.*

3 cf. Thom. Aquin., *Sum. Theol.*, 1ª pars, qu. 116 art. 1 (infra p. 38,1).

autem adducebatur de defensione Stoicorum, nos minime illam defensionem approbamus. Dicimus nanque quod ad salvandam causam casualem ponimus illam ut in paucioribus esse coniunctam illi effectui qui ca|366|sualis dicitur. Unde
5 ex hoc sequitur de tali effectu in ordine ad talem causam scientiam proprie neque quasi proprie haberi posse, quoniam indeterminata sunt, quae cognitionem non generant. Quare ignorantia est conditio sequens naturam causae indeterminatae quae est causa casus. Unde non sufficienter ibi
10 sumitur conditio causae indeterminatae casualis: est enim sequens principalem conditionem et non prima conditio. Quare cessat prima obiectio.

(11) Non minus et secunda, in qua dicebatur quod in inventione thesauri omnes causae sunt notae et tamen con-
15 cedimus talem inventionem esse casualem. Certe si inventio thesauri referatur in utrasque coniunctas, nullus diceret illud fuisse casuale. Quis enim miraretur si audiret aliquem dicere: Ego abscondi thesaurum in tali loco et Calias ibi fodiens invenit thesaurum ipsum? Necesse est enim si ibi
20 foderit et ibi erat, ut eum reperiat. Quare si ambae illae causae alicui sunt notae, non est ibi casus. Verum inventio thesauri est casualis comparando ad unamquamque solitarie, ut |367| notum est. (12) Quare eclipsis perito Astrologo non est casualis, quia non solum Astrologus scit Lunam raro
25 deficere ex cursu suo, sed scit determinate quid sibi Lunae contingat in tali cursu; quare et impedimentum cognoscit. Unde omnes causas facientes pro Lunae eclipsi novit. Unde quamquam raro Luna eclipsetur, perito tamen Astrologo eclipsis non est casualis, quoniam non indeterminatus est,
30 sed omnes causas cognoscit; quare ut sic nulla est sibi casualitas. Si quis tamen sciret cursum Lunae tantum et videret

2 quod *om* ed. — 8, 11 segnens ed (*bis*). — 10 indeterminatae *om* α. — 13 in qua dicebatur: indicebatur ed. — in *om* ed. — 14 nota ed. — 16 convinctas Hed. — 19 thesaurum ipsum: eum α. — 20 fodierit ed. — 21 Verum: utrum GFH ed. — 22 sit Gδo ed. — 23-24 Astrologo ... non solum *dittog* ed. — 24-29 quia non ... casualis *om* α. — 31 et: ut ed. — 31-1 et (ex A) videre eclipsim posset α.

eclipsim postea, hoc sibi esset casuale. (13) Quod si dicitur: Tunc in caelo ergo erit casus, quod reclamat Aristoteles II *De Caelo et Mundo.* Huic dicitur quod secundum Aristotelem casuale est evitabile aliterque esse potest; quod in caelo fieri
5 nequit. Verum secundum hanc positionem non solum in caelo, verum et in omnibus omnia inevitabiliter fiunt. Quare non dicitur causa casualis secundum modum Aristotelis, verum secundum hunc modum secundum quem et in caelo casum |368| ponimus; causa nanque quae ut in paucioribus
10 producit effectum casualis dicitur, quae cum sola non sit sufficiens, determinatur per alia; quae simul coniuncta faciunt causam per se et sufficientem. Talia vero reperiuntur et in caelo; quare et in caelo sunt casualia quamquam omnino necessaria.

15 (14) Unde et ad tertiam obiectionem patet. Quoniam apensilia, incantationes et magica non sunt causae casuales cum semper aut in pluribus suos producant effectus. Et quamquam tales causae sint ignotae, ignorantia tamen non provenit quoniam tales causae raro id operantur et sunt
20 indeterminatae: immo quasi semper illud faciunt. Dictum est autem tales causas esse oportere sic indeterminatas, ex qua indeterminatione sequitur ignorantia postea. (15) Quod autem adducebatur de Aristotele et suis imitatoribus, non convenit eorum autoritates recipere quando de hoc est inter
25 eos pugnantia et disputatio. Et sic de tertio et ultimo.

2 est *post* tunc *ad* ed. — ergo *post* tunc *add* αγNH. — erit: esset α. — 3 et Mundo *om* C. — 8 dicitur *post* hunc modum *add* μEBC². — 11 pro alia ed. — 16 sunt *om* ed. — 17 aut in pluribus *om* γ. — 21 indeterminatae ed. — 23 suis: eius γ. — 24 authoritatem γ (auctoritates C²); autoritati δ ed. — quando: quoniam N ed; quia M.

3 *De Caelo*, II, 5. 287b 25. Cf. *Physic.*, II, 4. 196b 3; Ps-Aristot., *De Mundo*, 2. 392 a 31.

Caput septimum in quo continentur Alexandri dicta in suo sexto capite.

(1) |369| In superiori capitulo conatus est Alexander ostendere quod apud ponentes fatum non potest salvari nomen verum casus et fortunae. (2) In hoc vero capite vult probare eosdem vere salvare non posse nomen verum contingentis aequalis. Quare et in *Rubrica* dicitur: «Contingens aequale seu utrumlibet auferri ab his qui omnia ex necessitate fieri arbitrantur».

I. (1) Primo itaque Alexander probat hoc ostensive. Et quamquam ornate et copioso sermone hoc deducat Alexander, brevibus tamen, ni fallor, sententiam eius aperiam. Ratio haec est: Quod fato fit, necessario fit (non enim hic sumitur necessarium pro violento). Quare quod fit necessario, non potest non fieri. Quod non potest non fieri, contingenter non fit; nam quod contingenter fit, potest non fieri: haec enim est ratio contingentis ut et oppositum fieri queat. Unde manifeste infertur: si omnia fato fiunt, nihil contingenter fieri posse. At quid absurdius dici potest? nam non poterimus digitum movere. Multa autem in declaratione horum dicit Alexander quae, quoniam mihi satis nota videntur, |370| ideo non ultra sermonem extendam.

(2) Secundo Alexander removet unam responsionem ad hanc argumentationem. Quis enim dicere posset negando illam primam assumptam: Si quod fato fit, necessario fit. Stat enim aliquod fato fieri et illud contingenter fieri. Nam secundum sic opinantes, illud dicitur fieri contingenter quod quamvis non fiat, nihil tamen prohibet ipsum fieri; pro tanto autem nihil prohibet ipsum fieri quoniam notum non

3 capite NγI. — 5 verum *om* α. — 6 verum *omm* ω γ. — contingens ed. — 8 his ω LG *Bagol.*; hiis B; iis C δο ed. — 11 ornato α MC. — 19 non *om* ed. — 22 non . . . extendam: ultra me non estendo E *qui et ad in mg.* in declarationem illorum. — 24 Quis *sic cunct pro* Aliquis.

1 Bagol., fol. A⁸r-B²v.

est nobis quod sit ipsum prohibens; quod si notum nobis
esset iam non esset possibile fieri. Cum itaque multa eorum
quae fiunt fato talia sint quod nihil prohibeat ipsa fieri ad
modum expositum, ergo multa quae fato fiunt possibiliter
5 fiunt. Sed quod possibiliter fit, non necessario fit. Non igitur
si fato fit, necessario fit. Et sic ratio Alexandri non procedit.
(3) Ast Alexander talem impugnat responsionem dicitque
haec similia esse dictis ludentium in his quae minime ludo
indigent. Sic enim dicendo non declaratur quid revera sit
10 contingens, sed tantum quid opinantur ipsi esse contingens;
|371| nostra nanque ignorantia nihil ut res sint vel non sint
facit. Quare si fatum ponitur, non salvatur contingens esse,
verum salvatur quomodo apud ipsos opinetur contingens
esse. (4) Amplius secundum hoc, idem erit contingens et
15 non contingens: apud enim eum qui non cognoscit prohibens, tale est contingens fieri; apud eum vero qui cognoscit,
tale non est contingens fieri. Sunt enim tales ipsi vates. Ergo
conclusio de necessitate sequitur.

(5) Tertio Alexander in residuo capituli removet aliam
20 responsionem. Quis enim fortassis contenderet monstrare
cum hoc quod omnia fato fierent, multa tamen possibiliter
fieri. Nam fato fiet, exempli gratia, cras navale bellum; quo
peracto amplius haec non erit vera: cras fiet navale bellum.
Ergo haec non est necessaria: cras erit navale bellum. Sed
25 quod neque est impossibile neque necessarium, illud est
contingens. Ergo cum fato stat contingentia, quandoquidem

1 fit βδo ed. — 4 fato *om* γ. — 11 natura namque ed. — 14 esse ... erit contingens *omm* d ed. — 20 Quis *sic cunct.* — 21 cum: eum ed. — 21-22 multa tamen ... cras navale bellum: exempli gratia cras navale bellum (cum multa tamen possibiliter fieri) ed. — 22 in quo δ. — 23 pacto CI; poracto ed.

7 sqq. Bagol. fol. B[I]v: « Hec certe dicta non ne ludentium pocius sunt in his que minime ludo indigent? Ignorantia si quidem nostra nihil ut res sint aut non sint facit. Nam sic dicentes significant quod ex nostra cognitione possibile iudicetur ex eorum opinione. His enim qui eorum causas cognoscunt (hi vero vates sunt) non erunt possibilia, cum possint qui cognoscunt ea ipsa impedire. His vero qui ignorant possibilia erunt a quibus non prohibentur. »

aliquod quod fato fiet contingenter fiet, veluti deductum est.
(6) Verum Alexander dicit: Rursum et hoc ludentium est pariter et ignorantium ea quae dicunt. Et duo adversus hanc po|372|sitionem ponit: Primo quoniam multum refert 'hoc
5 necessario fieri' et 'hoc necessarium esse'; secundum enim significat quod nunquam hoc variabitur de uno esse in alterum, primo significante quod non potest evitari hoc [non] fieri, quod tamen factum poterit variari. Nam secundum illam opinionem, si Socrates generandus est, inevitabiliter ge-
10 nerabitur; non tamen sua generatio neque ipse semper erunt. At haec opinio indifferenter de his enunciat. Secundo probat quod si, exempli gratia, cras fato erit navale bellum, non poterit non esse; quoniam quod fato fuit non potuit non fuisse, ergo quod fato erit non poterit non esse; ergo non contin-
15 genter erit. (7) Existimo autem ego per praeteritum probasse futurum, quoniam in praeterito est manifestius cum nunquam amplius mutari possit; quod non est ita manifestum de futuro, ut de se patet. Et quamquam absolute non sequatur apud Aristotelem (non enim sequitur: Si quae facta
20 sint, sic facta esse est necessarium; ergo et si quae futura sunt, ipsa fore sint necessaria), tamen videtur argu-|373| mentum tenere cum hac conditione: fato, i. e. si fato facta sunt, necessarium est fuisse facta; ergo si fato futura sunt, necessarium est ipsa fore, quoniam fatum est inevitabile.
25 Quare utrobique sequitur. Hanc etiam argumentationem quoad principale ponit Aristoteles in fine I *Perihermeneias* et sui expositores eum secuntur. Et hoc de primo.

II. (1) Quantum vero ad secundum volo pro nunc omittamus actus humanae voluntatis et ea quae ei subiiciuntur,

1 quod *om* ed. — 4 oppinionem E. — 7 evenire γ (evitari C²). — 7-8 non fieri *sic cunct.* — 11 At EB ed; Ad *cett.* — 16-17 nunquam: non α; utrumque M. — 17 mutari αβM; mitari C²; imitari δo ed; evitari Nγ. (*cf. infra* 149,7: mutari). — 20 sunt N ed. — modo *ante* sic *add* ABC; ymmo L; et F; non μ; *omm* Gδη ed. — 20-23 sic facta . . . facta sunt *om* E. — 21 esse necessarium γ. — 24 evitabile ed.

26 *De Interpret.*, 9, (I *Periherm.*, VI). 18 a 28 sqq.

nam de his prolixior erit sermo in futurum; sed tantum sumamus ea quae naturaliter agunt, ut apud Aristotelem Intelligentiae, elementa, inanimata, bestiae, et omnia non habentia animam rationabilem sunt. (2) Et quaeritur: An in
5 his sic secludendo actus humanos ex toto, quicquid fiet de necessitate fiet, sic quod non poterit non fieri neque aliter fieri quam fiet? Et ego non possum videre nisi quicquid fiet de necessitate fiet, et quo modo fiet, hoc modo de necessitate fiet. Nescio enim quid possit variare hoc. (3) Immo
10 ipse Alexander hoc aperte concessit in capite 4° superiori. Di|374|cebat enim ibi quod ea quae arte fiunt non de necessitate fiunt veluti ea quae sunt a natura. Si enim mons aliquis, exempli gratia, ruet, seducta voluntate humana et supposito quod dii de necessitate agant nullaque in eis sit
15 flexibilitas: quomodo enim fieri potest quin mons dictus [non] ruat? Istud enim profecto mihi videtur esse per se notum.

(4) Hoc tamen ut existimo sic efficaciter probari potest. Quoniam sit A effectus qui in hora futura producetur a B et
20 C causis mere naturaliter agentibus tanquam causis adequatis, secundum omne genus causae requisitae pro A effectu. Si itaque A eveniet et non inevitabiliter, poterit igitur A impediri ne eveniet. Ponatur igitur non evenire; cum igitur A non eveniet, aut igitur B et C causae precise eodem
25 modo se habebunt sicuti se habuissent quando produxissent A, vel alio modo. (5) Primum non est dabile, quoniam quod

1 prolixius erit BML[1]; erit prolixus α; prolixius, or H. — 3 intelligentia ed; *om* E. — 4 habentia αNC; (*obscurum in* BG); habentes LMδo ed. — 33, 18 - 35, 32 *in solo* L[2] *addito folio 7r-v 2a manu exarata exhibentur. Rubricam* 'fine quaere hic addenda' *exhibent* δυ *in mg*, G *in ipso textu; in ceteris vero, scilicet* ω B (*sed vid. Proleg. p. XVII quoad* B), P, H, I, ed, *et rubrica et addenda desiderantur. De addendorum auctoritate, vid. Prolegom. p. LIII; etiam infra p. 182,20 not.* C[2] *vero* (*in mgg ff. 9v-10r eadem man.*) *et etiam* L[2] (*addito fol. 8r-v 2a man.*) *hanc aliam communem exhibent recensionem quam in Appendice I invenies.*

1 Lib. III, 2 sqq.; infra pp. 225 sqq. — 10 Supra p. 11, 18-26.

a causis mere naturalibus et precise eodem modo se habentibus proveniant immediate effectus oppositi sive diversi,
reclamat omnis philosophia. Secundum neque fingi potest,
s<c>ilicet A non eveniet quoniam B et C eiusdem A causae
5 non se habebunt secundum eamdem dispositionem precise.
(6) Quaeritur igitur: Unde B et C causae acquisiverunt talem
diversam dispositionem a priori? Aut enim ex seipsis, aut ab
aliis. Non ex seipsis, quoniam cum dispositiones per quas non
eveniet A effectus sint oppositae dispositionibus per quas
10 eveniret idem A effectus, tunc B C causae per se immediate
essent productivae oppositorum, et sic agens mere naturale
immediate esset productivum oppositorum in passum consimiliter dispositum; quod impossibile est, veluti superius
dictum est. Oportet igitur B et C causas talem diversitatem
15 dispositionum non ex se ipsis habere sed ab extrinseco.
(7) Et omnino vel ista extrinseca secundum concessionem,
sive mere naturalia, precise taliter se habebunt ad B et C
causas sicuti B et C se habebant respectu A effectus produ-
cendi. Quapropter eisdem argumentis et tormentis proce-
20 dendum est adversus illa extrinseca sicut procedebamus de
B et C respectu A. Quare, aut erit processus in infinitum
in causis, quod non est dare quoniam sic nunquam prove-
niret effectus; aut A, stante supposito quod producatur solum a causis mere naturalibus, inevitabiliter eveniet. Quod
25 erat nostrum propositum.

(8) Et iterum firmatur. Quoniam si A effectus producetur
a B C causis, cum sint mere naturales, de necessitate producent A, nisi impediantur. Ex IX enim *Metaphisice* haec
est conditio agentis naturalis, ut de necessitate unum pro-
30 ducat nisi impediatur. Verum B et C non possunt impediri.
Quare B et C de necessitate producent A, si ipsum A producent. (9) Quod autem B et C impediri non possint patet,
quoniam aut ab aliquo vel ab aliquibus mere naturaliter

4 silicet L^2.
28 *Metaphys.*, IX, 5. 1048 5 sqq.

agentibus, aut ab agente per voluntatem ad oppositum. Non secundum, ex suppositione; supponitur enim quod non concurrat nisi agens naturale. Si vero detur primum, scilicet quod B et C possint impediri a productione effectus A ab
5 agente mere secundum naturam, queritur igitur de illo vel illis: aut sunt ipsamet B et C, aut aliquod aliud. Non primum, quoniam sic agens secundum naturam ex se posset in opposit‹a›; quod est manifeste falsum. Impediens ergo B et C vel potens impedir‹e› est aliud ab eis. (10) Sit
10 igitur D. Ex quo autem A producetur a B et C ut suppositum est, D non impediet B et C, poterit tamen impedire. Unde igitur est quod D, cum possit impedire B et C non impedit? Hoc autem non potest esse ex se: sic enim esset agens rationale cum posset ex se in utrumque oppositorum. Oportet
15 igitur, cum D possit impedire B et C et non impedit, hoc esse ex aliquo alio. Erit igitur, exempli gratia, ex C. Et revertitur questio prior de C, scilicet cum possit impedire D et non impedit, unde habet hoc ipsum? Et tandem vel erit processus in infinitum, quod non est dabile; aut stan-
20 dum erit in primo, quod A de necessitate producetur a B et C, quod erat primum propositum.

(11) Unde mihi videtur esse fatuitas dicere quod in his quae mere naturaliter fiunt, secludendo voluntatem ad opposita, [quod] possint aliter evenire quam evenient. Nam
25 naturalia sunt determinata ad unum; principium autem ad opposita est ipsa voluntas quae secluditur totaliter a suppositione. Veluti manifestum est, habet ut sit ad unum dicere si A effectus producetur a B et C causis mere naturalibus, non poterit idem A effectus impediri, nisi aliquod ens mere
30 naturale ex se possit in opposita, veluti deductum est; et hoc est contra rationem entis naturalis. Ergo ubi tantum agens naturale concurrit, quod evenit inevitabiliter evenit.

8 opposito L². — 9 impediri L². — 17 prior *ex* prima L² (*ead. man.*) — 21 primum *in mg.*, secundum *in textu* L² (*eadem man.*) — 24 quod *sic* L². — 31 agens *in mg.*, ens *in textu* L² (*ead. man.*).

(12) Et quamquam divus Thomas in prima parte *Summae*, in articulo 6° centesimae decimae quintae quaestionis oppositum huius asserat, mihi tamen videtur non recte sentire, et quod eius ratio per quam movetur ad oppositum sit nedum frivola, immo et manifeste falsa. Dicit enim quod multa in universo accidentaliter fiunt et sunt per accidens. Ast quae eiusmodi sunt, non habent causam per se, ut dicitur VI *Metaphysicae*. Si autem talia, scilicet quae per accidens fiunt, necessario fierent, haberent causam per se: nam quod est necessarium, per se est; et sic essent per se et non per se.

(13) Haec autem ratio multipliciter videtur peccare. Nam manifestum est necessarium esse multa esse per accidens |375| in universo. Non enim esset universum nisi et talia essent: ens namque dividitur in ens per se et in ens per accidens; quare et causa consimiliter dividitur, ut dicitur II *Physicorum*. Cum hoc igitur quod aliquid de necessitate fiat, stat quod ipsum sit per accidens. (14) Amplius, ut etiam ipsemet Thomas multotiens dicit: quod est per accidens in ordine ad aliqua, nihil prohibet esse per se in ordine ad alia. Nam etsi respectu causarum particularium sit per accidens, in ordine tamen ad causas universales, utpote ad caelum et intelligentias, est per se, a quibus est principium necessitatis et quorum ratione dicitur effectus necessarius.

6 *post* fiunt *ad* quae si necessario fierent, haberent causam per se *ex. haplog. cum linea* 9ª ed. — et tamen sunt ed. — 8 scilicet *om* ed. — 9 necessarie ed. — 10-11 *om* et non per se ed. — 17 *ad* t. c. 33° E. — 17-18 necessitata ed. — 20 ad aliquid ed. — 21 etsi in respectu α. — 22 ad causas naturales BMd (C^{1}) ed.

1 *Summa Theologica*, Iª pars, qu. 115 art. 6 *in corp*. (Leon. v, p. 547b). — 7-8 *Metaph.*, vi, 2. 1027a 6-7. Cf. Thom. Aquin., *In Metaph. Aristot. comment*. (ed. R. Cathala, Taurin. 1925 p. 360, n. 1185): « effectus et causa proportionantur ad invicem; et ideo effectus per accidens habet causam per accidens, sicut effectus per se causam per se ». (Citat. ex J. Tricot. *Aristote. La Métaphysique*. Paris 1953. i, p. 339 n. 4). — 17 *Physic.*, ii, 3. 195a 26sqq. Cf. Averr., *ibid.*, t. c., 33 (Comin. de Tr. iv, 48v E).

(15) Verum idem divus Thomas in eodem loco dicit quod ista per accidens in nullam causam reducuntur, cum tamen hoc aperte repugnet dictis eius in fine I *Perihermeneias* et in VI *Metaphysicae* et in multis aliis locis. Vult enim Deum
5 omnium esse causam per se, nihilque respectu eius esse casuale neque per accidens. Quod et a Boetio in IV *De Consolatione* dicitur. Quare cum Deus ex ordine naturae in |376| haec inferiora agat per corpora caelestia veluti convenientia instrumenta, tales effectus accidentales reducentur in Deum
10 tanquam in principalem causam, et corpora caelestia tanquam instrumentariam.

(16) Amplius in istis effectibus accidentalibus, utpote in casualibus, natura dedit materiae ut aliquando possit deficere; et ex quo potest deficere apposuit impedimentum extra, ne
15 potentia illa sit ociosa, ut Averrois commento 48 II *Physicorum* dicit, et idem divus Thomas in fine I *Perihermeneias*. Quomodo igitur non erit iste effectus per se intentus a natura universali? (17) Preterea, omnibus his sibi datis licet

3 id aperte ed. — 7 in ordine ed. — 12 nisi istis E; in *omm* d (*absque* H) ed. — 13 materiae *om* γ. — possint γ. — 17-18 Quomodo . . . universali *om* ed. — 18 videlicet ed.

1 *Sum. Theol.*, I^a^ pars, qu. 115 art. 6 (Leon. v, p. 547b): « Unde talis concursus non habet causam, in quantum est per accidens. Et propter hoc id quod ex tali concursu sequitur, non reducitur in aliquam causam praeexistentem ex qua ex necessitate sequatur ». — 3 *Comment. in Aristot. I Periherm.*, lect. XIV; *In Metaphysicam Aristotelis Comment.*, VI lect. III. Cf. Cajetan., *In Summam Theol. S. Thom. Aquin. Commentaria*, I^a^ pars, qu. 115 art. 6.: « Secunda vero dubitatio ad hominem est, quia in VI Metaph. (lect. III) S. Thomas, examinans haec, videtur velle totum oppositum eius quod dicit hic. Hic namque omnia resolvit in hoc quod concursus non habet causam; ibi vero salvat quod concursus potest habere causam superioris ordinis: puta, concursus horum inferiorum potest habere causam caelestem ». (Leon. v, p. 548 n. XI). — 6-7 *De Consol.*, IV, prosa 6, passim (Peiper 107-115). Vid. tamen *ibid.*, v, pros. 6: « Idem futurum cum ad divinam notionem refertur, necessarium, cum vero in sua natura perpenditur liberum prorsus atque absolutum videri ». (Peiper 142). — 15-16 *Physic.*, II, t. c. 48 (Comin. de Tr. IV, 53v); cf. infra p. 39, 15.

minime veris, quaero: Numquid si duo inimici sint ex oppositis terminis unius viae directae et unusquisque istorum pergat ad terminos oppositos, ut pote Plato sit in termino A, Cicero in termino B, et Plato ex A veniat in B; e contra vero
5 Cicero ex B veniat in A; deductis omnibus impedimentis supponaturque Platonem ignorare de Cicerone et e contra, nullusque istos sic ordinaverit neque ex superioribus neque ex inferioribus; numquid omnibus sic stantibus Plato de necessita|377|te obviabit Ciceroni? Et patet quod sic. Erit
10 ergo effectus mere accidentalis et necessarius, et tamen per te non habebit causam per se. Non igitur necesse est quod necessarium est habere causam per se, ut dicit divus Thomas. (18) Amplius Themistius capite 15, I *Posteriorum* ponit aliqua esse necessaria quae non sunt connexa per se.
15 Quod et Averrois concedit in commento 66 I *Phisicorum*. Dato igitur etiam divo Thomae quod per accidens non habet causam per se, non tamen aufertur habere causam necessariam.

(19) Quare redeundo unde digressi fuimus, dicimus se-
20 cundum sententiam Aristotelis quod omnia quae fiunt seclusa voluntate humana et iis ad quae ipsa voluntas concurrit, inevitabiliter fieri. Hoc autem stante, dicimus in universo aliqua esse necessaria ut pote motum caeli, elementa et talia quae semper sunt; aliqua vero fieri ut in pluribus, aliqua

3 ad eos oppositos α (A oppositos *ex* terminos). — 5 ut veniat δ ed. — 7 istorum sic istos ed. — 8 omnibus his sic stantibus α. — 11 te ANβG δε; se EMC ed; se *ex* te (*vel vice versa*) I. — 11-12 Non igitur . . . per se *om* F. — 14 necessaria *ante* connexa *ad* ed. — 16 a divo Thoma ed. — 17 habere: quod non habeat ed.

1 sqq. simile exemplum aliudque de terram fodiente et thesaurum inveniente requiras in Thom. Aquin., *Sum. Theol.*, 1[a] pars, qu. 116 art. 1 (Leon. V, p. 552). — 13 Themistii . . . peripatetici . . . *Paraphrasis in Aristotelis Posteriora et Physica* . . . Hermolao Barbaro . . . Interprete. Venetiis, apud Hieron. Scotum 1559. p. 7; Themistii *Analyticorum Posteriorum Paraphrasis*, ed. Maximilianus Wallies (Commentaria in Aristotelem graeca . . . v, 1) Berolin. 1900, p. 30, 15. — 15 (Comin. de Tr. IV 30v EF).

ut in paucioribus, aliqua vero aequaliter seu ad utrumlibet. Non enim aliter staret universum et tamen quicquid fieret in his extra voluntatem inevitabiliter fieret per conclusa et suppo|378|sita. (20) Stante itaque fato et inevitabilitate, om-
5 nia illa entia sive modos entis nos salvamus, quare et contingentis omnes modos; nam et erit contingens aequale, et contingens ut in pluribus, et contingens ut in paucioribus. (21) Neque ideo dicitur contingens quoniam in tempore in quo fit possit non fieri; immo inevitabiliter fit neque pro
10 illo tempore posset esse oppositum. Sed pro tanto dicitur contingens quoniam in aliquo tempore est, et in aliquo non est, ad modum oppositum corporum caelestium, quae nunquam possunt non esse neque non moveri. (22) Immo hanc sententiam manifeste posuit Averrois II *Phisicorum*,
15 commento 48. Sic enim ibi scribitur: « Dicamus igitur quod prima materia est parata ad recipiendum duo contraria aequaliter, et ideo receptio utriusque contrariorum est ei naturalis; et similiter apparet de anima concupiscibili scilicet ipsam esse preparatam ad actiones contrarias aequaliter. Istud
20 igitur contingens non habet causas agentes contrarias aequaliter in omni tempore, scilicet illud quod est naturale; et si non, tunc natura a|379|geret ociose. Unde necesse est ut illae actiones attribuantur agenti scilicet quod facit alterum contrariorum ita secundum quod in pluribus, non casu;
25 et si esset sic aliquid quod agit et non agit aequaliter, tunc natura ageret ociose; potentia enim ad esse et non esse esset aequalis in eo per se. Et cum dicimus quod potentia ad esse in prima materia est aequalis potentiae ad non esse, intendimus quod duo contraria inveniuntur in ea in temporibus
30 aequalibus oppositis: ut pluviam esse et non esse aequaliter,

3 in his . . . fieret *om* ed. — 4 fato: casu E. — 5 nos *om* α. — 5-6 contingentis ω LCH; contingentes BGδ ed. — 7 et incontingens ut in paucioribus ed. — 10 potest ANBγH. — 17 contrarii δo ed. — 18 scilicet *om* ed. — (concupiscibile: *Comin. de Tr.*). — 19 contraria ANB ed. — 25 (hic: *Comin. de Tr.*). — et non agit *omm* B ed; aequaliter et non γ.

15-3 (Comin. de Tr. IV 53v F) ad verbum.

sed hoc in hieme et hoc in aestate; et causarum alternatio agentium haec duo contraria aequaliter est necesse in temporibus aequalibus etc.». (23) Unde in his verbis Commentator vult talem contingentiam, saltem in his quae non sunt
5 in actibus humanis, non esse scilicet quoniam materia vel agens in eodem possit ad opposita indifferenter, sic quod in die crastina possit pluere et possit non pluere; sed pro tanto dicitur contingentia, quoniam die crastina potest pluere et post crastinam non pluere; unde si pluet cras inevitabiliter
10 pluet cras, et si non |380| pluet post cras inevitabiliter non pluet post cras. Tamen illo modo dicto salvatur talis contingentia. Et haec est vera significatio contingentiae, et aliter sumere significatum contingentiae illusio est et deceptio, saltem in rebus naturalibus.

15 (24) Verumtamen communis modus loquendi multotiens sumit aliter contingentiae significatum. Nam et aliquando sumit pro eo quod in eodem tempore potest esse et non esse; ut pote dicimus quod mensis futurus potest esse pluviosus, et iterum quod idem mensis potest esse siccus. (25) Haec
20 autem acceptio provenit ex ignorantia et nostro errore. Credimus enim ex quo utrumque fieri potest, immo fiet, in temporibus tamen diversis, et ignoramus quomodo et quando, ideo credimus futurum mensem posse esse pluviosum et siccum, cum tamen inevitabiliter unum tantum eorum
25 fiet. (26) Unde Stoicus ignorans istas causas diceret: scio quod inevitabiliter unum tantum eorum fiet, nescio tamen quod; unde concederet ipsum posse esse pluviosum (esto

1 (haec [bis] *Comin. de Tr.*). — 2 duo contraria αγ; duo contingentia C² *et cett.* (*Comin. de Tr.*). — 9 post: potest ELI ed; potest die crastina E. — crastinam *sic* AM; crastinum G; crastina *cett.* — cras: crastina ed. — 10 pluet cras *om* E; *om* cras ed. — et *om* μ. — 10, 11 post (*bis*) *ex* potest C². — 11 Tamen in illo ed. — 12 una significatio ed. — 13 et deceptio *om* E. — 17 sumitur M ed. — 20 deceptio γ F. — 25 Unde rusticus γ (*sed* Stoicus *ad in mg.* G). — 27-1 estoque ed.

7 sqq. cf. P. Pomponatii *Expositio libri de generatione et corruptione.* Cod. Vatic., Reg. lat. 1279, fol. 300r: «quoniam per te si cras potest pluere et non pluere, et tamen pluit, oportet ergo quod potentia sit determinata . . .» Vid. *Prolegom.*, p. LIV, n. 1.

quod ipse esset siccus quoniam quantum est |381| ratione generis potest utrumque esse), licet ratione determinatae causae tantum unum illorum inevitabiliter erit.

(27) Accomodatissimum autem de hoc exemplum est: Sit
5 ita quod ego sciam Pontificem esse mortuum, tu autem credas quod vivus sit, sitque sermo de eo inter nos et tibi dicatur ab aliquo: In ista hora nunc dictus Pontifex prandet (sit enim hora conveniens prandendi). Tu qui credis Pontificem vivere diceres: hoc est possibile; ego autem dicerem:
10 hoc est impossibile. Tu existimareris recte loqui, cum tamen falsum diceres. Nam ex eo quod hoc non habet repugnantiam terminorum neque cognoscis in genere naturae repugnare, videris recte loqui, cum quo tamen crederes etiam possibile esse quod impossibile esset ipsum comedere (nam
15 apud te etiam possibile est Pontificem esse mortuum, et si est mortuus impossibile est ipsum prandere). (28) Hoc autem totum provenit ex ignorantia facti et quoniam illa in suo genere non habent repugnantiam. Unde fit quod multotiens aliqua impossibilia existimentur contingentia, cum |382| reve-
20 ra non sint contingentia. Et non tantum hoc est apud Stoicos verum, sed apud alias sectas. Ex quo patet de secundo.

III. Per quod et de tertio manifestum est. (1) Cum itaque dicitur quod quaecumque fierent inevitabiliter fierent, concedimus. (2) Cumque dicitur: Tunc non possem movere
25 digitum meum in hora futura si non movebo, diximus nunc tantum intendere de actionibus non humanis; nam de istis infra sermonem habebimus. Quare in non humanis operibus illud aperte conceditur. (3) Cumque dicebatur de modo salvandi contingentia, dictum est duplex esse contingens: se-

4-5 sit ita *om* E. — 5 ita quod: itaque Ned. — 6 sit sermo α. — 8 *om* enim α. — 10 existimaveris Eed; existimaris I. — 11 dices ed; dicens H. — 16 Hoc: licet ed. — 17 proveniat ed. — illi L d ed. — 21 de 3°: 3 ed. — 22 ita ed. — 24 cumque dicimus sive dicitur ed. — 24 Tunc *om* d (*absque* H). — 25-26 nunc tamen ed. — 26 actibus γ. — 27 infra *sic* α; *omm* cett.

27 Scil. per totum lib. III.

cundum rem et secundum nostram existimationem. Secundum rem salvatur quoniam aliquando est et aliquando non est, inevitabilis tamen est quaecumque pars pro illo tempore in quo est vel non est. Neque alio modo in re est con-
5 tingens, neque nostra scientia vel nostra ignorantia aliquid in hoc operatur. Est et contingens secundum nostram putationem, et in hoc scientia et ignorantia nostra operantur. Neque idem inconvenit apud diversos esse possibile et impossibile: in casu nan|383|que priori apud me impossibile
10 est Pontificem nunc prandere quoniam scio ipsum esse mortuum; apud te est possibile, quoniam non scis ipsum esse mortuum, unde istud non inconvenit. (4) Quod vero ulterius dicebatur quod si fato fiet, non contingenter fiet, dicitur quod si sumatur contingenter i. e. evitabiliter, conceditur:
15 quod fato fiet sic, non contingenter fiet, i. e. evitabiliter. Si vero sumatur contingenter i. e. quod aliquando erit et aliquando non erit: licet utraque pars in suis temporibus inevitabiliter erit, sic negatur consequentia. Nam, exempli gratia: cras fato pluet et inevitabiliter, tamen contingenter,
20 quoniam non semper cras pluet, ut notum est. (5) Potest etiam cum fato et inevitabilitate concedi contingentia secundum existimationem, ut patet. Autoritas autem Aristotelis et suorum imitatorum in hoc non est admittenda.

Caput octavum in quo ponuntur contenta
25 ## *in capitulo septimo Alexandri.*

I. (1) In hoc septimo capitulo Alexander co|384|natur ostendere omnem consultationem tolli si omnia fato fiant; et hoc dicitur in *Rubrica* sic: «Ab his qui omnia fato fieri dicunt ex causis principalibus tolli omnem consultationem.»

1 nostram *omm* δ ed. — 2 et *sic* α; *omm cett.* — 4-5 contingere δ ed. — 12 Quod vero: apud nos ed; vero: non E δo. — 14 i. e. *sic* α (A *correx ex* in); *omm* β d ed; inevitabiliter μ (AC *ante correct*). — 22 autem *omm* Eed. — 22-23 Aristotelis *om* E. — 26 septimo αC; octavo *cett.* — 26-27 concludere seu ostendere E — 28 fato *omm* ω B.

25 Bagol., fol. B²v-B⁴v.

(2) Et quamquam Alexander prolixissimus sit, eius tamen sententia paucis verbis et claris aperietur sic: Si omnia fato fierent, aut nulla esset consultatio, aut si esset, vana esset; sed et est consultatio, neque est incassum; non igitur
5 omnia fiunt fato. (3) Minor propositio est per se nota: sic enim aut natura frustra operaretur, ut pote si consultatio esset incassum, aut si non esset, non esset homo, quandoquidem homo est animal consultorium. Horum quodvis datum est impossibile ut de se notum est. (4) Maior autem
10 declaratur primo accipiendo in quibus cadit consilium, et quid sit ipsum consilium. (5) Consilium autem neque est in necessariis neque in impossibilibus, sed tantum in possibilibus; neque in omnibus sed solum in his quae in nobis sunt. Neque consultatio est propter ipsam consultationem;
15 non enim consultamus ut consultemus sed ut ex consultatione aliquid |385| aliud ab ipsa operemur. Hoc autem notum est ex communi omnium consensu qui de consultatione loquuntur et est veluti communis animi conceptio. (6) Viso in quibus est consultatio, accipiatur quid est, et propter quid
20 est consultatio. Et manifestum est quod hominibus data est consultatio ut visa et imaginata non sequantur veluti bestiae, sed ut iudicent quod imaginatorum sit melius vel deterius, et per electionem eligant quod sibi illorum placuerit. (7) Ex quo patet quid sit et ipsa consultatio: quoniam est iudicatrix
25 ratio occurrentium visionum quaenam sint eligibiles a virtute electiva, quamquam electiva virtus sit in potestate utramque partem eligendi quae sibi placuerit nullo extrinseco impellente. (8) His praeacceptis, quaeritur: Si fatum est, aut igitur est consultatio aut non est. Si non est, habetur quod
30 quaeritur, quoniam sic una pars disiuncti est concessa. Si

4 et *om* ed. — 9 ut: et G δο ed. — 11 quod ed. — 21 consultatio *om* b. — 23 voluerint α. — 25 a: ex ed. — 26 quanquam . . . sit *linea subducta delend. in* D. — 28 perceptis ed. — 30 una: vera ed.

24 Bagol., fol. B²v.: « Sed habeat iudicatricem occurrentium visionum quaenam sint eligibiles rationem ».

vero est consultatio, primo ex dictis non potest stare ut videtur: quoniam consultatio, ut ostensum est, est ut virtus electiva quod sibi placitum est eligat nullo ad hoc impellente. Ast fatum impellit per positio|386|nem. Quare ratio consul-
5 tationis tollitur et sic consultatio. Quare idem quod prius. (9) Praeterea esto quod esset: quoniam fatum est inevitabile per positionem, igitur non minus sine consultatione operaretur, et fieret quod fato habet fieri; et sic vana esset consultatio.

10 (10) Secundo ad idem arguitur: Si omnia fato fierent, nunquam esset facti poenitentia neque iusta increpatio. At quodvis istorum falsum est, ut ex se manifestum est. Ergo et omnia fato fieri est falsum. (11) Prima sive maior probatur: primo nanque non esset facti poenitentia, quoniam poe-
15 nitentia est cum aliter potuissemus facere quam fecerimus; si enim aliter existimamus non potuisse fieri non cadit poenitentia. Ast per positionem: quod factum est, aliter fieri non potuit. Non igitur esset poenitentia. Neque etiam esset iusta increpatio; nam iniuste increpatur aliquis de facto
20 quod ipse evitare non potuit. At nullum factum evitabile est per positionem. Igitur nulla est iusta increpatio. (12) Idem quoque dicunt Aristoteles et sui expositores in fine I *Perihermeneias*, quare etc. |387| Et sic de primo.

II. (1) Quantum ad secundum praetermitto quae ab histo-
25 ricis referuntur de his qui sibi fatum praedictum nunquam evitare potuerunt, et quo magis conati sunt ipsum evitare, tanto magis in fatum inciderunt; quos si omnes vellem referre, neque ego possem neque omnes linguae simul possent referre.

1-2 non videtur posse stare α. — primo ex . . . consultatio *om* ed. — 2 *2m* est *omm* βC[I]ed. — 5-7 quare . . . positionem *om* E. — 6 vana esset *post* quod esset *ad* ω. — 8-9 et sic vana esset consultatio *om* b. — 17 Ast *om* ed. — fatum ed. — fieri: esse ed. — 19 iniuste d ed (G. *in correct.*); non iuste bG (G *ante correct.*). — 20 fatum γBN ed. — 24-25 historiis α MB ed. — 25 qui: quae ed; quod E. — 26 sunt *om* ed.

(2) Verumtamen venio ad rationes. Certe, veluti in superiori capitulo diximus, apud me apertum est omnia futura
fieri naturaliter esse inevitabilia in quibus non concurrit
voluntas humana; unde si quid futurum fieri est evitabile,
5 est in voluntate humana et in his quae ab ipsa voluntate dependent. (3) Sed istud non videtur esse verum: immo, quod
ipsi peripatetici oppositum asserentes sibi ipsis pugnantia
dicant ostenditur. Quoniam iudicatrice ratione consultante
ad unam partem magis quam ad alteram, aut voluntas illam
10 partem de necessitate eligit vel vult (quomodocunque placuerit appellare), aut potest illam non eligere. Si primum,
ergo actus voluntatis est inevitabilis. Si vero dicatur quod
voluntas potest non eligere et etiam potest eligere, est ergo
in potentia ad illa duo opposita: cum ita|388|que de neces-
15 sitate ad unum illorum feretur, quamquam secundum positionem in nullum determinate feretur (non enim datur
medium inter eligere illud et non eligere, quamquam detur
medium inter eligere illud et illud renuere), quaeritur igitur
de determinante ad alteram partem contradictionis: aut igi-
20 tur voluntas ex se determinabit ‹se› ad hoc, aut ipsa determinabitur ab alio. (4) Si ab alio, hoc est contra suum placitum et ab eis dicta; quoniam volunt quod voluntas a nullo
extrinseco determinetur. Amplius quaeritur de illo determinante: aut est naturale, aut est voluntarium. Si primum,
25 habetur quod quaeritur; nam illud agens naturale inevitabi-

1 Verumtantum αBGδη. — 8 indicatrice CN ed. — 10 necessario ed. — quocumque ed. — 11-12 Si primum, cum actio non supponens voluntatem naturaliter agat, et per consequens inevitabiliter, et voluntas de necessitate illud eligat, (ergo actus voluntatis *etc.*) *sic* b L^1 H; L^2 *eras. linea subducta inde a* cum actio *usque ad* ergo actus voluntatis, *verba* si primum *tantum servans, quae, et ea sola hic exhibet* γ; *omnia inde a* si primum *usque ad* eligat *omm* δ ed. — 15, 16 feretur, feretur LFHI; feratur, feretur D ed; feretur, ferretur NC; feratur, ferratur B; ferretur (*bis*) AG; ferrent (*bis*) E; feratur, *om* 2^m M. — 16 determinate de necessitate α. — 19 de *om* ed. — determinate ed. — 20 determinabit se, *omm* se *cunct.* (*cf. infra p. 46, 5*). — 23 determinatur N ed. — 24 aut voluntarium αMBγH.

1-2 Cf. supra, p. 33, 18 et praesertim addita ad hunc locum.

liter agit, et hoc necessitat voluntatem, ergo actus voluntatis est inevitabilis. Si vero illud limitans est voluntarium, aut erit processus in infinitum, aut est devenire ad naturale agens quo inevitabiliter agente et voluntas inevitabiliter volet.
5 (5) Si vero detur quod voluntas ex se determinat se, ut communiter dicitur, tunc rationes factae in VIII *Phisicorum* de aeternitate motus ex toto pereunt. |389| Dicetur nanque Deum tunc movisse neque ab aliquo fuisse determinatum, sed ex se determinatum fuisse neque oportet aliquem mo-
10 tum praecessisse, veluti dicitur et de voluntate humana. (6) Quod si dicatur rationem Aristotelis tenere in agente naturali et non voluntario, patet istos decipi; nam in utrisque agentibus Aristoteles hoc probat sive sit agens per naturam, sive per voluntatem, ut est ibi manifeste videre. (7) Et Averrois
15 in commento 8 et 15 VIII *Phisicorum* illud apertissime deducit in utrisque agentibus, sive voluntariis sive naturalibus; unde habet pro ultimo impossibili, immo, inquit ipse, inimaginabili, quod ab eadem causa praecise eodem modo se habente tam intrinsece quam extrinsece, diversi effectus et
20 contrarii producantur. (8) Verum secundum positionem hoc de necessitate sequitur; quoniam voluntas potest eligere A et eadem voluntas in nullo mutata quoad intrinseca et extrinseca potest non producere A. Hoc autem reputat Averrois

4 quo evitabiliter ed. — 6 dicitur ed. — 11 teneri ed. — 15 commento 9 ed; comm. 18 E. — et 15: et 18 E. — 17 ipsae EBδo. — 17-18 imaginabili EBGδ; in imaginabili Aμ; immaginabili H; imaginabile ed. — 22 in illo ed.

14-15 *Physic.*, VIII, t. c. 8: «Et secundum hoc sermo eius (*Aristotelis*) erit universalis in omnibus virtutibus motivis scilicet rationalibus et irrationalibus» (Comin. de Tr. IV 273r-274r). *Ibid.*, t. c. 15 (Comin. de Tr. IV 277v-280r). «Et universaliter demonstratio Aristotelis est universalis omni motori qui ponitur primus, sive fuerit positus per appetitum, sive non, scilicet quod impossibile est ut agat in aliqua hora et non in alia» (fol. 278v). cf. infra p. 65, 12 n. — 23 *Physic.*, VIII, t. c. 8: «Et quod dicunt loquentes nostrae legis voluntatem dependere de actione entis novi in aliqua hora, ita quod illud ens fiat apud praesentiam illius horae absque eo ut fiat illic transmutatio, est sermo non intelligibilis». (Comin. de Tr. IV 274r).

non intelligibile, ut certe et difficulter intelligibile est. Immo |390| et ut supra citatum est in 48 commento II *Phisicorum*, universaliter vult omnem potentiam aequalem nullo modo posse exire in actum nisi ab aliquo determinetur, et esse similem materiae primae. Unde si per se posset se limitare, et materia prima sine aliquo agente posset moveri. Quare cum hoc sit impossibile, et illud de voluntate est impossibile. Non itaque peripatetici in hoc suo placito habent verum fundamentum. Et hoc de secundo.

III. Per quod patere potest et ad tertium propositorum. (1) In primis tamen accipitur quod cum omnis causa posterior si sit essentialis et per se, dependet a priori neque causat nisi in virtute prioris. Prima quoque non causat neque influit in tertiam nisi per secundam, et non influit in quartam nisi per tertiam, et sic ulterius usque ad ultimam. Quare et prima non agit in tertiam nisi per secundam, sicut 3^a non agit nisi per primam et secundam, licet aliter et aliter. Nam inferior non agit nisi ut instrumentum superioris in recipiendo a superiori, superior autem agit ut influens et principale. Sup|391|positio est per se nota et ponitur ab auctore *De Causis*. (2) Accipitur et secundo quod ad diversos effectus secundum speciem producendos natura utitur diversis instrumentis secundum speciem requirunturque diversae dispositiones: patet quoniam diversitas effectuum exigit diversitatem causarum. (3) Accipitur et tertio, et quasi sequitur correlarie ex his quae dicta sunt, quod consultatio talis est qualis superius definita est, uno excepto. Nam ibi ponebatur consultationem esse ministram electivae virtuti quaecunque sit illa, quod et nos concedimus; verum adde-

14-17 et non influit . . . et secundam *om* N. — 15 ultimam EH ed; ultimum *cett.* — 18-19 et recipiendo α. — 21 accipitur *linea subducta delev.* D. — 22 nam utitur ENδο (*sed forte* natura *in* DI *linea sequenti*). — 23 *post* speciem *ad* producendos natura utitur diversis (diversis instrumentis I) δι, *sed linea subducta delev.* D. — 26 correlarium E; corrolarie N; correlative M. — 27 denpto E. — 28 virtutis C ed.

2-3 Supra p. 39. — 21 *Liber de Causis*, prop. I. (Comin. de Tr. VI 286v); prop. IX (*ibid.* 289r).

batur: ut eligat quam partem contradictionis sibi placuerit, nullo extrinseco concurrente vel ipsam determinante. Sed hoc negatur, quia est in potentia contradictionis, ideo oportet ab aliquo alio determinari; qua determinata exit in actum.
5 (4) Quod autem sit illud determinans? Dico esse intelligentias una cum corporibus caelestibus. Quare mathematici et in genitura uniuscuiusque sciunt praedicere de eventu. Quo fit ut voluntas Socratis sit ex toto similis voluntati Plato-|392|nis quoad consultationem, et tamen Socrates vult unam
10 partem contradictionis et Plato aliam: quoniam ipsi diversam habent genituram et diversis determinantibus determinantur. Unde et ipse Aristoteles in libro *De bona Fortuna*, attribuit

4 qua: quia ed; quod L. — 6-7 in sua genitura ω BH.

5-11 Vid. *Maior Introductorius Albumasar Astrologi ad sciencian iudiciorum astrorum*, infra p. 213 et n. — 12 *Moralium Eudemicorum*, VII, 18 (Comin. de Tr. III 382rA): « Perinde est ac si principium motus in anima quid sit, inquiratur; patet autem sic esse quemadmodum in universo est Deus, et vicissim cuncta in illo: moventur enim omnia ab inexistente in nobis numine; rationis autem non ratio, sed praestantius quidpiam est principium; quid autem scientia praestantius est, nisi Deus? ». Libri secundi *Magnorum Moralium* Aristotelis locum tenebat doctoribus medii aevi liber *De Bona Fortuna*; v. g. Paris, Biblioth. Nation., ms. lat. 6320 (XIV saec.) fol. 31vb: (*Rubr.*) « Incipit liber Aristotelis de bona fortuna translatus sive acceptus de 2° libro magnorum moralium ». Cf. etiam M. Grabmann, *Mittelalterliches Geistesleben*, II 1936, p. 118 n. 30; S. D. Wingate, *The Mediaeval Latin Versions of the Aristotelian Scientific Corpus*. London 1931 p. 117. Aug. Pelzer, *Les versions latines des ouvrages de morale conservés sous le nom d'Aristote en usage au XIII*[e] *siècle*, in Revue néo-scolastique de philosophie, A. 23 (1921) pp. 317-321. Vid. etiam P. Pomponatii, *De Incantationibus*, cap. XI: « In libro *De Bona Fortuna* ponit (*Aristoteles*) primum motivum voluntatis esse Deum. Sic enim scribitur: 'Rationis autem principium, non ratio sed aliquid melius' . . . » (ed. 1556, p. 225; ed. 1567, p. 209). Thom. Aquin., *Sum. Theol.*, 1[a] pars, qu. 82 art. 4 ad 3[um]: « sed principium consiliandi et intelligendi est aliquod intellectivum principium altius intellectu nostro, quod est Deus, ut etiam Aristoteles dicit in VII *Ethicae Eudemicae* (cap. 14, n. 20 sqq) » (Leon. V, 304b). Cajetanus autem (*ibid.*, p. 305b) hunc Aristotelis librum sicut Pomponatius librum *De Bona Fortuna* nominat. Vid. locum in: *Ethic. Eudem.* Θ 2, [H 14]. 1248a 25sqq. (Aristotelis *Ethica Eudem.* [*Eudemi Rhodii Ethica*], recognovit F. Susemihl. Bibl. Teubn., Lipsiae 1884, p. 118.) Vid. A. Mansion, *Autour des Ethiques d'Aristote*, pp. 228-229; pp. 233-234, in Revue néo-scolastique de Phi-

motum voluntatis neque rationi neque ipsi voluntati, sed Deo qui melior est voluntate humana et ratione. Quare aut Aristoteles venit et ipse in hanc opinionem, aut sibi contrarius est.

(5) Per haec igitur ad rationes Alexandri respondetur. 5 Cum itaque dicitur quod ponentes fatum, aut tollunt consultationem, aut si dant, consultatio est vana: huic dicitur neutrum sequi, sumendo consultationem ut expositum est. Si tamen sumatur consultatio ut Alexander accipit, certe nulla est nisi per homines existimata et ficta, neque inconve- 10 nit multos sic decipi, veluti contingit et in aliis placitis. (6) Ad confirmationem vero cum dicebatur: si esset consultatio, esset vana et supervacanea, quandoquidem et sine illa fieri illud esset necessarium, fato et causa superiore impellente; certe est ratio |393| derisibilis. Sic enim probare 15 possemus quod ad generationem asini non requireretur asinus immitens semen et asina dans sanguinem menstruum: quoniam haec non movent nisi mota a superioribus, et superiora cum de necessitate moveant asinum generarent; quod tamen est manifeste falsum. (7) Dicitur igitur negando illa- 20 tum. Nam non fit talis effectus nisi mediante consultatione; causa enim superior non producit talem ultimum effectum nisi consultatione ut necessario et ordinato instrumento. Et non minus consultatio est fatalis sicut et ille effectus; nam veluti asinus de necessitate producitur, sic et illae causae 25 intermediae sunt necessariae pro tali effectu. (8) Quod si dicitur: Cur natura in homine utitur consultatione et non in bestiis? dicitur e contra: Cur in calefaciendo utitur caliditate et in frigefaciendo frigiditate? Hoc est ratione diversitatis naturarum. Nam consultatio est nobilior non consultatione, 30 veluti homo est nobilior bestia.

2 Quare autem Mβδo. — 8 autem C² E; tantum L δo. — 10 contingit *om* ed. — et: ut ed. — 15 asinae ed. — 17 superiori ed. — 18 moveant b (L²); moveantur (L¹) d ed. — 20 nam *om* ed. — 21 ultimum *omm* Ged. — 25 quod: et ed. — 28 frigidando C.

losophie A. 33 (1931). L. Tatarkiewicz, *Les trois morales d'Aristote*, in Séances et Travaux de l'Académie des Sciences Morales et Politiques. Compte rendu. 1931, pp. 489-503.

(9) Ad secundam cum infertur primo: si fatum esset, nunquam facti esset poenitentia, dicitur: si talis esset |394| poenitentia qualem definivit Alexander, profecto illud sequeretur, quoniam vult poenitentiam esse cum dolemus de
5 eo quod per nos aliter fieri potuit quam quod factum est. Nullum autem tale est dabile; sed revera poenitentia est cum dolemus de eo quod existimamus aliter fieri potuisse, et istud bene est quare sic poenitentia est quam concedimus. (10) Cumque ulterius dicebatur: nulla iusta esset increpatio;
10 huic dicitur ut de poenitentia, scilicet quod increpatio secundum veritatem non est de re quae meliori modo fieri potuit per nostrum consilium, sed quoniam existimamus per nostrum consilium meliori modo potuisse fieri. Hoc tamen est fatale scilicet, quod sic existimemus; nam connexio uni-
15 versi exigit tantam diversitatem, et est pro mundi pulchritudine.

(11) Esset autem hic considerandum, quando voluntas movetur a superioribus ad unam partem contradictionis, si quod recipiat ab illis; et si recipit, quod est istud et quo-
20 modo; aut nihil de novo recipit. Verum de hoc in subsequentibus |395|.

Caput nonum in quo continentur ea quae dicuntur in octavo et nono capitulis Alexandri.

I. (1) Quamquam Alexander hic duo capitula faciat, unum
25 scilicet in quo citat opinionem quomodo ipsi servent in nobis liberum arbitrium, alterum vero in quo impugnat, nos tamen unum solum faciemus quandoquidem unam solam sententiam sive materiam concernant. (2) Ex quibus primo potest patere *Rubrica* in octavo capitulo et eius intentio.
30 Unde dicitur ab Alexandro: «Ab his qui omnia ex necessi-

5 non *ante* potuit *ad* μ. — factum sit cH. — 8 quam: cum δed. — 11 veritatem LG ω (G *post correct.*); virtutem B d ed. — 14 sic *omm* B ed. — 17 consideranda α. — 19 istud δed; illud cH. — 28 concernit ed; concernat Gδo. — 29 et eius intentio *om* γ.

23 Bagol., cap. 8; fol. B4v-B5v; cap. 9: fol. B5v-B7v.

tate fieri dicunt induci alium modum eius quod in nobis est, hoc est liberi arbitrii».

(3) Quantum autem ad caput spectat, primo dicit quod suam positionem secundum quam salvant in nobis liberum 5 esse arbitrium nulla argumentatione conantur Stoici probare, quoniam sciunt se impossibilia aggredi; verum tantum identitatem secundum vocem et nullo modo secundum significatum servare conantur, |396| seipsos et alios decipientes, veluti et fecerunt in fortuna.

10 (4) Secundo istud ostendit secundum eos. Et quamquam multis et ornatis verbis Alexander hoc ostendat, sententia tamen in paucis colligitur. Accipiunt itaque Stoici quod quamquam omnia fato fieri dicant, alia tamen et alia actio requiritur, secundum aliam et aliam naturam. Inanimata 15 nanque diversum modum agendi habent ab animatis; et inter animata, vegetabilia tantum diversum modum habent ab animalibus; et inter animalia, rationabilia ab inrationalibus. Et nedum est diversitas secundum genus, verum et in ipsis generibus est diversitas specifica secundum diversitatem 20 specierum. (5) Exempli gratia: non cognoscentia agunt sine cognitione; at cognoscentia, qua cognoscentia sunt, agunt cum cognitione. Et inter non cognoscentia, aliter agunt vegetabilia, aliter inanimata. Et in ipsis inanimatis, aliter agunt quae sunt unius speciei, ut puta ignea quoniam ascendunt, 25 calefaciunt et exsiccant, aliter aquea quoniam descendunt, frigefaciunt et humectant. Et sic suo modo dicatur de reliquis; quare et proportionabili|397|ter dicatur et de aliis generibus et speciebus. (6) Hoc praeaccepto, sic in nobis servant liberum arbitrium: quoniam homines in propriis actio-30 nibus, qua homines sunt, agunt per intellectum et voluntatem; hic autem modus agendi in nullo alio reperitur, scilicet

1 introduci ed. — 4 solvant ed; salvatur EM. — 6 verumtamen μ C ed. — 7-8 significationem δo ed. (*cf. supra, p. 18, 21*). — 9 veluti fecerunt d ed. — 10 eos: ea ed. — 13 tamen est Bδo ed. — 22-23 vegetabilia . . . agunt *om* ed. — 24 assendunt ed. — 26 infrigidant γ. — 27 et *om* ed. — 28 percepto ed. — sic nobis δo ed.

agere per intellectum discurrentem et voluntatem deliberantem. Quoniam etsi Dii ipsi agant intelligentes et volentes, non tamen discurrentes et deliberantes; sic enim agendo non essent Dii. Quare secundum istum modum conantur salvare in nobis liberum arbitrium.

(7) In capitulo autem sequenti Alexander hanc positionem contendit destruere. Quare et in *Rubrica* dicitur: «Eos qui omnia fato fieri dicunt, non recte sumere id quod in nobis est, nec in vero sensu». Et omissis multis quae ab Alexandro dicuntur, summa rei mihi videtur haec esse.

(8) Primo: quod sic dicentes non plus ponunt liberum arbitrium in hominibus quam in brutis et universaliter in rebus inanimatis, quamquam ponant diversum modum agendi. Ignis nanque per caliditatem sibi intrinsecam |398| calefacit, verum inevitabiliter, neque potest aliter calefacere. Et brutum sic cognoscendo et appetendo movetur ad pastum, neque aliter potest facere. Homo quoque sic intelligendo et volendo, exempli gratia, currit neque si sic intelligit et vult aliter potest facere. Quae igitur maior est libertas operandi in homine quam in caeteris, quandoquidem non sit magis hoc in potestate hominis quam reliquorum? (9) Servant igitur Stoici alium esse modum agendi in hominibus quam in reliquis, veluti aliter ignis et aliter aqua operantur; verum non servant hominem esse liberum saltem secundum rem, sed solum secundum vocem usurpatam et male acceptam, et contra communiter loquentes de libero arbitrio. Sic enim et dicere possemus ignem libere agere, non autem terram quoniam aliter ignis agit, aliter terra. Quare cum sic loqui sit abusus et deceptio, non minus erunt abusus et deceptio dicere hominem ex libero arbitrio agere, quandoquidem ex necessitate sic operatur.

2 quoniam si EFI ed. — 3 agentes γ. — 13 ponunt ELδ. — 16 Brutus δι. — 24 homini inesse A (*correx. ex* hominem esse). — liberum arbitrium α. — 25 rationem μ ed. — 27 et *omm* γ ed.

7 Bagol., fol. B^{5}v.

(10) Dicit et ulterius Alexander, ut mihi videtur: Si Stoici dicunt |399| hominem ideo esse liberi arbitrii quoniam consultationem habet quae omnibus aliis est negata, praeter id quod dictum est, videlicet quoniam libertas non salvatur
5 (apud enim omnes homines dicitur liber aliquis quoniam potest facere et non facere nullo extrinseco ad aliquam partem impellente) verum et universaliter illud non est verum, videlicet quod quicquid facit consultatione facit; quoniam multotiens et saepissime non consultantes agimus. Quare cum
10 homo sit homo ex libero arbitrio, et liberum arbitrium per positionem sit in consultando, cum igitur non operatur consultando, desinet esse homo; quod ridiculum est. Ista igitur mihi videtur esse sententia Alexandri in his duobus capitulis. Et sic de primo.

15 II. (1) Quantum autem ad secundum dico quod Alexander non recte dicit hanc positionem sine ratione servare quod est in nobis, sive liberum arbitrium. Immo ipse Alexander salvans hoc eo modo quo salvat apertissime Aristoteli et principiis eius adversatur. (2) Si nanque homo ideo dicitur
20 esse liberi arbitrii quoniam est in sua po|400|testate utranque partem contradictionis eligere, vel igitur praecise eodem modo ipso se habente quoad intrinseca et extrinseca utrumque divisive potest, vel alio modo se habente ad unam et alio modo se habente ad alteram partem. Si detur secun-
25 dum, illa diversitas et limitatio vel est in sua potestate, aut in altero. Si in sua potestate, erit idem argumentum quod prius, quoniam dum est in potestate eligendi illud determinans, oportebit ut supra per aliud determinari; et sic erit processus in infinitum in determinantibus. Quod si di-
30 citur quod illa determinatio est ab altero, cum tandem sit devenire ad aliquid quod naturaliter faciat illam determinationem, qua existente, voluntas hoc eligit, ergo voluntas de

3 pariter γ — 4 quoniam *om* γ. — 5 omnes *omm* Fed. — 6 aliam δ ed. — 12 ista αM; ita *cett.* — 13 esse *omm* αB. — 20 esse α; *omm cett.* — 23 divisione δed. — 29 in *ante* determinantibus *om* ed.

necessitate eligit; quod intendebatur. Cum hoc quod si fiat determinatio ab altero, est contra sua dicta: dicit enim Alexander quod voluntas ex se potest nullo extrinseco impellente. Quare oportet dicere quod voluntas a nullo deter-
5 minatur, sed ipsa ex se eodemque modo intrinsece et extrinsece se habente indifferenter po|401|test in utrumque. (3) At istud Aristoteles in VIII *Phisicorum* reclamat. Vult nanque si aliquod agens sive sit naturale sive sit voluntarium quomodocunque sit (ut etiam apparet ibi et per Themistium,
10 et Averroim in commento 8 et 15), si eodem modo se habet et intrinsece et extrinsece, nihil producet aut utrumque producet. Dicitque ibi commentator Averrois, istud non esse intelligibile quod eodem modo se habeat et tamen diversa producat; nam dato opposito, ex toto ruit ratio Aristotelis
15 de aeternitate mundi. Quoniam quis dicere potest quod Deus de novo produxit mundum neque oportet aliquam varietatem praecessisse, quandoquidem nostra voluntas hoc potest facere; quanto igitur magis Deus qui est maxime liber, qui omnium est causa, qui a nullo dependet! Voluntas enim
20 nostra, per Alexandrum, nulla mutatione facta potest in utrumque indifferenter, neque oportet esse aliquod determinans.

(4) Audivi ab aliquibus, immo et scriptum reperi apud virum doctissimum Ioannem Buridanum, in *Quaestionibus*

1 intendebat ELed. — 4-5 a nullo . . . ex se: ex se potest et a nullo determinante ed *dittog. cum linea anteriori.* — 6 habente G; habere Cδo ed; habet βM; habeat N; habent α. — 10 habeat ed. — 12 commentator: com. 3 ed. — 16-17 veritatem αNed. — 17 processisse ed. — 24 Bundanum ed; Buridianum M; Umlo Baridamen N.

7 *Physic.*, VIII, 4. 254b 7-256a4. — 9 Themistii peripatetici . . . *Paraphrasis in Aristotelis Posteriora et Physica* . . . Hermolao Barbaro patricio Veneto Interprete . . . Venetiis, apud Hieronymum Scotum 1559, pp. 125-139 *passim.* Themistii *in Aristotelis Physica Paraphrasis*, ed. Henricus Schenkl (Comment. in Aristot. graeca . . . V, 2) Berolin. 1900, pp. 217-220. Averr., *Physic.*, VIII t. c. 15 (Comin. de Tr. IV 273v sqq.) Vid. supra p. 46, 14. — 24 Johannis Buridani Philosophi . . . *Quaestiones in decem libros Ethicorum Aristotelis ad Nicomachum.* (Oxoniae, excudebat Leonardus Lichfield . . . 1637) III qu. 1, pp. 152 sqq.; cf. infra III 9, p. 269,25.

quas gravissime composuit |402| *in Libros Ethicorum*, in una quaestione tertii libri, sic respondere ad hanc nostram rationem: Non sequi apud Aristotelem hoc, quoniam si Deus de novo faceret vel fecisset mundum ipse fuisset mutatus.
5 Hoc autem est impossibile: sic enim non esset Deus. Quod nanque mutatur est in potentia, cum motus sit actus entis in potentia, III *Phisicorum*. Ast XII *Metaphisicae*, Deus est actus purissimus: non igitur in potentia. (5) Quod sequatur sic ostenditur: Quoniam si Deus de novo faceret mundum,
10 cum agat intelligendo et volendo, Deus de novo vellet, caderet itaque nova voluntas in Deo et sic potentia. Verum nostra voluntas est mutabilis, ut notum est ex IX *Metaphisicae*: quare hoc nihil inconvenit in nobis, quamquam illud sit impossibile in Deo.

15 (6) Sed proh immortalis Deus, quot sunt errores in hac responsione! Imprimis omitto illud non sequi, scilicet: De novo inducit ergo de novo vult, ut satis excellenter nostri Christiani ostendunt; omitto, inquam, quoniam fortassis apud Aristotelem sequitur. Sed volo tantum |403| stare in
20 principiis ipsius Aristotelis.

(7) Dico itaque istam rationem multipliciter peccare esseque purum deliramentum et dictum omnino remotum a mente Aristotelis. (8) Primo quidem quoniam Aristoteles et Averrois ibi ex proposito dicunt de voluntate humana et
25 universaliter de omni voluntate quod non potest hoc nunc velle nisi aliquod determinaverit ipsam ad sic velle; quae determinatio non potest fieri nisi per alium motum. (9) Am-

1 gravissime *om* E. — 4 mutans ed; imitatus H. — 10 aget ed. — 15 proh immortalis Deus *om* E. — 18 inquit ed; *om* E. — 24 opposito α. — 27 motum: modum ed; motus M.

7 *Physic.*, III, 1. 201 a 10. — *Metaph.*, XII, 7. 1072 a 18 sqq. Cf. *Metaph.*, IX, 8. 1050b 15 sqq. — 9-10 cf. infra p. 181, 7-10; p. 269, 25. — 12 *Metaph.*, IX, 2. 1046b 4-5. — 17 V. g. quod relatio Dei ad creaturas nil novi in Deo ponit sed in creatura solum, ubi surgit esse. Cf. Thom. Aquin., *Sum. Theol.*, 1[a] pars, qu. 13 art. 7; qu. 28 art. 4 *etc.* (Vid. *Opera omnia*, ed. Fretté et Maré, vol. VI. Paris 1873, Index II, p. 623-4). — 23-24 cf. supra p. 46, 15; p. 54, 7. Buridan., *Quaestiones* . . . p. 151.

plius quoniam istud medium, sive ista ratio longe alia est ab ea quam ibi dat Aristoteles. Non enim ducit Aristoteles ad hoc quod ipse Deus mutaretur, sed quod primum motum praecederet motus, sive in Deo sive in alio. Si enim ista,
5 quam isti dicunt, esset ratio Aristotelis, bene scivisset eam Aristoteles exprimere sicut isti invenerunt dixissetque: ergo Deus mutaretur, quae fuisset longe clarior. Verum deducit quod ante motum esset motus, sive illud ponatur agens per naturam, sive per voluntatem quaecunque sit illa. (10) Prae-
10 terea sicut per positionem voluntas nostra potest elige- |404|re ex se, nullo determinante, quare igitur voluntas aeterna Dei nullo alio determinante non potest de novo movere? Unde non videtur rationabile, si potentia voluntatis ex se nullo determinante potest in se producere actum eli-
15 gendi, quare et igitur ipsa Dei voluntas non potest de novo extra producere quamquam ipsa aeterna sit.

(11) Huic forte dicitur non esse simile. Quoniam existente actu volitionis, si adest potentia, deducto impedimento de necessitate fit actio; sic enim agit ut etiam naturalia
20 agunt. Quamvis enim possem velle et non velle currere, ubi tamen sit actus volendi, existente potentia et deducto impedimento de necessitate curro; est enim veluti actio naturalis.

5 esse rationem ed. — 6 noverunt ed; innoverunt C; moverunt μ; inverunt A. — 8 istud ed. — 9 quaecumque voluntas ω L. — 18 voluntatis E μed; (1° volitionis, 2° voluntatis, 3° *iterum* volitionis L). — 19 fit C²; sit C¹ *et cett.* — 20 non *bis* Cδo.

5 sqq. cf. *Rabi Mossei* (sic) *Ægyptii* (Maimonides) *Dux seu Director dubitantium aut perplexorum*, in treis (*sic*) Libros divisus, et summa accuratione Reverendi Patris Augustini Iustiniani ordinis Praedicatorii Nebiensium Episcopi recognitus ... Opera Iodoci Badii Ascensii ... [Paris.] MDXX. Lib. II, cap. XVI (fol. XLVIIIv): «Nos autem credimus, sicut explanabimus, quod creverunt cupiditates super omnes sectas, et etiam super Philosophos. Et volunt asserere quod Aristoteles induxit demonstrationem in hac quaestione; et fortassis secundum ipsorum sententiam induxit Aristoteles demonstrationem in hac quaestione et non sensit se induxisse demonstrationem; illi qui secuti sunt eum reduxerunt memoriae ...». ed. S. Munk, *Le Guide des Egarés*, II, 15 (II, p. 125). — 17 Cf. Joann. Buridan., *Quaestiones* ..., III, 1 (p. 149). Vid. Append. II.

At existente potentia, cum non naturaliter eligat, potest non eligere. Quare utrobique dispar est ratio. In Deo igitur velle et voluntas idem sunt; quare si Deus habuit voluntatem, habuit et velle. In nobis autem velle distinguitur a vo-
5 luntate; quare stat esse voluntatem non existente velle. Ubi igitur voluntas Dei sit aeterna, et velle Dei est aeternum, existente velle aeterno, cum adfuerit potentia et non fuerit impedimentum, de necessitate er|405|go secutus est effectus.

10 (12) Verum et hoc stare non potest. Primo quidem, veluti dictum est, hoc contradicit Aristoteli et expresse Averroi qui volunt voluntatem non de novo velle nisi aliquod occurrat aliud. Dicit enim ibi Aristoteles: De novo movetur animal quoniam nova excitatio vel aliud intra vel extra occur-
15 rit, ut pote quod excitetur a somno vel a continente, vel ab aliquo alio; ex quo sequitur ut ante motum sit motus. (13) Secundo quoniam quod ab actu voluntatis de necessitate sequatur effectus extra voluntatem deducto impedimento, esse non potest nisi quoniam nihil deest pro tali
20 effectu; verum cum pariter ita se habeat potentia volitiva ad actum voluntatis secundum positionem (a nullo enim ulterius indiget determinari), ergo pariter producetur de necessitate actus volitionis. (14) Quod autem dicitur ex actu voluntatis de necessitate sequi suum effectum nisi im-
25 pediatur, ex potentia autem volitiva non, istud certe est secundum placitum dictum; nulla enim verisimilis videtur |406| posse assignari pro uno ratio quae non et verisimiliter possit pro altero assignari. Aristoteles quoque innititur illi medio: quoniam ab uno qua unum non potest nisi unum
30 provenire. Unde volens illud ostendere distinguit de agente per naturam et per rationem docetque quod sive sit agens

1 eligat *omm* αδ ed. — 4 habuit *om* ed. — 6-7 ubi igitur . . . existente velle *om* ed. — 7 adfuit ed. — 8 fuit ed. — 12 volunt *omm* ω B. — 16 sequatur B d. — 21 ab actu ed. — 22 ergo: quo ed. — 29 quo E ed; qui M. — *omm 1um* unum ELδ ed. — 31 et rationem EBδo ed.

13 *Physic.*, VIII, 2. 253a 7-20. *Ibid.*, 6. 259b 1-20.

per naturam sive per voluntatem, non potest diversa producere nisi secundum aliquam diversitatem existentem in intrinseco aut in extrinseco. Quare Averrois in commentis 8 et 15 ostendit esse fugam non proficientem, si illud vertatur
5 ad agens per voluntatem.

(15) Praeterea si voluntas movet sine extrinseco, non igitur dependet ab alio, nam sicut se habet ad operari, ita etiam ad esse. At hoc falsum est. Igitur et quod dicitur. Huic forte dicitur quod motus voluntatis dependet a Deo et a cau-
10 sis universalibus quae sunt ante ipsam, tanquam ab agentibus concurrentibus ad omnem effectum hic inferiorem; et veluti causa 2ª et posterior dependet a prima et a priori. Verum pro tanto dicitur actus voluntatis non impelli ab extrinseco |407| quoniam non impellitur tanquam ab aliquo
15 particulari agente. (16) Sed hoc dato non minus habetur quod intenditur. Stoici nanque ponunt voluntatem limitari ex superioribus; quod manifestum est ex Dei providentia et ex peritia astrorum et vaticinationibus. Non itaque evaditur difficultas.

20 (17) Sed forte dicitur illa superiora inclinare et disponere,

2 in *om* ed. — 6 Propterea Bμed. — 7 etiam: se habet α. — 9-10 et causis ed. — 12 2a posterior ed. — 15 habet, intendit ed.

3-4 *Physic.*, VIII, t. c. 8 et 15. Cf. supra p. 46, 15 sqq. V. g. t. c. 15 (Comin. de Tr. IV, 278v sqq): « In hac opinione est ponere motum et motorem existentia tempore infinito et motorem non movere, et motum non moveri, et post incipere in motu in aliqua hora absque eo quod illic fuit causa per quam moveret in illa hora et non prius. Et ista positio est similis positioni quam ponunt loquentes nostrae legis. Sed quia ponunt motorem movere voluntarie, ideo videntur magis sustentari quam qui ponit ipsum movere naturaliter . . . Sed sicut diximus quod volens movetur postquam non movebatur, aut movet postquam non movebat, necesse est tunc aliquam proportionem fieri inter ipsum et motum quae ante non erat: et si non, non magis moveret in hoc tempore posito quam in alio . . . Et nos dicimus quod voluntas, quia quaerit actionem voluntariam, quaerendum est quemadmodum impossibile est ut voluntas nova dependeat de actione antiqua, et voluntas antiqua dependeat de actione nova. Et nos dicimus quod apparet et apparebit impossibile esse ut actio nova fiat per voluntatem antiquam nisi sit actio antiqua media . . . »

verum non necessitare neque cogere. At istud non videtur
sufficere. (18) Primo quidem quoniam totum esse et operari
inferiorum est a superioribus tanquam a causis primis et
essentialibus; quomodo itaque possunt dici disponentia et
5 inclinantia, cum talia agentia disponentia et inclinantia videantur esse tanquam causae accidentales et posteriores? (19)
Praeterea, si non cogunt sed tantum disponunt, igitur stante
adhuc tali inclinatione et dispositione possunt agere adversus eam inclinationem et non agere. Agant itaque adversus
10 eam: numquid in tali actione, secundum quam adversantur
actioni superiorum, dependeant a superioribus vel non?
Secundum dari nequit. Igitur et dependent. Aut igi|408|tur
necessitate aut non. (20) Vel igitur erit processus in infinitum, vel oportet voluntatem necessitari. Nisi fingamus vo-
15 luntatem humanam a superioribus non dependere; quod
perridiculum est, quandoquidem omne agens praeter Deum
est movens motum et instrumentale plusque dependens a
Deo quam serra a secante, quae non movet nisi mota.

(21) Quod si ulterius dicitur voluntatem in volendo de-
20 pendere a Deo, quoniam ipsa esse habet a Deo; non vero
quod a Deo moveatur: veluti grave dicitur moveri a generante, non quoniam generans sit et moveat grave, sed quoniam
movet per gravitatem quam habuit a generante; sic et in
proposito. (22) Certe neque hoc satisfacit, quoniam animalia
25 omnia in esse et in conservari et sua potentia dependent a
Deo et a primis causis; non sic autem dependet grave a generante. Praeterea cum voluntas movet, aut eam movet actu
Deus aut non. Si non movet, quomodo igitur omne movens
secundum movetur a primo? Si movet, aut prius natura mo-
30 vet Deus quam voluntas, aut simul, aut posterius. Neque |409|
simul, neque posterius, quoniam neque simul sunt ista, et vo-

1 necessitate M ed; de necessitate γ. — 3 est *omm* δed. — 7 Propterea L μ ed. — 8 dispositionem E. — 9 Agunt E ed. — 13 necessitate Gδ; necessitantur C²; necessitatur AμβH; necessitant EC¹. — 14 fingam ed. — 17 dependere δ ed. — 17-18 a Deo *om* ed. — 24 animalia *om* N; anima α. — 25 omnia: et α; *om* β. — et conservari N ed. — dependet EN ed. — 27 Propterea μ ed; *om* B. — 29 aut *om* ed; autem M.

luntas est posterior Deo. Ergo prius Deus movet. Ergo quod sic moveat habet ab altero; non itaque ex se. Unde Alexander non videtur recte dicere, et hoc de secundo.

III. Quare et per haec ad tertium. (1) Cum itaque dicit 5 Alexander: Aufertur quod est in nobis sive liberum arbitrium; huic dicitur quod si sumatur liberum arbitrium veluti ipse Alexander sumpsit, sic nullum est; quoniam nulla causa secunda potest movere non mota. Quare cum ipse Alexander velit voluntatem ex se moveri nullo extrinseco concurrente, 10 hoc penitus falsum est, veluti demonstratum est, et sic sumendo liberum arbitrium est tantum secundum existimationem. Et sicut ipse obiicit Stoicis Alexander, decepit se et alios.

(2) Secundum tamen veritatem homo habet liberum arbitrium, et solus homo. Quoniam ipse solus consultat de 15 agendis arguendo ad ambas partes (quod neque Dii neque bestiae faciunt); habetque potestatem eligendi indifferenter utranque partem si agens extrinsecum limitaverit ad utranque; verum nullum est |410| agens tale quod sic se habeat simpliciter, sed aliquando limitate ad unam, aliquando vero 20 ad alteram secundum diversam dispositionem. (3) Quare nos ex hoc decipimur existimantes quod in nostra potestate sit utranque partem eligere; quoniam neque est in potestate alterius simpliciter. Sed quoniam voluntate existente in eadem dispositione, aliquando voluntas eligit unum, aliquando 25 eligit alterum secundum quod diversimode fuerit determinata, existimatur simpliciter hoc esse in potestate voluntatis, cum tamen hoc minime sic sit. Sunt enim circumstantiae diversae quae nos latent; si enim eas videremus, profecto non sic enuntiaremus. Cuius signum est quod quando homo 30 habet rationes contrarias aeque potentes ad utranque partem, est ligatus nullique adhaeret.

(4) Unde dicitur actus voluntatis ille liber, non quod ab

2 ab alio ed. — 5 sive: secundum α. — 8 ipse *om* ed. — 9 voluntates ed. — 14 ipse solus: solus homo α. — 16 habentque ed. — 17 limitavit IM ed. — 21 voluntate γ. — 22 sit *om* ed.

2 *scil.* voluntas.

extrinseco non determinetur: hoc enim tantum est ipsius
primi entis quod est Deus; verum liber ille actus dicitur
comparative per respectum ad actum inanimatorum et bru-
torum. (5) Elementa enim revera moven|411|tur immediate
5 ab intrinseco (similiter et bruta et homines, quoniam immediate a principio quod est in eis), sed prius sunt mota ab
extrinseco. Verum elementa VIII *Physicorum* dicuntur moveri
ab extrinseco quoniam in eis apparet extrinsecum, quoniam
vel generans vel removens prohibens. (6) Animalia bruta
10 dicuntur ab intrinseco moveri sic quoniam non sic apparet
extrinsecum veluti in inanimatis; dicuntur autem ipsa bruta
moveri ab extrinseco comparando ad homines, quoniam
magis apparet quod est in eis movens extrinsecum. (7) Quare cum in homine magis lateat, et admodum lateat quoniam
15 multotiens nescimus quomodo sit, ideo dicimus moveri
ex se; sicut dicimus aliquos homines esse ex se mortuos
quoniam ignoramus causam. Et haec etiam videtur sententia
Aristotelis, et Commentatoris in commento 52 VIII *Physicorum*: ibi enim ponit quod nullum mortalium movet se
20 proprie, immo quod solum primum caelum moveat se quoniam non est aliquid ante se, caetera vero praesupponunt
primum. (8) Avicenna quoque tenuit voluntatem nostram

1 determinatur ed. — 5 simpliciter B d. — 8 intrinseco L^1 ed (L^2 extrinseco). — 8-11 quoniam vel . . . extrinsecum *om* ed. — 9 *I^um^* vel *sic*
α; *omm cett.* — 20 immoque Lδυ ed. — 21 praesupponuntur ed. —
22-4 Avicenna . . . movens *add soli* C^2 *et* L^2. (*cf. Prolegom.* p. LV).

7 *Physic.*, VIII, 4. 254 b 24 sqq. — 18-19 *Physic.*, VIII, t. c. 52: « Quod
autem eorum habet subjectum quod movetur ex alio motore proprio dicitur quod ille motor proprius movetur per accidens, scilicet
ex hoc quod suum subjectum movetur ab alio: quia accidit ei
scilicet motori proprio quidam motus movendi; et est quia subjectum eius movetur ab alio, non quia ipse movetur per motum
sui subjecti, sicut est dispositio in motoribus qui sunt hic. Et ideo
dicetur in eis motor per accidens et dicetur aequivoce . . . Motum
ex se essentialiter non invenitur nisi in corporibus caelestibus. Et
ideo ista fuerunt aeterna, et illa (*i. e. in quibus motor est per accidens*) generabilia et corruptibilia ». (Comin. de Tr. IV 314r BC). —
22 Cf. P. Pomponatii, *De Incantationibus*, cap.XI (ed. 1556 p. 226;
ed. 1567 p. 210): « Avicennam autem praetermitto qui expresse ponit voluntatem humanam immediate a Deo et intelligentiis moveri ».

immediate moveri ab intelligentiis quoniam ab eis fit. Quare cum illa non sint sensata, existimamus voluntatem movere se sicut credimus aliquod ex se moveri quando non est manifestum ipsum movens.

5 (9) Quod etiam ulterius adducebatur quod non semper homines consultant, dicitur hoc esse verum; tamen illae operationes proprie non debent appellari humanae, sed |412| bestiales, quoniam ab anima bestiali procedunt. Neque ideo dicitur homo animal consultorium quoniam semper consul-
10 tet, sed quoniam nobilissima operatio est consultare, saltem in practico et factivo. Quare etc.

Caput decimum in quo continentur contenta in decimo capitulo Alexandri.

I. (1) Alexander deinde in suo decimo capitulo vult ostendere
15 Stoicos non recte dicere actiones nostras dependere a causis externis. Quare et in *Rubrica* dicitur: «Falsam esse opinionem illorum qui motuum et actionum nostrarum causas externas inducunt».

(2) Alexander itaque primo suam ponit intentionem dicens
20 illos male dicere qui eisdem existentibus circumstantiis dicunt: Si modo hoc fieret, modo oppositum, aliquod sine causa fieret. (3) Quod sic ut existimo deducitur: Si ab eodem agente et eodem modo se habente opposita produci possint, aut utrunque oppositorum producetur, aut |413| nullum, aut
25 unum tantum. Non utrumque, quoniam sic opposita essent in eodem; si nullum, est contra data, quoniam ponit quod proveniat actio; si unum tantum, ab hoc non producitur, quoniam non est dignius unum produci ab hoc quam alterum. Neque etiam producitur ab altero, quoniam non ap-

2 quum L². — 3 sicuti L². — movi L². — 5 Quod et ed; Quod autem N. — 8 Neque igitur δ ed. — 14 capitulo *om* ed. — 16 extrinsecis γ.

12 Bagol., fol. B⁷v-B⁸v.

paret quid est illud. Ergo erit effectus sine causa, quod intendebatur.

(4) Secundo impugnat Alexander hoc dictum, praeaccipiens differre hominem a brutis et inanimatis; quoniam bruta
5 et inanimata a causa extrinseca limitantur, homo autem suarum operationum est sibi ipsi causa. Neque de hoc ulterius est quaerenda causa; nam veluti non est quaerendum quare ignis calefacit, quoniam haec est eius natura, sic non est quaerendum quare homo ex se diversa faciat, nam in hoc
10 stat humana natura ut suae electionis sit domina. (5) Quod et experimento manifestatur. Nam quamquam voluntas solum in bonum feratur, aliquando tamen fertur in bonum utile, aliquando honestum, aliquando vero delectabile. Non tamen se|414|cundum eandem intentionem, sed ad aliud et ad aliud
15 respicientes; quoniam nunc ex occurrentibus ut accidit ad speciem boni utilis, nunc ad speciem delectabilis, nunc ad speciem honesti. Quo fit ut homo sibi ipsi horum sit causa et non ex alio extrinseco.

(6) Tertio ostendit quod quamvis homo moveatur ex ra-
20 tione magis urgente, non tamen movetur ex imaginatis, quoniam quae per rationem sunt, non sunt semper ut imaginata: nam multotiens invicem pugnant sensus et ratio, ut dicitur III *De Anima.*

(7) Ultimo epilogat circa tria capitula, et hoc de primo.

25 II. (1) Quantum ad secundum, certe non possum non mirari de tanto philosopho, adeo ut multotiens dubitem hunc libellum fuisse Alexandri cum tam praecipitose loquatur. (2) Quod enim dicit hominem esse sibi causam actionum oppositarum, certe si adaequatam intelligit, contradicit Aristo-

3-4 primo accipiens ω B (primum B). — 10 domina: a natura α; differentia ed. — 12 tamen ω LC²; *omm cett.* — 15 quare ed. — 20 agente δed. — 22 invicem ω Led; invicte B; invite δε; in vita I; in mente γ. — 25 admirari A; amirari E. — 27 peripatetice ed. — 28 quod enim: quoniam ed. — dici ed.

23 *De Anima,* III, 10. 433a 10 sqq.; 433b 5 sqq.

teli quasi per totum octavum *Physicorum* et in IX *Metaphisicae*. In his enim locis per longum processum conatur ostendere Aristoteles quod si unum facit et oppositum, per alteram tamen et alteram dispositionem. Immo et ipse Ale-|415|
5 xander hic dicit hominem appetere bonum utile ex occurrentibus efficientibus hoc, honestum vero ex aliis occurrentibus. Non igitur homo praecise est sibi causa nisi aliud superveniat. (3) Quaeritur autem ab ipso Alexandro: Numquid ex tali limitante voluntas cogatur vel non? Si detur secundum,
10 redibit argumentum; quoniam est in potentia ad sic eligendum, et per ipsum debet esse diversum effectivum unius partis contradictionis ab effectivo alterius partis. Si autem dicitur cogi sive necessitari a tali occurrente, quaeritur: Quomodo illud occurrens sibi occurrerit: aut naturaliter,
15 aut voluntarie? Et tandem nisi procedamus in infinitum, oportet quod naturaliter; quod cum inevitabile sit ex quo est pure naturale, actum voluntatis esse fatalem est necessarium.

(4) Verum fortassis ad hoc dicetur quod illud occurrens fuit per accidens, et talium non est per se causa ut dicitur
20 VI *Metaphisicae*. Verum recursus est habendus ad ea quae superius adducta sunt ubi ostendimus nihil adeo esse casuale et fortuitum quod non habeat |416| causam per se; etiam quod accidentalitas non tollit necessitatem. Quare ne fiat repetitio eorundem, ibi videndum est. (5) Immo sequitur
25 quod actus voluntatis nostrae sunt casuales. Si nanque voluntas vult modo utile, modo delectabile, modo honestum ex occurrentiis casualibus, tunc casus erit per se limitans voluntatem ad illa diversa. Quare longe hoc erit deterius opinione Stoica cum Stoici ponant limitationem esse a superio-

1 quasi αBG (G *ante correct.*); quia μ; quare L d; *om* ed. — 4 tamen et alteram *om* ed. — 6 hoc ω LC[2]; et B; *omm* d ed. — 8 Queritur: quare ed. — 9 datur δυ. — 12 condictionis ed. — 17 fatalem *sic* CM ed; fatale *cett.* — est et I. — 18 dicitur E μ CHI ed. — 23 et quod NBC ed. — accidentalis ABG δo.

1 *Metaph.*, IX, 2. 1046b 15; 1046b 20-21. — 11 per ipsum, *i. e.* Alexandrum. — 20 *Metaph.*, VI, 2. 1027a 6-7. — 20-21 Supra, cap. 7; pp. 32, 28 sqq.

ribus. (6) Quod autem ulterius dicebat: Quamquam voluntas sequatur rationem, non tamen imaginata; hoc quidem et nos affirmamus, verum nihil ad rem, quoniam sive voluntas a ratione necessitetur sive non, semper idem sequitur, veluti
5 deductum est. Quare etc.

Caput undecimum in quo continentur contenta in undecimo capitulo Alexandri.

I. (1) In hoc undecimo capite Alexander intendit demonstrare Stoicos affirmantes omnia fieri fato, auferre omnem
10 humanam con|417|versationem. Quare dicitur et in *Rubrica*: «Eos qui omnia fato fieri dicunt, omnem humanae vitae actionem auferre».

(2) Alexander itaque primo suam proponit intentionem dicens: «qui facultatem hanc» i. e., liberum arbitrium «des-
15 truunt, coguntur quantum ad eos attinet universam hominum vitam confundere et evertere». Secundo quod proposuit probat ducendo ad multa inconvenientia et improbabilia.

(3) Primum est quoniam ubi omnibus hominibus sic
20 constaret, videlicet omnia fato fieri, fortassis omnes homines laudarent virtutes cum sint honestae et bonae, nullus tamen eas prosequeretur, quoniam virtus est circa difficile, quare cum labore acquiruntur; verum unusquisque naturaliter fugit laborem et prosequitur voluptates quae sunt
25 delectabiles.

(4) Secundum illatum: Quod isti magistri sic aliquos persuadentes veluti suos discipulos, non recte eos increparent quodcunque scelus perpetrassent, quoniam ipsi discipuli

1 dicebatur NLCI (NC *ante correct.*). — 8 undecimo *omm* δ ed. — 17-18 improbabilia: impossibilia α. — 22 persequeretur NB δυ; persequiretur I; persequit M. — 24 sequitur d ed.

6 Bagol., fol. B8v-C2r. — 14-16 Bagol., fol. B8v: «qui aliquam in nobis esse huiusmodi facultatem destruunt coguntur . . . *etc.*» — 22 Aristot., *Ethic.*, II. 1105a1 sqq.

a magistris sic docentibus se defenderent quod aliter facere
non potuissent.

(5) Tertium quod |418| infertur est: Quoniam obiurga-
tiones, supplicia, hortationes, laus et vituperium suam non
5 servabunt naturam. Patent ista. (6) Quoniam non obiurga-
mus, non inferimus supplicia in inevitabilibus; legitimam
nanque habent causam se defendendi quandoquidem aliter
facere non potuerunt. Unde neque ipsi obiurgatores et supplicia inferentes, si taliter fuissent circumstantionati, aliter
10 fecissent. Quare veluti ipsi obiurgantes et supplicia inferentes, si talia perpetrassent, nollent obiurgari et suppliciis
affici, sic et ipsi delinquentes non debent obiurgari neque
poenis affici. (7) Hortationes quoque vanae et irritae essent,
quandoquidem secundum quod causa superior disposuit
15 fieri necesse sit; non enim ab aliquo occurrente, quicquid
sit illud, impediri potest. (8) Laus quoque et vituperium
penitus e medio tolluntur, quoniam non laudamus neque
vituperamus aliquem nisi ex his quorum nos sumus domini.
Ast per positionem ducimur et non ducimus.

20 (9) Quartum (et hoc non est, videre meo, aliquid ad in-
conveniens demonstratum, sed magis |419| ostendit ex rebus
ipsis et ex his quae in humanis conversationibus videmus
hoc Stoicorum placitum esse falsum); est autem hoc: Quoniam sane videmus neminem bonarum atque honestarum
25 actionum fato atque necessitati causam ascribere, verum
ipsos autores talium actionum dicimus esse causam; malos
contra, ob fatum ipsum se dicentes esse huiusmodi, addu-

4 hortationes μ L *Bagol.*; orationes *cett.* — 4 *inseruit* ed *post* vituperium legitimam namque . . . supplicia inferentes *ex ll. 6-11 infra.* — 5-6 obiurgantes ed. — 6 in *omm* C ed. — 8 obiurgationes ed. — 16 illud *om* ed. — Lausque ed. — 17 eodem medio α. — 19 ducimus: ducimur ed.

3 Bagol., fol. C[I]r: «Verum non obiurgationes tantum sed nec supplicia, hortatio aut laus, aut alia id genus propriam servabunt naturam». — 23 Bagol.: «Videmus sane bonarum atque honestarum actionum neminem Fato atque necessitati causam ascribere. Malo (*sic*) contra ob illam se dicentes esse huiusmodi» (fol. C[I]v.).

cuntque tales Stoicos in testimonium ad sui defensionem. Quare hoc placitum sceleratis maximum erit patrocinium.

(10) Quintum est quod huiuscemodi positio a Diis ipsis omnem amovet providentiam. Quae enim utique providen-5 tia esse potest quae non unicuique secundum sui dignitatem impertitur et tribuit? Ast secundum hoc placitum unicuique tribuit ex quadam praecurrente causa. Nulla igitur secundum hoc providentia remanet.

(11) Sextum est quod Deorum cultus ex toto eripitur et 10 annihilatur in his qui credunt Deos esse colendos sed a superis denegatum est quod eos colant; iniustitiaque videtur esse in Diis ipsis qui non ex meritis sed ex ipsis |420| Diis aliquibus bona tribuunt, et aliquibus mala dant non ex demeritis.

15 (12) Septimum: Quoniam hic sermo tollit et divinatoriam; quoniam per eam mala nobis nuntiata evitare non poterimus si ad haec fatum nos antequam nasceremur impelleret; bona autem nuntiata perfectionem diminuent, quoniam nihil ex non praeviso nobis eveniet, quia sciebamus illa futura. 20 Unde veluti malum praevisum minus nocet, sic bonum praevisum minus delectat. Ad quid igitur ista vaticinia sunt utilia? Et hec de primo.

II. (1) Quantum vero ad secundum dico quod quamvis haec adducta per Alexandrum, quae fere omnia a Boetio et a reli-25 quis expositoribus Aristotelis communiter adduci solent, videantur magnam fidem facere, scilicet non verum esse quod a Stoicis affirmatur, omnia videlicet fato fieri, tamen si quis ex opposita parte viderit rationes Stoicorum volueritque esse aequus iudex, fortassis non minores neque

2 prolatum γ; platum δε. — 3 huiusmodi αM ed. — 9 corripitur μ; corrumpitur ed. — 17 hoc EB ed. — 18 profectione Nδ ed (cf. *infra p. 81, 23; p. 82, 15-16*). — 19 quia: quin ed; quare EN. — 20 veluti et ed. — 21 sint δed. — 22 Et haec de primo *om* E. — 26 videntur BM d ed. — 28 ex opposita: exposita Med.

2 Bagol.: « Ex quibus sequitur opinionem hanc nihil aliud quam Patrocinium ad mala conciliare » (*ibid.*).

debiliores erunt Stoicorum rationes his rationibus quae rememoratae sunt.

(2) Unde mihi pro Stoicis tres praecipuae videntur esse rationes. Pri|421|ma quidem quoniam si Deum omnium esse
5 causam ponamus omnesque aliae causae per Deum regantur totumque quod sunt et operantur a Deo sunt et operantur, difficile est salvare quomodo homo dominus sit suorum actuum, et ab extrinseco non moveatur ad agendum quicquid agat. Nam quod causa 2ª agat sine prima; et iterum
10 quod sit causa adaequata pro aliquo effectu et non ponatur eius effectus, sitque in potentia ad utrunque et tamen reducat se ad actum; quomodoque rationes Aristotelis in VIII *Phisicorum* procedant: difficile, inquam, est apud me ista salvare. (3) Secunda ratio est: Quoniam non videtur veri-
15 simile Deum aliquid ignorare, sive sit praesens sive praeteritum sive futurum, sive universale sive particulare ponatur, sive materiale sive sit ex immaterialibus; quandoquidem ipsum ponimus omnium esse causam, ipseque cognoscat non quoniam a rebus accipiat, sed quoniam rebus cunctis
20 ipse dat omnia quae habent, eiusque scientia sit longe certior omni alia scientia quantumcunque ipsa scientia esset |422| Metaphisica quae in primo gradu certitudinis perhibetur, sive esset ad oculum rectissime dispositum demonstrata. Si igitur, inquam, talis est Dei scientia, quae igitur
25 evitabilitas? vel quod liberum arbitrium rebus ipsis relinquetur? Certissima enim variari non possunt; neque quae sunt, pro tempore pro quo sunt, [non] possunt non esse, ut manifestum est. (4) Tertia: Quoniam aut pauca aut nulla adducuntur argumenta adversus Stoicos quae adversus autores ipsos

1-2 rememorata ed. — 5 reguntur Ned. — 7-8 suarum actionum ω γ. — 8 movetur ed. — 14 Sed ratio F ed. — 17 sive sit materiale α. — 19 de rebus ed. — 22 Metaphisica Aδ; Mathematica *cett*; Metaphisic. *in t.*, Mathematica *ut rubr. in mg.* ed. — 22-23 prohibetur EMδo ed — 24 ita est α. — 25 inevitabilitas E ed. — 25-26 relinquatur ND; relinquitur G ed. — 27 non possunt *sic cunct.* — 28 Tertia *sic* G; Tertio *cett.* — 29 contra Stoicos γ.

talium argumentorum retorqueri non possint, non minusque sic argumentantes angustias patiantur quam ipsi in quos haec iacula torquent, veluti ex praehabitis est videre et ex subsequentibus melius haec apparebunt. (5) Quapropter cum 5 duae primae rationes, vel saltem prima ex his quae supradiximus manifesta sit, ad tertiam me convertam, quae partim ex III huius nostri propositi manifestari poterit. Et hoc de secundo.

III. (1) Quantum ad tertium, cum Alexander infert hoc 10 placitum universam hominum vitam evertere et confundere, dicitur hoc minime esse ve|423|rum. (2) Et ad primum ibi illatum: Quod si hoc esset verum omnesque homines sic essent persuasi, tanta est veritatis virtus et potestas ut et si omnes homines laudarent virtutes tanquam bonas et ho- 15 nestas, prosequerentur tamen voluptates quoniam faciliores sunt virtutibus ipsis quae cum labore et tristitia acquiruntur.

(3) Ad quod primo dicitur: Ipsi sic argumentantes respondeant apud ipsos: Unde est quod multi ipsorum credunt virtutes longe esse meliores ipsis voluptatibus possuntque vir- 20 tutes ex se prosequi nullo ad oppositum cogente (sunt enim, ut dicunt, domini suorum actuum) et tamen neglectis virtutibus voluptates sequuntur? Istud enim certe videtur esse incredibile, quandoquidem voluntas non moveatur nisi ad bonum, et magis moveatur ad magis bonum. (4) Quod si 25 dicatur: Cum homo, neglecta virtute, prosequitur voluptatem, tunc virtus non videtur esse sibi magis bonum; ut multi sententia mea magis approbati viri dicunt. Vel esto quod virtus sibi videatur esse magis bonum, tamen voluptatem pro-

1 que *om* ed. — 12 allatum d ed. — *post* verum *dittog.* 10 *verborum*: Et ad primum ibi illatum *etc.* (*11-12*) D. — 15 quare faciliores ed. — 24 moveatur LF ed; movetur *cett.* — Quod: Et ed.

7 *scil.* paragrapho III huius capituli. — 25 sqq. Vid. varias opiniones in: Johannes Verweyen, *Das Problem der Willensfreiheit in der Scholastik, auf Grund der Quellen dargestellt und kritisch gewürdigt.* Heidelberg 1909, praesertim cap. III sqq. Cf. infra, Lib. III, cap. 2, pp. 225 sqq.

sequitur |424| quoniam et in utrunque potest ex se ferri, nullo alio variato; veluti quidam alii dicunt. (5) Verum quodvis istorum dederis non videtur convenienter neque sufficienter dictum. Quod enim pro secundo loco dicitur, vide-
5 licet: Quod hoc appareat sibi magis bonum illo, et tamen hoc fugiat et illud prosequatur quod est minus apparens bonum, nihil aliud est dicere nisi voluntatem fugere bonum qua bonum et malum prosequi qua malum. Quo nihil apud me absurdius videtur, quodque omnes philosophi reclamant.
10 Nam Plato, Aristoteles, Dionisius Areopagita et omnes illud abhorrent. Et si quis experimentum in seipso fecerit, videbit experimentum esse in oppositum. (6) Neque etiam quod primo loco dicebatur validum esse videtur. Si enim Socrati, exempli gratia, virtus prius melior visa est quam voluptas,
15 nunc vero sit contrarium, scilicet quod voluptas videatur melior ipsa virtute, vel si non sit nunc talis collatio sive comparatio sed tantum aspicit ad voluptatem et non ad virtutem, quare bonitas virtutis nunc Socra|425|tem non movet? Unde igitur provenit nunc ista mutatio? Nam et causam ha-
20 bere debet; quae aut est naturalis, aut voluntaria. Si voluntaria, idem stabit argumentum quod et est prius factum, videlicet quod voluntas non movetur nisi ad bonum. Si igitur prius Socrati virtus est visa melior voluptate, nunc autem non, quoniam voluntas noluit ut sit visa melior vel
25 noluit amplius considerare de virtute cum tamen poterat velle considerare de virtute, quando igitur voluntati apparebat virtus melior et postea non apparuit melior quoniam voluntas noluit sic eam apparere, noluit autem quoniam vi-

1 in *om* ed. — ferri N; ferre *cett.* — 7 bonumque ed; bonum que M. — 10 Arcopagita ed; Ariopagita Eγ. — 14 verbi gratia α. — 17 sed: sive ed. — 19 nunc *omm* α Mβ. — 23 quam voluptas γ. — 24 ut virtus sit sibi visa α. — 25-26 cum tamen . . . virtute *om* ed. — 26 voluntate ed.

10 De Platone et Aristotele, cf. infra p. 271; de Dionisio, cf. Thom. Aquin., *Summ. Theol.*, Iª IIᵃᵉ qu. 78 art. 1, objectio 2ª: « Dionysius dicit, IV cap. de Divinis Nominibus, quod nullus intendens ad malum operatur ». (Leon. VII, p. 71a).

sum est sibi melius quod virtus non appareat melior sibi
quam quod apparuit, unde igitur illud causatum est, scilicet
melius esse nolle sibi virtutem apparere meliorem quam velle
sibi virtutem meliorem apparere? (7) Et tandem vel erit
5 processus in infinitum in causis voluntariis, vel standum est
ad causam naturalem, qua posita voluntas movetur inevitabiliter. Quare voluntas ab alio determinabitur. Nisi quis
dicat, velut supra adductum est, voluntatem tendere |426|
in malum qua malum est, quod tamen inopinabile videtur.
10 (8) Unde ad illatum inconveniens dicendum est argumentum in duobus peccare. Supponit enim primo omnes
credere omnia fato provenire; quod tamen secundum positionem nedum falsum est, verum et impossibile. Nam ex
quo non omnes credunt neque credent omnia fato provenire,
15 ut manifestum est (adversarii enim sunt in oppositum),
et quicquid erit de necessitate erit, quoniam inevitabiliter
erit; quod autem inevitabile est, aliter esse non potest;
repugnat igitur positioni admittere omnes homines credere
omnia fato evenire quandoquidem non omnes homines cre-
20 dunt omnia fato evenire. (9) Peccat et secundo quoniam ponit
quod credens omnia fato evenire relinquet virtutem qua<m>
adipiscitur cum labore maximo, et prosequetur voluptatem
quae faciliter acquiritur. Hoc enim falsum est et est oculis
conspicere oppositum. Nam Zeno, Seneca et omnes fere
25 Stoici posuerunt omnia fato evenire, neque eos latuit virtutem adipisci cum labore et voluptatem faciliter et iocunde,
et tamen ipsi virtutem prosecuti sunt, et volupta|427|tes
neglexerunt et detestaverunt. (10) Immo dicant sic argumentantes: Unde est quod ipsorum multi qui tenent se ipsos
30 suorum actuum esse dominos et affirmant virtutes esse prosequendas et voluptates fugiendas, neglectis tamen virtutibus

10 dicendum est: dico E. — 13 et αNL; etiam CM; est GBδo ed. — 14 credunt (*bis*) ed. — 18 repugnant BGDH; resurgant M. — 19-20 quandoquidem . . . evenire *omm* δ ed. — 21 quam ed; quae *codd.* — 22 aquiritur N. — 22 prosequetur *om* ed. — 28 detestati fuerunt ed; detestati sunt N; *om* E.

voluptates sequuntur? Et certe si quis acriter eos torqueret, referrent et ipsi fatum in causam. Quare quasi coguntur eandem quam et Stoici responsionem dare.

(11) Ad secundum illatum, videlicet: Quod Stoici disci-
5 pulos suos ad hanc opinionem de fato persuasos de nullo quantumcunque facinore scelerato ab eis perpetrato possent increpare.

(12) Huic dicitur primo: Secundum sic arguentes, si quis aliquem increpat de aliquo ab eo commisso, an ideo increpat
10 ut illud non fecerit, vel ut illud factum non faciat secundum numerum? Et certe neque secundum ipsos istud dici potest, quoniam etiam Deus non potest hoc facere, ex Agatonis sententia quam VI *Ethicorum* approbat Aristoteles. (13) Verum dices: Ideo increpatur talis quoniam pro delicto poe-
15 nam talem substinet, et ut videntes talem increpatio|428|nem a consimilibus caveant; quare in exemplum aliis tale fit. Verum quaeritur: An omnes videntes tale exemplum ab eiusmodi se caveant? an aliqui sic, aliqui non? Et manifestum est quod non omnes tale exemplum habentes a talibus male
20 actis se cavent. Et quae igitur talis est causa diversitatis cum tamen omnes idem exemplum habeant? Et certe non potest referri hoc nisi in diversitatem hominum, quoniam aliqui sic sunt affecti, aliqui vero sic. (14) Cumque quaeretur de causa diversitatis affectionis, certe non videtur aliqua ad-

3 quam Stoici Eμ ed. — 8 argumentantes ω. — 12 id agere γ. — 19 malis ed. — 20 igitur talis C² L²; *omm cett.* — est C²; *omm cett.* — 22 in: ad E. — diversitate ω Lδo. — 23 effecti d. — quaeritur NF ed.

13 *Ethic.*, VI, 2. 1139b9. Comin. de Tr. III 250rC: « Iccirco recte Agatho inquit:

Re namque sola hac ipse privatur Deus
Ut facta minime infecta possit reddere. »

Vid. infra, p. 326, 15 eandem sententiam in alia recensione. Cf. etiam Plutarch., *De Consol. ad Apoll.*, c. 26: « Etenim quod factum est infectum reddere ne deus quidem potest » (*Plutarchi opera*, Lutetiae Paris. 1624. II p. 114; Plutarch., *Moralia*, recens. et emend. W. R. Paton. Bibl. Teubn. Lipsiae 1925. Vol. I, fasc. 1-2, p. 237, 16-17 n.).

duci ultimata nisi in causam naturalem fataliter agentem reducamus. Si nanque in voluntatem hoc referatur, stabunt argumenta priora, quoniam voluntas non fertur nisi in bonum sibi ostensum. Quod tandem oportet reduci in causam naturalem, nisi in infinitum procedamus; aut oportet dicere voluntatem ferri in malum qua malum, quod tamen non videtur intelligibile. Unde et partem oppositam fato non minores angustiae circumstant quam partem affirmantem fatum.

(15) Quare dicitur Deum universum regentem et |429| ordinantem instituisse regulam quae neque variari neque praeteriri potest: ut scilicet ad quosdam mala perpetrantes fiant obiurgationes sive increpationes, et hoc fit tanquam convenienter sequens ad illa mala quasi veluti punitio fuerit, et tales increpationes tanquam causae praecedentes ad aliquos qui talia videntes vel audientes non committunt talia male acta, licet non omnes sic faciant. Cur autem aliqui se abstinent, aliqui vero non abstinent, ultimate reducitur in Deum et fatum sic ordinantia. (16) Quod si ulterius quaeritur: Unde est quod Deus sic vult aliquos ex tali increpatione abstinere et aliquos non? alia non est causa nisi quoniam sic expostulat Dei natura et universi pulchritudo. Unde videmus multa a Diis fieri quae nobis videntur esse extra rationem, iuxta illud: «Victrix causa Diis placuit sed victa Catoni». Pompeius quoque cum adversus patriam dimicaret tulit triumphum, cum pro patria et iusta causa, succubuit. Sic Diis placitum est neque in aliam causam referri potest.

2 referatur: referramus α. — 6 tamen *omm* δ ed. — 10 Deum ut universum G ed. — 11 neque *ante* variari *sic* GN; *omm cett.* — 13 abiurgationes E ed. — 14 inconvenienter L ed. — mala perpetrantes ed. — 17 licet: sed ω L. — 19 quaeratur ed. — 22 expostulant ed. — 25 Pompeiusque AλC^2 (C^2 Pompeius quoque). — 26 iusta: victa ed; iuxta αNH.

24 Boet., *De Consol.*, IV, prosa 6^a (Peiper p. 112): «Victricem quidem causam dis, victam vero Catoni placuisse familiaris noster Lucanus admonuit». (Lucan., *Phars.*, I, 128.). — 25 Vid. Lucan., *Pharsal.*, IX, 78-80: «Non mihi nunc tellus, Pompeio si qua triumphos Victa dedit, non alta terens Capitolia currus Gratior . . .».

Unde nequeo non admirari de |430| aliquibus qui putant ultimam causam et immediatam in actionibus nostris esse voluntatem, cum tamen voluntas habeat causam, ut ex dictis potest esse manifestum.

(17) Quare et ad tertium, cum inferebatur videlicet: Obiurgationes, supplicia, hortationes, laus et vituperium suam non servarent naturam, dicitur quod si ista intelligantur de commisso a nobis quod evitare per nos ipsos potuimus vel ex nobis facere, revera nomina vana sunt nihilque eis ex natura rei correspondet. Si tamen sic intelligantur quod istorum quaedam fato subsequantur et quaedam antecedant, sic revera sunt et propriam servabunt naturam. (18) Nam fato ad scelera perpetrata aliquando sequuntur obiurgationes et aliquando supplicia; et ista eadem sunt causae praecedentes et ordinatae ut aliqui talia non committant, non autem omnes, sicut etiam negantes fatum dicunt. Unde Diogenes Laertius in libro septimo *De Vitis Philosophorum*, in vita Zenonis Stoici refert: Cum verberaret Zeno ipse famulum qui furtum commiserat, cumque servus ille diceret |431| se fato furatum esse, fertur respondisse Zeno: 'Et fatale est me te verberare'. Quare sicut peccata sunt fatalia, sic et poenae. (19) Idemque dicitur de hortationibus; quoniam sicut fatale est illos sic operari, sic fatale est et illos mediantibus illis hortationibus sic operari, sineque illis nihil operantur. De illis quoque qui operantur sine hortationibus eodem modo quo operantur, sic fataliter operantur. (20) Cunque dicebatur de laude et vituperio pariter dicitur quod si intelligunt laudem et vituperium esse de his quorum nos sumus domini, videlicet non impulsi ab extrinseco, sic sunt vana nomina nihil quod sit in re importantia, sed tan-

1 quibusdam γ. — 10 rei *omm* d ed. — 13 sequantur (*post* supplicia) ed. — 16 ut *ante* omnes *add* ω BC². — 22 hortatoribus δed. — 23 *2m* sic *omm* B ed. — 28 intelligant ed; intelligit γ.

16-17 Diogen. Laert., *De clarorum philosophorum vitis, dogmatibus et apophtegmatibus libri decem*, VII, 1: *Zeno*, 23 (ed. Firmin-Didot, p. 164, 25).

tum secundum existimationem aliquorum qui negant fatum. Si autem per laudem et vituperium intelligamus quaedam sequentia acta et quaedam praecedentia agenda, quae quandam praeeminentiam designare videntur vel oppressionem,
5 sic sunt ex parte rei; et fatalia sunt veluti et res, quas ipsa scilicet laus et vituperium sequuntur et antecedunt, sunt fatales.

(21) Cunque ulterius dicebatur: Nemo laudatur vel vitupe|432|ratur de impossibilibus aliter se habere; dicitur hoc
10 non esse apud omnes verum, sed solum apud aliquos. Apud enim Stoicos hoc veritatem non continet apud quos non est abusus verborum. Apud vero alios est verborum abusus. (22) Diciturque quod proprie secundum veram significationem laudis et vituperii, ista non attribuuntur nisi ubi sunt
15 consultatio et electio et non concurrit aliquod extrinsecum particulare nobis cognitum. Exempli gratia: Si quis motus per violentiam ab aliquo homine innocentem verberaret vel interficeret, istum non vituperamus quoniam manifestum apparet quod violentavit ipsum et voluntarie ipsum non
20 interfecit. Si quis autem consimilem effectum fecerit nullo tali particulari apparente et voluntarie, istum vituperamus, quoniam existimatur ex se tantum fecisse, quanquam ex se non fecerit neque est possibile quod ex se fecerit.

(23) Quod si dicatur: Istud videtur esse iniustum et contra
25 rationem; cur nanque, cum uterque non potuit aliter facere, unus tamen punitur alter vero non?

(24) Huic pri|433|mo dicitur: Respondeant sic argumentantes: Unde est quod boni ut plurimum vituperantur, deridentur, exulant, trucidantur, conculcantur, exterminan-
30 tur, mali vero sunt secundum oppositas dispositiones? Aut

1 extimationem δε. — 8-9 laudatus . . . vituperatus δ ed. — 13 et *post* proprie *add* ω L. — 21 voluntario ed. — ipsum α. — 22 putamus γ. — 29 exulant . . . conculcantur *om* E. — et exterminantur ed.

11-12 cf. Diogen. Laert., *De clarorum philosophorum vitis* . . . , VII, 1: *Zeno*, 122 (ed. Firmin-Didot, p. 185, 27): « ut Chrysippus ait in libro *Quod Zeno proprie sit usus nominibus* ».

enim Deus gubernat, aut non gubernat. Si non gubernat, quomodo est Deus? Si gubernat, quomodo tam inique gubernat? Quare Epicurus, ut refert Cicero in fine ‹primi› libri *De Natura Deorum* credidit non esse Deum, et si est, ista non providere. Cui sententiae mihi et ipse Cicero in illo libro et in secundo libro *De Divinatione* astipulari videtur. Unde et Augustinus in ‹V› *De Civitate Dei* dicit de Cicerone: «Dum Cicero vult facere nos liberos, fecit sacrilegos». (25) Sed huic forte dicitur: Deus gubernat, et quanquam boni in hoc mundo mala patiantur et mali bona, in futuro tamen saeculo erunt e contra; quare illa mala quae patiuntur in hoc saeculo sunt pro maiori bono in futuro ipsis bonis; malis autem e contra. Certe istud secundum leges est optime dictum, minime tamen secundum philosophos, quandoquidem istud futurum saeculum non est demonstrabile aliqua ratione, sed bene creditur; quod est pro|434|prium

1-3 si non gubernat . . . inique gubernat *omm* Bδ ed. — 3 in *om* E. — fine ‹primi› libri: libro α; primi *omm cunct.* — 7 ‹V› *om* γ; VIII *cett.* — 8 facit Eβ ed. — 11 erunt ACδ ed; erit EλGH. — 13 autem *omm* Nδ ed.

4 *De Natura Deorum*, I, 44. (Mueller, p. 44): « Posidonius disseruit . . . nullos esse deos Epicuro videri: quaeque is de diis immortalibus dixerit invidiae detestandae gratia dixisse, neque enim tam desipiens fuisset ut homunculi similem Deum fingeret . . . exilem quemdam atque perlucidum, nihil cuiquam tribuentem, nihil gratificantem, omnino nihil curantem, nihil agentem. Quae natura primum nulla esse potest, idque videns Epicurus, re tollit, oratione relinquit deos ». *Cf. ibidem*, I, 30. (Mueller, p. 32): « quamquam video nonnullis videri Epicurum ne in offensionem Atheniensium caderet, verbis reliquisse deos, re sustulisse ». Cum vero talia in fine primi libri *De Natura Deorum*, nihilque simile in fine tertii et ultimi libri inveniantur, ideo verbum primi in textu supplevimus. De Epicuro vero deos mortalia curare negante: *De Divinatione*, II, 17. (Mueller, p. 209-210); II, 50-51. (Mueller, p. 233-235). Cf. etiam *De Fato*, cap. 9. — 8 Augustin., *De Civitate Dei*, V, 9. (Dombart I, [180, 18] 204, 21-22). Nobis quidem videtur Pomponatius Ciceronem interpretari ducente Augustino, *De Civ. Dei*, V, 9. (Dombart I [183, 5-6] 207): « plus eum (*Ciceronem*) quam Stoici detestamur », cum in III *De Natura Deorum*, Balbo loquente, Stoicos potius Cicero approbet. Cf. *De Natura Deorum*, III, 40. (Mueller, p. 141, 14-16).

legibus quae creditis et non demonstrationibus moventur. Amplius videmus multos malos male se habere in hoc saeculo, et multos bonos e contra. Quomodo igitur ista dicta stabunt?

5 (26) Quod et firmatur. Nam ab istis quaeritur: Aliquis nascetur ex sceleratissimis parentibus semperque inter sceleratos versatur adeo quod nunquam vidit aliquem virum bonum. Cur iste debet puniri in futuro seculo cum semper hic mala sit passus, neque videtur quomodo ad bonum po-
10 tuit converti? (27) Praeterea nonne per sic dicentes Deus posset omnes bonos facere sine aliqua difficultate? Igitur magna videtur esse ipsius Dei iniquitas et invidentia cum hoc non faciat. (28) Quod si dicitur: Ideo non facit quoniam cuncta suaviter et ordinate disponit; unde unumquodque
15 liberum relinquit datque potestatem bene agendi et male agendi unde maius meritum et demeritum proveniunt. Certe hic sermo videtur esse difficilis ex pluribus. (29) Primo quidem quid dicemus de his qui non habent usum rationis veluti infantes, pueri, in extremo se|435|nio constituti, amen-
20 tes, et infiniti qui ex regionibus impedimentisque variis, veluti sunt complexiones infinitaque occurrentia usum rationis impedientia quae narrari non possunt, quomodo igitur illi possunt bene agere et male agere, cum vivant tantum anima bestiali? et si intellectiva, aut impossibile est aut
25 difficile bene uti, veluti in extrema paupertate constituti quin furentur, vel maxime proni ad iram quin excandescant et sic de singulis? (30) Secundo quoniam quemadmodum visum est, quomodo etiam isti qui habent usum rationis cum possint bene et non bene aequaliter eligere, unde fit
30 determinatio? Cunque non agant nisi mota, quomodo igitur ipsi agunt? (31) Amplius et tertio: Nonne melius esset om-

3 igitur *om* ed; ergo E. — 7 versatus γ I ed. — 10 propterea Med. se *post* per *add* Nδ ed. — 17 defectibilis (vel defectibilis C²) *post* difficilis *add* NLC². — 20 qui ex regionibus *etc.*: *sic cunct. Ipse auctor stylum media periodo expleta parum sibi constans mutavit.* — 26 quando furentur A δη.

nes homines esse bonos sine aliqua macula quam tot esse malos, quamvis tot malis existentibus sunt aliqui clariores quam si omnes essent boni? Certe de mille millibus neque unus reperitur bonus, aliis existentibus malis; quare longe
5 melius esset omnes esse bonos quam tot paucos. Cunque Deus possit hoc facere, |436| per positionem, vultque omnes homines bonos fieri, ergo omnes homines deberent esse boni. (32) Et certe nulla videtur esse de his rationabilis causa, nisi quoniam natura universi exigit hoc ut sint ho-
10 mines uniuscuiusque sortis: boni, mali, pauperes, divites, potentes, impotentes, domini, servi, et sic de reliquis, hoc exigente fato. Cuius argumentum est quod semper sic fuit, semper sic erit; quare neque aliter esse potest.

(33) Unde redeundo ad illud a quo discessimus: Quod
15 igitur laus attribuatur quando non apparet particulare extrinsecum movens voluntatem ad actionem bonam sed creditur ex se fecisse, et laus non attribuatur ubi apparet, hoc est ex natura rei sic exposcente; et sic suo modo dicatur de vituperio. (34) Quanquam et extendendo laudis et vitu-
20 perii nomen, etiam attribuuntur Diis, bestiis et rebus inanimatis: laudamus enim Deos, laudamus aliqua animalia, vituperamus et alia, laudamus aliqua vina et aliqua vituperamus, et sic de reliquis.

(35) Ad quartum cum dicebatur: Quoniam in bonis ope-
25 rationibus nullus ascribit fato si i|437|pse tales egerit operationes, immo sic dicentibus excandescit. Unde si quis, exempli gratia, hostes debellaverit moleste feret si hoc Diis

3 de: ex ed. — 8 esse *om* ed. — 14 de quo δο ed. — 14-15 Quid igitur GMδι; quae igitur F ed. — 18 et sic: etiam β d ed; et μ. — 20 attribuunt ed. — 22 alia: aliqua ed. — vina: vitia γ; una M; *om* H. — 25 attribuit E. — 26-27 verbi E.

26-1 Cf. Plutarch., *De Alexandri Magni sive fortuna sive virtute. Oratio prior* . . . (*Opera omnia*, Lutetiae Paris., 1624, II, p. 326): «Haec ergo fortunae oratio est Alexandrum sibi soli totum vindicantis. Contra autem pro philosophia disserendum est: aut pro ipso potius Alexandro indignante et aegre ferente si imperium gratis et a Fortuna accepisse videatur . . .» [Vid. Plutarch., *Moralia*, Bibl. Teubn. II, 1935, fasc. 2, p. 75-76].

attribuatur vel fato. Consimiliter de medico aliquo curante; quare Democritus apud Hippocratem conquestus est de arte medica: nam si infirmi moriuntur hoc ascribunt medicis, si sanantur attribuunt Diis. Cum autem aliquid sinistrum 5 occurrit praeter votum, attribuunt hoc fato ut suam famam defendant, non ex ipsa re. (36) Huic dicitur: Istud quod fuit assumptum non est universaliter verum, quoniam Stoici et laudem et vituperium et omnes operationes universaliter fato attribuunt. Quod vero multotiens, immo apud plures 10 aliter sentiatur, hoc est extra naturam rei. Neque hoc inconvenit, quoniam in quamplurimis plurimi errant in opinionibus et in dictionibus suis: hoc quoque etiam est fatale sic exposcentibus natura et ordine universi, quandoquidem in omni tempore sic conspiciatur.

15 (37) Ad quintum etiam cum dicebatur hoc placitum omnem providentiam ab ipsis Diis amovere: quae e|438|nim esset Deorum providentia quandoquidem non unicuique tribuunt secundum sui dignitatem verum ex causis praecurrentibus? (38) Hoc argumentum non minus difficultatem 20 infert sic argumentantibus quam huic quod appellant placitum. (39) Si enim Deus non tribuit nisi secundum sui dignitatem cui tribuit, unde igitur est quod aliqui nascuntur in locis bonis ut Italia, Graecia, Hispania, aliqui vero in locis pessimis vix habitabilibus ut sunt Ethiopes, Scithae 25 et homines bestiales peioresque ipsis feris? Immo aliqui sunt qui ad humanitatem reduci non possunt; aliqui etiam nascuntur reges, imperatores, principes, divites, fortes, pulchri, aliqui in oppositum. Discurratque sic arguens per universum et videat diversitatem existentem in mundo, et vi30 debit maiorem partem bonis affluentem hoc non ex se habere sed ex extrinseco; et in malis similiter. (40) Quo fit, ut

12 quoque *om* ed. — 14 in *om* ed. — 17 unicuique *om* ed. — 18 attribuunt α ed. — 22 attribuit α. — 23 et Hispania ed. — Hispania: Tuscia E. — 24 proximis δι (D *correx. in* peximis). — 27 Reges . . . pulchri: reges aliqui imperatores pulchri fortes E.

2 sqq. Huius citationis locum invenire non potuimus.

Cicero refert in libro *De Deorum Natura*, propter hoc aliquos existimasse Deum non esse; si nanque esset, curaret et gubernaret haec. Verum quae potest esse ista |439| gubernatio cum omnia videantur esse perversa? Aliqui vero propter
5 haec, quanquam concesserunt Deum esse, ipsum tamen haec inferiora non curare affirmaverunt, veluti Epicurus et qui eum sequuti sunt. Aliqui autem dixerunt Deum haec curare, verum quoniam dimittit homines in sua potestate, ideo tot incommoda et inordinata in universo conspicimus.
10 Sed ex superioribus hoc videtur esse impugnatum ex illis tribus rationibus superius adductis videlicet quod minor pars hominum habet usum rationis, neque illi qui habent movent nisi moti; quare ibi videas. (41) Unde fit si Deum ponimus et ab ipso cuncta moveri affirmamus, ideo sic ali-
15 quos imperatores a natura facit, aliquos divites, et sic de reliquis dispositionibus et contrariis his, non ex meritis, sed ex ipso fato et ex natura universi sic disponente et exigente; neque enim aliter esset universum. (42) Unde non aufertur Dei providentia, immo maxime augetur et extolli-
20 tur quandoquidem ad omnia concurrat, positione contraria oppositum faciente, quo|440|niam ponit liberum arbitrium sine causa exteriori et Dei providentia. Unde argumentum militat magis adversus eos quam adversus Stoicos.

(43) Ad sextum autem cum quaerebatur quomodo cre-
25 dentes Deos esse colendos, si Deos colere ex fato denegatum est, quomodo igitur credent colendos esse? Certe et ipsi habent consimilem difficultatem solvere. Multi enim negantes fatum credunt Deos esse colendos et tamen oppositum operantur, cum furantur, blasphemant, et sic de sin-
30 gulis. (44) Quod si dicitur: Eis non denegatum est posse

1 in libro *om* ed. — 6 existimaverunt γ. — 10 ab illis ed; in illis H. — 15-16 et sic de reliquis . . . contrariis: et cetera E. — 29-30 cum furantur . . . de singulis: quoniam blasphemant etc. E. — 30 dicatur ed.

1 Cicer., *De Natura Deorum*, III, 32 (Mueller, p. 135): «Telamo autem uno versu locum totum conficit, cur di homines negligant: *Nam si curent, bene bonis sit, male malis; quod nunc abest.*» — 10 Supra p. 77, 16 sqq.

colere, sed non colunt ex sua mala voluntate. Verum iisdem tormentis utendum est quibus et prius usi sumus, videlicet quomodo possunt velle non colere cum existimant melius esse colere quam non colere? et repetas ea quae supra dicta
5 sunt. (45) Unde dicendum est quod nihil hoc inconvenit quod aliqui credant Deos colendos esse, qui non possunt tamen Deos colere, hoc natura fati exigente; qui enim credunt Deos colendos et non colunt, non possunt colere, fato actum impediente. Multi enim experiuntur in seipsis
10 quod credunt aliqua esse bona et tamen non possunt prosequi. Unde dicitur de Me|441|dea:

> *. . . postquam ratione furorem*
> *Vincere non poterat, 'frustra, Medea, repugnas,*
> *Nescio quis deus obstat'; ait . . .*

15 Multi quoque cognoscunt furta et meretrices esse malas vel aliquod huiusmodi et tamen non possunt resistere dolentque quod non possint resistere. Quare dicitur de Amante:

> *Iuravi quotiens rediturum ad limina nunquam.*
> *Cum bene iuravi pes tamen ipse redit.*

20 (46) Ad septimum autem cum dicebatur artem divinatoriam poenitus tolli, nullius nanque esse proficui; non quidem in malis quandoquidem evitari non possunt; neque in bonis quoniam rei perfectionem diminuunt.

(47) Ad quod dicitur ipsos sic opponentes respondere: Si
25 praenuntiationes malorum ideo a Diis datas esse hominibus ut ea mala evitare possint et debeant? Cur igitur? Si Dii ipsi propter hoc faciunt, possentne et ipsi Dii eos ab illis malis removere sine tali praenuntiatione aut non? Si non, non igitur secundum eos Dii sunt. Si possunt, cur sine tali-

4 supra *om* ed. — 6-7 credant . . . qui enim *omm* L δed. — 7 existente αMBCH. — 9 actum *om* γ. — 13 repugnans αGI (I *ante correct.*) ed; repugnat M. — 16 possunt ENB ed. — 18 toties ed. — rediturum me ad limina ed. — 21 nulliusque ed. — 23 perfectione F (*cf. p. 67, 18; p. 82, 15-16*). — 24 ipso I; ipsi α. — opinantes α I.

11-14 Ovid., *Metamorph.*, VII, 10-12. — 18-19 Istorum versuum auctorem invenire non potuimus.

bus praenuntiationibus non removent? Vanum enim videtur, si Dii volunt ipsos in talia mala non incidere |442| (nam admonent eos, et possunt sine admonitione aliqua hoc facere), sic ipsos admonere. Solemus enim admonere ali-
5 quos, cum per nos ipsos non possumus, et credimus alio modo ipsos sic posse facere. Quod si per nos ipsos bene facere possumus et non facimus, increpamur. Nam nos eos a tali modo praeservantes sine aliqua admonitione magis laudamur; magis enim certi sumus de suo bono. Admonen-
10 do enim dubii sumus an obtemperabit admonitioni; at operando certi sumus. Bonum autem certum praeeligitur bono dubio. (48) Similiter arguitur de bono praenuntiato: Quoniam aut Deus potest sine praenuntiatione, aut non potest; et consimiliter procedatur ut de malo. Cum hoc quod etiam
15 argumentum ipsorum retorquetur, quoniam bonum praenuntiatum est minus perfectum.

(49) Amplius si praenuntiantur mala a Diis ut evitentur, unde est quod homines sic timentes de talibus monitis, omni cura, studio et diligentia sua et amicorum omnia procurant
20 ut evitent talia mala, et tamen quanto magis |443| student hoc evitare, tanto magis in illa recurrunt? (50) Unde legantur historiae et maxime Valerius Maximus, Plutarchus, Iustinus, Livius, et caeteri infiniti prope tales legantur. (51) Vidi et ego Petrum Leonem Spoletinum medicum et philosophum
25 celeberrimum qui dum legeret Patavii vidissetque ex peritia astrorum fatum sibi minari aquas ipsum suffocaturas, ratus hoc sibi contingere propter Venetias quae in aquis sita est (ad eam enim urbem pro curandis infirmis a Venetis multotiens advocabatur), quare hoc timens clam petiit Florentiam
30 quae in montibus sita est; dumque esset in cura Illustrissimi Laurentii Medices, post eius obitum, una dierum in quodam

2 in Italia E. — 4 et *ante* sic *ad* ed. — 4 solemus *bis* d. — 20 evitent α NC²; evitentur *cett.* — 21 leguntur N ed. — 23 leguntur N ed; legentur αCL; legentes M. — 24 ego: esto ed. — 25 experientia αML. — 30 quae . . . sita est *om* E. — Illustrissimi *om* E.

puteo submersus inventus est. Quomodo ergo hoc praenuntiatum est ut hoc evitaret?

(52) Unde dicendum quod divinatoria est neque fato tollitur; immo, fato datur. Aliquandoque ii quibus fiunt prae-
5 nuntiationes evitant praenuntiata, fato eos ad hoc impellente; aliquando non evitant, eadem de causa. (53) Consimiliter in bonis contingit ubi scilicet aliquando bona praenuntiata eveniunt, |444| aliquando non praenuntiata etiam eveniunt; immo et aliquando quae praenuntiata sunt non eveniunt.
10 (54) Causa autem huiusmodi diversitatis est quoniam fatum in tali diversitate perficitur eiusque natura est ut sit tanta diversitas in universo; qua non existente non esset universum. Sic enim semper fuit, et sic semper erit; quare etc.

Caput duodecimum in quo continentur contenta in
15 *duodecimo capitulo Alexandri.*

I. (1) Ut mihi videtur in hoc duodecimo capitulo Alexander ostendere intendit Stoicorum opinionem in suis sermonibus repugnantiam continere, sic quod ex dictis ab eis infert evidenter ipsam esse falsam. Unde dicitur et in *Rubrica*:
20 «Opinionem eorum qui omnia fato fieri dicunt in sermonibus eius esse falsam». Istud autem capitulum non bene a me intelligitur. Aut hoc fit ex ignorantia mea, aut ex vitio interpretis, aut quomodocunque aliter. Tamen dicam quod suspicor ipsum velle.
25 (2) Mihique videntur esse tria quae ab Alexandro hic intendun|445|tur. Primum est: opera Stoicorum non conveniunt

1 ergo *om* ed. — 4 que: quod G; *omm* EL ed. — hi αNβC; his ed; hii M. — 5 ab hoc compellente ed. — 6 aliquando vero non (*om* evitant) α. — 7 in omnibus bonis α. — 13 quare etc. *om* ed. — 18 contitenere D. — 19 et *omm* ω ed. — 20 in: his ed. — 21 eius Αλδο; suis γ; *om* ed (suis *in tabula capitum*, eius *in rubrica cap. XII*, *Bagol.*). — sermonem eorum esse falsum E. — 22 Et aut ed. — 25 Mihi itaque N ed.

14 Bagol., fol. C²r-C⁴r. — 22 Conquestus ipse est Bagolinus (fol. F²v-F³r; et vid. infra p. 126, 2) quod ad Alexandri libellum de graeco in latinum vertendum mendosissimi solum codices invenirentur. Vid. Append. VI.

his quae a Stoicis dicuntur; unde unum dicunt et oppositum faciunt. Ex quo potest argui quod neque ipsi consentiunt his quae dicunt: aliud enim dicunt et aliud credunt. Dicunt enim omnia esse fato, ut patet; verum ex operibus eorum apparet 5 eos sic non credere. Quare si opera extrinseca sunt vera inditia interiorum et mentis, neque ipsi hanc opinionem existimant esse veram. (3) Assumptum autem ex aliquibus ostendit. Quoniam ipsi gloriantur hanc opinionem ab aliis non accepisse verum eius opinionis se esse inventores; 10 quod si ita est, non igitur haec opinio ab eis inventa fato inventa est; nam ab extrinseco habuissent et ab alio, quare ex se non invenissent. (4) Amplius multis conantur hanc opinionem persuadere tractatusque de hoc scribunt, ut alios ad hanc opinionem suam trahant. Putant igitur per 15 suas persuasiones et suos tractatus homines posse trahi ad hanc suam opinionem; quod si tacuissent, fortassis contraria fecissent. At si sic est, videlicet quod homines persuasionibus et rationibus inducantur ad operan|446|dum, veluti ipsi existimant (aliter enim non persuaderent et tractatus face- 20 rent), non igitur putant hoc fieri fato, verum suis persuasionibus et suis tractatibus.

(5) Secundum quod mihi videtur Alexander velle est quoniam ipsi Stoici existimant aliquos non recte operantes dignos venia, aliquos vero punitione. Ast qui ignoranter fa- 25 ciunt vel coacti, apud omnes leges et vulgares digni venia existimantur. Aut igitur nullus erit dignus punitione, quod

9 eos esse b. — 12 Quare multis ed. — 13 confirmare ed. — tractatusque: multaque ed. — 14 in hanc ed. — suam *om* ed. — 14-15 suis persuasionibus ed. — 15 et suos tractatus *om* ed. — 15 posse trahi ad: venturos in ed. — 16 hanc *omm* δ ed. — fortassis: forte fuissent qui ed. — 17 fuissent I; fecisset M. — quod *om* ed. — 18 et rationibus *om* ed. — induci ed; inducuntur ABN. — 19 enim *om* ed. — ipsi non α. — 19-20 et tractatus facerent: nec libros ederent ed. — 20 fato fieri γ; fato evenire ed. — 21 suis tractatibus: scriptis ed. — 22 secundum quod mihi: ut ed. — est: et ed. — 24 supplicio ed. — ignorantes EN ed; ignorant M. — 26 igitur *om* ed. — supplicio ed.

15-17 Bagol., fol. C²v.: «qui illis tacentibus forte contraria fecissent».

etiam falsum apud eos est; aut scientes et ex voluntate peccantes a nullo extrinseco moti punitione digni sunt. Verum
tales fato non operantur quoniam ex extrinseco fatum est.
Quare non omnia fato fiunt.
5 (6) Tertium quod intendit est hoc, ut existimo: Si duo
sunt dubia et unum eorum sit eligendum, illud ad quod sequitur minus malum est praeeligendum eo ad quod sequitur
magis malum. (7) Patet et ex se et ex III *Topicorum.* Quoniam minus malum comparatum maiori malo, rationem
10 habet maioris boni. At magis bonum est magis eligendum.
Sed supposito quod sit falsum fatum non esse, si quis |447|
eligat et credat fatum non esse, minus incommodum incurrit eo qui, supposito fatum esse falsum, credit fatum esse.
Igitur vir sapiens et rationalis magis debet adhaerere huic
15 quod fatum non sit quam quod fatum sit. (8) Omnia sunt
nota, excepto quod ad illud sequatur minus incommodum
etc. Quod sic manifestatur. Si enim fatum non esse falsum
est, qui credit fatum non esse credit falsum, tamen impiger
est in operationibus et multum procurat circa agenda. Si
20 vero fatum esse falsum est, qui sic credit, falsum credit et
piger fit in actionibus et se fortunae committit. (9) Utrique
ergo sunt aequales stante supposito in falsitate, verum in
deteriori conditione est qui credit fatum esse cum non sit
quam qui credit fatum non esse cum sit. Primus nanque
25 piger est et fortunae se committit, secundus autem solers

1 et falsum N; etiam falsum αM; falsum etiam L (*qui scripsit* est *ante* falsum *sed postea erasit*); etiam *post* falsum est *ad in mg* C^2; falsum est Bd ed. — est ωLC (C^2 *delev.*); esse BGδo ed. — at scientes ed. — 2 supplicio ed. — 4 eveniunt ed. — 5 Tertium ANG ed; Tertio *cett.* — 7 eo: id ed. — 8 magis: maius CN ed; minus B. — 10 At: et NBd. — maius bonum CN. — potius est eligendum N; magisque eligendum δo ed. — eligendum est ed. — 13 qui ALC^2; quod EM d ed; *om* N; *ambiguum in* B. — est falsum ed. — 14 et rationalis *om* ed. — 14-15 adhaerere . . . fatum sit: credere fatum non esse quam fatum esse ed. — 17 etc. *omm* E d ed. — declaratur ed; manifestam E. — 18 falsum dicit γ. — 25 autem est EλC^2.

8 *Topic.*, III, 2. 117a 5 sqq. — 10 sqq. De «sponsionis» argumentatione vid. infra p. 89, 20 n.

neque fortunae se committit. Quare manifestum est longe melius se habere qui negat fatum quam qui ponit. (10) Ast quis est sani capitis quisve philosophum se profitetur qui non magis sequatur melius quam deterius? Ut enim est in
5 proverbio: In |448| rebus dubiis certior pars est tenenda. Quare magis tutum est tenere non omnia fieri fato quam omnia fieri fato. (11) Haec, ni fallor, voluit Alexander in hoc capitulo et sic de primo.

II. (1) Quantum ad secundum aliter non argumentor ad-
10 versus ipsum. Sed oppositam partem persuadeamus per ea quae in superioribus capitulis adducta sunt. Quare ad tertium descendamus.

III. (1) Et ad primum cum dicebatur quod facta a Stoicis dissident a dictis eorum, dicimus primo quod credendum
15 est istud universaliter non esse verum. Stoici nanque dicentes fatum esse et gloriantes de hac inventione non tamen adeo gloriabantur neque affirmabant sic invenisse ut principaliter hoc fato non ascriberent. Immo secundum omnes tenentes Deos curare mortalia et ad quemlibet effectum
20 concurrere, quanquam fatum non affirment gloriam tamen principaliter dicunt Diis ipsis esse tribuendam quanquam se non expolient a laude et gloria. Quare et sic Stoici gloriantur, secundario tamen; sed Deo principaliter gloriam dant. (2) Quod si dicitur: Ab extrin|449|seco habent et non
25 possunt non habere ergo non debent gloriari; patet per ante-

2 ponit: non negat γ; *ad* fatum c. — 2-3 Sed quis ed. — 3 quisve bC (qui suae M); quique G; qui δo ed. — profiteatur ed. — 3-4 qui non . . . deterius: qui non malit sequi id quod est melius quam quod est deterius ed. — 7 ni fallor: credo ed. — 8 sic: hoc C; hec G; hactenus ed. — 9 Quod ad secundum spectat ed. — 10 oppositae parti ed. — persuademus BμC[1] ed (C[2] persuadeamus). — 11-12 quare ad tertium descendamus *om* α. — 14 differunt ed; desident EB. — 17 adeo affirmabant bGH. — 19 tenentes: qui dicunt ed. — 20 affirmant CN ed. — 21 attribuendam α M. — 22 spoliant laude ed. — et *om* ed. — 24 dicatur α.

dicta non sequi. Neque gloria et laus sunt de his quae vitare possumus vel possumus non facere, sed sunt de his in quibus et nos et Dii operantur, licet Dii principaliter, et nos ab ipsis moti inevitabiliter tamen. (3) Unde et patet ad alia duo
5 adducta in eadem parte, videlicet de persuasionibus Stoicorum et libris scriptis ut reliquos inducant. Quoniam Stoici volunt persuasiones et rationes nedum conferre, verum esse necessarias in his quibus fato datum est fidem praestare dictis mediantibus persuasionibus et rationibus. Qui autem
10 fato dictis, vel quicquid sit illud, sine rationibus vel persuasionibus fidem praebent, nedum non sunt necessariae, immo impossibile est per illas eis fidem praebere. Quod igitur persuadeant vel scribant non aufert quod fatum sit vel [non] credant esse fatum, quoniam sciunt in aliquibus res fieri fato
15 et persuasionibus, in aliquibus fato sed non persuasionibus.

(4) Secundo ad idem dici posset non sequi: Facta contradicunt dictis in aliquibus, ergo dicta sunt falsa. Patet hoc in incontinentibus in quibus ratio |450| est recta et operatio mala. Unde Medea dicebat:

20 *. . . video meliora proboque,*
Deteriora sequor! . . .

Et Petrarca:

Io vedo il meglio ed al peggior m'appiglio.

1 neque laus ed. — 1-2 his . . . sunt *om* ed. — 2 in his ed. — 4 ipsis diis moti α. — 8 fato dato datum ω; fatum fato datum C[1]; fatum *eras* C[2]. — 9 Qui autem *in* Illis autem qui *emendare primum cogitavimus quia* eis *in linea 12 ambigue refertur sive ad* dictis *sive ad* Qui; *sed contra omnes codices et editionem ire non ausi sumus sine absoluta necessitate.* — 11 fidem *omm* αMβ. — necessaria Med. — 13-14 non credant *codd*; non credatur ed. — 14 fatum *post* esse *om* ed. — 16 potest ω γ. — non sequi *om* α. — quod facta ω ed. — 16-17 contradicant α ed. — 17 in aliquibus *om* ed. — 18 intemperatis ed. — 22 Et il Petrarcha d; El Petrarcha A. — 23 veggio P ed; veggo E. — el meglio δη; et meglio B ed. — ed al peggior B; et al peggior *cett.* — me appiglio DE (me apiglio E); mappiglio LFI (mapiglio L) me piglio A; mi appiglio C; mi piglo B.

19 Ovid., *Metamorph.*, VII 20-21. — 22 Petrarc., *Il Canzoniere*, Parte seconda, *Canzone* XXI (XXXIX) v. 136: «E veggio 'l meglio ed al peggior m'appiglio» (*Le Rime di F. P.*, ed. G. Mestica, Firenze 1896, p. 370).

Stat enim intellectum esse rectum voluntate existente mala.
Quare si qui Stoici vera ratione affirmabant fatum esse, et
ex passione aliquid operabantur quod videtur prima fronte
adversari huic opinioni, non tamen recte infertur quod po-
5 sitio illa sit falsa; veluti dictum est de incontinente qui operatur contra illud quod opinatur. (5) Istud tamen magnam
continet difficultatem. Socrates nanque, ut VII *Ethicorum*
dicitur, credidit hoc esse impossibile. Quare existimavit
virtutes esse scientias et cognitiones. Verum de his longo
10 sermone dicemus in subsequentibus partibus istius libri.
Pro nunc vero transeamus sic cum istis duabus responsionibus, quanquam prima sit magis tuta pro isto loco.

(6) Ad secundum autem in quo dicebatur: Tunc nihil
esset dignum venia neque punitione; dicitur illud negando.
15 Immo sunt et digna venia et digna punitione. Nam delin-
quentes ex ignorantia et coa|451|ctione sunt digni venia,
delinquentes autem scienter et sponte sunt puniendi. (7)
Non dicuntur autem sponte quoniam non necessitentur ex
fato et ab ipsis Diis; neque quoniam sic fato ducuntur ideo
20 dicuntur coacti. Coactum enim est quod est contra naturam
suam et inclinationem propriam. Ast voluntatem a Diis moveri et a proprio fato non est contra naturam; sed bene ab
altero quam a Deo. Quare sic scienter et voluntarie delinquentes debent puniri, quandoquidem neque ignoranter
25 neque coacte secundum modum expositum delinquant.

(8) Quod si dicitur: Propter quid est, cum utrique necessitentur a fato, unus tamen puniendus est, alter vero est dignus

6-7 habet dubitationem ed. — 7 commento *ante* VII *add* B d ed. — 9 his: eis ed. — 10 sequentibus B ed. — 11 Pro *om* ed. vero: non δo; *om* ed. — 14 esset: esse βM ed. — 14, 15 punitione (*bis*): supplicio (*bis*) ed. — 17 scientes αγN. — digni punitione γ. — 18 coguntur ed. — ex *om* ed. — 19 ducuntur Gδo ed; dicuntur ωCL; dicunt B. — 20 dicantur ACβδo; dicuntur μG; dicunt E; ducuntur ed. — 21 Ast: sed ed. — 22 bene *om* δo. — 26 propter quid est: quamobrem ed. — necessitentur: impellantur ed. — 27 2^{m} est *omm* Ged.

6 C*f. Ethic.*, VII 3 (*olim* 2: ed. Firmin-Didot). 1145b 23 sqq. (Comin. de Tr. III 261rB). — 7 *Ethic.*, VII, 3 et 4. Cf. infra p. 258, 9. — 10 Cf. Lib. III, cap. 9; infra pp. 268 sqq.

venia? Huic dicitur quod consimiliter quaestio esset solvenda maxime apud legem Christi. Nam si infans sine baptismo moritur, privatur paradiso; si alter infans cum baptismo moritur, non privatur; nullus tamen in tanta diversitate illorum in-
5 fantium aliquid operatus est, sed totum est ex Deo sic ordinante. Quare et secundum Stoicos, ut videtur, non minus rationabiliter dicitur quod unus |452| sit dignus venia, alter vero punitione. Hoc est quoniam diversae sunt causae mediae, quandoquidem unus scienter et voluntarie, alter vero
10 e contrario. Quod autem ista media producant tam dispares effectus hoc provenit ex fato sic disponente, sicut secundum Christianos quod infans unus privetur paradiso, alter vero non privetur, est ex Deo sic ordinante. Quare nihil mirum hoc debet videri.

15 (9) Ad tertium autem quod evidentiam satis apparentem videtur facere, dicitur primo: Illud argumentum, si teneret, procederet et contra ipsummet Alexandrum et omnes peripateticos. Alexander enim, ut notum et famosum est de eo, voluit humanam animam esse mortalem. Verum sic adversus
20 eum argumentabimur: (10) Si anima est mortalis et credi-

1 consimiliter: similis ed. — 2 in lege ed. — 2, 3 moriatur (*bis*) ed. — 6 videre est ed. — 7 quam alter ed. — 10-11 tam dispares effectus cH; tam varios effectus et dispares δ; istos effectus tam varios et dispares ed. — 12 vero *om* ed. — 17 et contra omnes α. — 18 et famosum *om* E.

18-19 Cf. Averr., *XII Metaph.*, t. c. 17 (Comin. de Tr. VIII 324v EF). Marsil. Ficin., *Plotin. Ennead.*, praefatio.: «Totus fere terrarum orbis a peripateticis occupatus in duas plurimum sectas divisus est, Alexandrinam et Averroicam. Illi quidem intellectum nostrum esse mortalem existimant, hi vero unicum esse contendunt, utrique religionem omnem funditus aeque tollunt, praesertim quia divinam circa homines providentiam negare videntur et utrobique a suo etiam Aristotele defecisse». (Citat. ex P. Moraux, *Alexandre d'Aphrodise, Exégète de la Noétique d'Aristote.* 1942. p. 96 n. 5) Vid. E. Renan, *Averroès et l'Averroisme.* 2 ed. (1861) p. 355 n. 2, qui ipse remittit ad Pici Mirandulani *Apologiam.* Ipse Pomponatius anno 1511 in lectionibus suis fatebatur: «Alexander, qui credidit animam mortalem» (B. Nardi, *Le opere inedite del Pomponazzi*, IV; in Giornale Critico della Filosofia Italiana, n. s. VII, 1953, p. 181 n. 8) cf. tamen infra p. 183, 7-8. — 20 sqq. De sequenti 'sponsionis' (le pari) argumentatione, vid. Append. III.

mus ipsam esse immortalem, falsum credimus et post mortem nihil mali sequitur; si vero anima est immortalis et credimus ipsam esse mortalem, falsum credimus et post mortem supplicium sequitur de hoc. Ergo absolute magis est
5 credendum animam esse immortalem |453| quam mortalem; quod minime tamen ipse voluit credere. (11) Similiter: Si sunt demones cruciantes post mortem illos qui eos esse non crediderunt, et quis credat eos non esse, iste decipitur et post cruciabitur; si vero non sunt demones et quis credat
10 eos sic esse, iste decipitur et post mortem non cruciabitur a demonibus. Ergo magis credendum est demones esse et post mortem cruciare non credentes quam credere demones non esse; cum tamen Aristoteles et eum imitantes noluerunt talia credere. Neque Seneca Stoicus, ut patet in libro
15 *De Consolatione ad Martiam*, hoc voluit credere. Quare si Alexander et Aristoteles solvent hoc argumentum, et nos hoc tertium adductum solvemus.

(12) Dicimus tamen: Ut nobis videtur, argumentum fortassis teneret ubi ambo contradictoria essent possibilia et
20 aequaliter dubia; verum si una pars est certa et necessaria, et alia impossibilis, argumentum nullum est. Nam apud Alexandrum impossibile est animam esse immortalem, certumque sibi erat ipsam esse mortalem. Apud etiam Aristotelem |454| impossibile est esse demones. Quare cum una
25 conditionalium supponat impossibile, nihil mirum est si sequatur falsum. Unde et secundum Stoicos fatum non esse est impossibile. Unde ratio procedit ex impossibili supposito, non autem ex possibili. (13) Praeterea argumentum tantum videtur probare fatum non esse esse eligibilius voluntati
30 quam fatum esse, dummodo non constaret de impossibilitate (quanquam et voluntas feratur in impossibile), non autem quod fatum non esse sit credibilius. Voluntas enim nostra vellet nos non morituros sed intellectus non credit hoc.

8 ipse ed. — 11 est *om* ed. — 23 etiam *om* ed. — 28 propterea λδι ed (I proterea).

14 Seneca, *De Consol. ad Martiam*, XIX. Cf. infra p. 205, 4.

Quare probat fatum non esse, magis a nobis esse appetibile, quoniam sic essemus Dii quandoquidem operamur sine eis; non autem probat ipsum non esse esse magis verum. Aeternitas enim a nobis appetitur, non assentimus autem
5 nos fore aeternos. Fit enim ibi saltus a bono ad verum et a voluntate ad intellectum, cum tamen non semper conveniunt ratio et voluntas; neque enim quod videtur magis verum videtur magis bonum, |455| neque quod magis bonum videtur, et magis verum videtur. At intellectus movetur vero,
10 appetitus autem bono. Quare procedendo ab uno ad alterum, non recte proceditur.

(14) Dicitur et secundo in argumento supponi falsum, scilicet quod qui fatum ponunt sunt pigri et se casui committunt. Oppositum patet de Stoicis, veluti et supra dictum est.

15 *Caput tertiumdecimum in quo continentur contenta in tertiodecimo et quartodecimo capitulis Alexandri.*

I. (1) Alexander in tertiodecimo capite sui libri ponit rationem Stoicorum sumptam ex ordine causarum in universo. Unde dicitur et in *Rubrica*: «Ratio sumpta ex ordine cau-
20 sarum in universo, qua utuntur asserentes omnia fato fieri». (2) Et quanquam Alexander ornate et prolixe eam ponat, multum tamen inconnexam et incompactam ponit, ut mos est Rhetorum. Studui autem quantum potui, quanquam inornate, breviter et sillogismo |456| eam rationem contexere;
25 nam sic eius vis magis apparebit, quod sane philosophis convenit.

(3) Est itaque, ut opinor, haec ratio: Si Deus perpetuo et inevitabili ordine et serie cuncta dispensat et ordinat,

2 operamus Mδι; operantur E. — 5 nos: non ed. — 12 et *om* ed. — 14 quare etc. *add* AL. — 16 capitulis αβ ed; capite IN; capi. C; *om* G; capitulo Mδε. — 24 sillogismo: subtiliter ed; silentio DH; secundo C[1]; sillo C[2]; nulla M. — 28 et serie *omm* Lδι ed.

4 *Ethic.*, III, 3. 1111b 22. — 15 Bagol., cap. XIII, fol. C[4]r-C[5]r; cap. XIV fol. C[5]r-C[7]v.

omnia quaecunque fiunt fato fiunt. Sed Deus perpetuo et inevitabili ordine et serie cuncta dispensat et ordinat. Ergo omnia quae fiunt fato fiunt.

(4) Primo media sive minor declaratur. Quoniam si propositio assumpta negatur, aut igitur est quoniam aliquid est cuius Deus dispensationem vel ordinem non habet, vel si habet, evitari tamen potest ne fiat ut ipse dispensavit et ordinavit. Ast quodvis istorum detur inconveniens est. (5) Quod enim aliquid sit quod Dei ordinem et dispensationem fugiat, est dicere Deum non esse Deum neque illud esse ens. Quomodo enim Deus est nisi cunctorum sit causa et omnibus provideat? Quomodoque illud erit ens, cum neque sit causa neque causatum? Non enim est prima causa, quia sic esset Deus, quod minime ponitur; neque causatum, cum omne causatum dependeat a prima causa quae est Deus. Deus autem non causat nisi intelligendo et volendo, quod est proprium dispensantis et ordinantis. Sic itaque nihil potest subterfugere Dei providentiam. (6) Alterum ne-|457| que dici potest scilicet quod quamvis cadat sub Dei ordine, potest tamen illud evitari. Quod sic probatur: Quicquid factum est, fato et inevitabiliter factum est; ergo pariter et quicquid est et erit, inevitabiliter est et erit. Similis nanque ratio est. Probatur autem assumptum, videlicet quicquid factum est inevitabiliter factum est. Quoniam detur A, exempli gratia, quod cum factum sit, potuit tamen non fieri. Si igitur A factum est, causa fuit adaequata A, ut pote B, qua posita, necesse est et esse A; aliter enim causa existente adaequata non esset effectus; quod dici non potest.

1-2 omnia . . . ordinat *omm* EGF ed. — 4-5 propositio assumpta: praessumpta α. — 7 tamen *omm* Fed. — non potest LMF ed (*linea subduxit* non M). — 10 illum Cδυ ed. — 11-12 quomodo . . . erit ens *om* E. — 12 ille δυ (D *post correct.*); *omm* (*haplog.*) E ed. — 12-13 quomodoque . . . causatum *om* ed. — 13-1 est prima . . . B necesse est *repet. in pagina 102, 20* (*fol.* 76r-v) *cod. B, sed illic erasit.*

22-23 Cf. infra, pp. 392, 25 sqq. — 24 sqq. Cf. *Prior.* I, 15. 34 a 5-12; *Metaph.*, IX, 4. 1047b 14-30; *De Generatione et Corruptione*, II, 11. 337b 5-25.

Si itaque B necesse est fuisse, necesse est et fuisse A; si enim antecedens est necessarium et consequens est necessarium. Sed fuisse B fuit necessarium, quod ostenditur: quoniam in causis essentialibus est devenire ad primam ex
5 qua de necessitate reliqua sequantur. Cum itaque prima de necessitate causat et inevitabiliter, aliter enim in Deo caderet mutatio, ergo et caeterae de necessitate causabunt. Quicquid igitur factum est, de necessitate factum est; nam pri|458|ma de necessitate causante, aliae de necessitate cau-
10 sabunt. Sed si quicquid factum est de necessitate factum est, ergo et quicquid est de necessitate est, et quicquid erit de necessitate erit; quod erat probandum.

(7) Maior autem propositio: Quod si Deus cuncta perpetuo et inevitabili ordine dispensat et ordinat omnia fato
15 fiunt, sic probatur: Nam fato fieri est inevitabiliter ex Dei providentia fieri. Quare et non fato fieri est non inevitabiliter secundum Dei providentiam fieri. Quare cum oppositum praedicati inferat oppositum subiecti et e contra tanquam convertibilia, propositio est nota.

20 (8) In capite autem quartodecimo multa adversus hanc rationem dicit intenditque eam impugnare et solvere. Unde et in *Rubrica* dicitur: «Refellitur prius dicta ratio, ceu falsas propositiones assumens».

(9) Dicit itaque Alexander non opus esse rationibus ad
25 refellendas propositiones assumptas, quandoquidem sermone fatuo et rei ipsi apertissime non consonante nihil manifestius in medium afferri potest. Cum enim in talibus utimur ratione ducente ad impossibile et improbabile, nihil tamen |459| sermone hoc improbabilius adduci potest.

3 fuit: est αM. — 9 alie μγ ed; alia *cett.* — 14 inevitabili αH; incommutabili *cett* (*cf. supra p. 91, 28; 92,2*). — 15 sunt ed. — sic probatur C[2] L[2]; *omm cett.* — 21 dicit: scribit γ. — 24 dicit . . . rationibus *om* ed. — 26 falso α. — re ipsa C[1]; rei ipsi C[2] *qui ad in mg.* (*fol. 20r*): (?) alio legitur rei ipsi apertissime non consonante.

17-18 Cf. *Prior.*, I, 2. 25a I sqq.

(10) Secundo dicit Alexander Stoicos unum aperte falsum assumere et rei ipsi dissonum, scilicet ex quocunque facto sequi aliud factum, veluti quodcunque factum antecedit aliud factum. (11) Primum enim est contra sensum.
5 Multi enim sunt filii qui nunquam generabunt alios; non enim quilibet equus equum neque quilibet homo hominem generat. In partibus etiam animatorum multa excrementa nascuntur quae nullius rei causa esse possunt. Monstra etiam et quae praeter naturam sunt nullius sunt causae effectivae
10 cum permanere non possunt, neque aliquem finem habent quandoquidem si propter finem essent producta, non essent praeter intentum et sic non essent praeter naturam, quare neque monstra; quod est contra id quod supponitur. Putrefacta etiam et tabefacta semina, quomodo sunt causae
15 eorum quae subinde fiunt? Foliorum etiam quorundam geminatio, cuius erit et quem finem habent? Et certe nullum est videre. (12) Quod si dicatur, ut ab ipsis dici consuevit, quod providen|460|tiae divinae est notum, nobis tamen ignotum, certe hoc est subsidium indigentibus excogitatum.
20 Sic etenim dicere poterimus multa esse quae impossibilia sunt quoniam causas habent sed nobis ignotas.

(13) Tertio Alexander respondet ad unum quod in ratione Stoica quaerebatur, an scilicet aliquid sit factum sine causa? Et dicit quod sermo suus hoc conciliat. Ut existimo per
25 haec verba intelligit Alexander quod istud est verum et concedendum. Nam quae sunt per accidens vere non dicuntur habere causam, ut VI *Metaphisicae* dicit Aristoteles.

3 fato αβ ed. — fatum α ed. — 3, 4 fatum (*bis*) E. — 6 generat *post* equum *ad* ed. — 11 esset ed. — 16 geminatio AβC[2] FH *Bagol.*; germinatio C[1] N; generatio EG ed; gemitatio δι; gemina (. . . *illeg.*) M. — erit: est ed. — habet ed. — Et *omm* N ed. — certi ed. — 17 Quod: et ed. — 18 est *post* tamen *ad* c (*absque* N). — 23 aliquod βFH; quod ed. — fatum ed.

20 Bagol.: « est excogitare subsidium indigentibus. Nam hoc utentes licebit et de omnibus maxime impossibilibus dicere quod et sunt et rationabiles habent causas, sed nondum nobis manifestas. Utrum igitur his ita se habentibus aliquid sine causa fiet? Et hoc sermo noster conciliat? » (fol. C[5]v). — 27 *Metaph.*, VI, 2. 1027a 5-7.

(14) Dicit secundo: An aliter dicendum est, concedendo scilicet quod omne factum habet causam: si enim est factum per se, causam habet per se; si autem factum est per accidens, habet et causam per accidens; verum si causam habet per
5 accidens, non tamen necessariam, neque semper, neque ut in pluribus causantem, sed rarenter. Quare si factum non habet causam necessariam, neque ipsum est necessarium; non igitur inevitabiliter factum est, quare non fato (siquidem fatum est inevitabile). (15) Amplius nonne |461| isti apertis-
10 sime peccant, ignorantes modum demonstrandi in naturalibus? *Phisicorum* nanque II, et similiter *Posteriorum* II in naturalibus ex prioribus non sequuntur posteriora, verum convertitur ut ex posterioribus priora sequantur, veluti et in artibus. In artibus enim videmus: si domus est, fundamen-
15 tum fuit; non tamen convertitur: si fundamentum, ergo domus. Quare si homo est genitus, fuit sanguis menstruus; non tamen si fuit sanguis menstruus, fuit vel est vel erit homo.

(16) Quarto impugnat Alexander illud, scilicet: Si quod
20 sequitur ad alterum, illud ex quo sequitur esse ipsi sequenti causam: «Videmus nanque quae se tempore consecuntur, non omnia ex prioribus et prius genitis fieri, nec enim est ambulatio propter surrectionem, nec nox propter diem ... nec hyems propter aestatem». (17) Ratio autem ipsos movens
25 ad hoc monstruosum placitum nullius est momenti. Dicunt enim quod nisi sic esset, aliquid esset sine causa. Alexander autem hoc non hic declarat, puto tamen sic esse deducendum: Vi|462|demus Socratem aliquando sedere, aliquando vero surgere. Aut igitur eadem est causa utriusque, aut
30 haec sunt sine causa, aut altera est causa sessionis et altera

9 fatum est: fato inest δ. — 14 In partibus enim ed. — 15-16 est, ergo domus est ed. — 21 se pro tempore α. — 22 primis genitis δ ed. — 28 Socratem *sic* bC[2]; *omm* d (C[1]) ed. — 29 vero: non δed.

11 *Physic.*, II, 9. 200a1 sqq. — *Post.*, II, 12. 95a 26 sqq; 95b 31-39. — 15 cf. *Poster.*, II, 12. 95b 31. *Physic.*, II, 9. 200a 24. — 19 sqq. Bagol. Vid. Append. IV.

surrectionis. Si detur ultimum, habetur intentum; quoniam
oportet alterum praecessisse, et illud alterum, et sic in infinitum. Si detur primum, hoc est impossibile, quoniam
ab una causa non provenit nisi unus effectus. Ergo dabitur
5 tertium quod intendebatur videlicet, quod aliquid est factum sine causa.

(18) Cui respondent quod ab una causa possunt provenire diversi effectus immo et contrarii. Idem nanque
homo est causa sessionis et surrectionis, idemque caelum
10 est causa noctis et diei; neque si non sic fiat ut Stoici
dicunt, non tamen mundi et eorum quae in ipso fiunt di-
vellitur unio. Sufficiunt nanque divina corpora et horum
circulatio ad servandam eorum quae in mundo fiunt continuationem. Verum neque ambulatio est causa surrectionis
15 neque e converso, quoniam ex surrectione ambulatio non
habet causam: (19) «Quare haec causarum series a Stoicis
dicta |463| nullam affert rationalem causam huius quod nihil
absque causa fiat. Nam quemadmodum motus ipsi et tempora causam aliquam habent, sed nec motus motum qui
20 eum precedit, nec tempus tempus ‹ipso› prius, sic se habent
et quae in ipsis et per ipsa res fiunt. Nam continuationis
eorum quae fiunt est aliqua causa propter quam mundus
unus et sempiternus secundum idem et eodem modo dispositus hanc ipsam eorum quae fiunt continuationem servat;
25 et hanc oportet quaerere et assumere causam, quae tamen
non eiusmodi putanda est ut ex antiquiori fiat recentius,
ut videmus in generationibus fieri ipsorum animalium».

(20) Quinto dicit Alexander: In dictis Stoicorum alterum
rationi dissonum continetur. In causis enim ducunt ad in-

2 alterum *sic* MLC; alteram *cett.* — 2m alterum *bis* MCD (*linea subducta unum* alterum *delev.* D); alterum *semel cett.* — 7 respondetur EN; respondet BG. — 13 (circumlatio *Bagol.*). — 13-14 commutationem d ed. — 20 ‹ipso› *Bagol.*; ipsum *omnes codd et* ed. — 21 per ipsa res ANγδε ed. *Bagol.*; pro ipsa res EL; pro ipsa re M; per ipsas res I; per ipsam res B; ipsam rem C¹. — 22 est: in δ ed. — 24 in aliqua causa et *post* fiunt *dittog. ex linea* 2ª *anteriori* ed. — 25 hanc αM. *Bagol.*; hinc C; hunc *cett.* — 27 generatione N *Bagol.*

finitum; ponunt enim ex A factum esse B, ipsum vero A adhuc ex alio ut pote C, et ipsum C ex D et sic in infinitum. Verum sic ponere est destruere causas et effectus, omnemque scientiam |464| auferre. Si enim in causis in infinitum
5 proceditur non erit prima causa, quare si non primum, neque principium. Ast si non principium, neque principiatum. Verum quicquid est, aut principium aut principiatum est. Nihil igitur est, quare nulla causa est. Tollitur etiam omnis scientia, quandoquidem scientia est ex primis et prin-
10 cipiis.

(21) Sexto dicit Alexander neque a Stoicis ipsis esse recte dictum cum dicunt nullam esse in universo transgressionem et praeter providentiam quoniam sic tollitur universi ordo. Hoc sane non sufficienter dicitur. Nam veluti quaedam
15 praeter regis ordinem facta in regno suo regnum non destruunt, sic et quaedam in universo praeter ordinem et providentiam facta non solvunt mundi felicitatem, sicut nec domus dominive felicitatem quaevis servorum iniquitas evertere potest.

20 (22) Septimo Alexander Stoicos increpat quantum ad liberum arbitrium. Nam etsi rationabile sit dubitare, tamen dubitatis fidem prestare ubi manifestissimum sit et homi-

2 proceditur *post* infinitum *ad* α. — 4 Sic enim Lδo ed. — 6 Ast: Et ed. — 9 est *omm* δ ed; est: et E. — 17 non *omm* αβδo ed. — 18 deumve α.

14 sqq. Bagol., fol. C7r: « Preterea non quaecumque ordinis transgressio destruit ea in quibus fit. Quedam enim etiam preter ordinem regis fieri possibile est quae tamen regnum ipsum non destruunt. Nec si aliquid ad eiusmodi in mundo fiat, iam omnino soluta est mundi felicitas. Sicut nec domus Dominive felicitatem quaevis servorum iniquitas avertere potest. » — 21 sqq. Bagol., fol. C7r: « Que vero dubitant adversus Liberum Arbitrium an eiusmodi sit cuiusmodi a communi hominum existimatione creditur est dubitasse ratione non vacat, sed dubitatis veluti concessis ductos destruere quemadmodum manifesta sunt et umbratilem quamdam picturam et ludum ostendere hominis vitam, et concertare dubitantis adversus ipsos quo pacto non omnino Irrationale est? Non enim si quis Zenonis rationes contra motum solvere non potest iam et motus est auferendus. Magis siquidem satisfacit rei ipsius operatio ad assentiendum quam omnis quae per rationes ipsum destruit probabilitas ».

num vitam ludum po|465|nere propter umbratiles rationes (immo vita hominis secundum ipsos umbratilis est), omnino insanum est: « ‹Non enim› si rationes Zenonis adversus motum quis solvere non potest, iam et motus est auferendus. Magis siquidem satisfacit rei ipsius operatio ad asserendum quam omnis quae per rationes ipsum destruit probabilitas». Haec Alexander.

(23) Existimoque secundum ipsum per haec ab eo dicta sic formaliter ad rationem Stoicorum esse respondendum, videlicet ad minorem rationis quae erat talis: Deus immutabili ordine et serie cuncta dispensat et ordinat.

(24) Primo [quod] fortuita et quae sunt praeter naturam non contineri sub ordine et providentia Dei; immo fiunt extra ordinem et eius providentiam. Neque ex hoc sequitur eversio vel destructio ipsius universi, veluti dictum est de regno et de domo, quod quanquam in regno et in domo fiant aliqua extra ordinem regis et domini domus, non tamen sequitur propter haec regnum vel domum destrui. (25) Amplius quoniam talia non habent causam, quare horum Deus non est causa; unde neque sub ordine |466| et eius dispensatione continentur. (26) Praeterea etsi in aliquam causam referantur, non tamen in causam per se sed tantum per accidens. Verum quae per accidens sunt non sunt necessaria neque ut in pluribus sed rarenter. Unde non sequitur ea esse inevitabilia, quare neque sub fato esse.

(27) Dicitur et secundo quod quanquam ea quae per se intenduntur et continentur sub divina providentia causam habeant per se aut necessariam aut ut in pluribus, non tamen talia ita facta sunt quin potuerint et non fieri, et etiam

1 rationes *om* ed. — 3 ‹Non enim› (*Bagol.*); nam et *omnes codd et* ed. — 4 qui ed. — iam δ ed; id α B; ideo μ; non L; non ideo C^{2}. — 6 quam: ipsum C^{1}; que G. — quae per rationes *omm* Gδo ed. — destruunt α. — 12 quod *om* ed. — 16 et de domo *sic* ω; *omm* de *cett.* — 21 Propterea μ ed. — 23 queve D; *om* F. — 28 ut in pluribus ANβγH; *omm* ut EMδ ed.

si taliter facta sint, aliter fieri non potuerint, quantum ad ea quae causas habent ut in pluribus.

(28) Cumque dicitur: Si talia facta sunt, ergo habuerunt causam sui effectus, qua posita, de necessitate ponebatur 5 effectus; et quoniam talem causam necesse fuit esse, ergo necesse fuit et talem effectum esse. Huic dicitur hic multos esse defectus. (29) Primus quidem quoniam, ut visum est, hic modus demonstrandi in naturalibus non convenit; nam in eis ex priori non sequitur posterius, sed ex posteriori 10 sequitur prius, veluti et in arti|467|ficialibus. Ex fundamento nanque non sequitur domus, sed remeat ut ex domo sequatur fundamentum. Unde sequitur quod neque ex causa quanquam adaequata sequi effectum sit necessarium; potest enim effectus ipse impediri. (30) Amplius quoniam, veluti 15 dictum est, eadem potest esse causa contrariorum: idem nanque homo est suae sessionis et surrectionis causa mediante electione. Quare non sequitur quod esto quod sit causa adaequata illud tamen contrariorum determinate sequatur; potest enim et alterum sequi. (31) Praeterea nondum proba-20 tum est semper causam antecedentem esse necessariam. Quoniam aut est devenire ad primam: et hoc non, secundum eos, cum ibitur in infinitum; aut si stabit ad primam, quam tamen non concedunt: quamquam necessario causat, non tamen oportet omnes quae sunt post eam de necessitate causare. 25 Nam quamquam Deus et corpora caelestia de necessitate moveant, non tamen haec generabilia et corruptibilia de neces|468|sitate movent; non enim quae dispositio reperitur in principio, reperitur et in principiato, ut de se notum est. Quare si non omne quod factum est de necessitate factum 30 est, quanto minus non omne quod fiet de necessitate fiet.

4-5 qua posita . . . effectus *omm* δ ed. — 10 in *om* ed. — artibus γ. — 12 veluti et prius in artificialibus *dittog. ex lin. 10 post* sequitur *in* ed. — 14 ipse *om* c. — 17 dictione δo (electio *Bagol.*). — 19 Propterea N; quod ed. — 22 ibit ed. — 30 de necessitate fiet *om* ed.

Ut existimo Alexander ad rationem sic responderet. Et haec de primo.

II. (1) Quantum ad secundum, dico quod sermo iste Alexandri non videtur esse sanus, immo per totum corruptus et
5 peripateticis ipsis adversari.

(2) Quod itaque primo dicit: Casualia et fortuita non contineri sub Dei ordine et providentia, istud videtur incredibile si Deum ponimus cunctaque gubernantem. Si nanque homo ista cognoscit et scit quomodo fiant, quanto magis Deus!
10 Unde Aristoteles in I *De Anima* habet pro inconvenienti nos scire discordiam et Deum ipsam ignorare. Quare Augustinus octavis capitulis XVI et XXI *De Civitate Dei* derisit eos qui negant ista habere finem et non esse a Deo facta. (3) Quodque dicebatur talia non habere causas, certe istud
15 videtur inintelligibile quod sint effectus et non habeant causas. Unde si non habent causas neque sunt |469| effectus; relative enim dicuntur causa et effectus. Quod si neque sunt causa neque effectus, nihil sunt. (4) Quod autem dicebatur habere causas per accidens, veluti sunt et effectus per acci-
20 dens, certe firma ratione, ni fallor, superius ostensum est quod nihil est adeo per accidens quod non sit et per se, et in ordine ad aliquod non habeat causam per se. Nam veluti supra ostensum est, naturales res defectibiles sunt aliquando, unde ex quo tales sunt, natura ne incassum talem
25 potentiam dedisset, ex intentione apposuit impedimenta; utrumque ergo intendit. Quomodo igitur respectu naturae sic intendentis potest in universum esse praeter intentionem? (5) Non sunt etiam absque fine. Dicuntur nanque

1 respondet μ ed. — 5 repugnare γ. — 8 nunquam Cδ ed. — 11 ipsa ed; eam N. — 15 intelligibile Eδo ed (ed *correx. in errata*). — 21 demonstratum γ. — adeo Lγ; a Deo *cett.* — 24 natura ne incassum GN; quomodo natura in casum C; nam ne incassum HF; nam ne in casum AMB; nonne incassum ELδι ed. — 25 apposuit N (*cf. supra p.* 37, 14); opposuit *cett.*

10 *De Anima*, I, 5. 410b 5-7. — 11-12 Cf. supra, p. 23. — 20 sqq. Supra, cap. 7; pp. 36 sqq.

portenta, monstra, prodigia et ostenta, veluti superius dictum est, quoniam sunt multorum significativa aut ad bonum aut ad malum. Multis enim casualia et diffortunia profuerunt. Amplius ex peritia siderum et rerum naturalium sciun-
5 tur eorum eventus. Quae minime fieri possent nisi in ordine ad superiora essent per se intenta. (6) In omni |470| temporeque sunt casualia et fortuita: sunt enim et aeterna secundum speciem veluti et alia, neque possunt non esse. Habent igitur causam per se, neque ex eo quod sunt per
10 accidens aufertur eorum necessitas, veluti prius ostensum est. Quare cum diffuso admodum sermone de his superius diximus, si quid hoc in loco diminutum videtur, ad locum illum recurras, ubi adversus Alexandrum ostendimus fatum non destruere casum et fortunam.

15 (7) Quod autem ulterius dicebatur de iis quae ut in pluribus fiunt, quanquam causam habeant per se non tamen ex causa sequitur effectus, quoniam in naturalibus non licet ex priori inferre posterius sed tantum e contra. (8) Huic dicitur quod si in causis adaequatis arguatur, certe reciprocant effectus
20 et causa; unde si non reciprocant, hoc est quoniam non sumuntur adaequata, veluti in proposito sumebatur. Si nanque ex fundamento non sequitur domum esse, hoc est quoniam fundamentum non est adaequata causa domus; at remeat, quoniam fundamentum est pars inclusa de necessi-
25 tate in domo. Ast nos sumi|471|mus adaequatam causam. (9) Cumque ulterius dicebatur: stat quod sit causa adaequata et non producatur effectus quoniam impediri potest. Certe si effectus impeditur, vel causa non est adaequata causa effectus, cum sic impediri vel non impediri teneant se ex
30 parte causae. Si nanque volo movere lapidem et unus reti-

3 disfortunia E; defortunia N; fortuita γ. — 4 experientia L ed. — 5 possent Nγ; possunt *cett.* — 6-7 omni temporeque MGβδη; omnique tempore αC[2]; omni tempore C[1]; tempore quae F ed. — 6-7 in omni . . . aeterna *om* N. — 17-18 prioribus, posteriora γ. — 18 tantum: bene α; tamen N. — 22 sequitur domum non esse δ ed.

1 Cap. 6; p. 23. — 11-12 Supra, capp. 6-7; pp. 17-42. — 13 Supra, cap. 7; pp. 32-35; 38-42.

neat me, in me non est adaequata causa huius motus, quandoquidem non habeam potentiam removendi tale obstaculum. (10) Cumque dicebatur quod adhuc stante adaequata causa stat non produci effectum qui produci potest, quo-
5 niam eadem est causa contrariorum: idem nanque homo est causa sessionis et surrectionis; certe causa quae duos contrarios effectus producere potest aut igitur est naturalis, aut voluntaria. Si naturalis et adaequata, hoc est impossibile, quoniam ambo produceret aut nullum; si autem voluntaria,
10 certe nisi per aliquod determinetur, neque ad actum devenire poterit. (11) Quod si dicitur: Determinatur per electionem; revertetur idem argumentum, quoniam cum possit eligere et non eligere, oportet aliquod esse determinans ad alteram partem, |472| veluti diffuso sermone superius dictum
15 est, ubi ostensum est sic dicere est octavum librum *Phisicorum* Aristotelis destruere. Quare si eadem causa sive naturalis sive voluntaria potest in duo opposita, non tamen secundum eandem dispositionem, ut dicit Aristoteles in octavo libro *Phisicorum*. Unde etsi eadem causa potest in
20 opposita, non tamen adaequata de qua est sermo.

(12) Cumque ulterius dicebatur non probari primam necessario causare quoniam secundum Stoicos abitur in infinitum et ascendendo et descendendo, huic dicitur in causis eiusdem rationis, quae communiter dicuntur accidentaliter
25 ordinatae, necesse est in infinitum procedere si mundus est aeternus; in causis vero diversarum rationum, quae appellantur essentiales, non est sic in infinitum abire, sed est status ad primam quae de necessitate causat, ipsaque de necessitate causante oportet et alias de necessitate causare,
30 si prima est adaequata causa secundae et secunda tertiae

2 habeo Gδo ed. — 6 sexionis DH. — 9 producerent Gδ ed. — 11 dicatur GDH; *om* ed. — 16 Quia ed. — 19 et *om* ed. — 20 adaequata N (*fol. 76r-76v*) *hic repet. lin. 13-28 ex p. 92 supra sed erasit.* — 22 abitur b; ibitur d ed. — 23 et descendendo *om* ed. — 30 est: et ed.

14 Supra, cap. 8, p. 46, 5 sqq.; cap. 9, pp. 54 sqq. — 19 *Phys.* VIII 5. 257 a 31 sqq.

donec ad ultimam deveniamus. (13) Et quamvis non omnis
dispositio quae dicitur de prima |473| dicatur de secunda,
ut notum est (nam prima nullam habet ante se, 2ª vero
habet), tamen si prima necessario causat et 2ª de necessitate
5 causat. Nam veluti non quicquid dicitur de antecedente
dicitur de consequente, (nam antecedens praecedit et consequens sequitur, antecedens est magis notum consequens
vero minus et sic de reliquis dispositionibus), tamen si antecedens est necessarium consequens est et necessarium. Cum
10 itaque posterior se habet ad priorem velut consequens ad
antecedens, si prima de necessitate causat, et 2ª de necessitate causabit. (14) Quod et confirmatur. Aut igitur causa
2ª est naturalis, aut voluntaria. Verum cum supra ostensum sit tandem voluntariam determinari per naturalem,
15 oportet quod prima causante omnes causent eodem modo;
causa nanque naturalis de necessitate causat, ut et ipsi
concedunt. Et hoc de secundo.

III. Quantummodo sit de tertio restat modo respondere
ad illa septem quae Alexander adduxit adversus Stoicos.
20 (1) Ad primum itaque cum dicebatur: Sermonem |474| de
fato adversari aperte rei ipsi, esseque manifeste falsum, quare
non oportebat adducere demonstrationem adversus talem
sermonem. Huic dicitur esse manifestum quod nos consulte
operamur, et modo unum, modo oppositum; verum occul-
25 tum est quod sit illud determinans magis ad unum quam
ad alterum. Cumque probatum sit quod idem eodem modo
se habens non potest in opposita, unde necesse est determinari, nullumque apparet determinans nisi fatum quod occul-
tissimum est; ideo ipsum oportet ponere. Quare neque sen-
30 sui neque rei ipsi fatum contrariatur, sicut verum vero non
contradicit. Unde veluti dictum est supra ex eo quod occul-

1 ultimam ENBCH; ultimum *cett.* — 2 dicitur quae ed. — 18 modo *omm* N ed. — 21 manifestum ed. — 24 et *ante* modo *ad* ed. — 25 magis determinans magis ad unum α. — 27 potest *om* ed.

13-14 Supra, p. 45, 6 sqq.; pp. 53-54; pp. 63-64. — 31 Supra, p. 61, 7 sqq.

tum est determinans existimatur voluntatem a nullo determinari, quod tamen ostensum est esse impossibile.

(2) Ad secundum autem cum dicebatur non quodcunque factum esse causam alterius facti, dicitur: Si intelligitur de 5 causa effectiva, verum dicitur, ut ibi ostendebatur; non enim quilibet filius alium generat et sic de singulis. Verum si intelligatur universaliter de |475| omni causa, scilicet quod aliquod sit factum et in nullo genere causae sit alicuius causa, hoc est merum impossibile; nihil enim est adeo 10 vile quod ad nihil factum sit. Si nanque Socrates nullum generabit, ex ipso tamen generabitur cadaver. (3) Cumque dicitur de excrementis animalium vel plantarum quae nullo modo sunt causae, patet hoc esse falsum: multa nanque excrementa multas habent utilitates, ut sordes aurium, 15 stercora et sic de reliquis, ex ipsisque, tanquam ex materia, multa generantur. Idem quoque dicatur de monstris; nam ostensum est et ipsa habere finem, et ipsa esse intenta, et ex ipsis aliqua generari, et ipsa praecedere aliqua; quae si non fierent, neque posteriora fierent. (4) Et quoniam dicebatur 20 Stoicos dicere quod haec sunt causae aliquorum posteriorum sed nos latet: pariter dicere possumus impossibilia habere causas sed nobis ignotas. Certe hic sermo Alexandri videtur esse derisibilis. Quoniam si sunt impossibilia, non possunt esse; quare neque notas, neque ignotas cau-25 sas habere possunt. (5) Creduntur tamen aliqua |476| esse impossibilia quae habent causas ignotas; unde per hoc creduntur esse impossibilia. Sed de monstris secus est: evidenter enim videmus multa monstra esse intenta a natura universali, ut ostensum est, et multorum aliorum esse 30 causas secundum diversa genera causarum; quare verisimi-

2 esse *omm* δ ed. — 7 scilicet: si ed. — 11 ex se ipso δ ed. — 14 aurium Aμ L² C²; aurum A (*ante correct.*) L¹; murium N (*ante correct.*); aut E; avium d ed. — 15 se ipsis δed (*item lin. 18*). — que *omm* EN δ ed. — 22 causas *om* ed.

14-15 Cf. Cicer., *De Nat. Deorum,* II, 57 (Mueller p. 98, 29): «Provisum etiam, ut, si qua minima bestiola conaretur irrepere, in sordibus aurium tanquam in visco, inhaeresceret».

liter sic arguimus et de aliis. In impossibilibus autem talia non conspicimus.

(6) Ad tertium vero in quo Alexander contendebat ostendere multa fieri sine causa vel si causam habent, habent 5 solum per accidens, quare non necessariam; et quod in naturalibus demonstrationes sunt ex posterioribus ad priora, et non remeant: quoniam de omnibus his abunde diximus in 2° proposito, ideo hic pertransimus.

(7) Ad quartum vero in quo dicebatur: Falsum esse omne 10 praecedens esse causam posterioris. Huic dicitur illud dictum non universaliter esse intelligendum. Certum enim est quod Papa qui fuit iam mille annis nihil ad me attinet, nisi fuisset causa alicuius mihi attinentis. Unde intelligitur de praecedente ordinato in subsequentem; qua|477|re neque omnis 15 surrectio est causa cuiuscunque sessionis nisi sit in eodem ordine et unius connexionis. (8) Cumque dicebatur quod una causa producit duo opposita, ostensum est illam non esse causam praecisam et adaequatam, sive sit causa naturalis sive voluntaria. Diciturque illud esse falsum et non posse 20 stare cum Aristotele quod nox praecedens non sit causa diei subsequentis et sic successive; quoniam quamquam Deus semper eodem modo se habens sit causa continuationis motus et temporis, ut dicebatur in VIII *Phisicorum*, tamen quod nunc sit dies non est nisi quoniam nox prae- 25 cessit, et nox non succedet nisi quoniam dies praecessit. (9) Nam nunc est dies, exempli gratia, et prius non erat dies; oportet igitur, secundum Aristotelem, aliquam praecedere causam huius, quae non fit nisi per motum. Quare secundum ipsum, motum de necessitate praecedit motus

1 in Bγ; *omm cett.* — autem: aut ed. — 2 non: tum ed. — 3-4 ostendere *omm* δo ed. — 7 *post* remeant *add.* i. e. non convertitur A; convertitur E. — 13 mihi: ad me Nγ. — 15 cuiuscumque *om* ed. — 17 duos effectus oppositos γ. — 19 diciturque μC; dicitque *cett.* — 29 secundum ipsum motum *om* ed.

7-8 Supra, pp. 100, 3 - 103, 17. — 23 *Physic.*, VIII, 6. 258b 29 sqq.; 259b 23 sqq. — 28-29 *Physic.*, VIII, 1. 251a 17; 251a 27; 251b 25 (tempus).

et tempus praecedit tempus. Dato enim opposito (quod ponit Alexander), motus posset esse non continuus et aeternus. (10) Non dico tamen motum effective facere motum, sed esse necessarium pro alio motu; quare esse |478| causam secundum aliquod genus causae, aut principaliter, aut secundario.

(11) Ad quintum in quo dicebatur Stoicos destruere causas cum eas ducant ad infinitum. Huic dicitur quod ‹causas› eiusdem rationis necesse est et secundum peripateticos ducere ad infinitum (quod contendunt et Stoici facere), in hisque non est assignare primam, licet quoquo modo possit assignari ultima, non simpliciter sed in hoc: ut pote quod haec dies est ultima quae fuit, non tamen simpliciter, cum supersunt adhuc infinitae. In essentialibus tamen est prima simpliciter et ultima simpliciter, cum species non sunt infinitae. Verum quoniam prima de necessitate causat, et ultima de necessitate causat veluti in 2° proposito dictum est.

(12) Ad sextum cum dicebatur: Non oportet, si in universo multa sint praeter ordinem et Dei providentiam, propterea unionem universi everti; quoniam et in regno et in domo multa fiunt praeter ordinem regis et domini, et tamen propterea neque regnum neque domus evertuntur. (13) Huic dicitur iam esse ostensum im|479|possibile esse aliqua in universo praeter ordinem et providentiam divinam, quoniam, ut bene dicit Cicero in libro *De Natura Deorum*, Deus non esset, vel si esset non gubernaret totum. Illudque quod affertur in simile, minime esse simile. (14) Rex enim et dominus neque quicunque homo sit potest cuncta prospicere, quae tamen Deus prospicit cum sit autor totius

1 proposito ed. — 3 effectivum ed. — 8 deducant γ. — 8-9 ‹causas› : causae *cunct.* — 9 et *om* ed. — 14 supersint NBγ. — 16 sint BNC. — 25-26 divinam: dei γ. — 30 prospicere αβC; perspicere *cett.* — prospicit αβ; perspicit μ d ed.

1-2 Supra, p.95, 19 sqq. — 17-18 Cf. supra, p. 102, 21 sqq. — 26 Cicer., *De Natura Deorum*, III, 25 sqq. cf. Supra, p. 76, 1 sqq.

entis. Nam regnum evellitur aliquando et destruitur, quod de universo fieri non potest; nihil enim habet Deus supra se. Quod longe aliter evenit in hominibus ut notum est. Unde si illud regnum est melius in quo fiunt pauciora praeter
5 ordinem et regis providentiam, et quanto talia minus fiunt tanto rex est potentior et sapientior, Deo ergo qui est « Rex regum et Dominus dominantium » et summa sapientia nihil praeter ordinem et suam providentiam in suo regno debet contingere.

10 (15) Ad septimum autem cum dicitur insani esse negare liberum arbitrium, quod nobis inesse manifestum est, propter sophisticas rationes, et vitam hominis lu|480|dum et umbram constituere. (16) Dicitur primo: Nos multa operari cum voluerimus si non adest aliud impedimentum vel ex
15 parte nostri vel extrinseci, manifestissimum est; neque hoc negamus, neque rationem aliquam afferimus ad hoc. Verum illud quod nos negamus et dubitamus est quomodo inest nobis talis voluntas, et quid est determinativum ipsius voluntatis, cum nos et ipsi confitemur esse voluntatem in
20 potentia aequali quae non exit ad actum nisi prius sit determinata. (17) Unde ex quo non apparet verisimile aliquod determinans nisi fatum, ideo principaliter fato attribuitur actio, neque propter hoc voluntas excluditur. Unde veluti nos intelligere non dubitamus quandoquidem hoc in nobis
25 experimur, sed dubitamus quomodo fit in nobis intellectio, sic nos velle et nolle non dubitamus, sed dubitamus quid causat velle et nolle. (18) Unde non est ad immediata resoluta quaestio cum dicimus: Hoc feci quoniam volui; nam etsi feci quoniam volui, quod tamen volui habet aliam cau-
30 sam quandoquidem |481| voluntas est in potentia aequali quae debet ab aliquo determinari. Quare nihil quod sit in nobis manifestum negatur vel dubitatur; sed immanifestum dubitatur, et quod videtur falsum negatur.

5 prudentiam ed. — 11-12 praeter ed. — 20 sit: sic ed. — 28 feci EGβ; fieri AC[1]δo ed (faci C[2]); feci . . . nam et si *om* μ.

6-7 *I Tim.*, 6: 15; *Apoc.*, 19: 16.

(19) Cumque ulterius dicitur Stoicos vitam humanam
facere ludum et umbram, quaeritur a sic obiicientibus: Qualem igitur ipsi vitam humanam constituant? Nam sive fato
moveatur voluntas, sive ex se nullo extrinseco concurrente,
5 rarissimi tamen aut potius nulli sunt homines vere boni;
et non tantum sic est nunc, verum et sic semper fuit ut
patet per omnes annales, et sic semper erit. (20) Si ex-
traneum igitur Alexandro videtur homines sic fato com-
pelli quoniam humana vita esset quidam ludus et veluti
10 umbra, nonne et monstruosum est quod omnes sunt insani
si in eis est posse bene agere, semper tamen male agunt?
Si quis enim ex necessitate facit aliquod, illud insaniae non
attribuitur neque vituperatur; si quis autem, ut ipsi dicunt,
potest aliter facere, quoniam bene agere, cum male agat, hic
15 insanus communiter dicitur. Quare si Stoici vitam humanam
ludum faciunt, isti |482| vero vitam humanam faciunt quan-
dam insaniam, quae longe deterior est ludo.

(21) Praeterea mirum est si voluntas est in tali potestate
ut ex se exeat ad actum naturaliterque semper inclinetur
20 ad bonum, quod ipsa aut semper aut quasi semper sequatur
malum. Quod enim semper et in pluribus est, illud magis
naturale est; naturalius igitur est velle malum quam bonum, quod ratio non admittit.

(22) Amplius si est in potestate voluntatis velle, possibile
25 esset mundum destrui secundum speciem humanam. Si
autem species humana destrueretur, non essent reliqua generabilia et corruptibilia, quoniam homo est finis omnium
generabilium et corruptibilium. Destructa machina materialium, caeli non moverentur; non motis caelis non essent
30 caeli, ut existimavit Aristoteles; non existentibus caelis non
essent Dii. Si itaque voluntates humanae essent liberae ad
modum Alexandri, Deus dedisset eis potestatem ut possent

3 constituunt G ed. — 6-7 fuit . . . sic semper *om* ed. — 10 quod: et ed. — 13 autem: aut ed. — 14 quoniam: quam μ. — 18 propterea μC ed. — 21 et *omm* μ ed. — 23 quare ratio non admittitur α. — 26 destruitur ed.

28-31 Cf. *De Caelo*, II, 3. 286 a 2 sqq.; 9. 291 a 25.

destruere Deum. Hoc autem est falsum quo nihil falsius; igitur et positio. (23) Fortassis negabitur quod esset in potestate |483| hominum destruere speciem humanam. Sed hoc probatur: Quoniam secundum Aristotelem, sol et homo
5 generant hominem; neque homo potest generari nisi ab homine, secundum ipsum. Cum itaque quilibet homo potest se velle abstinere ab actu generativo, tandem homines penitus destruerentur. Quare sequitur quod prius dicitur.

(24) Amplius homo multotiens experitur in se ipso quod
10 non potest non velle aliqua, non potest non nolle alia; quare velle et nolle non videntur esse in potestate sua. (25) Praeterea volumus multotiens aliqua cum prius decreverimus ea nolle et e contra; et si quis interrogaverit nos: Quomodo istud voluisti cum decreveris noluisse? dicimus
15 nos nescire vel e contra. Unde videtur quod haec fato attribuantur. Quare Plutarchus in *Vita Marci Bruti* dicit: Deus movet voluntates ut libet ei. (26) Adhuc admodum difficile videtur quomodo voluntas quae est in potentia aequali determinet se; sic enim esset in actu et in potentia. Et multa
20 alia quae adduci solent, quae pro nunc relinquantur. |484|

Caput quartumdecimum in quo continentur contenta in quintodecimo capitulo Alexandri.

I. (1) In quintodecimo capitulo Alexander exponit quamdam Stoicorum rationem et eam solvit. Dicitur in ***Rubrica***:
25 «Exponitur ratio sumpta ex habitibus animi qua auferebant liberum arbitrium et solvitur.»

(2) Perstringendo igitur ab Alexandro dicta, ut mihi vi-

8 dicebatur ed. — 12 propterea EBM ed. — 13 e *om* ed. — 14 voluisse ed. — 18 et aequali ed. — 25 auferebat ed.

4 *De Gener. et Corrupt.*, II, 10. 336 a 21 sqq.; *Metaph.*, XII, 5. 1071 a 15 sqq. — 5-6 *Metaph.*, XII, 3. 1070 a 4 sqq.; 1070 a 27-29; *Phys.*, II, 4. 196a 31-33; *Metaph.*, VII, 9. 1034a 23 sqq. — 16 Plutarch., *Vitae Parallelae*: *Brutus*, 37, 6 (ed. Teubner., 1932, II, 1, p. 239, 22-23); 47, 7 (*ibid.*, p. 253, 19-23). — 21 Bagol., fol. C7v-D2r.

detur, Stoicorum ratio tendit ad id quod non solum laudamur de his quae sunt in potestate nostra neque etiam vituperamur, verum et de his quae in nostra potestate non sunt secundum concessa ab Alexandro et reliquis fatum 5 negantibus. Quare ratio peripateticorum inducta adversus Stoicos invalida est, cum dicant neminem laudari vel vituperari nisi in his quorum nos sumus domini. (3) Ratio itaque Stoicorum est quoniam qui adepti sunt virtutes de his laudantur quae et secundum negantes fatum non amplius 10 sunt in nostra potestate; quandoquidem habens habitum vir|485|tutis non potest non esse studiosus, veluti habens scientiam Geometriae non potest non esse Geometer; pariter habens habitum vitii vitiosus est, neque potest non esse vitiosus. Et tamen vituperatur. Non igitur de re quam ef- 15 fugere non possumus negandum est nos posse laudari et vituperari veluti ostensum est.

(4) Secundo Alexander hanc argumentationem infringit et solvit dicens: Hic deceptionem esse, quoniam nequaquam laudantur vel vituperantur studiosus et flagitiosus ex eo 20 quod virtutem vel vitium habeant, sed quoniam ipsi in praeterito adepti sunt; non quidem ex natura quamquam eis adiutrix fuerit, sed ex bonis vel malis consuetudinibus quae tunc erant in potestate sua acquirendi et non acquirendi. (5) Quo fit ut praesentia et praeterita non habent eandem 25 veritatem cum futuris; quandoquidem quod iam est aut quod factum est, impossibile sit non esse aut factum non esse; at quod futurum est, possibile est fieri et non fieri. (6) Quod si tales operationes fuissent eis congenitae, vel si non congenitae, verum currentes secundum cursum natu-

4 secundum bC²; *omm* d ed. — 10 habent ed. — 14-15 fugere ed. — nos: non γ Led (C² nos). — 21 eis Nγ; ei *cett. Bagol.* — 25 virtutem Aμγ ed (AC *ante correct.*). — 27 et *ante primum* fieri *ad* ed.

21-22 Bagol., fol. C⁸v.: « Fuit tamen ei natura auxiliatrix ad eius adeptionem ». — 24 sqq. Bagol., fol. C⁸r: « Et hac de causa non est eadem veritas in futuris et his que sunt aut que iam facta sunt. Quoniam id quod iam est, aut quod iam factum est, impossibile sit non esse aut non factum esse. At quod futurum est possibile est et non fieri ».

|486|rae veluti pubescere in iuventute et in senectute canescere (quae omnibus vel pluribus ad illas aetates pervenientibus contingunt), profecto non laudarentur vel vituperarentur, sed quae Diis ipsis vel bestiis attribuuntur pariter eis attribuerentur. Nam in naturalibus neque laudamur neque vituperamur, sed quid maius laude et vituperio attribuimus, veluti notum est. (7) Quod si quis dicat virtutes et vitia hominibus non esse naturalia, sed ab eis acquisita bonis vel malis consuetudinibus; verum has consuetudines fuisse fatales et ab eis inevitabiles. Quare non natura ipsis inesse unde eis laus attribuitur quandoquidem naturalibus proprie laus non sit attribuenda. Dicit Alexander: Tunc Stoici habent dicere hominem, quem felicissimum animalium esse ponunt, omnium tamen esse infelicissimum. Nam apud Stoicos nihil est melius virtute et deterius ipso vitio, ponuntque omnes homines esse vitiosos; nam vix duo perfecte studiosi reperiuntur in universo. Quare cum infelicitas consistat in ignorantia et flagi|487|tio, quandoquidem omnes homines quasi per totum tales existant, horum autem alia animalia non participent, homo omnium animalium erit infelicissimum.

(8) Dicimus etiam, inquit Alexander, quod homo virtute praeditus non ideo laudatur quoniam virtutem habeat, sed quoniam cum non haberet, non natura neque secundum cursum naturae adeptus est ex bonis consuetudinibus quae erant in potestate sua. Tamen quoniam quoad actus procedentes a virtute, est etiam in sua potestate (sumus enim domini nostrorum actuum a principio usque ad finem, ut dicitur ‹III› Ethicorum), cum itaque bonos actus exerceat quos

6 laudi Mδo. — 7 dicat has α. — 13 animalium esse: omnium animalium α. — 14 hominem *post* tamen *ad in mg.* δι. — 20 quasi: qui d. — existunt ed. — 28 est *omm* δo ed. — 30 ‹III› : 2° *cunct.* (*Ad verbum citatur ex Ethic.*, III, 8. 1114b 32, *quamquam implicite etiam invenitur*: *Ethic. Eudem.*, II, 6. 1223a 5.)

28 *Ethic.*, III, 8 (*olim* 5). 1114b 30 sqq. (Comin. de Tr. III 211v E *in fine*: «Actionum enim a principio usque ad finem domini sumus, cum singula quaeque cognoscamus: at habituum principii tantum facultas in nobis est»). Cf. *Ethic. Eudem.*, II, 6. 1223a 5. Vid. infra p. 261, 28.

posset non exercere, ideo laudandus est. (9) Quod autem ‹malos› actus posset exercere nemini dubium est, licet cum difficultate. Nam veluti assuetus malis difficulter bona opera facit (facit enim aliqua, ut notum est), sic assuetus
5 bono difficulter mala facit. Facit autem bonus aliquando mala opera ut ostendat non omnia fato fieri. Contingit enim aliquem vatem sibi praedixisse ipsum scilicet stu-|488| diosum certum bonum facturum, quod ipse ut ostenderet vatem falsum esse non facit, verum facit oppositum. Unde
10 callidi vates evitant aliquibus aliqua enuntiare ubi cognoscunt quod in illis sit eos vates arguere. Quod certe evidentissimum argumentum est non omnia fato evenire. (10) Haec perstringendo et non vagando mihi ista videntur esse quae ab Alexandro in hoc capite pertractantur. Et haec de primo.

15 II. (1) Quantum vero ad secundum, quoniam tota vis constat in hoc quod vera de praesenti et de praeterito aliter vera sint quam de futuro, quoniam illa sunt inevitabilia haec vero evitabilia, veluti testatur Aristoteles in fine I *Perihermeneias*, ideo ad haec et de hoc verba aliqua facimus.
20 (2) Si, inquam, ita est, unde igitur est quod nihil in naturalibus sive voluntariis, sive fuerint per se intenta, sive casualia aut fortuita, fuerunt quin talia et consimilia non erunt? et veluti talia et consimilia infinities fuerunt, sic talia et consimilia infinities erunt, neque mundus absolvi
25 potest a tali ordine? Si nanque praeterita determinata sunt

2 ‹malos› : tales *cunct.* — 15 vis: res M; *om* ed. — 16 praesente BGδo. — 18 hec vero evitabilia *omm* δ ed. — 19 verba bC²; vera d ed. — 22 aut: sive ed.

5 sqq. Bagol., fol. D²r: « Rationabile namque fortasse prudenti visum fuerit gratia ostendende in agendis Libertatis, etiam non fecisse quandoque quod de ipso rationabiliter dicitur si aliquis ei vates praedixerit facturum hoc ipsum necessario, quare et ipsi vates hec ipsa non absque consideratione dicunt fugientes namque redargutiones occurrentes nihil huiusmodi praedicunt his qui redarguere possunt. Immo quemadmodum tempora ipsa praefinire eorum que ab ipsis praedicuntur ceu facile reprehensibile evitant, ita et aliquid cavent presagisse his qui quamprimum possunt vaticinii oppositum fecisse. » — 18 *De Interpret.*, 9. 19b 2-4.

sic quod non possunt |489| non esse, cur igitur futura, cum indeterminata sunt, non possunt non esse? (3) Certe secundum ista principia possibile esset ut talia in futurum non evenirent; quod manifeste falsum est. (4) Amplius quamvis
5 quod est praeteritum non possit non esse praeteritum, tamen esset possibile, immo de facto debuisset contingere quod non oporteret idem secundum speciem totiens multiplicari, immo infinities multiplicari: sequitur enim secundum positionem, quod ex quo casualia et fortuita sunt
10 per accidens, non sunt necessaria et absolute possunt non esse. (5) Patet autem istud esse falsissimum. Dum enim mundus stat, necesse est talia esse; quare cum ab his mundus absolvi non potest, causas igitur habent determinatas et necessarias quae evitari non possunt.

15 (6) Verum quoniam praesentia et praeterita sunt vel fuerunt in actu, ideo nobis nota sunt, et dicuntur determinatae veritatis; futura autem quoniam sunt in potentia, ideo nobis ignota manifestum est, et dicuntur indeterminatae veritatis, quamvis in se certae sint et determinatae veritatis.
20 Unde veluti apud ignorantes astrologiam prima eclipsis ventu|490|ra est indeterminatae veritatis, in se est tamen determinatae veritatis, sic etiam est apud nos de futuris eventibus quoniam causas ignoramus.

(7) Quare cum tota solutio stat in hac diversitate scilicet
25 inter praeteritum et futurum, quae ut ostensum est nulla est, ideo solutio redditur vana. Et sic de secundo.

III. (1) Quantum autem ad tertium, videlicet quod solutio non evacuat veluti in secundo proposito ostendimus, manifestum est. (2) Quod vero dicebatur virtutes non esse ex
30 natura neque secundum cursum naturae, sed tantum ex

1-2 cur igitur . . . possunt non esse *om* ed. — 2 interminata α. — 3 ista *om* ed. — 3 est M ed. — 13 possit ENδo ed. — 18 manifestum est *post* ignota *add* d ed (G *in correct.*); *om* b. — 19 et *sic* E; *omm cett.* — sint certe et determinate E — indeterminatae Bδ ed (ed *correx. in errata*). — 24 scilicet: si ed. — 28 veluti . . . ostendimus *om* γ.

consuetudine, dicimus hoc esse verum. Unde fit cum consuetudo bona laudatur et mala vituperatur, virtutes et vitia pariter laudantur et vituperantur. (3) Cumque ulterius dicitur quod si consuetudines fato fierent, cum omnes homines 5 sint mali, malitia autem nihil infelicius et ipsa ignorantia, cum haec amoveantur a bestiis, homo esset animalium infelicissimum. Huic dicitur argumentum hoc magis procedere adversus suum autorem quam adversus Stoicos. Nam sive consuetudines fato fiant seu mere vo|491|luntarie, omnes 10 homines sunt mali; nam rarissimi sunt boni, sunt enim velut Phoenices in Ethiopia. Cum autem si fato fit, secundum eos non est flagitium, si autem voluntarie est flagitium, vere igitur, secundum fatum negantes, omnes homines sunt flagitiosi. Ast et secundum ipsos flagitia et virtutes remo- 15 ventur a bestiis et Diis flagitiumque facit hominem infelicem. Homo igitur secundum ipsos vere est animalium infelicissimus. Quare et ipsi, immo etiam magis ipsi habent hoc argumentum solvere.

(4) Dicimus tamen quod et si humana natura talis sit ut 20 dictum est et docet experientia, natura tamen humana est longe nobilior quantumcunque flagitiosa quacumque bestia. Eo enim quod de intellectu et voluntate participat, etsi admodum obscure, ideo omni specie animalis est perfectior; veluti et quodcunque sentiens quamquam vilissimum est 25 perfectius quocunque non sentiente, ut Aristoteles et Augustinus senserunt concordes. Dicitque Augustinus IX *De Civitate Dei*, capitulo 9, quod «anima quamquam vitiosa et infirma sit, melior tamen est quo|492|cunque corpore firmissimo et sanissimo». (5) Quod homo igitur dicatur in- 30 felix est in ordine ad Deos; et unus homo alio homine dicitur felicior vel infelicior secundum virtutes et ignorantiam.

11 si *om* ed. — 16-17 infelicissimum EGL. — 31 vel infelicior: et e contra ed.

26-27 Augustin., *De Civit. Dei*, IX, 9. (Dombart I [336, 29] 380, 17): «Cum enim animans, id est animal, ex anima consistet et corpore, quorum duorum anima est utique corpore melior etsi vitiosa et infirma, melior certe corpore etiam sanissimo atque firmissimo».

Unusquisque tamen homo est felix in ordine ad bestias, si bestiae felices dici possint.

(6) Cumque ulterius dicebatur quod homo potest laudari vel vituperari, si sit studiosus vel vitiosus, ratione actuum 5 subsequentium. Dicitur hoc esse verum, sed non alia ex causa quam laudetur et vituperetur ratione operationum praecedentium; in utrisque enim concurrunt et fatum, et intellectus, et voluntas. (7) Et cum postea dicebatur multos operari contra virtutem, quamquam enim sint studiosi, ut 10 fatum redarguant: dicitur hoc esse possibile et de facto fieri, minime tamen fatum redarguunt.

(8) Et cum probabatur vates praecavere ab enuntiationibus in quibus possunt redargui, certe dicam hic quod de Diagora refert Cicero in libro *De Natura Deorum.* Hic Diago-15 ras negavit esse Deos, cumque in Samothraciam venisset, quidam eius amicus nomine Athe|493|us fertur ei pictas votorum tabulas ostendisse, eique dixisse: «Tu qui Deos putas humana negligere, nonne animadvertis ex tot tabulis pictis, quam multi votis tempestatem effugerint?» Ast ad 20 Atheum Diagoram sic respondisse ferunt: «Ita sit; illi autem nusquam picti sunt qui naufragia fecerunt, et in mari perierunt.» Iterum idem cum ei naufraganti vectores adversa tempestate timidi et perterriti dicerent, non iniuria sibi illud accidere qui illum in eamdem navim recepissent, 25 ostendit eis in eodem cursu multas alias laborantes quaesivitque, num etiam in iis navibus Diagoram vehi crederent. (9) Quare et ego dicam: Si multi redarguerunt vates quoniam non sequuta sunt praenuntiata a vatibus quoniam ipsi opposita ad hanc intentionem fecerunt, cum igitur multi

10 fato ed. — 15 in *sic cunct.* (*om Cicer.*) — 17 veterum ed. — 19 multis ed. — effugerunt I ed. — (vim tempestatis *Cicer.*). — 20 (autem: enim *Cicer.*). — 21 (in marique *Cicer.*). — 22 (Iterum idem: idemque *Cicer.*). — victores M; rectores ed. — (naufraganti: naviganti *Cicer.*). — 24 eandem navim bC[2] (*Cicer.*); eadem navi d ed.

14 sqq. Cicer., *De Natura Deorum*, III, 37-38 (Mueller p. 138-139). Ipse vero Diagoras a Cicerone atheus vocatur, non autem quidam eius amicus, ut vult Pomponatius. Item in Diod. Sicul., XIII, 6.

conati sunt redarguere vates et quanto magis hoc studuerunt facere, tanto magis in laqueos inciderunt, ut de Cyro, Abide et infinitis aliis narrant historiae, ergo vates et fatidici verissimi sunt, quandoquidem ab ipsis praenuntiata nun-
5 quam per aliquod ingeni|494|um redargui potuerunt.

(10) Dicimus tamen quod praenuntiata a Diis non semper eveniunt, et ab ipsis praenuntiata aliquando sunt inevitabilia; nunquam tamen Dii falsi sunt neque mendaces. (11) Cum nanque praenuntiata ab eis non eveniunt, nolunt
10 ipsa sic esse determinata ut dicunt, verum sunt minatoria. Ut illud de Ninive, scilicet quod post quadraginta dies subverteretur Ninive, cum tamen tunc non fuit subversa; sed ordinavit sic Deus ut mediantibus illis praenuntiationibus et orationibus non subverteretur. In aliquibus autem
15 praenuntiant ut fiant, ut legitur de Sodoma vel quovis alio. (12) Causa autem istius diversitatis est nobis immanifesta, licet fortassis dici possit naturam et ordinem universi sic exigere pro pulchritudine eius. Quare et vates aliquando praenuntiant ut venturum est, aliquando ut non est ventu-
20 rum; nunquam tamen Dii falsi sunt. |495|

Caput quintumdecimum in quo continentur contenta in decimosexto capitulo Alexandri.

I. (1) In hoc capitulo intendit Alexander eam rationem Stoicorum evertere quae est quod eo quod Deus futurorum habet
25 praecognitionem ideo futura inevitabiliter fiunt. Et hoc designat *Rubrica* cum dicit: «Ex Deorum praecognitione non invehi futurorum necessarium eventum».

2 Cicero Abide AM (M *correx. in* Cicerone Alcibiade); Cicerone E; Cice. et Abide N; Cicerone alibi ed.; — 12 subversa GN ed; submersa *cett.* — 15 praenuntiatur L; praenuntiat C; prenuntiantur E. — Sogdoma δo; Sogadoma G; Sidone E. — 17 possit Eγ; potest *cett.* — naturam fati β d ed. — ordinis βC² δo ed. — 20 quare etc. *add* λC. — 21 sextum decimum b. — 25-26 designatur in E.

2 De Cyro, cf. Justin., *Histor. Philipp.*, I, 4-8; de Abide, *ibid.*, XLIV, 4, cf. infra p. 211, 16. Vid. *De Incant.*, ed. 1567, p. 292. — 11 *Jon.*, 3:4; cf. *Luc.*, 11:30. — 15 *Gen.*, 18-19. — 21 Bagol., fol. D²r-D⁵r.

(2) Primo itaque ponit motivum Stoicorum quod est tale: Si Deus praecognoscit futura, ipsa futura inevitabiliter eveniunt. Ast nephas est dicere Deum non praecognoscere futura. Ergo inevitabiliter futura eveniunt. Minor est mani-
5 festa. Maior etiam patet: Quoniam si Deus praecognoscit Socratem futurum et Socrates poterit non esse, poterit igitur aliter esse quam Deus ipsum praecognoscit. Quo dato Dei scientia incerta et variabilis est; quod absit a Deo.
(3) Secundo respondet Alexander concedendo minorem
10 et negando maiorem; et retor|496|quetur argumentum. Quoniam si illa conditionalis teneret, recte sequeretur: Non inevitabiliter quae sunt futura erunt, quoniam contingenter erunt, ut manifestum est. Ergo Deus non praecognoscit futura; quod est falsum et etiam ab ipsis negatum est. Unde
15 recte negatur illa conditionalis: Si Deus praecognoscit futura ergo ipsa inevitabiliter erunt. Nam cum ipsa contingentia sunt, praecognoscit ipsa esse contingentia et non aliter; quod si aliter cognosceret quam sit eorum natura, pariter et impossibilia possent cognosci et sciri, quod omnino absurdum
20 est. (4) Unde dicitur Deum scire Socratem futurum contingenter quoniam et Socrates contingenter erit, neque aliter Deus potest scire futurum; aliter enim posset scire impossibilia. (5) Cum itaque dicitur: Deus scit Socratem futurum, et poterit Socrates non esse futurus; ergo aliter poterit esse
25 quam Deus scit. Huic dicitur quod Deus non scit absolute Socratem fore, sed tantum Socratem fore contingenter; unde neque aliter esse potest. Quare non potest esse |497| aliter quam Deus scit.
(6) Ut itaque mihi videtur Alexander negat Deum scire
30 Socratem fore absolute, sed tantum cum hac additione, scilicet contingenter. Adiungitque quod praecognoscere non est facere; quare praecognitio Dei non est factio. Unde neque

2 Si Deus *om* α. — 7 ipse ed. — 9 Secundo *om* α. — 10 retorquet EC. — 11-12 quae futura sunt non inevitabiliter erunt γ. — 14 futura *om* ω. 30 futurum esse γ. — additione αβδο C²; conditione μγ ed. — 31 adiugnitque δι. — 32 quare: quia E; et quia ed.

rebus necessitatem imponit neque factionem, sed voluntas ipsa in humanis electionibus est ipsa factrix, quae quoniam libere eligit, ideo contingenter facit.

(7) Tertio ut mihi videtur, adducit rationem adversus
5 Stoicos quae talis est: Praedictio futurorum hominibus data ab ipsis Diis est veluti consultatio hominis ad hominem; aliter enim nullius esset utilitatis. Sed homo homini non consultat neque de impossibilibus, neque de necessariis, veluti manifestum est. Ergo Deorum praedictio et praenotio
10 non est de inevitabilibus.

(8) Quarto huic argumentationi interponit Stoicorum responsionem et eam refellit. Responsio est quod Deorum praedictio non est ut aliquid evitetur, quandoquidem nihil quod fiet evitari possit; sed pro tanto est quoniam est ordi-
15 |498|nata ad talem effectum et sine ea talis effectus provenire non potest. Ut pote si D effectus fiat a C et C a B et B ab A, fiet A ut fiat B, et B ut C, et C fit ut ultimate veniat D. Quod si aliquod illorum praetermitteretur nequaquam fieret D. Quare, exempli gratia, cum ex Laio debuit generari
20 filius sceleratissimus mediante oraculo Pythii, factum est oraculum Pythii ut fieret filius sceleratus Laii; quod oraculum nisi factum fuisset, filius ille non fuisset genitus. (9) Verum Alexander dicit has esse versutias et tergiversationes ipsorum respondentium. Primo quidem Dii etiam
25 secundum ipsos differunt a poetis sive a vatibus quoniam vates tantum dicunt et non cooperantur, Dii ipsi et dicunt et cooperantur. Poetae nanque Deos laudant: «quod scilicet mortalibus datores bonorum sunt». Si itaque non solum haec flagitia a Diis praedicuntur verum sunt
30 cooperatores, immo impulsores, nonne ipsi dii flagitiosissimi erunt et homines non erunt flagitiosi quandoquidem

5 data *om* α. — 9 praecognitio γ. — 11 Quanto βδο; quare M. — 16 effectus *om* ed. — 17 fiet: fiat ed. — 20, 21 Phythii E ed; Pythiae N. — 23-24 tergiversationes N; tergiversiones *cett.*

27 sqq. Bagol., fol. D4r: «Nam et Poetae hoc ipsum de diis laudant quod scilicet Mortalibus datores bonorum sunt».

hoc evitare non potuerunt? (10) Praeterea ad quid Dii ipsi haec facerent cum nullum bonum in his operibus ap-|499| pareat? Non enim propter civitates, non propter leges (cum civitates talia passae sint infelices leges reclamant), non
5 propter elementa, non propter caelum; nullius igitur videntur esse utilitatis sed tantum damni. Quomodo igitur haec a Diis fiunt, nisi aliquam maiorem fabulam fingant, nova impossibilia concedant? Stoicis profecto satius esset tales suppositiones manifeste falsas negare ne talia cogerentur
10 concedere, quam talia concedere ne suppositiones negent.
(11) Quinto per multa verba epilogat circa capitulum praecedens et hoc capitulum, et totum patet. Et hoc de primo.

II. (1) Quantum vero ad secundum, dico quod quamvis istae rationes Alexandri et responsiones quae communiter
15 etiam ab aliis ponuntur videantur in primo congressu admodum efficaces, interius tamen perscrutanti non videntur ad plenum satisfacere.
(2) Quare de primo dicitur: Quod dictum est: Illam rationem movisse Stoicos, illud verum est estque de potiori-
20 bus rationibus, quemadmodum in subsequentibus dicetur.
(3) De secundo vero in quo |500| respondebatur ad illam rationem stabatque responsio in negando Deum determinate cognoscere Socratem fore quandoquidem determinate Socrates non erit, quoniam in fine I *Perihermeneias* in contin-
25 gentibus et futuris non est veritas determinata; ad hoc dicitur quod ex multis haec responsio debilitatur. (4) Primo quidem quoniam sic Deus de his certiorem non haberet scientiam quam homo etiam mediocriter instructus; quod

4 posse Med. — 8 sanius L[1]; latius L[2]; latius sanius B. — 9 falsas L[2]; tales αMβ; *omm* N d ed. — 12 2*m* et *om* ed. — 15 congressum Ded. — 20 quemodmodum: quum M; quem A; que EN. — 20-22 in subsequentibus ... responsio *om* ω. — 21 dicebatur et *post* quo *ad* ed. — 27 sic: si ed.

8-10 Bagol., fol. D[4]v: « longe melius esset et venia dignius suppositiones ipsas interimere propter ea que ad ipsas sequuntur absurda, quam hec absurda propter suppositiones asserere. »

certe rationi dissonum esse videtur. Nam unus homo certius iudicat de eventibus futuris quam alter; immo reperiuntur aliqui raro in hoc decepti. Ergo Deus videtur esse de his certissimus et determinatus et non alternative. (5) Secundo
5 quoniam hoc non testatur experimentis et rationibus, quoniam Dii multotiens eos petentes de determinata parte contradictionis eis respondent ; quod si Dii dicerent hoc fore contingenter non ad petita responderent quandoquidem et ipsi sic petentes illud sciebant. Unde Dii essent fallaces et
10 deceptores et enigmatici. (6) Tertio quo|501|niam sic praeterita et futura non omnia essent praesentia et aperta Deo, quoniam si Deo sunt praesentia, sunt et determinata. Hoc autem nedum videtur absurdum verum aperte ipsi Aristoteli adversatur in fine libelli *De Bona Fortuna.* (7) Quarto
15 quoniam sumit fundamentum falsum et Aristoteli repugnans. Dicit enim quod Dei praecognitio contingentis non est factiva contingentis, neque praecognoscere est facere. Nam Deus quicquid extra se cognoscit ideo illud cognoscit quoniam illius est causa, nam scientia Dei a rebus non causatur sed
20 res ipsas causat, ut etiam dicit Averrois in commento 51 XII *Metaphisicae*, neque alio modo Deus alia a se cognoscit nisi quoniam est causa aliorum. Quare sua praecognitio est causa contingentium et non contingentia sunt causa praecognitionis Dei, ut videtur Alexander sentire ut fugiat in-
25 commodum quod videbat sequi ex eius positione. Unde si scientia Dei causa est rerum Deusque de necessitate scit, videtur et quod res de necessitate erunt.

1 certe *om* ed. — 2 immo: primo ed. — 4 alternative: aliter α. — 5 rationibus δ ed; rationi ANβγ; ratione EMH. — 7 respondent ENC²; respondere GB; respondetur *cett.* — 9 petentes: respondentes ed; penitus N. — 9 et *omm* Ned. — 16 enim γ; *omm cett.* — 17 contingentis *om* ed. — est: et δ ed. — 20 51 (li *mss*): libri ed; libro M. — 23 non contingentium δ. — 25 Unde: quoniam α. — 26 quae *post* Deusque *ad* ed. — 27 quod aliter res α.

14 *Ethic. Eudem.*, Θ 2, [H 14]. 1248 a 38-39 (Bibl. Teubn., 1884. p. 119). *Moralium Eudem.*, VII, 18 (Comin. de Tr. III, fol. 382rB). Vid. supra p. 48, 12 not.; infra p. 306, 6 not. — 20 *Metaph.*, XII, t. c. 51 (Comin. de Tr. VIII 350v-351v).

(8) Tertium etiam suum dictum, in quo as|502|similabat Deorum praenuntiationem humanis consultationibus, videtur invalidum. Quoniam si currit similitudo, cum in humanis consultationibus, si consultans potest ipse de per se
5 consultatum praecavere a malo si maxime diligit illum qui consulit, futilis et vanus existimatur ille consultor neque reputatur optimus amicus, quandoquidem amicitia magis factis quam verbis ostendatur. Cumque Deus magis diligat quemcunque hominem quocunque altero amico, potestque
10 re ipsa succurrere, quid igitur verbis opus est? Intendit enim bonum illius meliusque potest succurrere factis; igitur deberet succurrere. (9) Praeterea fatuum est et iniquum alicui bene consulere de agendis et ostendere sibi velle succurrere, ex altera autem parte praebere favorem suo adversario. Cum
15 igitur nihil potest nocere petenti consilium a Deo nisi Deus coagat, immo non tantum coagit Deus immo est principaliter movens, quare melius esset sic adversarium non movere quam consilium dare. (10) Praeterea si Deus est incertus de omni|503|bus futuris quoniam omnia contingentia futura sunt
20 incerta, quod igitur consilium potest dare? Aeque enim Deus erit dubius veluti et homo, quandoquidem non plus de futuris cognoscit Deus quam homo. (11) Amplius cum Deus ipse petentibus de futuris dederit determinata responsa, quoniam tamen affirmavit vel negavit unam partem contra-
25 dictionis, quaeritur igitur: Aut semper sic fuit et erit ut per Deum praedictum est, aut non semper sic fuit. Si detur se-

2 deum D. — 3-4 videtur invalidum . . . consultationibus *om* B; *omittebat* D *primum, inde pergens per 6 verba sequentia, sed ubi omissionem advertit statim se correxit et redundantia verba delevit linea subducta;* I *sicut* D, *sed redundantia non delevit.* — 4 de per se cH; *omm* de δ ed. — 5 cui βC². — 9 quemcumque *omm* α ed. — 11 meliusque ω BC²; melius quod C¹; melius quam LGδo; melius quam qui ed. — 12 propterea Lμ ed. — fatuum: fatum LM; factum ed. — 16 coagat: cogat E; eo agat ed; cognoscat N. — coagit: cogit E; eo agat ed. — *2um* immo: sed α. — 17 monere ed. — 22-23 cognoscit . . . futuris *om* ed. — 24 tamen ECδ ed; tantum AλGH. — quoniam: que α. — 25 quaeritur: que ω L; quem B. — sic *om* α. — 25-26 per Deum *om* ed. — 26 sic *om* ω.

cundum, fuit igitur Deus mendax, quod nephas est dicere; si vero semper ita fuit et semper ita erit, mirum est quod possit et aliter esse et tamen ista potentia nunquam fuerit ad actum reducta. Videtur autem definitio impossibilis:
5 quod nunquam reducitur ad actum; et necessarii: quod semper sit. Quare videtur Dei praecognitionem esse de re necessaria.

(12) In quarto vero in quo dicebatur quod si Deorum consultatio esset necessaria pro tali effectu fiendo, cum Deus
10 secundum placitum Stoicorum non solum praedicat verum et coagat, tunc igitur Deus flagitiorum esset autor. Sic arguens respondeat: an secundum suam scientiam Deus coagat in flagitiis perpetrandis sive po|504|sitive sive permittendo? (quomodocunque dicatur idem enim sequitur:
15 nam et peccamus omittendo veluti et committendo). Si dicatur quod agit, ipsi igitur et solvant. Si non coagit, non igitur Deus est primum agens sine quo nihil potest agere, et sic non omnis actio secunda reducitur ad primam. (13) Similiter quod dicebatur: Si in talibus Deus coagit,
20 ad nullum bonum coagit, ut deducebatur, quoniam nullus homo est bonus. Dicitur quod si Deus vel coagat vel non coagat, in hominibus fere nulla sunt bona, neque fuerunt neque erunt; quae si ipsi Deo nota sint, cum Deus ipse his malis obviare possit, non tamen obviat, ad quod igitur bo-
25 num hanc suam cessationem ordinat? et cur tanta flagitia permittit fieri? (14) Quod si dicitur hoc ideo facere quoniam permittit liberum arbitrium unicuique: at istud non videtur sufficere. Primo quoniam si Deus unicuique permittit libere vivere quoniam bonum est, quare igitur praelati et
30 superiores non debent permittere inferiores libere vivere,

4 definitio *om* α. — 5-6 et . . . sit *omm* E ed. — 8 In quarto vero dicto in quo α. — 11 flagitiosorum ed. — 12 suam *omm* d ed. — 12-13 cogat M; agat ed; cognoscat N. — 16 ipse . . . solvat ed. — 19 Deus cogit I; agit ed. — 20-21 ut deducebatur . . . vel coagat *om* E. — 21 Dicitur ω B; dicit L d ed. — 25 suam *omm* α C. — 26, 27, 28, pretermittit γ.

tanquam bonum? Prae|505|terea aut sic permittendo est melius, aut deterius. Non deterius, quoniam hoc non videtur Deo convenire; si vero melius et sic permittendo fere omnes homines labuntur in scelera, ergo pro bono universi convenit omnes fere homines esse sceleratos. (15) Quod igitur apud Stoicos Deus coagat in flagitiis est pro bono universi. Nam per responsionem, mala esse in universo est pro meliore ipsius universi; neque, ut videtur, potest negari quod mala facere ad decorem universi [non] pertineat. Quoniam de malis naturae hoc est manifestissimum: unum nanque animal interimit alterum, sunt diluvia per ignem et aquam, et sic de reliquis quae decorant universum. De malis etiam culpae manifestum est, quoniam mundus nunquam his caret, caruit vel carebit; quare necessarium est cum semper sit.

(16) Amplius auferuntur iustitia, misericordia, poenitentia et sic de reliquis virtutibus sine quibus mundus non videtur esse perfectus. Quare, ut inquit Plato in *Thimeo*, cum mundus melius non potuit fieri quam factus sit, ne-|506| que gubernari quam gubernatur, neque disponi quam disponitur, cum nunquam sit sine malis, mala videntur facere ad universi perfectionem, neque inconvenit despicere partem respiciendo ad totum. Et sic de secundo proposito.

III. (1) De tertio etiam potest faciliter patere et quantum ad primum, dictum est illam esse validam rationem Stoicorum.

(2) De secundo dicitur converti illam conditionalem, scilicet: Si quae sunt futura non fato erunt, Deus illa non praecognoscit. Verum negatur minor, scilicet futura non fato fieri. Neque istud est sensui manifestum, quamquam sensui

9 decorem λCH; decorum αGδ ed. — non *sic cunct.* — 10 manifestum EμBγH. — 21 respicere ad α. — 23 etiam *om* ed. — parere M; apatere D *post correct.*; apparere ed. — quantum: quartum ed.

1 m: « imo permittunt sed puniunt, hoc et facit Deus ». — 8 m: « Nihil turpius hoc dicto. Bona faciunt ad decorem sed quaedam mala sunt necessaria ob quaedam bona, ut corruptio ad generationem et peccatum ad vindictam ». — 17 Plato, *Tim.*, 30-31.

manifestum sit multa fieri quae quandoque sunt, et quandoque non sunt; verum cum toto hoc stat quod fato fient et fato non fient cum non fient. Quare Deus cognoscit secundum quod natura sunt; nam natura sunt fatalia. Unde
5 cum impossibilia natura sint impossibilia, ideo Deus novit ipsa esse impossibilia. Quare cum futura inevitabilia et determinata sint, ideo et determinate Deus cognoscit.

(3) Ad tertium dicitur quod consultationes hominum et |507| Deorum sunt fatales; quare consilium est de inevitabili.
10 Cumque dicebatur: neque de necessariis neque de impossibilibus consultamus, dicitur hoc universaliter non esse verum, quanquam de necessariis et impossibilibus quae non pertinent ad nos non sit consilium, et de his quae pertinent ad nos, si credimus certe illud esse impossibile. Quare de morte
15 non consultamus, verum de dilatione mortis bene consultamus, quoniam non sumus certi de aliqua parte licet una sit impossibilis et altera necessaria. Et hoc exigit natura consilii.

(4) Ad quartum vero dicitur ut dictum est: Illud non
20 inconvenire pro universi perfectione; nam et ipsi habent hoc concedere. Quo fit ut quod Alexander dixit adversus Stoicos, non minus procedat adversus eum, scilicet Deum concurrere ad flagitia. Et sic cum Alexander dicit: Melius videtur dicere Epicurus negans Deos curare mortalia quam
25 Stoici; certe et hoc aequaliter militat adversus Alexandrum. (5) Quare Cicero in libro *De Natura Deorum* dicit: cum tres

3 Quare: quia ed. — 7 et determinata ed. — 23 Alexandro ed. — dicit *om* α; dixit δ C².

22 m: « Deus concurrit ad actionem in qua est flagitium; ad conditionem flagitii non concurrit, nec causa quae producit actionem concurrit ad omnes conditiones actionis ». — 26 Non ad verba, sed potius ad Ciceronis de fato sententiam in libro *De Natura Deorum* remittit auctor, v. g. *De Natura Deor.*, III, 40: « Haec cum essent dicta, ita discessimus, ut Velleio Cottae disputatio verior, mihi Balbi ad veritatis similitudinem videretur esse propensior ». (Mueller, p. 141). Sed forte intendebat librum *De Fato* potius indicare; v. g. *De Fato*, cap. 17, n. 39 (Mueller, p. 266): « Quum duae (*sic*) sententiae fuissent veterum philosophorum, una eorum qui cense-

sint sectae de |508| fato, unaquaeque patitur angustias. Nam Stoici et peripatetici non videntur posse evitare Deum producere flagitia et universa mala. ‹Epicurei› vero fugientes ista, negant Deos esse, vel si sunt non curant infe-
5 riora; ad quam etsi multa sequantur incommoda, verior tamen prioribus videtur. (6) Scias tamen: et secundum peripateticos non videtur esse concedendum Deum scire Socratem fore contingenter. Nam cum in contingentia includatur esse et non esse, Deus cognosceret privationem. Ast
10 secundum ipsum Aristotelem III *De Anima*, nihil quod est tantum in actu cognoscit privationem; Deus ergo cum sit actus purissimus non cognoscit privationem; quare neque contingentiam.

Caput decimumsextum in quo continentur contenta
15 *in decimoseptimo capitulo Alexandri.*

I. (1) In hoc capite Alexander, ut mihi videtur, vult confutare Stoicorum rationes quibus contendunt ostendere liberum arbitrium servari penes ponen|509|tes fatum esse. Et hoc significatur in *Rubrica* cum dicitur: « Confutantur dicta
20 illorum qui asserunt se servare id quod in nobis est in vero

3 Epicurei ed; Epicuri *codd.* — 8-9 includitur G; includat N; includantur B; recludatur δ ed. — 10 Aristotelem CN, *omm cett.* — 11-12 Deus ergo . . . privationem *omm* δ ed. — 13 quare etc. *add* Aλ. — 14 decimum septimum b. — 18 pene Eδo.

rent omnia ita fato fieri ut id fatum vim necessitatis afferret; in qua sententia Democritus, Heraclitus, Empedocles, Aristoteles fuit; altera eorum quibus viderentur sine ullo fato esse animorum motus voluntarii . . . »; tertiam autem sectam de fato ibidem commemorat Cicero, nempe Chrysippi, qui « arbiter honorarius medium ferire volens » applicat se « ad eos potius qui necessitate motus animorum liberatos volunt; dum autem verbis utitur suis, delabitur in eas difficultates, ut necessitatem fati confirmet invitus ». Tandem, cap. 19: « Utrique patefacta atque explicata sententia, ad eundem exitum veniant, verbis eos, non re dissidere » (Mueller, p. 268). — 10 *De Anima*, III, 6. 430b 24-26. *Metaph.*, XII, 10. 1075b 19-24. — 11 m: « Hoc totum est falsum; simplex actus non habet in se privationem sed per actum ipsum cognoscit privationem ». — 14 Bagol., fol. D5r-D6v.

sensu eo quod id non sit in omnibus quae per impulsum agunt». Et quamvis hoc capitulum apud me sit obscurum, ut tamen suspicor, Alexander hic duas rationes Stoicis attribuit.

5 (2) Prima est: In hominibus actiones procedunt a potentia volente et nolente, ut de se manifestum est et unusquisque in semetipso experitur. Tales autem operationes non attribuuntur inanimatis, ut patet, neque bestiis, cum proprie bestiae voluntatem non habeant; sed ubi voluntas, ibi est 10 liberum arbitrium, ut etiam peripatetici concedunt. Ergo in hominibus apud Stoicos est liberum arbitrium quoniam velle et nolle. (3) Secunda ratio: Quicquid natura fit fato fit, ut etiam peripatetici dicunt; sed actiones voluntariae fiunt natura; ergo fiunt fato. Quod autem actiones volunta- 15 riae natura fiant patet, quoniam naturale est homini et recte operari et non recte operari; recta autem et non recta ope|510|ratio sunt a voluntate. (4) Huic conclusioni adiungitur: Si naturaliter volumus et nolumus, naturaliter recte operamur et non recte; cum autem ad recte operari sequa- 20 tur virtus, ad non recte peccatum, ad virtutem laus, ad vitium vituperium, naturaliter ergo sunt laus et vituperium, virtutes et vitia. Ergo cum fato stant liberum arbitrium, virtus et vitium, laus et vituperium; quod intendebatur.

(5) Haec ut mihi videntur sunt rationes Stoicorum quas 25 Alexander contendit destruere. (6) Primum quidem quod Stoici non recte sumunt liberum arbitrium. Non enim si est velle vel nolle ideo est liberum arbitrium. Nam etsi liberum arbitrium non est absque velle et nolle, non tamen convertitur; praeter enim velle et nolle requiritur ut con- 30 sulte et ex deliberatione agat, et quod in potestate sua sit

1 per *om* ω. — 3 Alexander: Aristoteles ed. — 4 attribuit: imponit α. — 8 in bestiis δ. — 10-13 ergo . . . perhipatetici dicunt *om* α. — 13 dicunt λC² (α *haplog.*); concedunt H (*sed eras.*); *omm* d ed. — 18 volumus N; velimus *cett.* — nolumus ω; nolimus *cett.* — 24 hae EN ed. — 27 nam etsi liberum arbitrium *omm* N ed. — 29-30 consultet α C.

2 Vid. supra, p. 83, 22.

eligere nullo extrinseco ad talem electionem impellente; quod negatur ab ipsis Stoicis. (7) Similiter dicitur ad secundam rationem, quod velle et nolle non omne fit a natura. Nam quod fit ex deliberatio|511|ne et consultatione prae-
5 cedente nullus diceret a natura fieri: quae enim naturalia sunt non sunt in nostra potestate neque consultatione indigent, ut patet in viribus vegetativae et sensitivae. Et quamvis potentia consultandi et eligendi sint naturales, non tamen actus sunt naturales. (8) Verum cum adiungebatur quod
10 ad velle et nolle sequebantur rectae actiones et non rectae, et ad has, virtutes et vitia, ad quae et laus et vituperium; illud intelligitur in humanis non autem in divinis. Dii nanque quanquam bene agant, non tamen recte agunt; non est enim recte agere nisi in his in quibus est et non recte
15 agere, quod est remotum a Diis ipsis. Quare neque proprie Dii laudantur neque vituperantur. Et haec de primo.

II. (1) Quantum ad secundum non videtur Alexander convenienter dicere neque difficultates evacuare; et maxime difficultatem secundam. Deus nanque non potest facere
20 quin homo possit recte agere et non recte agere; hoc enim aut est de essentia hominis, aut est passio sequens ad essentiam, quae et se|512|cundum peripateticos et Theologos nostros inseparabilia sunt aut a suis diffinibilibus aut a suis subiectis. Obiecta etiam potentiae sunt naturalia; nam po-
25 tentia refertur ad actum. Impossibile autem est unum relativorum esse nisi sit et reliquum. (2) Cum itaque natura fecerit potentiam recte et non recte operandi, necesse est et eandem naturam fecisse actum; aliter enim ociosa fuisset.

1 operationem α. — 4 ex: a ed. — 9 actu ed. — 11 et has ed. — 17-18 convenienter: contra vehementer δ ed. — 18 difficultates A; difficultatem *cett.* — 23 1*m* aut *omm* ω γ. — 23-24 aut a suis subiectis *om* E. — 26 nisi: quin α.

12 sqq. Bagol., fol. D6v: « Sed recte agere de ipsis diis non proprie dicetur, sed velut par ei quod est bona agere. Siquidem in his est recte agere in quibus est et peccare. Sed natura divina non est peccati capax, quare nec deos laudamus cum meliores sint eo cui laudes congruunt, et rectis actionibus ipsis in quibus sunt laudes. »

Unde dicit Commentator commento 48 II *Phisicorum*: Cum natura fecerit contingens ut in pluribus posse deficere ut in paucioribus, ideo natura dedit et impedimentum, aliter enim fuisset ociosa essetque potentia sine actu. Quare cum homo
5 de necessitate habeat potentiam recte et non recte operandi, de necessitate recte et non recte aliquando operabitur, et nedum aliquando non recte operabitur, immo ut in pluribus. (3) Quod et experientia docet, ut manifestum est. Verum et ratio cogit: Quoniam quod homo possit peccare est quo-
10 niam plus habet de non esse quam esse; quare magis inclinatur ad defectum quam ad perfectum. Unde |513| quanquam recte agere et non recte agere sint homini naturalia, magis tamen non recte agere est homini naturale, quandoquidem rarissime et cum magna difficultate homo recte
15 agat. Unde Aristoteles I *De Anima* dicit ignorantiam esse magis naturalem homini quam scientiam quoniam magis tempus apponit in ignorantia quam in scientia. (4) Si itaque necesse est hominem recte agere et non recte, necesse est esse virtutes et vitia, quare laudes et vituperia; haec enim
20 omnia secundum sequelam se habent. Quare stante fato et necessitate sunt virtutes et vitia, laudes et vituperia. Non igitur recte conclusit Alexander quod ubi necessitas ibi neque est recte agere neque non recte.

(5) Amplius impossibile est hominem non peccare; sed
25 ad peccatum sequitur vituperium; ergo cum actione inevitabili stant peccatum et vituperium. Assumptum probatur. Quoniam homo dum se cavet ab uno peccato in alterum incurrit; unde si cavet se ab avaritia videmus incurrere

1 dicit enim α. — 4 et fuisset α. — 5 de necessitate *om* α. — 6 aliquando *om* ed. — 7 ut *om* ed. — 9 ratio cogit: manifestum coagit ed. — quod *om* ed. — possit: potest ed. — est *omm* Led. — 14 cum *om* ed. — homo *omm* δ ed. — 18 agere *ante* necesse *ad* γ. — 19 quare *om* ed. — 22 concludit Ned; concluxit M. — 23 iudicare seu *ante* agere *ad* ed. — agere *post* non recte *add* Nγ. — 28 videmus incurrere: incurrit E. — eum *ante* incurrere *ad* γ.

1 *Physic.*, II, t. c. 48 (Comin. de Tr. IV 53v F). Cf. supra p. 39, 20-22. — 15 *De Anima*, I, 5. 410b 2-3.

in inanem gloriam vel aliquod alterum. Unde homo se ha|514|bet ad peccata evitanda veluti circumdatus ex omni parte ab hostibus cum gladiis nudis; dum enim ab uno se defendit secundum unum latus, ab aliis tamen effoditur ex 5 aliis lateribus. (6) Item patet ex historiis; non enim legimus aliquem virum quantumcunque excellentem et studiosum qui in multis non peccaverit, nisi in historia Christianorum de admodum paucis qui ex divina gratia servati sunt.

(7) Praeterea hoc videtur esse mirabile videlicet quod Deus 10 velit omnes homines recte agere et tamen dederit naturam magis inclinatam, immo maxime ad male operandum; neque hoc fuerit contentus, immo posuerit tot insidiatores ut quocunque pergas innumeros invenias. Videas enim quanta movent homines ad cupiditates venereas, non minus extrin- 15 seca quam intrinseca: fecit enim tantam formositatem, tot laqueos in oculis, in nutibus, in sermone et sic fere de infinitis, quae longissimum esset narrare; posuit et tantam delectationem ut cum homines etiam maxima damna et vituperia sustineant tamen eas non pos|515|sunt relin- 20 quere. (8) Adde quod tantam difficultatem dedit in capessendo virtutes. Nam videtur quod studiose hoc Deus fecerit ut homines sint flagitiosi et paucissimi sint studiosi, veluti docet experimentum. Quare naturale et necessarium videtur multa esse peccata et paucissimas esse virtutes; 25 sicuti etiam videmus in unaquaque specie ut pote equina, vel quavis alia, paucissimi sunt equi perfecti et plurimi imperfecti. Multo enim plura sunt prava bonis.

(9) Quod si dicatur ideo vitiis apposuisse tot adminicula et tot insidias, virtutibus vero tot impedimenta et tot la- 30 bores, quoniam illud arguit vitiorum turpitudinem et vili-

4 effoditur d ed; transfoditur vel (seu N) effoditur (offenditur E) ω; vel transfoditur (*linea subducta*) effoditur L; offenditur transfoditur B. — 5 Item: Idem ed. — 11 inclinatam *post* maxime *ad* α. — 16 in nutibus: intuentibus M; in motibus C[1]; in natibus (*erasum, sed iterum rescriptum*) G. — 17 quae N (*ambiguum*); quos *cett.* — enarrare ed. — 20-21 capescendo ωBγ I ed. — 23 Quia ed. — 27 mala E. — 30-1 utilitatem A δ ed. (*sed* ed *corr. in errata*).

tatem, hoc vero virtutum honestatem et excellentiam, cum virtus in raro consistat et in difficili, vitium vero in facili (nam facilis et patens est via quae ducit ad inferos). Certe haec dicta multam in se implicant ambiguitatem. (10) Primo
5 quidem quoniam si Deus vult omnes homines recte agere et esse studiosos, virtus vero in raritate consistit, tunc si omnes homines efficerentur studiosi, virtus periret quoniam non esset in raritate; aut impossibile est illud esse quod Deus vult, quare Deus vellet impossibilia et sic fatui|516|tas erit
10 in Deo quandoquidem fatuum sit aliquem velle aliquid quod impossibile est esse. (11) Praeterea Deus vult homines universaliter esse studiosos et apponit eis tanta et talia impedimenta ut potius et verius dicatur esse impossibile quam difficile ea evitare. Et scit Deus quod ipsi homines non evi-
15 tabunt, quoniam cognoscit quasi omnes esse, fuisse et fore malos. (12) Quare aut Deus videtur esse prestigiator subdolus et deceptor, aut non vult omnes homines esse studiosos, sed magis nullos quam paucos. Quis enim diceret aliquem cupere alicui optimum, et tamen dat sibi societatem infi-
20 delem, perfidam quam scit eum interfecturam? Quomodo enim Deus tantum amat hominem ut velit sibi optimum et tamen ponit Deus hominem inter tot insidias tantamque difficultatem apposuit virtutibus et scit ipsum hominem superandum fore a vitiis? Profecto ista videntur habere maxi-
25 mam inter se pugnantiam. Quare cum haec Stoicos non molestent, potior videtur via Stoicorum, nisi ad Epicurum con|517|vertamus qui negavit Deum mortalia curare. Et haec de secundo.

III. (1) Quantum ad tertium respondetur Stoicos non dice-
30 re omnem operationem provenientem a voluntate esse liberi

1 virtutem ed. — 5 Dominus ed. — 6-8 tunc si . . . in raritate *om* ed. — 16 aut: autem BCδo. — 22 posuit ed. — Deus hominem: eum γ. — 23 opposuit ed; apponit E. — 25 Quia ed.

3 *Matt.*, 7: 13-14: «spatiosa via est quae ducit ad perditionem . . . et arcta via est, quae ducit ad vitam».

arbitrii nisi illa sit praemeditata et consulta, veluti etiam concedunt peripatetici. Verum differunt Stoici a peripateticis quod praemeditatio et consultatio sunt fatales veluti et reliquae operationes; immo et ipsae electiones voluntatis
5 sunt fatales. (2) Neque verum est quod necessitas tollat electionem, virtutem, vitium, laudem et vituperium, quandoquidem in secundo proposito ostendimus de necessitate esse virtutes, vitia, laudes et vituperia.

(3) Unde consimiliter dicitur ad secundam obiectionem:
10 Non enim necessitas aufert recte agere et non recte agere. Et haec quanquam a Diis ipsis removeantur, non ideo removentur quoniam ibi sit necessitas et inevitabilitas, sed quoniam ibi non est novitas, neque defectus, et omnino potentia. Quod vero aliqui deficientes sint digni venia aliqui vero
15 non, superius visum est, quare non est opus repetere. |518| Et haec de tertio.

Caput decimumseptimum in quo continentur contenta in decimooctavo capitulo Alexandri.

I. (1) In hoc capite Alexander vult ponere rationes Stoicorum
20 quibus tentant ostendere fato leges non auferri. Unde et dicitur in *Rubrica*: « Falsam esse rationem illam quae nititur ostendere quamvis fato omnia fiant leges tamen non auferri ».

(2) Alexander autem in hoc est valde prolixus; mihi tamen tota vis videtur esse haec: Fatum et Nemesis idem
25 sunt; sed si Nemesis est, lex est; ergo si fatum est, lex est. Non igitur fatum et lex adversantur invicem. (3) Prima a Stoicis conceditur, quia eam accipiunt tanquam manifestam. Minor vero patet ex descriptione Nemesis: Nemesis enim a distributione dicitur quam cuivis fata secundum

1 etiam: esse LCδ ed. — 5 tollat d ed; tollit b. — 10 necessitate δ ed. — aufertur ed. — 11 removeantur non ideo *omm* d ed. — 15 visum: dictum γ (visum C²). — 17 decimum octavum bH. — 23 hoc loco ed. — 27 quia BG; quare *cett.* — 29 qua C² ed. — cuivis BL² *Bagol.*; alicuius C; cuiusvis *cett.*

17 Bagol., fol. D⁷r-E¹r.

merita exhibere dicuntur. Modo distributio secundum merita iustitia est, ut etiam dicit Aristoteles in V *Ethico*|519|*rum*. Lex autem non est nisi iustitia. Quare si Nemesis est, lex est. Verum Nemesis et fatum idem sunt. Ergo sequitur 5 intenta conclusio.

(4) Huic autem rationi obviat Alexander. (5) Primo tamen dicit: Si Stoici fato impulsi hoc dicunt nihil est quod eis succensendum sit, quandoquidem impulsis et circumstantionatis neque laus, neque vituperium sit; si autem ex se 10 dicant, maxime damnandi sunt. (6) Dicit secundo fatum et legem maximam oppugnationem inter se habere. Nam quae natura et impulsione fiunt neque verbis neque persuasionibus removentur. Si nanque lapis natura deorsum fertur, verbo aliquo neque persuasione ex se sistet vel ex se 15 ascendet. Similiter quae impulsa vel quovis modo coacta agant aliter agere non possunt solis verbis vel iussionibus. Ast lex oppositam rationem agendi habet quam natura vel impulsum. Vana nanque est lex quae de naturalibus |520| vel impulsis data est; quae enim lex dari potest quod lapis 20 non detentus ab alio ubi sursum sit deorsum non cadat? Ast lex datur ubi utrunque contingere potest: et recte et non recte fieri. Quare omnino rationes oppositas habent fatum et lex. (7) Recte igitur argumentandum est ordine retrogrado: Si lex est, fatum non est; nam unum oppositum 25 destruit alterum. Ast lex est, ut manifestum est. Ergo fatum non est. (8) Quod vero dicebatur de Nemesis descriptione, illa non admittitur. Et hoc de primo.

II. (1) Quantum vero ad secundum ostenditur Alexandrum falso inniti fundamento. Vult enim Alexander necessitatem 30 destruere legem. Hoc vero ostenditur esse falsum. Quoniam secundum Alexandrum, ubicunque est recte agere et non

8 in impulsis AGHβ. — 16 visionibus BG ed. — 17 naturam ω Lδι. — 21-22 et non recte *om* ed.

2 *Ethic.*, V, 2. 1129a 34; 5. 1130b 30; 6. 1131a 13. *Politic.*, III, 9. 1280a 11; 12. 1282b 17.

recte agere, ibi est lex. Sed necesse est homines recte agere et non recte agere. Ergo necesse est esse legem. Stat ergo lex cum necessario. (2) Probatur illa, scilicet quod necesse sit recte agere et non recte agere. Quoniam si necesse est
5 esse homines, necesse est ut possint et recte et non recte agere, ut supra ostensum est. Verum istae potentiae non possunt in totum frustrari. Ergo de necessitate exibunt in actum, et sic de necessitate erit lex; quod intendebatur. Et hoc de secundo.

10 III. (1) Quantum vero ad tertium |521| dicitur ad primum: Illud esse falsum, scilicet quod si est fatum non est alicui succensendum; nam visum est supra qualiter cum fato stant laus et vituperium. Quanquam et Stoici in hoc laudandi sint cum veritatem dicant, et peripatetici vituperandi quo-
15 niam falsitatem tenent, etsi utrique fataliter dicunt.

(2) Ad secundum autem dicitur minime legem et fatum invicem pugnare. Et quamvis inanimata et inrationabilia lege non indigeant, rationabilia tamen lege indigent; immo in quibus actionibus utimur lege, nullo modo tales actiones
20 provenire possunt sine lege. (3) Unde non ideo lex datur quoniam aliquo modo sic aliquid fieret et per legem prohiberetur sic fieri, verum ideo datur quoniam lex est medium quod hoc fiat isto modo, quo dempto, non fieret; veluti si ignis debet generari, oportet caliditatem praecedere, qua
25 non praecedente non esset ignis. Sic qui parent legibus illa quae faciunt vel non faciunt mediantibus legibus faciunt vel non faciunt, neque aliter quam per tales leges possunt facere. (4) Unde breviter: Si |522| quis propter leges colit Deum, nullo pacto potest iste Deum colere nisi mediantibus
30 legibus, quamvis unus alter sine lege colet; lex enim non

1-6 ibi est lex . . . et non recte agere *om* ed. — 4 *Quator verba redundantia in* δι; *vid. supra* p. 121, 3 n. — 10 vero α; *omm cett.* — 11 quod *om* α. — 14 sunt Nδo ed. — 15 et sic M; *omm* Gδ ed. — 20 provenire: fieri γ. — 21-22 prohibetur EλCH. — 29 pacto potest iste Deum: modo posset ipsum γ. — 30 aliter M ed; unus cum lege alter N. — legibus colat E. — enim *om* ed.

12-13 Cap. 11; pp. 65-83, praesertim ad 3um et ad 4um: pp. 74-79.

minus fatalis est quam ipsa operatio. (5) Quare cum diceba-tur: retrograde arguendum est: Si est lex fatum non est, patet ista invicem non adversari. Lex enim non est de eo quod respectu, exempli gratia, Socratis indifferenter possit esse et non esse, sed est de eo quod sine ipsa non potest ad perfectum finem pervenire, scilicet respectu eius cui fatale est sic per legem operari.

Caput decimumoctavum in quo continentur contenta in decimonono capitulo Alexandri.

I. (1) In hoc capitulo Alexander ponit argumentationem qua Stoici conantur ostendere cum fato stare virtutes et vitia. Unde dicitur et in *Rubrica*: «Improbatur ratio eorum quae arguit etsi omnia fato fiant non auferri virtutes et vitia.» Stat autem ratio in hoc: Si fatum est, Deus est; si Deus est, bonus est; si bonus est, |523| virtus est; si virtus est, prudentia est; si prudentia est, est scientia agendorum et non agendorum. Sed agendis annumerantur virtutes et vitia; ergo si fatum est, sunt virtutes et vitia; quod intendebatur. (2) Potest autem et adiungi: Virtutes sunt honestae et lauda-biles, vitia turpia et vituperabilia. Quae laudamus honore afficimus, quae vituperamus supplicio; et qui honorat prae-mio afficit et qui punit castigat. Cum fato igitur stant vir-tutes et vitia, laudes et vituperia, praemium et poena; quod peripatetici Stoicis obiiciunt.

(3) Hanc autem rationem destruit Alexander multipliciter. (4) Primo quoniam non bene infertur: Si fatum est, Deus

1 Quare: quia ed. — 3 1um non *om* ed. — 4 exempli: eius etc. ed. — gratia: quare ed. — Socrates EM ed. — 7 quare etc. *add* bC. — 8 decimum nonum b. — 12 Rubrica et d ed. — illorum G (illa *Bagol.*). — quae βd ed *Bagol.*; qua αN; qui M. — 13 arguunt ω. — 16 est scientia C; scientia est αM; scientia est et N; et scientia β d ed. — 24 perhipatetici Stoicis *codd.*; Peripateticis Stoici ed. — 25 destru-xit ω.

8 Bagol., fol. E^{1}r-E^{2}r. — 14 sqq. Bagol., fol. E^{1}r. Vid. Append. v.

est. Immo si fatum est, Deus non est; quoniam si Deus est, convenienter mundus dispensatur; si convenienter mundus dispensatur, sunt necessaria, contingentia ad utrunque ut in pluribus, et casualia. At si talia sunt fatum non est, veluti
5 supra ostensum est. Quare ex fato sequitur Deum non esse.
(5) Amplius non bene infertur: Si virtus est, prudentia est. Quoniam aut prudentia est in Diis ipsis, aut in hominibus. Non in |524| Diis, nam prudentia est in agendis et non agendis quae Diis ipsis attribui non possunt; non enim
10 consultant neque mutabiles sunt. At prudentia cum his est. Si vero detur prudentia in ipsis hominibus, profecto nulla erit utilitas si fatum ponatur. Quae enim utilitas esse potest huius cognitionis his qui nihil eorum quae agunt vitare possunt? Si autem nihil utilis scientia eorum est,
15 prudentia quoque iure sublata fuerit; sic itaque non: Si fatum est, prudentia est. Et hoc de primo.

II-III. (1) Quantum ad secundum et tertium simul dicitur quod si fatum est, Deus est; Deus nanque ponitur in diffinitione fati, quandoquidem sit ordo et Dei providentia ine-
20 vitabilis. Diciturque quod cum fato stat Deum recte universum dispensare in necessaria, contingentia et casualia. Quod quomodo fieri habeat satis abunde in superioribus dictum est; nam quanquam contingens sit et casuale, non aufertur ipsum esse fatale.
25 (2) Cumque dicebatur non bene inferri prudentiam esse si fatum est, quoniam prudentia non erit in Diis, hoc conceditur; negatur tamen ipsam |525| prudentiam non esse in

1-2 est si convenienter ed. — si convenienter mundus dispensatur *omm* δ ed. — 11 detur prudentiam ed. — 14 evitare γ. — 20 diciturque AμBC; dicitque ELGδo ed. — quod *om* G. — 22 superius ω. — 23 et *om* γ. — 24 ipsum *om* γ. — 27 non *omm* ω C[1] (M *correx.*).

12 sqq. Bagol., fol. E²r: « Sed si omnia fato fiunt, inutilis est agendorum et non agendorum scientia. Quae enim est utilitas huius cognitionis his qui nihil eorum quae agunt vitare possunt? Si autem nihil utilis horum scientia, prudentia quoque iure sublata fuerit. Ut sit verior consecutio illa: Si est fatum, non esse prudentiam ».

hominibus. (3) Cumque dicebatur ipsam esse inutilem quoniam per eam mala evitare non possumus, huic dicitur ipsam prudentiam nedum utilem esse hominibus, immo necessariam illis qui mediante prudentia recte operantur. Diciturque
5 quod prudentia non est utilis quoniam per eam mala evitare possumus, quoniam fatum inevitabile est; sed dicitur ideo utilis et necessaria illis quibus ex fato datum est sine ea prudentia non posse operari; veluti si ignis generari debet oportet calefactionem praecedere. (4) Quare ad obiecta re-
10 sponsio manifesta est. Postea Alexander epilogum facit ut patet et sic est finis primi libri. |526|

1 immutabilem ed. — 6 non possumus αMBG (AG *del.*). — 7 illis *in mg.* Dγ. — 9 Quare: quia ed. — 11 De Fato *post* libri *add* C[1]N. — Finis primi libri De fato G *inferius in pagina.* — quare etc. *add* β C[2].

10 Epilogus: Bagol., fol. E[2]v.

INCIPIT LIBER SECUNDUS DE FATO

Caput primum in quo ponitur intentio et enumerantur opiniones de fato.

(1) In primo volumine vidimus, Alexandri arbitrio, quid
5 Aristoteles senserit de fato. Et quanquam Aristoteles ipse fatum esse affirmaverit, non tamen secundum eam significationem qua fatum communiter homines intelligunt; existimatur enim id fato provenire quod inevitabiliter provenit, idque fato non esse cuius oppositum inevitabiliter evenit.
10 Secundum hanc enim significationem fatum nullo modo ex parte rei posse esse Alexander Aristotelem sensisse dicit, verum esse veluti chimaera et tragelaphus, quibus tantum nomina correspondent et non res. (2) Verum quoniam |527| nostra intentio non est inquirere an sit fatum secundum
15 quascunque significationes sumatur (sunt etenim admodum multiplices significationes de quibus habetur in egregiis scriptoribus), sed tantum intendimus de fato secundum communem significationem fati, scilicet: an futura evenire inevitabiliter evenient, quaeque ventura non sunt non pote-
20 runt evenire, sic quod si aliquid erit, de necessitate et inevitabiliter erit, et si aliquid non erit, impossibile est ipsum evenire; hinc est quod tantum sermonem nostrum extendemus ad talem fati significationem, commemorando opiniones huic intentioni attinentes. (3) Et quoniam mihi duo praeci-
25 pue videntur esse in quibus constructio vel fati destructio fundantur, hinc est quod secundum talia principia opiniones de fato commemorabimus, secundum tamen prius assigna-

1 *tit. sic* αMβd. Liber secundus de Fato feliciter incipit N. — Petri Pomponatii de Fato Liber secundus ed. — 6 existimaverit γ. — 11-12 dicit . . . tragelaphus: dicitur. Veluti Chimera, verum esse et Tragelaphus ed. — 12 tamen Nβδε ed. — 16 ab egregiis b. — 18 evenire *omm* E γ. — 19 evenient: eveniant E; eveniunt ed. — quaecumque ed. — ventura: futura γ. — 21 et si: sicque b (sic quod si N). — 23 connumerando C ed. — 24 mihi *omm* δ ed. — 26 fundatur μG ed. — 27 connumerabimus Bγ.

tam fati significationem; ut nanque dictum est, de ea tantum intendimus.

(4) Ea igitur quae praecipue fatum astruere vel destruere mihi videntur sunt Dei providentia, et liberum arbitrium
5 quod homini attribuitur. An vero liberum |528| arbitrium sit in Deo et in angelis sive in intelligentiis, non est praesentis negocii, quandoquidem sit vel non sit, nostrum propositum variare non videatur. Neque existimo naturali ratione probari posse in ipsis esse, sic intelligendo quod Deo vel in-
10 telligentiis aliquo proposito, sit in eorum potestate utramvis partem eligere vel facere. Verum in ipsis hominibus hoc magis manifestum est, et videtur quod homo hoc in seipso experiatur. Velle enim et nolle me hunc tractatum scribere in mea potestate esse mihi videtur. (5) Dico igitur: Ut mihi
15 videtur, ista sunt illa in quibus videtur stare tota vis fati. Si nanque prospexerimus divinam providentiam omnia gubernantem et omnia infallibiliter cognoscentem, sic videtur quod omnia quae fiunt fato fiant. Si vero concedimus in nobis esse liberum arbitrium, sic non omnia, saltem ea quae
20 ex nobis dependent, videntur fato fieri. (6) Quare et sapienter dixit Boetius in V *De Consolatione*: Videtur quod providentia destruat liberum arbitrium, et liberum arbi|529|trium providentiam destruat. Unde haec impossibilia simul videntur. Quo fit si providentiam ponas, fatum ponas et libe-
25 rum arbitrium destruas; si vero liberum arbitrium ponis, et providentiam et fatum simul destruis. (7) Videtur tamen, ut idem Boetius dicit, unumquodque horum si alteri non

3 praecipue *omm* δ ed. — construere M ed. — 5 quod homini attribuitur *om* ed. — 6 3^m in *om* ω. — 7 vel sit b. — 8 variari ed. — videatur ω B; videtur L ed; videntur d. — 8 probatione E. — 13 experitur Cδι (D *correx. ex* experiatur). — 16 dei γ. — 18 fiant: fiunt ω B. — 20 in nostra potestate sunt E. — 21 V: libro γ. — 27 ait ed; *om* δι.

21 *De Consol.*, V, prosa 3ª: « Nimium, inquam, adversari ac repugnare videtur praenoscere universa Deum, et esse ullum libertatis arbitrium. » (Peiper, p. 125). — 27 *De Consol.*, V, Metrum III: « Ut quae carptim singula constent. Eadem nolint mixta iugari? » (Peiper, p. 130).

coniunxeris, esse in re: impium enim et sacrilegum videtur negare Dei providentiam, contra experimentum videtur quod homo non sit suarum electionum dominus. Quare utrunque divisim videtur esse concedendum; verum cum haec duo
5 coniunxeris naturamque utrius perfecte consideraveris, quae tibi divisa possibilia esse perspexeris, incompossibilia et repugnantia esse existimabis.

(8) Unde fit ut diversi modi dicendi in tanto quaesito reperiantur; et quanquam tot et tanti reperiantur, nullus
10 tamen est qui maximas angustias non patiatur, neque ex toto satisfacere videtur. Cum igitur aliqui quae dicta sunt animadverterent et existimarent providentiam divinam et liberum arbitrium humanum posse non simul stare, experientes in se ipsis esse liberum arbitrium, |530| ipsum con-
15 cesserunt et divinam providentiam negaverunt. Et hii bipartiti sunt.

(9) (1[a] *secta*) Horum nanque aliqui negaverunt esse divinam providentiam quoniam Deus nihil est: veluti fuit Diagoras, Atheus dictus quasi sine Deo. Cui proximus fuit
20 Prothagoras qui quanquam non negaverit Deos esse non tamen affirmavit. Dicebat enim multa esse quae dant Deos esse, et multa quae dant Deos non esse. Quare non ausus est Deos affirmare vel ipsos negare.

(10) (2[a] *secta*) Alii autem quamquam Deos esse affirma-
25 verint, eos tamen alia a seipsis curare vel gubernare negave-

3 Quia L ed. — 4 divisum ed. — 6 tibi *sic cunct.* — prospexeris αMB; existimaveris γ. — 13 humanum *om* ed. — 17 (1[a] *secta) et alias huius capituli rubricas, pp. 139, 140, 143, 146, 150, 154, 155 nos ipsi addidimus.* — 20 Pithagoras AμI. — 22 Quia ed. — 23 affirmare vel ipsos negare: negare vel (neque N) affirmare ω.

17 1[a] secta est Atheorum. — 18-19 Cicer., *De Natura Deorum*, I, 1; 23; 42. cf. H. Diels, *Fragmente der Vorsokratiker*, p. 511 sqq. Vid. supra p. 115, 14. — 20-21 cf. Cicer., *De Natura Deorum*, I, 1; 12; 23; 42. Diog. Laert., *De clarorum philosophorum vitis*, IX, 8: *Protagoras*, 51 (ed. Firmin-Didot, p. 239). Vid. H. Diels, *Fragm.*, p. 511, 515, 516. — 24 2[a] secta est Epicureorum.

runt, existimantes eos qui talia curant esse negociosos vel in continuo labore et poena, quare infelices esse; infelicitas autem non videtur Diis ipsis posse contingere quandoquidem maxime beati ab omnibus concedentibus deos esse
5 ponantur. Quorum caput fuit Epicurus atque princeps. (11) Copiose autem de his sectis a Cicerone pertractatur in iis libris quos *De Fato*, *De Deorum Natura* et *De Divinatione* conscripsit: quare qui exquisitius de his intelligere desiderat libros illos le|531|gat.

10 (12) (3[a] *secta*) Quidam vero alii et divinam providentiam concesserunt, et etiam in nobis esse liberum arbitrium. Verum quoniam, ut diximus, providentia et liberum arbitrium invicem pugnare videntur, ideo in alio divinam providentiam statuerunt et in alio liberum arbitrium. Non enim
15 cadit per se oppositio nisi in eodem et secundum idem, veluti I *Posteriorum* et I *Elencorum* habetur. (13) Quare volunt providentiam divinam tantum se extendere usque ad lunam inclusive; de corruptibilibus vero, qualia sunt quae infra lunam continentur, divinam providentiam se intromit-
20 tere negaverunt quandoquidem ista sunt inordinata, incerta et caduca et prorsus ab omni stabilitate remota. Non enim fas est divinam providentiam talem existimare esse.

(14) Videtur enim si Deus de his providentiam haberet, vel igitur certam et stabilem haberet, aut incertam et
25 instabilem. Non primum, quoniam res aliter sciretur quam sit eius natura; hoc autem inintelligibile est, sic enim impossibilia sciri possent neque scientia et scitum adaequarentur. Si vero detur quod sua pro|532|videntia sit instabilis et incerta, hoc non videtur esse posse nisi quia suae or-
30 dinationi et voluntati aliquod adversatur, vel fortassis si non

7 et de Deorum ed. — 12 providentiam αGδo. — 18 aequalia ed. — 20 ista *omm* δ ed. — 23 videmus ed. — 24 et stabilem . . . incertam *om* ed.

10 3[a] secta est Platonis, Aristotelis secundum Chalcidium, et Ciceronis. Vid. infra p. 142, 21. — 16 *Post.*, I, 4. 73b 21. *Soph.*, *Elench.*, I, 15. 174a 20.

adversatur, non est aptum recipere regulam et ordinem sibi a divina providentia institutum. (15) Horum autem quodvis Deo convenire non videtur. Si nanque detur haec inferiora divino ordini et eius voluntati adversari, sequitur 5 in Deo impotentiam esse et involuntarium. Haec autem non stant cum Deo qui summa beatitudo ponitur: quomodo enim impotens et cui aliquid praeter voluntatem evenit beatum esse potest? hoc enim rationi beatitudinis adversatur. Si vero detur quod haec inregularitas et praevaricatio pro- 10 cedat ex defectu ipsius rei non potentis talem ordinem recipere, tunc Deus ipse ab insipientia non excusabitur. Velle enim alicui legem imponere quod non est aptum legem illam recipere est omnino fatuum et derisibile; perinde enim est ac si quis vellet asinum docere Philosophiam. 15 Ne igitur talia incommoda subeamus videtur necessarium Deum absolvere a providen|533|tia caducorum.

(16) Amplius liberum arbitrium auferretur ipsis hominibus. Quoniam si Deus homines gubernat et regulat, cum regulatum non moveatur nisi secundum regulam dirigen- 20 tem, veluti serra non movetur nisi secundum quod movetur et dirigitur a secante, quid igitur erit quod homini attribuatur tanquam suum? Totum enim erit dirigentis et gubernantis. (17) Quare ex toto aufertur quod est in nobis, sive liberum arbitrium. Nam quicquid erit ascriptum sive 25 attributum ipsis hominibus, aut totum erit dirigentis et gubernantis, ut pote in his quae fiunt secundum eius gubernantis intentionem, aut totum erit a casu, si erit praeter eiusdem gubernantis intentum; veluti contingit in grammatica et in unaquaque alia arte: si enim quid recte factum est, 30 illud est artificis, si vero obliquum, casuale et praeter intentionem est provenitque aut ex inadvertentia scribentis aut ex defectu instrumenti aut ex aliquo alio impedimento.

8 ratione Lδo. — 17 auferetur Eβ ed; aufertur M. — 18 hominem δ ed. — 21 quod igitur ω B. — 23 auferretur Aμ; auferetur E; aufertur *cett.* — 25-26 et gubernantis *om* ω. — 28 eius ω γ. — 29 alia *omm* δ ed. — 32 ex *ante* defectu *omm* Nβ d ed.

Quare ut inferebatur nihil erit in potestate hominis. (18) Immo ex positione sequitur universaliter quod neque in hominibus, neque in alio caduco possit aliquid contingere praeter intentum; aut si potest, Deus in suo |534| opere im-
5 pediri potest. (19) Quoniam aut praeter intentum Dei gubernantis et regulantis aliquid contingit, aut nihil. Si nihil, cum omnia ab eo gubernentur et secundum suam regulam moveantur, neque aliam habent regulam quam Dei, nihil igitur erit praeter intentum absolute; si vero aliquid evenit
10 praeter Dei intentum, hoc igitur erit ex aliquo impediente Dei regulam. (20) Sed horum quodlibet videtur esse longe remotum a Deo. Nam nihil absolute esse praeter intentum et casuale est contra communiter opinantes et fere contra sensum; similiter etiam quod Deus impediri possit nedum ne-
15 phas est dicere verum et cogitare. Quae enim esset Dei potentia cum aliquid adversaretur ei ipsamque superaret et esset referta sua voluntas involuntariis? O praeclaram beatitudinem! (21) Ut itaque talia fugiamus incommoda, neganda est Dei providentia de caducis qualia sunt omnia quae sublunaria sunt,
20 et ponenda est in aeternis quae certa et immutabilia sunt.

(22) Hanc autem opinionem Chalcidius Platonicus in *Thimeum Platonis* scri|535|bens attribuit Aristoteli. Immo haec videtur et esse Platonis in *Thimeo* sententia, cum distinguit

4 potest *om* ω. — 4-5 impedire ed. — 5 autem βγδι; *om* ed. — dei *omm* Bδ ed. — 12 per ed. — 16 superaret: gubernaret ed. — 18 negandum ELδ. — 19 quae *om* E. — sunt *om* E. — 23 esse vera γ.

21-22 *Platonis Timaeus interprete Chalcidio. Cum eiusdem commentario.* (ed. J. Wrobel. Lipsiae 1876): « Aristoteles ut qui Dei Providentiam usque ad Lunae regionem progredi censeat, infra vero, neque providentiae scitis regi, nec angelorum ope consultisque sustentari, nec vero daemonum prospicientiam putet intervenire; proptereaque tollat omnem divinationem negetque praenosci futura » (c. 250, p. 283). — 23 *Tim.*, 41-43. Cf. *Platon. Tim. interpr. Chalcidio*, c. 144 (Wrobel, p. 203); c. 149 (Wrobel, p. 207); c. 177 (Wrobel, p. 226). Thom. Aquin., *Summ. Theol.*, 1[a] pars, qu. 22, art. 3 (ed. Leon. IV, p. 267) excludit triplicem providentiam secundum Platonem i. e. (1) summi dei, quae se extendit ad res spirituales, ad totum mundum et ad genera et species; deinde (2) providentiam deorum qui circumeunt caelos (substantiarum separatarum quae movent caelos circulariter) quaeque se extendit ad singula generabilium et corde triplici providentia. Cicero quoque in libro *De Divinatione* videtur esse huius opinionis; quare divus Augustinus in V *De Civitate Dei* dicit: « Cicero dum vult facere homines liberos fecit sacrilegos ».

5 (23) (4ª *secta*) Quidam vero alii partim ab his discesserunt, partim vero convenerunt cum his.

(24) A prioribus enim discesserunt cum totaliter divinam providentiam a caducis removerunt. Si nanque ‹Dii› ipsi corpora caelestia gubernant et eorum providentiam ha-
10 bent, cum experimentum et ratio testantur omnia caduca transmutari ad talium corporum transmutationem (elementa enim et mixta inanimata, sive perfecta sive imperfecta, generantur et corrumpuntur secundum dispositionem corporum caelestium ut est apertum videre; plantae quoque et
15 bestiae eandem dispositionem patiuntur quam et inanimata; homines quoque diversificari videmus in quanto et quali secundum diversitatem plagarum caeli non solum quantum ad corpus verum quan|536|tum ad mores et etiam quoad

2 opinionis: divinationis ed. — 4 facit BN ed. — 5 alii *om* ω. — 7 taliter ed. — 8 ‹Dii› : ipsi c (C *ex* ipsa) δη ed; *om* F. (*Vide infra p.* 144, 5-6). — 12 sive imperfecta *omm* Aδ ed.

ruptibilium: tandem (3) providentiam daemonum inter nos et deos. Editores tamen Leoninae remittunt, non ad ipsum Platonem, sed ad Greg. Nyss. (i. e. Nemesii), *De Homine*, VIII, (*De Providentia*), cap. 3. — 1-2 Cicer., *De Divinatione*, II, 7: « Nihil enim tam contrarium rationi et constantiae quam fortuna, ut mihi ne in deum quidem cadere videatur ut sciat quid casu et fortuito futurum sit. Si enim scit, certe illud eveniet: sin certe eveniet, nulla fortuna est; est autem fortuna, rerum igitur fortuitarum nulla praesensio est » (Mueller p. 202). — 3 Cf. supra p. 76. — 5 Scil. Aristoteles secundum Alexandrum, Themistium, Averroim et ipsum auctorem cf. infra p. 145, 17. « partim ab his discesserunt », i. e. a dicentibus Providentiam de caducis rebus negandam esse (1ª et 2ª secta); « partim vero convenerunt cum his » i. e. cum dicentibus (3ª secta) quod caducorum mutabilitas et incertitudo divinae Providentiae infallibilitati adversantur. — 7 « prioribus » i. e. 1ª secta. — 10 sqq. Cf. *Introductorium in astronomiam Albumasaris Abalachi* [Abou Ma'schar Dja' far ibn Muhammad al-Balhi], ed. 1489 (Hermanni secundi translatio), I, cap. 1um, fol. a3 r sqq.; BN Paris, ms. lat. 16204 (Johanne Hispalensi interprete), I, diff. 2ª, fol. 3b sqq.

intellectivam partem), quomodo igitur fieri potest ut Deus horum caducorum curam non gerat, quandoquidem sit causa omnium istorum caducorum? (25) Si enim corpora caelestia causant haec inferiora suis motibus, substantia autem et
5 motus corporum caelestium a Diis ipsis causantur, evidentissimum est Deos haec caduca causare. Non autem aliter Deus horum caducorum causa esse potest nisi intelligendo et volendo, quare et providendo. Quare et Deus caducorum providentiam infallibiliter habebit.
10 (26) Verum cum videatur necessarium Dei providentiam esse certam et firmam et quod nihil eius voluntati et ordinationi adversari possit; ipsis autem caducis existentibus incertis et immutabilibus, hoc profecto maximam parit angustiam et difficultatem. (27) Quare volentes utrunque salvare,
15 videlicet et caducorum divinam esse providentiam, et ipsorum esse contingentiam, et liberum arbitrium esse in hominibus, imaginati sunt caduca et corruptibilia dupliciter considerari posse: uno modo in uni|537|versali, alio modo in particulari. (28) Si quidem in universali considerentur,
20 sic cadunt sub divina providentia neque secundum istum modum caduca vel variabilia sunt; quandoquidem universale aeternum sit abstrahatque a loco et a tempore, ipsum enim semper et ubique est; quare veluti secundum tale esse invariabile est, sic et ipsum necessarium et inevitabile est.
25 Unde substantiae, accidentia, casualia et non casualia, simplicia et composita, et quomodocunque se habeant, secundum tale esse subiiciuntur divinae providentiae et inevitabilia sunt. (29) Si vero considerentur secundum esse particulare, quoniam oppositas conditiones universalibus habent,
30 ideo sic directe et primo non cadunt sub divina providentia, quare proprie et vere neque ab ipso Deo intelliguntur. (30) Sic itaque cum divina providentia caducorum stant et

4 subiecta ω. — 8 quare αM; *omm cett.* — 12 potest ω. — 13 mutabilibus EμC. — 15-16 ipsam ed. — 19 universalem ed. — 20 si ed. — divinam providentiam ed. — namque ed; atque M. — 26 habent ed.

eorum contingentia caducorum et potestas liberi arbitrii. Divina enim providentia certa et impermutabilis est secundum illud quod primo et per se respicit; quantum vero ad ea quae secundario et per accidens respicit non |538| certa
5 est. (31) Neque tamen concedimus ipsam esse incertam, quoniam incertitudo praesupponit aliquam cognitionem rei, de qua determinati non sumus; nullus enim diceret aliquem esse incertum de aliquo de quo non considerat. Ast Deus de singularibus caducis nullam prorsus cognitionem habet
10 secundum esse singulare, quare neque ea cognoscit neque de ipsis proprie providentiam habet.

(32) Quare ex dictis manifestum est quomodo cum Dei providentia caducorum stat eorum contingentia, et quomodo non stat; quomodo etiam stat quod in nobis est et
15 quomodo non stat. Unde cum contradictio sit secundum idem, sic vero non sit secundum idem, ideo nulla videtur esse oppositio. (33) Hanc autem sententiam, ut mihi videtur, Alexander, Themistius et Averrois attribuerunt Aristoteli et hanc ipsi insequuti sunt. Et mihi videtur quod haec
20 fuerit Aristotelis mens.

(34) Multi autem viri moribus gravissimi et doctrina eminentissimi viam hanc non approbaverunt, immo valde defectuosam esse dixerunt. Quod enim singularia per se non cadant sub Dei providentia et a Deo non cognoscantur,
25 irrationabile atque impium videtur. (35) Irratio|539|nabile quidem, quoniam si singularia a Deo non cognoscerentur, neque singularium Deus esset causa. Non aliter enim Deus est causa alicuius nisi quoniam cognoscit et vult, ut etiam peripatetici confessi sunt. (36) Verum nihil causatum est
30 quod a Deo non causetur, quandoquidem ipse Deus est omnium prima causa, nedum causa: amplius quoniam secundum illud Deus videtur cognoscere secundum quod causat; causat autem Deus maxime secundum esse individuale,

1 caducorum *om* ed. — 3 quod: quo DG. — 10 quia ed. — 12 est *om* ed. — 16 sic . . . idem *omm* MLδ ed. — ideo *om* ed. — 22 evidentissimi ed. — 25 impium impure δ. — 33 autem: enim δed.

quoniam operationes sunt suppositorum; non enim sanatur homo sed Calias, ut dicitur in I *Metaphisicae*; quare Deus cognoscit Caliam secundum quod Calias. (37) Praeterea sensus cognoscit singulare, quanto igitur magis intellectus
5 divinus. Absurdum enim videtur quod bestiae aliqua cognoscant quae a Deo non cognoscuntur.

(38) Ad haec, quoniam in his dictis videtur esse repugnantia, et quod ‹illud quod› negare contendunt maxime affirment: volunt enim liberum arbitrium et ipsam contingentiam
10 non esse in universali sed tantum in par|540|ticulari, verum universale non salvatur in esse reali nisi secundum sua particularia; quomodo igitur erit in universali necessitas et inevitabilitas nisi necessarium sit et inevitabile in ipsis particularibus? aliter enim universale secundum conditiones
15 reales non dependeret a particulari.

(39) Impium etiam videtur quod Deus singularia non cognoscat quoniam sic auferuntur praemia et poenae, orationes et deprecationes: quis enim praemiabit vel aliquem puniet si eum non cognoscit? quomodo exaudiet preces Socratis si
20 eas non audit?

(*De sectis quinta et sexta.*)

(40) Quare alii dixerunt Dei providentiam non tantum se extendere ad universalia, verum ad omnia particularia quaecunque sint illa. Hi vero bipartiti sunt.

25 (41) (5ª *secta*) Nam aliqui volunt quod cum hoc quod Deus sic omnium curam gerat, scilicet caducorum et non caducorum, universalium et singularium, tamen in caducis est contingentia, et in hominibus salvatur liberum arbitrium. (42) In rebus enim irrationalibus est contingentia

2 quia ed. — 7 Adhuc N. — 8 ‹illud quod› *omm cunct.* — 8-9 affirmant μG ed. — 16 Impium et δ; Impium esse ed. — 24 hii tripartiti ed. — 25 hoc quod *om* γ. — 26 sic *om* γ.

2 *Metaph.*, I, 1. 981 a 15-20. — 22 scil. Christiani (5ª secta) et Stoici (6ª secta) qui universalem de omnibus Providentiam ponunt. — 25 sqq. 5ª secta est Christianorum. Cf. infra p. 150, 18-20.

quoniam quanquam corpora caelestia de necessi|541|tate agant, non tamen de necessitate caduca recipiunt impressionem corporum cælestium; potest enim impedimentum incidere aliunde, et materia esse inobediens. (43) Stante etiam
5 divina providentia de humanis actibus, propter hoc non aufertur libertas voluntatis, quoniam Deus vult et providet sic homines agere; unde quemadmodum provisit, ita homo operatur. Voluit enim homines libere agere et sic homines operantur; quare stante libertate voluntatis, certissima et
10 inevitabilis est Dei providentia. Neque enim operabitur aliter homo quam ipse provisit et voluit; et quoniam libere provisit ipsum operari, et libere operabitur.

(44) Verum quoniam sic dicere, non videtur Dei providentia esse secundum ultimam certitudinem; nam sic providere
15 et sic cognoscere est veluti in genere cognoscere et non in specie (scire enim quod Socrates est peccaturus vel non peccaturus et ignorare quam partem faciet, est perinde ac si quis sciret aliquem esse piscem et ignoraret in qua specie piscis sit), haec autem cognitio est val|542|de levis et satis
20 obscura quae etiam rudibus hominibus debetur, ideo ii, praeter hoc quod dicunt Dei providentiam esse certam et infallibilem quoniam provisit ut libere agant homines, et aliter facere quam faciant possunt, ponunt insuper quod etiam Deus certus est de determinata parte contradictionis.
25 (45) Quod qualiter hoc possit stare non est facile videre; sic enim, ut superius dicebatur, res non cognosceretur secundum sui naturam, et cognitio et cognitum non adaequarentur. Si nanque res in se incerta sit et variabilis, qui igitur fieri potest ut certa et invariabilis de ipsa re cognitio
30 habeatur?

2 agunt ed. — reciperent ed. — 7, 11, 22 provisit *codd*, praevisit ed. — 9 quia ed. — 14 praevidere ed. — 17 ignoraret GL; ignorare *cett.* — 22-23 et aliter . . . possunt *sic* δ ed; et aliter quam faciunt facere non possint γ; et aliter facere non possunt b; etenim aliter facere quam faciant non possunt H. — 28-29 quid igitur M; quod igitur E; quomodo igitur NC; *om* quid I.

(46) Quare subtilissime imaginati sunt quod de Socrate, exempli gratia, peccaturo apud Deum duplex potest haberi consideratio. (47) Una quidem ut respicit futurum et est in sua causa proxima. Et sic Deus non plus cognoscit nisi
5 quoniam potest peccare et non peccare ex libera voluntate sibi a Deo attributa. Unde si secundum istam considerationem Dei cognitio esset certa de determinata parte contradictionis, aliter De|543|us cognosceret aliquod quam sit natura ipsius cognoscibilis; et hoc est impossibile, ut bene
10 arguebatur. (48) Neque ut sic plus ista pars contradictionis est cognoscibilis quam ut dictum est, videlicet quod hoc potest libere a Socrate produci. Sicuti enim de ipso Socrate quatenus est animal non potest plus cognosci quam quod est substantia animata sensitiva; quod si ultra hoc
15 etiam cognosceretur esse rationalis iam egrederemur cognitionem animalis qua animal est; sic et in proposito: si Socrates consideretur qua peccaturus praeter hoc quod libere et contingenter posset peccare, cognosceretur determinate et certe quod peccaret sive peccaturus esset. Tunc
20 aliter Deus aliquid cognosceret quam sua natura exigeret, et sic nedum illa cognitio esset certa, immo et falsa. (49) Sed stando in tali consideratione, resolute et certe cognoscitur quantum est cognoscibile cognoscendo tantum quod potest peccare et mere contingenter et libere, veluti resolutissime
25 scitur aliquod esse animal qua animal est cognoscendo ipsum |544| esse substantiam animatam sensitivam. (50) Potest et alio modo Socrates peccaturus a Deo considerari, non quidem ut est talis effectus in causa, verum veluti egressus a sua

4-5 nisi quoniam: quam quod E. — 18 liber ed. — 22 cognosceretur ω C².

1 Quae opinio Occami videtur esse. Cf. *The Tractatus de praedestinatione et de praescientia Dei et de futuris contingentibus of William of Ockham*, edited by Philotheus Boehner, O. F. M. Franciscan Institute Publications, n. 2. St-Bonaventure, N. Y. 1945 pp. 1-39; praesertim Qu. 1, suppositiones 5ª et 6ª, pp. 13-16. (Cf. etiam infra p. 288 n.). P. Boehner, *Ockham's 'Tractatus de praedestinatione' and its main problems* (Proceedings of the American Catholic Philosophical Association, Vol. 16, 1940, pp. 189-191).

causa proxima et in actu. Et quoniam ut sic non habet rationem futuri, immo praesentis vel praeteriti, Deusque sua aeternitate circuit et continet omne tempus, ideo ut sic Deus est certus de determinata parte contradictionis et ut
5 sic res est firma et inevitabilis, quoniam secundum istam considerationem habet rationem praesentis vel praeteriti quae ut sic mutari non possunt.

(51) Quare cum certitudine divinae providentiae optime videtur salvari contingentia et voluntatis libertas. (52) Ut
10 nanque divina providentia respicit futurum, certissima est secundum quod convenit futuro et quantum exigit natura talis futuri; quoniam ut est futura, res est in contingentia aequali neque plus potest sciri de ea, nisi quoniam contingenter erit. Quod si ut sic aliter sciretur, sciretur aliter quam
15 sua natura sit; quod est omnino impossibile. (53) Si vero consideretur res futura non qua futura est sed ut erit extra suas cau|545|sas et ad actum reducta, sic et Deus certissime scit et solus ipse, quoniam solus ipse sua aeternitate circuit et complectitur omne tempus; quae aeternitas, ut dicit Boe-
20 tius in V *De Consolatione*, tota simul est.

(54) Non igitur repugnant Dei providentia et liberum arbitrium; unde providentia non aufert liberum arbitrium neque liberum arbitrium providentiam; et sic providentia certissima et inevitabilis est. (55) Neque unquam aliter
25 scitur res quam sit natura rei scibilis, neque unquam Dei cognitio est ambigua vel incerta vel in potentia, si cuncta suis et determinatis ordinibus referantur. Unde nullus vere dicere potest aliquem incerte, in potentia et inresolute cognoscere Socratem qua animal est si ipsum cognosceret
30 esse substantiam animatam sensitivam. (56) Quod si talis

11 quantum: secundum quod γ. — 15 sit: scit ed. — 16 qua res futura ω. — 18 quoniam solus ipse *om* ed. — 20 quarto ω; libro C[I]. — 21 repugnant BC; repugnat *cett.* — providentiam ed. — 26 in potentia: impropria ed. — 28 inresolute *om* ed.

20 *De Consol.*, V, pros. 6[a]: «aeternitas igitur est interminabilis vitae tota simul et perfecta possessio» (Peiper, p. 139).

scilicet incerta est in ordine ad hominem vel ad reliquas species, non tamen qua animal est; si enim qua animal est esset cognitio incerta et in potentia, idem esset in potentia ad semetipsum, quod est inintelligibile. (57) Quare si Deus cognoscens futurum qua futurum est in materia contingenti, tantum |546| futurum esse contingenter et nullam partem determinate cognoscat, non dicitur Deus incerte cognoscere futura, quandoquidem hoc non exigit natura futuri qua futurum est. Sicut cognoscens Socratem qua animal cognoscendo ipsum esse substantiam animatam sensitivam et non rationalem, non dicitur esse incertus de cognitione Socratis qua animal, neque diminutus, neque in potentia; quod si aliter cognosceret, ut pote quod etiam esset rationalis, non cognosceret qua animal est. (58) Certissima etiam est sua scientia de futuro non qua futurum est, sed ut est vel erit extra suas causas, quoniam sua aeternitate continet et circuit omnem temporis differentiam.

(59) (*Obiectiones contra* 5^{am} *sectam*) Hic autem modus dicendi procul dubio solus est verus quem nostri Christiani ponunt et affirmant. Verum quanquam, ut nuperrime diximus, hic solus verus sit et multas habeat difficultates de quibus in subsequentibus videbimus, una tamen mihi videtur esse super omnes alias, quae est haec: (60) Quoniam secundum dicta, si apud Deum consideretur futurum contingens |547| qua futurum contingens, tantum scitur ipsum contingenter futurum, neque ut sic determinate sciri potest aliqua pars contradictionis, quoniam egrederetur naturam futuri contingentis, quare esset contingens et non contingens. Modo difficultas stat: Unde est ergo quod secundum illam considerationem non potest certificari de una parte contradictionis, et secundum aliam considerationem, videlicet ut erit extra suas causas, de facto est apud Deum certificatio?

1 scilicet ωC^{I} ed. — 11 esse *om* ed. — 12 animal est γ ed. — 24 contra illum modum ratio gravissima *rubrica in mg.* DFGP, *in t.* H. — 26 scire ed. — 28 esse ed. — et *omm* Lδ ed. — 32 fato E ed.

(61) Certe dici non potest aliud nisi quoniam in prima consideratione non est determinatio ad unam partem contradictionis, in 2ª vero est determinatio ad aliam partem. Quaeritur igitur: A quo dependet et habet esse ista determinatio? 5 an igitur a Socrate peccaturo, an ab ipso Deo? Verisimiliter enim aliud excogitari non potest. (62) Si quidem detur quod illa determinatio est a Deo, tunc duo de necessitate sequuntur. Primum quidem quod tunc Socrates nihil in sua potestate habet quod peccet vel quod non peccet. Nam libertas 10 voluntatis datur a Deo: |548| dat enim Deus quod Socrates possit libere operari; determinatio per concessum est etiam a Deo; tota igitur ista actio a Deo dependet; nihil igitur est quod Socrati attribuatur. Secundum quod sequitur est (et sequitur ex primo) quod Deus in illa consideratione, et 15 antequam exeat effectus ad actum, est determinatus de parte contradictionis, quoniam determinatio totaliter est a Deo. Fatuum est enim dicere quod aliquis dubitet de aliquo, vel nescius sit, cuius totum esse dependet ab ipso et a nullo impediri potest. (63) Si vero detur quod determinatio de- 20 pendeat a Socrate et non a Deo, non minus et duo absurda videntur sequi: Primum quidem quod aliquid sit quod a Deo non dependeat. Hoc autem videtur impossibile; sic enim Deus non esset prima causa universalis a qua omnes causae dependent. (64) Sequitur secundo et ex primo, quod 25 illa determinatio, neque quod sequitur ex determinatione, a Deo cognosci possit; omne nanque quod a Deo cognoscitur et non est ipse Deus, ideo cognoscitur quoniam Deus est causa il|549|lius. Convenerunt enim Philosophi et Theologi ponentes Deum cognoscere alia a se quod ideo cognoscit

14 in *om* ed. — 21 aliquis δ ed (I *correx. in* aliquid). — 22 dependet bC. — 25 sequitur: semper βδ ed; se GH.

28 sqq. Quod vel Averroes atque Maimonides idem sentiant, vid. Maimon., *Dux . . . perplexorum*, III, cc. XXI-XXII (ed. 1520, fol. LXXXIIIv-LXXXIVr-v. Averr., *Metaph.*, XII, t. c. 51 (Comin. de Tr. VIII 351vF). Idem, *Dhamîma*, 3ª ed. L. Gauthier, Alger 1948, passim. Thom. Aquin., *I Sent.*, d. XXXVIII qu. 1, art. 1; *Sum. Theol.*, Iª pars. qu. XIV, art. 8.

quoniam illorum cognitorum est causa; quare orta est illa universalis propositio: Scientia Dei causat res, res vero causant nostram scientiam. (65) Si igitur determinatio illa est a Socrate, aut Deus eam non cognoscit, aut si cognoscit, 5 dependet in tali cognitione ab ipso Socrate, et sic a Socrate cognitionem recipiet; quod non posset esse nisi aliquod novum causaretur in Deo, et cognoscet recipiendo. (66) Si ergo talia incommoda evitare velimus, aut igitur a Deo removenda est humanorum providentia, ut Epicurus et Cicero fe- 10 cerunt, aut omnia fato eveniunt et Deo impellente secundum nexum indissolubilem, ut Stoici apertissime affirmaverunt.

(67) Sed forte ad hanc rationem dicitur minime talia incommoda sequi diciturque quod illa determinatio voluntatis ad unam partem contradictionis est ab utrisque scilicet 15 a Deo et a voluntate Socratis. Quare pro quanto est a Deo, non convincitur aliquod esse quod non a Deo depende-|550| at; unde et a Deo sciri potest quoniam et talis determinationis est causa. Est etiam et illa determinatio ab ipso Socrate quoniam concurrit Socrates ad illam determinationem; 20 et ut sic Deus quoquomodo dependet ab actione Socratis. (68) Quare in prima consideratione de Socrate peccaturo non potest determinate sciri quid Socrates acturus sit, quandoquidem secundum illam considerationem abstrahitur a Socratis determinatione. Et ista mihi videtur esse 25 sententia divi Augustini in V *De Civitate Dei*, et existimo Theologos sic responsuros.

1 cognitorum *om* γ. — est *post* orta *omm* E ed. — 10 quod Deo ed. — 18-19 Unde et cognoscitur a Deo quoniam illius Deus est causa *add post* causa c (*absque* N) H; *omm* Nδ ed. — 20 quomodo ed.

25 V 9 (Dombart I [182, 20] 206): « Sicut enim omnium naturarum creator est (Deus), ita omnium potestatum dator, non voluntatum. Malae quippe voluntates ab illo non sunt quoniam contra naturam sunt, quae ab illo est . . . Quapropter et voluntates nostrae tantum valent quantum Deus eas valere voluit atque praescivit; et ideo quidquid valent, certissime valent, et quod facturae sunt, ipsae omnino facturae sunt, quia volituras atque facturas ille praescivit, cuius praescientia falli non potest ». — *Ibid.*, V 10, (p. [184, 19] 209 4): « Sunt igitur nostrae voluntates et ipsae faciunt quidquid vo-

(69) Verum istud minime videtur satisfacere. Quoniam si ista determinatio est a Deo et a Socrate, sunt igitur Deus et Socrates causa huius effectus. Cum autem istae causae non sint eiusdem ordinis, non enim sunt veluti duo trahentes
5 navim sed sicuti duo subordinata sic quod unum alteri subordinatur; non est autem fingere quod Deus subordinetur Socrati veluti manifestum est, Socrates igitur subordinatur Deo et est veluti instrumentum Dei. Instrumentum autem non |551| movetur nisi secundum modum principalis diri-
10 gentis. Tota igitur ista actio Deo attribuitur nihilque est quod Socrati attribuatur vel imputetur, quandoquidem nihil habeat vel operetur nisi secundum quod a Deo habet vel a Deo movetur. (70) Quod si dicitur ut dici solet: rationem procedere de instrumento tali quale est serra mota a se-
15 cante quoniam totum motum habet a secante, non autem procedit de instrumento quale est voluntas respectu Dei; nam et praeter operationem Dei, habet et propriam. (71) Certe sine aliqua passione loquendo, sermo iste videtur esse inintelligibilis disputatioque sive responsio videtur esse per
20 verba multiplicata et non per significata sive per res. (72) Quoniam quaeritur: Nunquid in voluntate Socratis determinante ad unam partem contradictionis sit aliquid quod non dirigitur et movetur a Deo, aut nihil? Si aliquid, stant priora argumenta, quoniam illius Deus non erit causa, et per con-
25 sequens neque a Deo cognoscetur, neque de illo habebit providentiam; quoniam providentia non potest |552| esse sine cognitione. Si vero nihil est, unde igitur est ista liber-

4 sint: sunt ALδ ed. — 9 motum E (*cf. infra p. 363, 24*). — 14 terra ed. — 16 ab instrumento ed. — 17 proprium ed. — 18 esse *omm* Ied. — 19 intelligibilis βδo ed. — 20 qui significata ed. — 22 in unam ed.

lendo facimus, quod non fieret si nollemus». — *Ibid.*, p. [184, 31] 209, 16 sqq.: «Non ergo propterea nihil est in nostra voluntate, quia Deus praescivit quid futurum esset in nostra voluntate. Non enim qui hoc praescivit nihil praescivit. Porro si ille qui praescivit quid futurum esset in nostra voluntate, non utique nihil, sed aliquid praescivit; profecto et illo praesciente est aliquid in nostra voluntate.»

tas? (73) Quod autem dicitur de illa distinctione instrumenti, certe non video aliquam differentiam inter unum instrumentum et alterum nisi in Socrate ponatur aliquod quod non dependet a Deo et a movente principali; quo dato, stant 5 argumenta superiora.

(74) Profecto quamvis multa immo fere innumerabilia fiant argumenta contra istam positionem multum difficilia, istud tamen mihi videtur esse potissimum, de quo tamen iterum dicetur cum de ista opinione copiose pertractabitur.

10 (75) (6[a] *secta*) Ideo fortassis Stoici huiusmodi difficultates videntes dixerunt incompossibilia esse providentiam et liberum arbitrium, sumendo liberum arbitrium ut communiter sumitur scilicet, quod ex nobis fiat aliquod in qua factione non moveamur ab extrinseco, et ne tantum moveamur, 15 immo in tali actione nihil in nobis est quod non superior movens moveat nos non minus ut secans movet serram. (76) Quare Stoici contrario se habuerunt Epicuro et Ciceroni, qui adhaeren|553|tes libero arbitrio et volentes ipsum salvare, videntes ipsum liberum arbitrium non posse stare 20 cum providentia Dei, ipsam substulerunt de medio. Quare isti magis voluerunt esse impii et sacrilegi quam sine libero arbitrio. At Stoici Epicuro consentientes providentiam non posse stare et habitare cum libero arbitrio, libertatem abstulerunt et providentiam divinam posuerunt volueruntque 25 magis esse servi et ducti quam impii et sacrilegi.

(77) Quare omnia posuerunt fatalia et secundum divinam providentiam dispensari nihilque esse in nobis quod a divina providentia non fiat. Unde si divina providentia necessaria est Deusque de necessitate agat, cuncta quae erunt 30 de necessitate erunt. Si vero Deus contingenter agit, neque res ab eo productae erunt de necessitate, quoniam effectus non potest esse necessarius causa non existente necessaria;

14 moveatur ed. — 18 ipsum N; id M; eum *cett.* — 25 et ducti: dicti ed; deducti N; *om* E.

9 Cf. infra cap. 6; pp. 183-190.

verum effectus erunt necessarii ex suppositione scilicet, quod si agit et rebus providet, res ipsae infallibiliter erunt ut providet. Numquid autem Deus de necessitate provi-|554| deat et agat, infra disputabitur. (78) Et quanquam Stoici
5 negant liberum arbitrium, laudes et vituperia, praemia et poenas secundum modum a peripateticis et a legibus positum, videlicet quod ista sint ex nobis totaliter ab intrinseco et non ab extrinseco, non tamen absolute ea auferunt. Quod qualiter hoc contingat satis abunde dictum est in
10 primo volumine huius libri; non est igitur opus ea repetere.

(79) (*Obiectiones contra* 6^{am} *sectam*) Haec igitur est Stoicorum opinio adversus quam visa sunt multa in primo volumine adducta ab Alexandro et ab aliis communiter. Disputatumque est in eodem libro quantum fuerit pro viribus
15 nostris adducendo argumenta adversus Alexandrum et sua dicta refellendo et ad obiecta per eum respondendo. (80) Verum et praeter illa quae ibi adducta sunt volumus et in praesentiarum adducere alia argumenta adversus eosdem Stoicos.
20 (81) Primo quidem quoniam ex ista positione videtur quod Deus sit omnium crudelissimus, carnifex super omnes carnifices, iniustissimus et denique omni malitia refertus; immo omnis malitiae et de|555|fectus autor, neque videtur quod alium Diabolum vel tentatorem malignum oporteat ponere
25 nisi ipsum Deum. Quid autem inopinabilius? quid stultius dici potest quam talia de Deo dicere? Immo horret animus, membra tremunt, totus homo efficitur extra se in audiendo vel excogitando talia de Deo. (82) Apertum autem est istud secundum Stoicos sequi. Quoniam aut anima humana poni-
30 tur immortalis, aut mortalis. Si immortalis, maxima pars hominum in aeternum cruciabitur in inferno, quibus au-

3-4 providet b δo. — 4 Et: quare ed. — 17 propter ed. — 24 oportet ed. — 28-29 istud ... sequi: secundum Stoicos talia sequi de Deo E.

4 Infra, lib. v, cap. 2; pp. 388 sqq. — 10 Praesertim cc. 11-12; pp. 65-91. — 15 Cf. 1, 6; supra p. 21, 4-13. — 18 Infra solvenda, cap. 7; p. 204, 7 sqq.

tem cruciatibus ineffabile est dicere, veluti dicunt leges. Verum hoc non est ex defectu ipsarum animarum quandoquidem secundum positionem ad talia sunt impulsae ex ipso fato. Verum quid aliud de Deo dici potest nisi ipsum
5 maxime gaudere cruciatibus et in ipsis delectari; ast parum laetari bonis hominum, quandoquidem viri boni sint velut Phoenices in Ethiopia? (83) Quanta etiam sit eius iniustitia non est difficile videre quando aliquos nullo merito praecedente tantum extollit, aliquos vero ex nullo demerito de-
10 primit; quod maxime vide|556|tur iniustitiam concludere. Cum autem omnia mala ab ipso procedant, quid opus est tentatores ponere? Unde et si aliqua bona ab eo procedant, cum bona longo intervallo a malis superentur, aliquisque dicitur malus ex eius operibus, magis Deus nuncupandus
15 est malus quam bonus.

(84) Secundo adversus eandem positionem arguitur: Quoniam secundum positionem esse et posse convertuntur, et non esse et non posse similiter; quo fit ut quae non erunt non poterunt esse, et quae erunt inevitabiliter erunt.
20 (85) Quo fit ut homo qui nunquam ridebit non poterit ridere, et qui nunquam grammaticam addiscet, grammaticam non poterit addiscere; et sic qui non ridebit, non est risibilis, et qui grammaticam non addiscet non est grammaticae susceptivus. Ast qui non est risibilis non est homo, et simi-
25 liter qui non est disciplinabilis. Sed Socrates non addiscet grammaticam, neque ridebit. Ergo Socrates neque est risibilis neque grammaticae susceptivus. Ast iam talis non est homo. Ergo Socrates non est homo; quod est ridiculum dicere.

30 (86) Tertio quoniam in no|557|bis ipsis experimur quod possumus in utranque partem contradictionis. Nam possum et de fato scribere et non scribere; nihil enim videtur

3-4 et ipso ed. — 5 in *om* ed. — 6 hominis ed; hominibus M. — 7 iustitia α. — 9 vero *omm* Lδι ed. — et nullo ed. — 10 iniustum videtur L d ed. — 12 tentatorem G ed. — 18 et non posse *om* ed. — 23 et E; nec *cett.* — 23 non addiscet EμC; addiscet *cett.* — 27 iam *omm* AλC².

quod hoc habeat prohibere. Ergo determinatio videtur esse nostra.

(87) Quarto quoniam si fatum necessitat et est illa connexio a Stoicis ficta, cadit quaestio: Nunquid quando So-
5 crates generatur, ex tali constellatione in Socrate imprimatur aliquid per quod omnia sua opera fataliter exercebit, aut nihil imprimatur? Si vero aliquid imprimitur, nunquid talis impressio continue foveatur ab ipsis constellationibus aut non? Si vero nihil imprimitur quomodo igitur inferiora a
10 superioribus regulantur et diriguntur, immo compelluntur? Nam non est facile intelligere quomodo hoc fiat.

(88) Omnes autem istae difficultates locum habent si etiam humana anima ponatur mortalis, ut patet consideranti.

(89) Cum itaque sex ponantur positiones de fato veluti
15 visum est, nulla videtur esse quae magnas non patiatur difficultates. |558|

Caput secundum in quo disputatur contra primam opinionem ascriptam Diagorae et Prothagorae.

(1) In superiori capite numeratae sunt sex opiniones fati mate-
20 riam concernentes. Ideo in subsequentibus huius libri capitibus sigillatim et peculiari sermone de unaquaque videbimus.

(2) Prima igitur opinio erat quae ut liberum arbitrium salvaret, negavit Deum esse, fortassis sic argumentans: Si Deus est, omnium providentiam gerit. Si omnium providen-
25 tiam gerit, in nobis liberum arbitrium esse non potest. Ast in nobis liberum arbitrium est. Ergo Deus non est. A destructione enim ultimi consequentis ad destructionem primi antecedentis argumentum tenere manifestum est. (3) Minor autem propositio experimento in nobis sumitur.
30 Experimur nanque in nobis esse velle et nolle nullo extrinseco agente. Amplius quoniam ablato a nobis libero arbi-

4 facta γH. — 7 imprimitur M d ed. — 16 angustias γ. — 17 primam *om* ω. — 21 videamus ed. — 26 arbitrium *bis* δ. — 29 proposito ed; *om* N.

trio omnis aufertur humana conversatio veluti est apertum videre; nam iustitia aufertur et per consequens omnis respublica et humana conversa|559|tio. (4) Prima pars maioris est ab omnibus fere concessa quod si Deus est, omnium
5 providentiam gerit; nulla enim causa cogit Deum ponere ex communi omnium consensu nisi quoniam omnis natura ab eo dependet et gubernatur. (5) Secunda autem pars videlicet: si Dei providentia est, tollitur liberum arbitrium, patet per longum processum in superiori capitulo et maxime
10 ex argumentatione facta contra quintam opinionem. (6) Et veluti superius diximus Diagoras fuit huius opinionis assertor, quanquam et alias habuerit opiniones quibus conatus est ad Deum negandum esse, veluti est videre ex primo libro Ciceronis *De Natura Deorum.*

15 (7) Verum mirabile est de hac opinione, quoniam et si multa videantur esse quae non videantur in aliam causam referri quam in voluntatem nostram, multo tamen plura conspicimus quae in nostram voluntatem referre non possumus; immo multotiens adversantur nostrae voluntati, et
20 multotiens apertum est nostram voluntatem in ipsis nihil operari. (8) Veluti est in multis bestiis quibus nos imperare non possumus. Consimi|560|liter in plantis, in mineris mixtis, in perfectis elementis et motibus caelorum. Immo in nostris operibus videmus secundum diversas plagas caeli
25 homines diversimode operari adeo quod una regio habet homines diversos in moribus et doctrinis ab alia regione. Conspicimus et ista sublunaria a superioribus corporibus gubernari sic quod illa dant vitam et mortem. (9) Modo quod tale est Deum appellamus; credimus enim Deum

1-3 veluti . . . conversatio *om* E. — *Post* conversatio *lin.* *1*ª BM *exhibebant* prima pars minoris *sed dell*; *ideo haplographiam* E *evitaverunt.* — 3-4 minoris b (B *ante correct.*) — 10 quartam ω. — 12 habuerit: huiusmodi ed. — rationes ENB. — 15 et *omm* E ed. — 20 his ω C[1]; eis G. — 23 inmixtis ω C. — imperfectis ABμγ. — 26 doctrina ω. — 27 ab ipsis (N *om*) corporibus caelestibus ω.

9-10 Cf. supra pp. 150-154. — 14 Cicer., *De Nat. Deor.*, I, 23 (Mueller, p. 24).

esse cunctorum datorem. Sive modo illud sit corpus sive non corpus, illud evidenter scimus scilicet quod a superioribus inferiora gubernantur. Ergo Deum negare esse est omnino fatuum; Deum nanque esse est motorem universi esse.
5 (10) Ast aliquem vel aliquos esse tales valde perspicuum est, quanquam quot sint et quales sint difficillimum est, ut Simonides Poeta declaravit. Qui cum a Cyro rogaretur ut quid Deus esset sibi manifestaret, dixit post triduum hoc facturum; cumque dies data supervenisset, duplicavit
10 terminum, quo pervento iterum duplicavit, illud insinuans ut |561| quanto magis de Deo consideramus quid sit, tanto magis cognoscimus ipsum a nobis perfecte cognosci non posse. Verum ipsum esse est satis perspicuum; quare insipienter Diagoras Deum negavit esse.
15 (11) Prothagoras autem quanquam ipsi Diagorae proximus fuerit, excusabilior tamen videtur esse cum neque affirmare neque negare Deos esse voluerit. Rationem enim satis apparentem habuit: (12) Cum enim multa bona in mundo videret quae ab alio dependere cognovit (quandoquidem
20 enim in ipsis talia non esse perspiceret, quoniam de novo acquirunt et acquisita amittunt), existimavit haec bona ab alio bono profluere quod in se est bonum et bonitatem ab alio non recipit. Hoc autem videtur esse Deus; quare haec ratio videtur cogere Deum aliquem esse. (13) Verum cum,
25 ex alia parte: Si cuncta ab eo procedunt, cur igitur tot mala permittit fieri? quare dixit: si Deus non est, unde igitur bona? si autem est, unde igitur mala? quare ex hac parte non videbatur Deus aliquis esse; unde modestior fuit

3 regantur E. — 4 mortem F. — 7 Hierone *in Cicer.*; Ciro E; Cirro AM; Cyrro G; Cyro *cett.* — 8 ait E. — (postridie *Cicer.*). — 9 pervenisset δo ed. — 27 igitur *om* ed.

7 Cicer., *De Nat. Deor.*, 1, 22: «Roges me quid aut quale sit deus; auctore utar Simonide, de quo cum quaesivisset hoc idem tyrannus Hiero, deliberandi sibi unum diem postulavit. Cum idem ex eo postridie quaereret, biduum petivit. Cum saepius duplicaret numerum dierum, admiransque Hiero requireret, cur ita faceret: Quia, quanto, inquit, diutius considero, tanto mihi res videtur obscurior» (Mueller, p. 23, 30). Nomen et gesta Hieronis bene nove-

Prothagoras ipso Diagora et |562| habuit rationem magis apparentem.

(14) Verum neque ratio Diagorae cogit ad absolute negandum esse, neque Prothagorae ad dubitandum. Infra nan-
5 que ostendemus cum divina providentia stare libertatem voluntatis, quod Diagoras negavit; et cum Deo autore bonitatis multa mala stare quae non removent Deum a sua bonitate, neque opus esse duos ponere Deos quorum unus est autor boni, alter vero est autor mali, veluti Manicheus et
10 multi alii existimaverunt. Sed haec ad sequentia dimittamus.

Caput tertium in quo impugnatur opinio Epicuri et Ciceronis.

(1) Epicurus autem, cui Cicero consentit, affirmavit Deos esse; verum de humanis, immo universaliter de omnibus
15 nullam habere providentiam dixit. Alia tamen ratione motus est Epicurus, alia autem Cicero.

(2) Epicurus quidem ideo sic dixit quoniam existimavit sollicitudinem et providentiam fastidium et laborem generare; haec autem mentem perturbant, quare et beatitudinem
20 tollunt. At credendum est |563| Deos esse maxime beatos. (3) Hoc autem dixit fortassis Epicurus existimans similiter enuntiandum esse de Diis et hominibus. Cum nanque sollicitudo et providentia in hominibus esse non possit absque maxima vigilantia et sobrietate, quae voluptates corporales
25 a se repellunt in quibus Epicurus posuit summum bonum, ideo si in Diis sollicitudinem et providentiam ponimus, ab eis voluptates et per consequens summum bonum auferemus.

(4) Verum sermo iste ex toto videtur esse corruptus.

6 et: quare ed. — 9 est autor *post* vero *om* ω; est *om* γ. — 10 dimittamus: reservamus ed; *om* M; admittamus E. — 23 possint ed.

rat Pomponatius, qui ea citat in *De Incant.* (ed. 1567, p. 292) ex Iustin. *Histor. Philippic.*, XXIII, 4. Sed illic citantur permixtim Cyrus, Hiero et Hobidis. Cf. supra p. 116, 2. — 8-9 Cf. Averr., *Metaph.*, XII, t. c. 52.

Peccat enim Epicurus, ut in *Ethicis* demonstratum est, hominis summum bonum affirmans consistere in voluptatibus corporalibus et quod nulla sit voluptas in providendo et gubernando. Immo beatitudo politica in hoc consistit.
5 (5) Peccat et idem Epicurus credens eodem modo esse iudicandum de mortalibus et de immortalibus. Quandoquidem mortalia omnia sint subiecta passionibus et alterationibus, ratione materiae a qua mortalia ipsa separari non possunt; immortalia vero sunt omnino intransmutabilia, in quibus
10 nihil involuntarium, nihil cum poena potest contingere, quoniam a materia sunt omnino seiuncta. |564| Immo et ipsis corporibus caelestibus nihil corruptivum accidere potest. (6) Peccat et idem Epicurus existimans beatitudinem consistere in ocio et vacuam esse ab omni operatione; quan-
15 doquidem ut in *Ethicis* dicitur beatitudo Eupraxia sit, i. e. bona operatio, aut sine bona operatione esse non possit. Summum enim bonum est Beatitudo. Ast bonum ipsum communicativum est; quare maxime bonum maxime communicativum erit. Cum autem Deus sit optimum in natura,
20 quomodo igitur, si est sine operatione, communicativus erit? Unde neque optimum in natura esse poterit. Ideo vana et stulta Epicuri opinio abiiciatur.

(7) Cicero vero Deum esse concedens, ab ipso removit providentiam saltem rerum humanarum, ut in hominibus
25 salvaret libertatem arbitrii. Non enim videre potuit quod providentia et liberum arbitrium se compatiantur. Cunque alterum istorum interimendum sit altero stante, et existi-

2 consistere: esse γ. — 13 credens (*post* beatitudinem) ω. — 19 optimus Aδ ed. — 21 esse poterit: erit αM. — 22 obiiciatur ed. — 25 liberum arbitrium γ; libertatem liberi arbitrii ω.

1 Aristot., *Ethic.*, x, 1-5 ubi tamen demonstratio adversus Eudoxum et Speusippum potius quam Epicurum astruitur. Cf. A. J. Festugière. *Aristote. Le Plaisir* (*Ethic. Nicom.* vii, 11-14; x, 1-5). Paris 1947, passim. W. D. Ross, *Aristote.* Paris 1930; chap. vii *Le Plaisir*, pp. 313-319. — 15 *Ethic.*, i, 8. 1098b 22. vi, 2. 1139a 4, 1139b 3. vi, 5. 1140b 7. Vid. etiam *Physic.*, ii, 6. 197b 5. *Politic.*, vii, 3. 1325a 22 etc. *Rhetor.*, i, 5. 1360b 14. Infra p. 438, 15.

mavit manifestum esse in nobis liberum arbitrium, argumento coactus negavit esse providentiam.

|565| (8) Fuitque tale argumentum Ciceronis: Aut non est liberum arbitrium, aut non est providentia. Sed est libe-
5 rum arbitrium, quoniam hoc in nobis sentimus, et eo remoto evertuntur omnia humana. Igitur Dei providentia non est. (9) Fuit et inter Stoicos et Ciceronem concordia in disiunctiva quae est maior, scilicet: Aut non est liberum arbitrium, aut non est providentia. (10) Verum fuerunt in minori
10 discordes. Cicero nanque posuit pro minori esse liberum arbitrium, Stoici vero posuerunt: at est providentia. (11) Quare diversas conclusiones collegerunt; unde Cicero conclusit quod providentia non est, Stoici vero quod liberum arbitrium non est. Unde diximus in primo capitulo quod Cicero
15 maluit esse impius et sacrilegus quam servus, Stoici vero maluerunt esse servi quam impii et sacrilegi.

(12) Verum ut ad nostrum institutum redeamus, Ciceronis sententia non est approbanda. Quoniam in primis aut Cicero vult quod Deus habeat providentiam de aliis ab hominibus,
20 aut non. (13) Si ponat secundum, hoc est manifeste falsum. Quoniam videmus maximum ordinem in corpori|566|bus caelestibus ita quod nihil casuale et praeter ordinem potest contingere in eis; oportet igitur aliquod esse ordinans et providens. Cumque corpora caelestia agant in ista infe-
25 riora, ut experimento manifestum est, et ordinate quantum patitur natura materialis, ideo ordinans corpora caelestia ordinabit et ista inferiora, et sic habebit providentiam de istis inferioribus. (14) Quod autem ordo sit in istis inferioribus, patet per singula discurrenti: in quatuor diversi-
30 tatibus anni et secundum unamquamque diversitatem diversa oriuntur et occidunt; et prolixum esset tantum ordi-

1 manifestum *om* ω. — 3 fecitque ed. — 6 evertentur ed; revertuntur B. — 8 quae est ... arbitrium *om* ed. — 12 colligerunt AMβδη. — 13 Stoici μγ; Stoicus *cett.* — 14 capite NγI ed. — 15 magis voluit γ. — 16 voluerunt ... potius ed. — 20 autem Lδυ. — 25-27 ut experimento ... inferiora *om* M. — 25 et ordinate *om* E. — ordinate: ordinante d.

14 Supra, p. 154, 20-25.

nem declarare. (15) Si igitur de istis inferioribus Deus providentiam habet, quanto magis de homine qui est perfectissimus inter caduca! Non enim verisimile est Deum procurasse de bobus et asinis, de plantis et rebus inanima-
5 tis, et curam non gessisse de ipsis hominibus cum maxime ordine indigeant. Inter enim omnia caduca nihil magis egreditur ordinem quam homo ipse, nihilque magis maiori custodia indiget quam ipse; et non tantum quoad corpus verum et quoad animam. (16) Ampli|567|us consideranti
10 patebit quod haec omnia inferiora sunt propter hominem; quare si Deus de ordinatis ad finem curam gerit, quanto magis de ipso fine! (17) Praeterea experimento comprehendimus Deum curare actus humanos modo instruendo homines in quiete per somnum, modo per divinationes,
15 modo per apparitiones et per innumera ingenia; quae, ut inquit Augustinus, negare arguit insaniam et proterviam. (18) Unde longe apud me minus malum est negare in nobis esse liberum arbitrium et nos esse servos quam negare providentiam et esse sacrilegos. Unde mihi probabilior vi-
20 detur esse Stoicorum opinio quam Ciceronis.

(19) Verum quantum sit de illa ratione, et praecipue de maiori, scilicet: Aut non est providentia, aut non est liberum arbitrium, neganda est. Quare, quomodo providentia et liberum arbitrium simul stent, in subsequentibus co-
25 nabimur manifestare. Dico tamen quod si maior esset necessaria, magis negandum est esse liberum arbitrium, quod fecerunt Stoici, quam negandum providentiam, quod fecit Cicero. Malo enim esse servus quam sacrilegus.

(20) Et quoniam inter loquendum dicebatur: Si Deus

2-3 nobilissimus ed. — 7 magis *omm* EN. — maiori *om* γ. — indigeat δηM αβ. — 14 immo per divinationes d ed. — 15 innumerata ed. — 23 quare δ; et N; quod *cett.* — 25 demonstrare A; ostendere EN. — 24-26 conabimur . . . negandum *om* M. — 26 est: esset ELγ; ideo M. — 29 loquendo EMβC².

15-16 Cf. *De Genesi ad litt.*, XII, 6. (PL 34, 458 *sqq*). — 18 m: « Utrumque malum, utrumque sacrilegium et hic homo (*unum verbum illeg.*) impius est ». — 24-25 Cf. infra IV, 1; pp. 325 sqq.

habet pro|568|videntiam de humanis actibus, unde igitur tot mala proveniunt? nam aut hoc erit ex inscitia et inefficacia providentiae divinae quae ad omnes humanos actus non potest se extendere, aut si potest, impeditur ab aliquo;
5 aut subiectum non est susceptivum talis ordinis. (21) Certe argumentum optimam expostulat difficultatem quam in posterum discutiemus; ideo usque ad illam partem differatur. (22) Scias tamen quod quidam peripatetici non sunt multum remoti ab isto errore. Dico autem istos peri-
10 pateticos esse magis ex confessione eorum quam ex ipsa re. Ponunt enim Deum nullam habere actionem ad extra sed tantum intelligere et amare se. Ex quo sequitur: Si Deus tantum se intelligit et amat, de nullo providentiam habet, quandoquidem providentia de aliquo ponit cognitionem de
15 illo. Et per consequens Deus nullam habet operationem ad extra; et sic consentiunt Epicuro. (23) Trahunt autem et in hunc errorem Averroem, qui ubique adversus tales reclamat. In Prohemio enim *Phisicorum* vult idem esse |569| primam formam, primum agens, et primum finem, idemque repetit
20 II *Phisicorum*, commento 73, et XII *Metaphisicae*, commento

5 susceptivum d ed; receptivum b. — 6 optimam bG; optimum δο ed; quamprimum C. — 11 reponunt ed. — 19 repetit in ω.

6-7 Infra lib. III, c. 11 sqq.; pp. 280 sqq. — 18 Averr., *Prohem. Physic.*, (Comin. de Tr. IV fol. 1rB). — 20 *Physic.*, II, t. c. 73 (Comin. de Tr. IV 60v) nihil tale huic continet: sed t. c. 74 (Comin. de Tr. 61rAB) ostendit Averroes quidditatem rei esse finem generationis de quo Aristoteles *Physic.*, II 7. 198a 22 sqq. innuit dicendo quod reducuntur tres causae scil. finalis, formalis et immediate effectiva motus, ad unam tantum secundum numerum (i. e. quidditatem rei). Cf. *ibid.*, t. c. 70 (59v F): « Et multotiens reducuntur tria ad unum. Id est et accidit in scientia naturali ut tres causae, scil. agens et forma et finis sint unum secundum subjectum et plures secundum definitionem; et hoc accidit quoniam cum naturalis voluerit reddere causas generationis, non causas generabilium, et generatio est ab aequali in specie, verbi gratia: quoniam homo generatur ex homine, ideo generans et generatum sunt unum secundum formam, et forma generata est finis motus materiae ab agente, et sic ista forma erit agens, et finis, et forma ». Cf. etiam Averr., *Metaph.*, XII, t. c. 6. (Comin. de Tr. VIII 378vD): « . . . primum movens . . . est principium substantiae sensibilis secundum formam et finem. »

6. Secundo quoque *De Generatione*, commento ‹52› sic scribit in fine illius commenti: «Ponit enim Aristoteles formas agentes, quamvis esse earum apud ipsum sit aliud ab esse earum apud Platonem. Differt quidem a Platone in
5 modo essendi formas et in modo actionis tantum, non in esse earum simpliciter, neque in actione earum simpliciter». Et in XII *Metaphisicae* commentis 18, 36 et 41, apertissime idem confirmat; commentis quoque 51 et 52 eiusdem XII *Metaphisicae* apertissime ponit Deum sollicitari circa haec
10 inferiora ut suo modo convenit. (24) Themistiusque et Alexander idem confirmant, in pluribus locis. Alexander nanque in *Quaestionibus Naturalibus*, in questione *de divina sollicitudine*, vult Deum sollicitari circa unamquamque speciem horum inferiorum; de unoquoque autem individuo
15 ut est sub specie et non in propria forma. Themistius quoque posuit naturam agere qua|570|si rememoratam et a Deo directam.

1 6: 8 ed. — ‹52› : 51 *sic cunct.* (*cf. citat. infra*). — 3 apud eum ω. — 5 (actionis earum tantum: *Comin. de Tr.*). — 7 18: 15 γ ed. — 12-13 providentia vel *post* divina *ad* ω. — 16 posuit *omm* δo ed. — memoratam Bδ.

1 *De Gener. et Corrupt.*, II, t. c. 52 (Comin. de Tr. V 309rA) ad verbum. — 7 *Metaph.*, XII, t. c. 18 (Comin. de Tr. VIII 325r-326v); t. c. 36 (Comin. de Tr. VIII 337 r-v), vid. infra p. 236, 1; t. c. 41 (Comin. de Tr. VIII 341r-342v). — 8 *Metaph.*, XII, t. c. 51 (Comin de Tr. VIII 351v F); t. c. 52: «Et veritas est in hoc quod sollicitudo est, et quod si aliqua sunt sine sollicitudine, proveniunt ex necessitate materiae, non ex diminutione agentis: ita quod hoc excitat quosdam ad dicendum duos Deos esse, quorum unus creat bona, et alius non bona» (Comin. de Tr. VIII 352v F). Cf. etiam t. c. 37 (infra p. 169 n.). — 11 Alexand. Aphrod., *Quaestiones naturales*, II, 21: «Non esse per accidens Providentiam iuxta Aristotelem» (Bagol., Veronae 1516, fol. F^{6}v-F^{10}r. Alexandri Aphrodisiensis *Quaestiones naturales et morales et de Fato* ... Hieronymo Bagolino ... et Ioanne Baptista filio interpretibus. Venetiis, ap. H. Scotum. 1559, pp. 21-22. Ed. I. Bruns [Supplementum Aristotelicum ... II, pars II^{a}], pp. 65-71). Cf. etiam. *Quaest. natur.*, I, 25 (ed. Venetiis 1559, p. 13; I. Bruns, pp. 39-41). — Averr., *Metaph.*, XII, t. c. 18: «Natura facit aliquid perfecte et ordinate, quamvis non intelligat quasi esset rememorata ex virtutibus agentibus nobilioribus ea, quae dicuntur intelligentiae» (Comin. de Tr. VIII 326v E). Locum autem in Themistio reperire nequivimus.

(25) Auferunt quoque tales a Deo beatitudinem, quandoquidem beatitudo et maxime divina sit summum bonorum. Ast bonum communicativum est. (26) Auferuntque a Deo sapientiam: sapientiam enim Aristoteles existimavit maxime 5 gubernatricem et dirigentem, quod non est opus finis sed efficientis; in finem nanque est directio, et finis non est dirigere, sed intellectus et efficientis. (27) Sequuntur et ex positione infinitae aliae absurditates quas enarrare vel adducere stultius et absurdius est quam ea quae ex ipsis se- 10 quuntur. Quam levissimis autem et frivolis moveantur rationibus non est opus referre, quandoquidem vix balbutiens in philosophia eas sperneret; quare non est opus hic eas interponere. Et certe haec opinio aut opinione Epicuri deterior est, aut non minus absurda.

15 *Caput quartum in quo impugnatur tertia opinio quam Chalcidius Aristoteli ascripsit.* |571|

(1) Altera vero et in numeratione tertia fuit opinio quae ponebat divinam providentiam tantum se extendere usque ad aeterna secundum individuum, qualia sunt corpora cae- 20 lestia et intelligentiae; caduca vero, qualia sunt sublunaria non cadunt sub divina providentia eo quod ista incerta et variabilia sunt, quae longe remota sunt a divina scientia. Cum enim haec aliquando sint et aliquando non sint, secundum eorum ortum et interitum generaretur et corrum- 25 peretur scientia in Deo; quod nephas est de eo cogitare. (2) Haec autem positio proculdubio sic intellecta ut verba sonant, et in se est falsa, et perperam Aristoteli ascribitur. (3) Falsa quidem et se ipsam destruit. Nam apertum est

2 et beatitudo δο ed. — maxima M ed. — summum bonum d ed. — 3 Auferunt quoque ω. — 7 intelligentis C. — 13 aut opinione *omm* M ed. — 15 quae ed. — 24 intentum ed. — 25 eo Gδ ed; deo bCH. — 26 positio AMβγH (C *post correct.*); propositio NCδ ed (C *ante correct.*); potentia E. — 28 se: si ed.

28 Cf. *Meteor.*, I, 2. 339a 20; *Phys.*, VIII, 6. 259b 31 sqq. Vid. P. Moraux, *Alexandre d'Aphrodise* . . . p. 159 sqq. Emilio Oggioni, *Aristotele. La*

experimento et ex Astronomorum et Philosophorum scientia hunc sublunarem orbem contiguum esse illi superiori omnemque virtutem ab illo derivari in haec inferiora; quo fit ut illa ordinata sint in haec inferiora, saltem secundario,
5 et esse instrumenta Deorum ut agant in haec inferiora. Verum quis est adeo hebes ut non intelligat instru|572|mentum percipi non posse absque fine in quem instrumentum ordinatur? Immo instrumentum neque est intellectum neque intentum nisi ratione finis. Quare cum illa divina corpora
10 ordinentur in ministerium horum inferiorum, quomodo illa cadere possunt sub divina providentia et non ista inferiora? Secator igitur intendit serram et non secationem; quo nihil stultius aut dici aut excogitari potest. Non solum igitur positio est falsa sed pugnantia includens.

15 (4) Quod autem haec opinio sit remota et a sensu et a verbis Aristotelis non est grave neque obscurum videre. Quandoquidem Aristoteles in II *Phisicorum* apertissimis rationibus contendit ostendere naturam agere propter finem non minus quam ars ipsa agat. Et in VIII *Phisicorum*, ex motibus inferio-
20 ribus devenit in motum aeternum, immo et in indagationem caeli. Ostenditque in eodem VIII corruptibiles hos motus non posse perpetuari nisi conserventur a motu aeterno et a suo motore, et quod omnia haec inferiora sunt in prima materia tanquam |573| in subiecto et in primo motore tanquam in
25 agente. Quae omnia repetit et in XII *Metaphisicae*. In secundo quoque libro *De caelo* multas dubitationes solvit de ipsis corporibus caelestibus ex ordinatione ipsorum in haec inferiora,

1 Physicorum ed; *om* E. — 7 quam Bδo ed. — 10 ordinantur ed. — 15 quod: quam FBed; quum LM. — 16 neque: et ed. — 20 immo *om* αMγ. — devenit Nγ; deveniat *cett.* — 21 octavo Physicorum ed. — 25 XII: 2° ed. — Metaphisice et ed.

Metafisica, trad. di P. Eusebietti, con una Introduzione. Padova, 1950, pp. 351; 353-354; P. Duhem, *Le Système du Monde*, IV, pp. 533-534. — 17 *Physic.*, II, 8. 199 a 15 sqq. — 19 *Physic.*, VIII, 6. 258b 29 sqq. — 21 *Physic.*, VIII, 6. 258b 26-29. — 25 *Metaph.*, XII, 6-7. 1071b 3 - 1073a 14 (praesertim 1072b 14). — 26 *De Caelo*, II, 3. 286a 2 sqq.

ut pote cur multa sint, cur diversis motibus moveantur, et de multis aliis quas prolixum esset enarrare. Unde Alexander et Averrois ibidem notaverunt Deum sollicitari circa haec inferiora. In libro quoque *De Bona Fortuna* ostendit volun-
5 tates humanas a Deo moveri, et in *Moralibus* viros studiosos esse Dei amicos. (5) Et multa alia hic adduci possent quae falsitatem positionis ostendunt. Sic enim imponere Aristoteli est se parum exercitatum in eius libris ostendere et declarare. Ad rationem vero eos moventem, in subsequenti capi-
10 tulo solvetur.

Caput quintum in quo disputatur de quarta opinione quae vere Aristoteli ascribitur.

(1) Alexander itaque, Themistius, A|574|verrois et multi ex nostratibus a Chalcidio dissentientes, aliam existimaverunt
15 esse Aristotelis opinionem. Crediderunt nanque Deum omnium caducorum et non caducorum curam gerere. (2) Cum

1 cur αβ MG (*Cf. De Caelo*, II 3); cum NCδo ed. — 13 *Cod. B* (*fol. 41r*), *manu correctoris sequentem adnotationem fert*: « Contrarium inquit Alexander: et Averrois. Igitur non memini (meminit? *mg. hic excaesa*) recte. Ex libro de Providentia Alexandri, et ex 52 et 54 commento undecim a. patet: quod dixi ». Cf. supra, p. 145, 17.

2-3 Vid. supra p. 165. — 4 *Liber de Bona Fortuna*: cf. supra p. 48, 12 n. — 5 *Ethic.*, X, 9. 1179a 22-32 (Comin. de Tr. III 313v D). Averr., *ibid.* (Comin. de Tr. III 314v D). — 13 Cf. Alexand. Aphrod., *Quaestion. Natur.*, II, 21: « Non esse per accidens providentiam iuxta Aristotelem » (H. Bagolino Interprete . . . Veronae 1516, ff. F6v.-F10r), v. g. fol. F6v. Vid. Append. VII. Adhuc nobis non comparuit utrum unus et idem Alexandri liber sit ille qui apud Arabes *Liber Alexandri de Providentia* vocabatur (J. G. Wenrich, *De auctorum graecorum versionibus* . . . , II, 277; M. Steinschneider, *Die arabischen Uebersetzungen* . . . p. 95, n. 8; H.-P.-J. Renaud, *Les manuscrits arabes de l'Escurial* . . ., t. II, fasc. 2, 1941, pp. 9-10. Cf. Append. III), et ille qui a Maimonide *Liber de Regimine* citatur (*Dux Perplexorum*, ed. Iodoci Bad. Ascensii, Lutet. Paris. 1520, fol. LXXIX*v*, cap. XVII; ed. S. Munk, *Le Guide des Egarés*, III, chap. 16, p. 111), atque ille qui in latinam linguam translatus est saec. XII sub titulo: *Alexandri Affrodisei ad imperatores antoninum et severum liber de fato* (mss: Paris., BN lat. 16096, ff. 139v-149r; Corp. Christ. Coll. 243, ff. 64v-77v; cf. M. Grabmann, *Mittelalterliche lateinische Uebersetzungen von Schriften der Aristoteles-Kommentatoren* . . . in Sit-

nanque totius entis sit causa in genere causae finalis, efficientis et exemplaris (quod quoquomodo in causam formalem annumerari potest), non autem causat nisi intelligendo et volendo; hoc autem apertum est opus esse provi-
5 dentiae; quare cuncta et caduca et non caduca divinae providentiae subiiciuntur nihilque est neque esse potest in universo quod eius providentiam subterfugere possit.

(3) Verum cum altera sit natura caducorum a non caducis, ideo et aliter caduca a non caducis suae providentiae subii-
10 ciuntur. Non caduca enim sunt aeterna, et secundum individuum, et secundum speciem, quoniam in eis non differt individuum a specie; quare et secundum individuum et secundum speciem veniunt in divinam providentiam. Ast caduca tantum secundum speciem sunt aeterna; generabilia
15 autem et corruptibilia sunt secundum individuum. Quo fit ut de caducis tantum sit providentia secundum speciem et nullo modo secundum individuum nisi quatenus in-|575| dividuum sub specie continetur. (4) Non enim individuum primo et directe potest cadere sub Dei providentia. Tum
20 quoniam materiale est et signatum, quod Dei immaterialitati repugnat cum sit actus purissimus. ‹Tum› quoniam individuum quandoque est, quandoque non est, quod cum Dei immutabilitate stare non potest; nam quando esset vel

6 neque: vel ω. — 8 fit ed. — 9 ideo et aliter caduca a non caducis *om* ed. — 11-13 quoniam . . . speciem *omm* γ ed. — 14 tamen ed. — 19-2 tum quoniam . . . caderet *om* N. — 20-22 et signatum . . . individuum *omm* αM. — 21 ‹tum› : tunc *cunct.* (*haplog. in* ω). — 22 quandoque est *omm* B ed.

zungsberichte der Bayerischen Akademie der Wiss., Philosoph.-histor. Abteil., Jahrgang 1929, Heft 7, pp. 48-61). Vid. supra, p. 89, 18 n. et Append. III. De Alexandri in opinione de fato et providentia variationibus vid. Paul Moraux, *Alexandre d'Aphrodise. Exégète de la Noétique d'Aristote.* (Bibliothèque de la Faculté de Philosophie et Lettres de l'Université de Liège, Fasc. 99) 1942, pp. 195-202. De Averrois opinione, cf. *Metaph.*, XII. t. c. 37 (Comin. de Tr. VIII 338v F); t. c. 51; t. c. 52 (supra p. 165, 2). T. c. 54 ut scribit adnotator codicis B existere non videtur. Cf. tamen *Dhamîma*, ed. Léon Gauthier, infra p. 171, 6 n. Idem, *Destruction. Destructio*, disp. XIII, sol. 1ª (*Opera*, Venetiis, 1550, vol. IX, fol. 50r a-b).

futurum esset, de eo posset esse providentia, cum vero praeteriisset, non amplius sub providentia caderet (quis enim diceret de praeteritis providentiam esse?). Tum et 3° quoniam individua sunt infinita, quod cognitioni et comprehen-
5 sioni adversatur, quandoquidem infinitum qua infinitum est cognosci non potest. (5) Quod si caducum secundum speciem capiatur, immateriale erit, et sic dei immaterialitati non repugnabit; erit etiam semper et necessarium, quoniam universale semper est et ubique erit; et finitum, quo-
10 niam in unaquaque specie est unum tantum et numerum specierum secundum actum finitum esse demonstratum est in I *Posteriorum* et II *Metaphisicae.*

(6) Un|576|de sciendum est quod de hominibus, exempli gratia, triplex potest haberi cognitio quantum spectat ad
15 propositum. (7) Uno modo in singulari, ut puta de Socrate et Platone et sic de reliquis; et huiusmodi cognitio non per se facit ad perfectionem rei. Quod enim aliquis centum homines cognoverit, non ideo est plus perfectus in cognitione hominis quam qui tantum decem cognoscit, caeteris paribus.
20 (8) Altera vero est cognitio secundum quam homo cognoscitur secundum praedicata supra hominem, et non secundum quod est homo. Et quamquam haec cognitio sit necessaria pro perfecta hominis cognitione, non tamen ipsa est perfecta et secundum quod ipsum, sed tantum in potentia et
25 secundum aliud. Cognoscere enim hominem qua animal est, non est secundum quod ipsum cognoscere; consimiliter cognoscere hominem qua Socrates vel Plato, ut dicitur I *Posteriorum*, capitulo: « Oportet autem non latere, quo-

1, 2 divina providentia (*bis*) αM. — 2 dei providentia G. — praeteriisset ed (G praeteriiset); praeterisset *cett.* (N. *haplog.*). — 3 etiam ed; *om* E. — 4 quod: vel ed; *om* M. — cogitationi ω; cognationi L. — 5 adversantur ed. — 9 infinitum ed. — 15 Sorte E. — 21 super LD ed. — 28 etc. *post* capitulo *ad* ed.

12 *Post.*, I, 20-21. 82 a 20 sqq. *Metaph.*, II, 2. 994a 1. — 28 *Post.*, I, 5. 74a 4-6. « Oportet autem non latere quod plerumque contingit peccare et non esse quod monstratur primum universale » (Comin. de Tr. II 24r C).

niam multotiens contingit peccare et non esse quod demonstratur univer|577|sale primum». (9) Tertia vero est cognitio qua homo cognoscitur qua rationalis est; et haec est perfectissima quam Deus de omnibus habet rebus: unamquam-
5 que enim rem perfectissime sic cognoscit. Quare Averrois XII *Metaphisicae*, commento 51 dicit: Sollicitudo divina non est circa universalia, quoniam illa cognitio est in potentia et imperfecta; neque circa singularia, quoniam ipsa sunt infinita quae cognitioni repugnant; relinquitur igitur ut sit
10 media inter haec. Modo nulla talis est nisi quae est secundum speciem. (10) Non dico autem talem speciem sumptam esse ex abstractione ab ipsis singularibus, quoniam hoc repugnat Deo. Immo est haec ipsa mens divina, sed tantum est repraesentativa principiorum speciei et non individui;
15 et est idea rei fiendae ad modum Platonis, licet aliqua sit differentia inter Platonem et Aristotelem ut superius patuit ex commento ‹52› II *De Generatione* per nos citato. (11) Et ista quamquam taliter sit universalis, non tamen dicitur esse in potentia et imperfecta per comparationem ad
20 singularia, |578| quoniam et si sit universalis, est tamen ultima et determinatissima in ordine scibilium. Et omnium est perfectissima, quoniam scire in singulari proprie non est scire, neque facit ad perfectionem cognitionis per se; et si in hominibus videatur facere, non tamen facit nisi
25 quatenus ex singularibus cognitionem specierum habemus.

1-2 demonstrabatur δ ed; demonstraretur G; (*Comin. de Tr.* monstratur). — 2 est ea cognitio ed. — 12 ex: ab E ed. — 13 sed: que M; et H. — sed tantum: secundum α N; secundum quod C². — 14 est *om* N. — 17 51 *cunct.* (*cf. supra p. 165, 1 n.*) — 18 universalis c (realis *in textu*, universalis *in mg.*, G); rationalis H; realis δ ed. — 23 ad *om* ed.

6 *Metaph.*, XII, t. c. 51. Vid. Append. VIII. Cf. Ibn Rochd (Averroès). *Traité décisif* (*Façl el-maqâl*) *sur l'accord de la religion et de la philosophie. Suivi de l'appendice* (*Dhamîma*), ed. Léon Gauthier. Bibliothèque arabe-française. 3e éd. Alger 1948, pp. 34-38. Vid. supra p. 169 n. — 16 Supra p. 165, 2.

Propter quod iussit Plato ut descendendo a generalissimo ad specialissima quiescamus, tanquam ille sit terminus scientiae et finis perfectionis scientificae. Quare modus iste cognoscendi maxime Diis convenire videtur et non alteri.

5 (12) Unde per hoc non est difficile respondere ad ea quae adversus hanc positionem superius adducta sunt.

(13) Ad primum enim cum dicebatur quod si singularia a Deo non cognoscuntur et non cadunt sub divina providentia, tunc singularium Deus non esset causa. Dicitur quidem 10 Deum causam esse singularium et ipsa singularia a Deo cognosci ut convenit naturae divinae; modo ei convenit tantum scire secundum speciem et non secundum individuum, |579| ut patuit per rationes superius adductas. (14) Quare et Aristoteles in Prohemio *Metaphisicae* assignans conditiones 15 sapientis dixit: Sapientis est scire omnia ut contingit i.e. ut convenit et possibile est; et loquitur non simpliciter. (15) Neque oportet si sensus potest hoc facere, quod et intellectus; homo enim peccare potest, non tamen Deus; neque sequitur si posse peccare est perfectius quam non 20 posse peccare in mortalibus (quoniam inter mortalia solus homo potest peccare qui est perfectior caeteris mortalibus), quod absolute posse peccare sit perfectius. Quare cognoscere singularia singulariter non est perfectionis divinae.

(16) Cum autem ulterius quaerebatur: Quomodo cum 25 causatur Socrates secundum esse individuale a Deo, non cognoscitur secundum esse individuale; huic quidem dicitur hoc non oportere. Declaratum est nanque in II *Phisicorum*

1 propterea C; praeterea Gδo ed. — 4 diis ipsis ω B. — 5 ea: argumenta γ. — 8-9 divinam providentiam ed. — 16 possibile ed. — loquitur *omm* αβN. — 17 haec ed. — 20 mortalibus: animalibus E.

1 Cf. *Lib. Praedicabilium Porphyrii*, II (Comin. de Tr. I 3v D): « Quapropter usque ad specialissima a generalissimis descendentes iubebat Plato quiescere. » Vid. etiam Aristot., *Phys.*, I, 1. 184 a 23-24; 5. 189a 5-7; *Post.*, I, 2. 72a 1-5; *Metaph.*, V, 11. 1018b 30-34. — 6 Supra, cap. 1; p. 145, 21 sqq. — 15 *Metaph.*, I, 2. 982 a 8 sqq. (Comin. de Tr. VIII 8v F - 9r B; non ad verbum). — 20 m: « melius dices posse peccare non esse perfectionis sicut posse non esse ». — 27 *Physic.*, II 8. 198b 34-36; 199a 20 sqq; 199b 26 sqq.

quod artes non deliberantes causant multotiens singulare et quasi semper, et tamen de tali causato non deliberant neque animadvertunt. (17) Veluti est vi|580|dere de mulieribus filantibus quae considerant de amoribus suis et tamen non 5 impediuntur a proprio opere. Et multi dicunt memoriter officium Psalmorum, nihil animadvertentes de verbis quae loquuntur; immo quod mirabilius est, si animadvertunt, multotiens nesciunt prosequi. Et hoc fit ex consuetudine et ubi fiendum non habet impedimentum. Quanto igitur magis 10 hoc dici potest de Deo! Determinatur autem factio Dei ad hoc et non ad illud ex corpore hoc et hoc loco et hoc tempore, ut etiam dicunt Albertus et Thomas.

(18) Cumque dicitur contingentiam non posse esse in particulari nisi sit in universali, dicitur hoc esse falsum. 15 Universale enim necessarium est esse, quare non potest non esse; multaque contingunt universaliter quae repugnant particulari et e contra.

(19) Cumque ulterius dicebatur: Quomodo universale necessarium est esse si non sit necessarium esse aliquod parti- 20 culare? Huic dicitur necessarium esse aliquod indeterminatum tantum, determinate tamen nullum particulare materiale necessarium est esse; et hoc sufficit pro esse reali universalis. Quare tota contingentia salvabitur in particularibus determinatis, non autem in particularibus indeterminatis, quae 25 sunt quasi ipsa universalia.

(20) Neque recte inferebatur adversus o|581|pinionem de impietate quoniam Deus non reddet debita praemia et debitas poenas, vacuaeque erunt orationes et deprecationes quoniam non fiunt praemia et poenae et non exaudiuntur 30 orationes si Deus illa non cognoscit. (21) Profecto nullum

5 ab opere suo ed; ab opere proprio γ. — 7 admirabilius E ed. — 8 loqui E. — 13 contingentia ed. — 16-17 particulariter C. — 19-22 si non sit . . . necessarium est esse *om* ed. — 20 huic dicitur . . . aliquod *omm* Nδo ed. — 22 reali: rei γ; mali ed. — universaliter C[I]AM. — 24 non autem . . . indeterminatis *omm* Hed. — 27 reddit N ed. — 29 et poenae C, *omm* et *cett.*

12 Albert. Magn. — Thom. Aquin.: quorum autorum loca hic ci-

istorum sequitur. Iam enim dictum est haec omnia a Deo cognosci secundum speciem, quare et secundum speciem virtutes praemiantur, vitia puniuntur, orationes exaudiuntur a Deo; sed secundum causas particulares in singulari exi-
5 guntur et complentur. (22) Ut autem hoc apertius intelligatur, sumatur hoc accommodatum exemplum: In regno bene regulato praeest Rex qui leges sanctas condidit in universali; ut pote qui pro patria viriliter pugnabit centum habeat talenta, qui in praelio fugiet mulctabitur centum talentis; qui
10 supplex ad nos venerit veniam consequatur, qui rebellis est capite puniatur. Stantibus istis legibus in universali, stat quod Socrates vel quis alter praemietur, puniatur, veniam consequatur et non consequatur ex lege universali Regis, quamquam Rex ipse nihil sci|582|at de Socrate, immo nun-
15 quam aliquam considerationem de eo habuerit sed hoc factum sit per eius ministros. (23) Quare sic et in Deo contingit, ut est apertum videre; per particularia nanque et determinata haec exiguntur et determinantur. Quod maxime videtur eius maiestati convenire; immo aliter faciendo vide-
20 tur transire in dedecus Dei. Hoc autem maxime apparet in regibus, quoniam quanto maiores sunt Reges tanto magis per ministros et interpretes operantur. Immo si hierarchia ecclesiastica similis est caelesti, ut placuit magno Ariopagitae, maxime hoc convenit Deo.

25 (24) Utrum autem casualia et quae monstruose dicuntur fieri subiiciantur divinae providentiae? Alexandro placuit quod non, ut visum est in primo libro. Et Alexandro videtur consentire Averrois. In XII nanque *Metaphisicae*, commento

2 species d ed. — 8 repugnabit ed; pugnaverit N. — habebit N. — 10 consequetur ω. — 11 his ed. — 12 quivis BHγ; aliquis E; *om* N; quis AMLδ ed. — praemietur *sic* N ed.; praemiatur *cett.* — 13 et non consequatur *omm* L ed. — 26 subiiciuntur ω ed. — 28-1 commento 2 ed.

tata non invenimus. — 6-7 Cf. Ps.-Aristot., *De Mundo*, 6. 398 a 1 sqq. *Platon. Tim. interprete Chalcidio*, c. 179 (Wrobel p. 228). — 20 sqq. Cf. Ps.-Aristot., *De Mundo*, 6. 398b 3 sqq. — 23-24 Sancti Dionysii (Areopagitae). *De Ecclesiastica Hierarchia*, cap. 1 § 2 (PG 3, 371-372). — 26-27 Supra 1, 6 (Alexandri cap. 5); p. 19, 16 sqq.; 21, 16-18.

52, sic scribitur: «Veritas est quod est sollicitudo et quod si aliqua sunt sine sollicitudine, proveniunt ex necessitate materiae, non ex diminutione agentis». Secundum igitur Averroim, monstruosa non cadunt sub divina so|583|llici-
5 tudine. Haec igitur secundum praefatos peripateticos est sententia Aristotelis.

(25) Mihi quoque ita videtur esse proculdubio de ipso Aristotele censendum, quanquam sine erubescentia et timore hoc dicere nequeam et more oratorum mihi caput
10 operiendum sit, cum temerarium et stultum videatur tanto philosopho adversari, ridiculumque est pulicem elephanto contraire. (26) Impetrata tamen venia in hoc dicam (non quidem per modum determinationis sed magis dubitantis et scire cupientis et intendentis) quae mihi difficultatem in
15 his dictis ab Aristotele facere videntur. Quae et si fortassis aliis admodum levia et facilia videantur, mihi tamen sunt admodum gravia et difficilia. Et utinam alii bene solvant et eruant me a tanto errore!

(27) Et incipiendo ab ultimo, scilicet: Quod monstruosa
20 et quae sunt casualia et universaliter accidentia per accidens non cadant sub divina providentia, mihi istud videtur esse falsum et omnino carens ratione. (28) Verum quoniam satis abunde de hoc disputavimus in primo capite de casualibus in pri|584|mo volumine istius operis, neque adversus hoc in
25 praesentiarum mihi meliores succurrunt rationes, ideo pro nunc me abstinebo, ne idem bis dicatur. Mihique videtur esse magis consentiendum nostris theologis quam ipsis peripateticis. Et dico non tantum ex fide sed ex puris naturalibus, videlicet quod in ordine ad causas secundas talia sunt per

1 sic scribitur *om* γ. — 2 si *sic* ELμγ (*Comin. de Tr.*); *omm* ABδo ed. — 4-5 divinam sollicitudinem ed. — 7 quoque: tamen non N. — opinio perreti *B ad in mg. ead man.* (*man.* 6ª). — 7-8 de ipso Aristotele *om* N. — 13 determinatis C² N. — 16 aliis *omm* ENδo ed. — viderentur EMδ ed. — 23 supra disputavimus γ. — 28 tantum EBHγ; tamen ALμδ ed. — ficte ed. — 29 videlicet: ut patet γ.

1-3 *Metaph.*, XII, t. c. 52. Cf. supra p. 165, 8. — 23 Lib. I, cap. 6; supra pp. 17 sqq.

accidens et casualia, in ordine autem ad primas nihil est casuale totumque quod casuale existimatur, hoc provenit ex nostra ignorantia, ut recte etiam Boetius ostendit in IV *De Consolatione*. Quare in hoc peripateticos non sequor.

5 (29) Verum et in alio mihi videtur esse non minor difficultas. Ponit enim contingentiam in particulari, in universali autem est necessitas; quare liberum arbitrium secundum individua est liberum, in universali tamen est necessarium. (30) Et ut apertius intelligatur quod dicere intendo: Qui-
10 libet homo adultus et cui intellectus non est ligatus potest peccare et potest non peccare; necesse tamen est aliquem hominem peccare, et iterum necesse est a|585|liquem hominem non peccare, indeterminate tamen. Consimiliter, est in potestate cuiusvis non impediti coire et non coire; ne-
15 cesse tamen est aliquem coire, indeterminate tamen: aliter enim species humana periret et sic non constaret mundus. (31) Similiter nisi aliquis peccaret, multae virtutes perirent ut misericordia, venia, pietas, et sic ulterius discurrendo. Hoc autem dici non potest, cum sint talia de perfectione mundi,
20 neque unquam fuit neque unquam erit mundus sine his.

1 primam γ. — 3 v L. — 5 non minor: maior E. — 12 et aliquem ed. — 13 tamen: autem ed. — 19 ad perfectionem γ.

3-4 *De Consol.*, IV, pros. 6ª (Peiper p. 111); pros. 5ª (Peiper pp. 105-106). Vide etiam *De Consol.*, V, pros. 5ª: « Quare in illius summae intelligentiae cacumen si possumus erigamur; illic enim ratio videbit quod in se non potest intueri, id autem est quonam modo etiam quae certos exitus non habent, certa tamen videat ac definita praenotio, neque id sit opinio sed summae potius scientiae nullis terminis inclusa simplicitas » (Peiper, p. 138); pros. 6ª: « Respondebo namque idem futurum cum ad divinam notionem refertur necessarium, cum vero in sua natura perpenditur, liberum prorsus atque absolutum videri... Haec futura igitur ad intuitum relata divinum necessaria fiant per condicionem divinae nocionis; per se vero considerata, ab absoluta naturae suae libertate non desinunt . . . Haud igitur iniuria diximus haec si ad divinam notitiam referantur necessaria, si per se considerentur necessitatis esse nexibus absoluta . . . » (Peiper, pp. 142-144). — 11-12 m: « abutitur dictis; quod verum est in causis naturalibus naturaliter agentibus transtulit ad causam liberam ». (Cf. supra, p. 33, 18 sqq.)

Quare necesse est aliquem peccare et aliquem non peccare.

(32) Verum ista dicta mihi videntur pugnantiam includere. Nam si est necesse peccatum esse, est contra rationem peccati quod sit necessarium. Quoniam peccatum meretur 5 vituperium et poenam; ubi autem est necessitas secundum sic opinantes, neque laus neque vituperium est, quare neque praemium neque poena. Est ergo opposita implicare quod sit necessarium et sit peccatum. In formali enim ratione peccati includitur liberum arbitrium et contingens; hoc vero 10 repugnat necessario.

(33) Sed huic for|586|te dicitur, et etiam hoc affirmatur a multis nostris Theologis, videlicet quod stat universalem esse necessariam, qualibet singulari existente contingenti. Veluti haec: Quilibet homo existit, est necessaria, cum tamen 15 quaelibet eius singularis est contingens; et: Si tu es, de necessitate es in aliquo loco, cum tamen quocunque loco assignato contingenter sis in illo. Itaque necesse est aliquem peccare, quilibet tamen homo contingenter peccat qui peccat. (34) Unde et quidam Theologi dicunt quod homo existens in 20 peccato mortali absolute non potest se cavere ab omni peccato mortali, quanquam a quocunque peccato mortali potest se ab illo cavere. (35) Unde ad propositum, necessitas et contingentia respectu unius determinati invicem pugnant, sed necessitas in universali et contingentia in particu- 25 lari invicem oppositionem non habent. Stat igitur quod sit necessarium aliquem hominem peccare indeterminate tamen, cum hoc tamen quod quilibet qui peccat, libere et contingenter peccat.

1 Quia ed. — 2 pugnantia E; impugnantiam γ. — 3 esse est: esse et α; esse et esse ed. — 6 quia EM ed. — 7 poena est. Est α N. — 8 ut sit ed. — 9 liberum arbitrium *sic* EMδ ed; arbitrium *omm* ANβγH (*cf. infra, p.* 241, 19). — 11 firmatur ed. — 12 universale M; universali in ed. — 19 et quidam: quod quidem ed. — 22 ab illo *omm* CN.

19 V. g. Gregor. Ariminensis, *II Sent.*, d. XXVI, qu. II art. 1; Petr. Aureol., *I Sent.*, d. XVII, p. 1, a. 3; Guil. Occam., *I Sent.*, dist. XVII, qu. II. (Paul Vignaux, *Justification et Prédestination au XIVe siècle*. Paris 1934, p. 156 n. 1).

(36) Verum haec mihi videntur esse poti|587|us illusiones quam solutiones. Simile enim hoc est ac si quis Rex conderet legem ut aliquis de subiectis suis de necessitate interficiat aliquem; quisquis tamen esset ille qui aliquem interficeret puniretur poena capitis, quoniam ipse potuit se abstinere, quoniam alius hoc scelus potuisset facere. Nonne iste Rex nedum iniustus verum et fatuus haberetur? (37) Talis autem est lex Dei secundum hos. Vult enim Deus de necessitate esse scelera, et tamen quicunque facit scelus libere facit scelus; quare et iuste punitur. Quod apud me nedum ridiculum est, verum et inintelligibile. (38) Quod autem dicitur aliquam universalem esse necessariam qualibet sua singulari existente contingenti, ut pote de illa: Quilibet homo est, quoniam necessario semper est vera. Huic dicitur quod si aliqua universalis est necessaria et quaelibet singularis sit contingens, illa non dependet a libero arbitrio. Unde si hominem esse dependet a libero arbitrio, non est necessarium hominem esse; si vero non dependet, est necessarium hominem esse stante mun|588|di aeternitate et quod sit necessarium unamquanque speciem esse actu. (39) Unde si necessarium est esse asinum, esse asini non dependet simpliciter ab intellectu et voluntate humana; quod autem necesse sit asinum esse in universali et non in aliquo determinato asino, est quoniam quilibet asinus est ex materia compositus, quare quilibet debet corrumpi; et sic nullum asinum necessarium est esse. Quia tamen in totum non potest corrumpi asinus nisi alii generentur et hoc in infinitum si mundus est aeternus, hinc est quod necessarium est asinum esse, licet nullus necessario sit. (40) Cum quo tamen stat quod inevitabiliter generetur determinatus asinus; refert enim 'B asinum necessario generari et inevitabiliter', et 'quod necessarium est B asinum esse', ut de se notum est.

(41) Unde ut paucis expediamus dico quod in his quae

4 qui aliquem: qui alium bC. — 10 etiam iniuste ed. — 21 asini: asinum γ. — 32 1^{m} est *om* ed.

31-32 Cf. *De Interpret.*, 9. 19a 26-28.

dependent ex libero arbitrio non est necessarium aliquod esse neque in universali neque in particulari, quoniam haec pugnantiam includunt. Si vero non dependent ex libero arbitrio, veluti necessarium est esse in u|589|niversali, sic et
5 in particulari, indeterminate tamen. Neque esset necessarium esse secundum actum in universali nisi esset necessarium esse in aliquo particulari, quanquam indeterminate tamen, quoniam nullum singulare materiale potest esse aeternum. (42) Sed quanquam nullum singulare sit aeternum in ipsis
10 materialibus, non possunt tamen omnia singularia evacuari, sed de necessitate corruptioni succedit generatio (supposito quod mundus sit aeternus) secundum unamquamque speciem; et quanquam individua corrumpantur, non tamen et secundum aliqua determinata particularia impediri potest
15 eorum generatio. Quare patet solutio ad instantiam, scilicet si hominem est necessarium esse, non simpliciter esse hominis dependet a libero arbitrio. (43) Quod quidem fingi non potest de virtute et vitio, cum ista sint ex libero arbitrio. Quod si in illis universalis est necessaria, singularis vero est
20 contingens, non tamen quaelibet singularis potest impediri; immo multae sunt quae impediri non possunt: aliter suum esse universale non esset necessarium. Ast omne peccatum impediri |590| potest, cum procedat ex libero arbitrio. (44) Cunque dicebatur quod te existente, necessarium est te esse
25 in loco, quocunque tamen loco assignato, in illo contingenter es. Huic dicitur quod in hoc est et aliqua libertas, et aliqua non est: quantum ad locum determinatum, liber es, quoniam deducto impedimento, in quocunque loco esse potes; est et non libertas, quoniam simpliciter non potes te absol-
30 vere a loco, unde si ab uno absolvis in alterum ingrederis, ut manifestum est. (45) Secus est de peccato, quoniam si

1-2 non est necessarium . . . in particulari: veluti necessarium est esse in universali, sic et in particulari ed. (*dittog. e linea* 4[a]). — 6-7 secundum actum . . . necessarium esse *om* ed. — 7 quamquam: quocumque M. — 14 et: etiam ALCHμ. — 19 Quare ed. — 21 multa μ ed. — 24 te *ante* existente *omm* E ed.

unum evitas non de necessitate alterum committis, neque si
unus homo non peccat, de necessitate alter peccat. Quare
cum homo evitans unum peccatum non de necessitate facit
alterum peccatum, neque si unus homo non peccat de neces-
5 sitate alter peccat; ideo non est necessarium aliquem hominem peccare. Ast necessarium est te esse in aliquo loco
dum es, quoniam si unum locum deseris in alium te transfers;
et necesse est asinum esse, quoniam uno corrupto de necessi-
tate alii generantur, quoniam hoc non |591| dependet ex
10 libero arbitrio. Non igitur fuit conveniens similitudo.

(46) Tertia ratio contra Aristotelem est quoniam Aristoteles habet duo principia invicem repugnantia et quae nullo
modo coire possunt. (47) Tenet enim quod causa sive naturali sive voluntaria eodem modo se habente, ex ea tanquam
15 ex causa adaequata non potest provenire diversitas effectus.
Unde ex hoc voluit motum esse aeternum et nunquam incepisse, quoniam si motus incepisset, causa motus aliter tunc
se habuisset quam prius, cumque ista diversitas non possit
esse absque motu, tunc ante primam mutationem esset mu-
20 tatio, ut dicitur VIII *Phisicorum*. (48) Ex alia autem parte,
ut patet III *Ethicorum*, voluit voluntatem esse dominam suorum actuum, et posse in duo contradictoria. Igitur ipsa voluntas eodem modo se habens sine aliquo limitante, potest
divisim in quamcunque partem contradictionis. Hoc autem
25 manifeste repugnat primae positioni, ut manifestum est.
(49) Quod si dicitur voluntas humana bene potest in duo
opposita sine aliqua determinatione, non tamen divina vo-
lun|592|tas; patet istud non esse inprimis ad intentionem
Aristotelis. Quoniam Aristoteles et Commentator Averrois
30 et Themistius volunt istud verificari non posse neque de

2 Quia ed. — 7 in alterum Mδ ed. — 15 pervenire ed. — 17 tunc *om* ed. — 28 ad mentem Eγ. — 29 commentatores ed; *omm* BC. — 30 certificari E.

11 1ª ratio fuit supra p. 175, 15; 2ª ratio, p. 176, 5. — 20 *Physic.*, VIII, 1. 251a 17-20; 251a 27-28; 251b 9-10. — 21 *Ethic.*, III, 8. 1114b 32. Cf. supra p. 111, 28. — 29 Cf. supra p. 54, 7.

voluntate humana, neque de alio. Amplius quoniam ridiculum est dicere voluntatem humanam posse hoc facere et non voluntatem divinam, quandoquidem hoc arguat perfectionem et voluntas divina in perfectione non est conferenda humanae. (50) Quod si dicitur: Si Deus de novo moveret, de novo vellet; quare in Deo esset novitas. Apparet inprimis hoc non esse ad mentem Aristotelis. Non enim innititur huic medio, scilicet quod si Deus de novo moveret, mutaretur; sed illi medio innititur, scilicet: ante primam mutationem esset altera mutatio prior. (51) Sed manifestum est illud non sequi. Quoniam dicerem: Motum extrinsecum praecederet nova voluntas in Deo, illam autem novam voluntatem non praecederet alia mutatio. Quod si dicatur quod immo, quoniam nova mutatio praesupponit alteram mutationem, patet per praedicta istud non esse ve|593|rum; quoniam, ut dicit positio, voluntas eodem modo se habens sine aliqua mutatione praecedente et nulla disparitate posita ex parte ipsius vel alterius, potest indifferenter in quamcunque partem contradictionis. Non igitur ad hoc quod voluntas novum velit requiritur aliquod aliud prius movens ad istud velle ipsam voluntatem. Quare non ante mutationem necessarium est esse aliam mutationem. (52) Praeterea si voluntas humana nulla causa impellente potest in se producere novam volitionem, quare voluntas divina nulla causa impellente non potest de novo agere ad extra? Certe nihil rationabiliter dici potest. Verum quoniam de hoc satis abunde dictum est in primo huius, ideo aliud in praesentiarum non adducam.

(53) Unde propter haec fundamenta mihi videtur quod opinio Aristotelis non sit conveniens. (54) Unum igitur fun-

1 neque de alia αMC. — 4 imperfectione ed; imperfectionem M; *omm* Eγ. — 9 mutaretur β d ed; de novo vellet ω. — 11 quod motum C. — 15 patet: videlicet ed. — 25 novo: uno ed.

8 Cf. supra p. 55, 3 sqq.; 56, 2-10; et infra p. 270, 5-11. — 26-27 Supra I, 9. pp. 55 sqq.

damentorum est quod casualia et quae accidunt, ut ipse dicit, ex necessitate materiae, non cadant sub divina providentia. (55) Secundum est: Quomodo, si Deus de necessitate agit et ex |594| sua actione necesse est omnia iterari specie
5 infinities, quomodo salvabitur liberum arbitrium? Sic enim necessitati subiicietur, quemadmodum deductum est. (56) Tertium est: Quomodo ista simul stant, quod si quod novum incipit, nova causa incipit, quae nova esse non potest nisi per alium motum praecedentem, et tamen voluntas potest
10 exire divisim in actus oppositos, non per diversam causam, immo praecise per eandem? (57) Quare, ut deductum est, potest esse novitas non ex alia novitate praecedente; quod manifeste repugnat alteri parti, sicut abunde in primo contra Alexandrum deductum est.

15 (58) Quare huic opinioni non assentio, non tantum quoniam repugnat Religioni Christianae quae verissima est, verum quoniam stando in puris naturalibus non videtur mihi substentabilis et pugnantia includere; quanquam multos vidi et legi qui credant Aristotelem omnia fato provenire sen-
20 sisse, inter quos est Cicero in libro *De Fato*. (59) Mihi autem

1 Aristotelis *ante* est *ad* ω. — 2 cadunt NG ed. — 2-3 divinam providentiam ed. — 3 Quomodo: quod GN; quoniam ed. — 5 infinita ed. — 7 si quid EGF. — 12 movitas D. — 18 pugnantiam Aμ C ed; repugnantiam E. B *in mg. al. man.* « Erras quia Aristoteles ille non est Aristoteles ». — 19 credunt Aristoteli ed.

1-2 *Metaph.*, VI, 2. 1027 a 14. Cf. Averrs., *Metaph.*, XII, t. c. 52 (supra p. 165, 1). Cajetan., *In Thom. Aquin. Sum. Theol. Comment.*, 1ª pars, qu. 115 art. 6 (Leon. V p. 549b n. XIV in fine): « Et ideo divinum Aristotelis ingenium, et in I *Perihem.* [S. Tho., lect. XIV], et in VI *Metaph.*, [S. Tho., lect. III] et in II *Physic.* [cap. VI, n. 9; S. Tho., lect. X], semper resolvit contingentiam naturalium in conditionem corporum inferiorum, quia scilicet possunt deficere. Sed de genere reductionis, in VI *Metaph.*, relinquit sub dubio an sicut ad materiam, an sicut ad agens; in II autem *Physic.*, reducit ad agens casum et fortunam; in I autem *Perihem.* reducit ad materiam seu potentiam passivam. Et omnia sunt vera, si dicta considerentur. Quae inspicere poteris radicaliter in III *Contra Gent.* cap. 86 ». — 13-14 Supra, I, 9; pp. 50 sqq. — 20 *De fato*, cap. 17 (Mueller p. 266); vid. supra p. 124, 26. In lectione autem 61ª *Super II de Generatione*, data mense Aprilis anno 1522 sic aiebat

videtur quod Aristoteles sibi contradixit et quod aperte negat fatum, ut manife|595|stum est in fine I libri *De Interpretatione* 6, et IX *Metaphisicae*, et per omnes *Libros Morales*; ex suis tamen principiis videtur sequi quod omnia fato proveniant, veluti deductum est. Quare sibi ipsi contrarius videtur. (60) Et de quo magis mirandum est, mirandum est de Alexandro qui aperte posuit animam humanam esse materialem et corruptibilem, quare subdi corporibus caelestibus; verum quae sic subduntur videntur regulari a corporibus caelestibus neque posse perfecte supra subiectum et materiam in qua sunt. (61) Haec autem quae dixi cum moderatione et reverentia intelligantur, neque pertinaciter hoc affirmo, sed rogo alios me docere, si sciunt; nam libenter vellem erui ab ista caecitate, si caecitas est.

Caput sextum in quo disputatur de quinta opinione quam lex Christiana tenet.

(1) Sequitur igitur quinta opinio quae est religionis Christianae. Et quanquam ista opinio variis modis declaretur, prae-

1 et *om* ed. — 5 ipsi *omm* B ed. — 6-14 Et de quo . . . si caecitas est *om* ed. — 7-8 materialem BGHI; mortalem ω LCδυ. *Vi argumenti lectionem codd deteriorum scil.* BGHI *accepimus, quamquam et supra p. 89, 19,* mortalem *a Pomponatio adhibetur; sed hic in lectionem faciliorem vergit potius quam emendationem.* — 17 igitur: ergo E; *om* ed.

Pomponatius: « Et Cicero in libro *de fato* tenuit quod Aristoteles tenuerit fatum, et quod omnia quae eveniunt a casu (?) eveniunt. Sed vos considerabitis: hoc argumentum tetigi in *libello meo de fato* ». (Ms. Vatic., Reg. lat. 1279, fol. 253r). Item in lect. 85ª die 30 maii anno eodem data (*ibid.*, fol. 299v-300r), cf. *Prolegom.*, p. LIII. Horum notitia a doctore B. Nardi per litteras nobis impertita est. Cf. etiam infra pp. 274, 18; 384, 24; 392, 5; 405, 18. — 2-3 *De Interpret.*, 9. (6 hic ad caput ultimum libri I *Periherm.* secundum antiquam divisionem potius referimus quam ad VI Metaphysicae). *Metaph.*, IX, 3. 1046b 29 sqq. — 14 Cf. Cajetan., *In Thom. Aquin. Sum. Theol.*, Iª pars. qu. 22 art. 4 (Leon. IV 270a, n. IX): « Melius est enim tam fidei catholicae quam philosophiae fateri caecitatem nostram quam asserere tanquam evidentia quae intellectum non quietant ». Cf. infra p. 343 n. Etiam Thom. Aquin., *Sum. Theol.* II a II ae, qu. 15 art. 1 « Caecitas mentis est vitium ». (Leon. VIII, p. 118).

termittere intendo quoscunque alios et ponam modum qui mihi videtur. Si autem iste modus non consonat aliis modis communibus, nihil est mihi curae, quoniam modos quos non intelligo nolo ponere, neque approbare vel refellere;
5 sed uti ego opinionem intelligo sic ponam.

(2) Opinio igitur fidei catolicae, secundum quod existimo, haec est. Deus cunctorum tam caducorum quam non caducorum, tam in singulari quam in universali, tam casualium quam non casua|596|lium providentiam certissimam
10 et infallibilem habet, nihilque est vel fuit vel erit vel poterit esse de quo scientiam Deus non habeat et providentiam; et cum hoc toto stat liberum arbitrium. (3) Unde per has conditiones differt haec opinio ab omnibus aliis. Differt enim a prima, quoniam negat Deum esse. Differt a secunda, quo-
15 niam quamvis secunda ponat Deum esse, negat tamen ipsum Deum providentiam habere. Differt a tertia, quoniam apud tertiam non habet Deus providentiam de sublunaribus. Differt a quarta, quoniam secundum quartam etsi Deus habet providentiam de sublunaribus, non tamen in singulari sed
20 tantum in universali. Differt a sexta, quoniam stantibus illis conditionibus non potest esse liberum arbitrium. Quare sic differt ab omnibus aliis.

(4) Quomodo autem cum certitudine divinae providentiae stet liberum arbitrium? Mihi videtur veluti diximus in
25 enumeratione harum opinionum, isto modo haec se compatiuntur: (5) Quoniam divina providentia in quantum respicit futurum contingens |597| et ut est in suis causis, non plus cognoscit vel providet nisi qualiter contingenter eveniet; sic quod ut sic, poterit evenire et non evenire, et nulla pars
30 contradictionis est determinate scita. Immo secundum istam considerationem, abstrahit vel potius praescindit a determinatione partis. Veluti scire de Socrate qua animal est, non

21 Quia ed. — 24 stat Med. — 28 qualiter: quod N. — 29 et non evenire *omm* δed. — 31 contradictionem ed. — 32 Socrate M (*ante correct.*) Hγ ed; Sorte M *et cett.*

24-25 Supra cap. 1um; p. 148, 1 sqq.

oportet scire nisi quod est substantia animata sensitiva; et si sciretur quod est etiam rationalis, non sciretur tantum qua animal est, veluti manifestum est. Neque ista notitia dicitur potentialis quantum spectat ad istam considerationem, immo est determinatissima ut stat sub ista consideratione. Si autem sciretur de Socrate quantum spectat ad esse animal quoniam tantum est substantia vel vivens, bene esset in potentia. Est igitur providentia Dei certissima et determinata secundum istum respectum. (6) Si vero consideretur futurum non ut est in potentia et in suis causis, sed ut erit extra suas causas et deventum ad actum, sic Deus cognoscit determinatissime illam partem; et ‹ut› sua infinita aeternitate circuit omnem tem|598|poris differentiam et omne momentum, sicut etiam res praesens vel praeterita est determinata. (7) Quare cum Dei providentia optime stat libertas voluntatis. Nam res non est proprie sub providentia nisi quatenus respicit futurum, verum quatenus respicit futurum, nulla determinatio est nisi ex libero arbitrio determinetur. Neque ut sic plus respicit divina providentia, quoniam sic plus respiciendo esset falsa et fallibilis; nam aliter cognosceret quam exigat natura rei, quod est omnino impossibile: sic etenim impossibilia possent cognosci. Neque sequitur Dei notitiam esse imperfectam, immo aliter cognoscendo esset imperfecta. Cum hoc toto tamen stat quod Deus determinatissime cognoscat unam partem contradictionis; verum non qua futura est, sed qua est extra suas causas ad modum declaratum.

(8) Iste igitur mihi videtur modus intelligibilis et consonans veritati, qui quanquam non taliter exprimatur ab

8-9 est . . . respectum *sic in mg.* C^{2}, *ex* non est igitur scientia Dei certa et determinata; de futuro isto tamen sumpto (*alia in mg. nota illeg.*). — 12 et determinatissime d. — et ‹ut› : et sicut C; ‹ut› *omm cett* (*cf. infra p.* 354, 6). — 20 fallibilis; nam: fallibilissima αM; falsissima N. — 21 exigit Cδ ed.

15-16 m: « res est sub providentia sub quocumque statu futuri et praesentis, quia conservatio est effectus providentiae, sed non pertinet ad liberum arbitrium nisi sub conditione futuri ».

aliis, puto tamen eorum esse hunc intellectum, et maxime divi Thomae, ut ego existimo. Et quanquam mo|599|dus iste videatur facilis et intelligibilis, multas tamen habet difficultates quas communiter doctores adducunt, de quibus
5 in quarto volumine huius libri dicetur; in praesentiarum tamen quatuor adducam quae mihi videntur esse maiores et praecipuae adversus hunc modum sic intellectum.

(9) Prima est de qua etiam diximus in priori capitulo; et haec omnium difficultatum mihi videtur esse maxima in
10 hac materia. Quoniam Deus cognoscens futurum contingens qua futurum, non plus cognoscit, neque debet neque potest cognoscere, nisi quod potest evenire et non evenire; quoniam natura contingentis est indeterminata resque cognosci non potest nisi secundum suam naturam. Quaeritur igitur:
15 A quo erit ista determinatio? an igitur a Deo vel a voluntate ipsa? (10) Si a Deo, referebantur duo inconvenientia. Primum quoniam si Deus dat quod contingenter agat voluntas et etiam determinat voluntatem ad istam partem vel ad illam, non erit igitur actus ille voluntatis sed tantum Dei.
20 Et ex hoc sequitur secundum, quod |600| est contra dicta in declaratione positionis scilicet, quod Deus secundum illam considerationem qua futurum ut futurum est determinatam partem cognoscit. Nam stultum esset dicere si determinatio est ab ipso Deo, quod nesciat partem quae determinate erit;
25 si vero ponatur quod determinatio fiat a voluntate et non a Deo, non minus et duo incommoda sequuntur. (11) Primum erit quod aliquod erit cuius Deus non est causa, et sic Deus non erit omnium causa prima et universalis. Ex quo sequitur et secundum, videlicet quod neque pars
30 ista determinata a Deo determinate cognosci potest sua etiam aeternitate. Quoniam quicquid a Deo cognoscitur, si

5 capite 5° *post* libri *ad* E. — 8 etiam *omm* δ ed. — supra etiam ω. — superiori γ; primo μ. — 9-10 quae afferuntur in hac materia γ. — 11 debet: habet ed. — 15-16 a quo . . . ipsa: per quod determinatur voluntas; an Deo an a se ipsa C[I]. — 27 est: erit ω.

5 Infra IV, 5, pp. 352 sqq. — 8 Supra, p. 171, 2 sqq.

ipsum cognitum non est ipse Deus, est Dei effectus; nam omnes convenerunt in hoc, qui Deum aliud extra se cognoscere affirmaverunt, quod illa cognoscit quoniam sunt effectus Dei. Cum itaque per concessa illa determinatio non
5 sit a Deo sed a voluntate, Deus illud cognoscere non potest. Quod dictis contradicit: dictum est enim quod futurum, ut est de|601|terminatum et extra suas causas, sic a Deo determinate cognoscitur. (12) Quod si dicatur determinationem fieri a Deo et a voluntate, ut videtur dicere Augustinus,
10 cui et posteriores consentiunt, quaerebatur: Aut igitur in isto actu aliquid est quod non fit a Deo, aut nihil. Si aliquid est, stat argumentum prius. Si nihil est, aut Deus dirigit voluntatem, aut voluntas Deum, quoniam non sunt agentia aeque primo et unius rationis. Secundum est nephas di-
15 cere. Ergo primum. Ergo tota determinatio est a Deo et voluntas est merum instrumentum; quare tota actio Deo attribuetur, et sic in voluntate neque meritum neque demeritum. Ex quo ulterius sequitur quod Deus et in prima consideratione scit determinatam partem; quod repugnat dictis.
20 Haec itaque est apud me prima et maxima difficultas.

(13) Secunda est quoniam, ut dicunt Christiani, si quis viderit proximum suum errantem et possit ipsum eruere ab errore et non eruit, homicida est. Cum igitur Deus omnia cognoscit potestque unumquemque errantem ab illo errore
25 remo|602|vere, cur igitur non removet? et quare si Deus non removet non est peccatum in Deo, in homine autem est peccatum? cum quanto magis aliquis plus scit et plus potest, tanto magis tenetur errantes dirigere.

2 conveniunt EG. — aliquid γ. — 3 existimaverunt γ. — 10 autem MH ed. — 12 autem D. — 23 ab onere ed. — 27 cum *om* ed. — 27-28 plus est ed; plus etiam C.

9 Augustin., *De Civit. Dei*, V, 9-10; cf. supra p. 152, 25. — 21 m: « Hec difficultas non est valde magna si intelligatur quod potentia activa est a Deo et tamen est potentia activa; executio est ab ipsa potentia activa; potentia activa a Deo, et non est merum instrumentum. » Cf. infra p. 354, 10. — 25 m: « Hoc etiam inane est quia Deus ordinat res non auferendo que dedit sed conservando et cumulando ».

(14) Tertia difficultas est quoniam Deus non solum delinquentes non removet ab errore, verum omne inducens ad errandum ante oculos, ut ita dicam, ponit. (15) Dedit enim voluntatem peccabilem et intellectum caliginatum coniunxit
5 voluptatibus. (16) Apposuit omnia inducentia ad peccatum ut patet consideranti per omne vitium: nam in voluptatibus venereis induxit omnia facientia ad voluptates et maximam facilitatem; virtutes autem fecit cum omni tristitia et poena. Ut si quis intente consideraverit, videtur quod Deus ex indu-
10 stria voluerit omnes peccare, et tam difficiles atque cum tanta tristitia fecerit virtutes ut homines ab ipsis repellat. (17) Adde quod si qui eas voluerint prosequi ab omnibus insectantur, undique angustias, labores et dolores patiuntur et multotiens crudelissime trucidantur, quasi Deus sic eos
15 pu|603|niat quoniam virtutes insequuntur; ex altera autem parte flagitiosi honorantur, timentur, cuncta sibi prospera succedunt, quasi Deus homines invitet ad flagitia et repellat a virtutibus. (18) Neque videtur opus esse diabolo et sua societate, quoniam sat sunt obstacula quae Deus posuit
20 virtutes prosequentibus, et incitamenta posita a natura ad voluptates ipsas; superfluum enim videtur ponere talia quandoquidem illa nedum sufficiant, verum et superflua videantur.

(19) Quarta difficultas est quoniam stante universo ut stat, scilicet quod rarissimae sint virtutes et paucissimi sint
25 boni, mala autem undecunque profluant et omnes homines fere sint mali ut in centum mille annis vix unus bonus reperiatur; aut igitur melius est sic mundum constare ut stat, aut melius esset mundum constare secundum contrariam

2 non removet CM; non *omm cett* (*cf. infra p. 355, 17*). — 8 felicitatem E. — 9 ex: de δ ed. — 12 addeque ω L. — qui *sic* B; aliqui *cett.* — 24-25 sunt boni ed. — 25 mala bC²; mali d ed. — perfluant H ed; profluunt EMG. — 27-28 ut stat . . . constare *omm* Nδ ed.

1 Vid. infra p. 355, 16. — 26 m: « Quod ait de mundi dispositione male intelligitur et aliter servatur dispositio in naturalibus, aliter in voluntariis; in illis frequens status est secundum naturam, rarus contrarius aut preter; in voluntariis bonus et malus est ut voluntas vult; item mala in voluntariis non sunt sub ordine ut fiant, sed ut facta puniantur. »

dispositionem, videlicet aut quod nullus malus reperiretur, vel saltem esset modo contrario, videlicet quod rarissimi essent mali sicut nunc rarissimi sunt boni, et quasi omnes essent boni. (20) Si detur secundum, cum istud videatur
5 esse possibile |604| (posset enim Deus hunc ordinem pervertere, non enim videtur quid obstet), cumque natura de possibilibus semper faciat quod melius est, mirum est cur Deus hunc ordinem non fecerit; nanque optimi est optima adducere ut dixit Plato in *Thimeo.* (21) Si vero detur pri-
10 mum, videlicet quod melius est universum esse cum isto ordine, (nam nisi esset iste ordo multae praeclarissimae virtutes perirent ut iustitia, misericordia, pietas, clementia et sic de reliquis quae esse non possunt absque peccatis; amplius quoniam virtutes non essent adeo praeclarae: si nan-
15 que tantum esset auri apud homines quantum est de ferro, et ferrum esset ita rarum veluti aurum, tunc mutaretur eorum existimatio veluti notum est; quare melior videtur ista dispositio in universo quam illa altera, quare Deus istam voluit et non alteram; et huic sententiae adhaeret Plato in
20 *Thimeo*; dixit enim mundum meliorem dispositionem habere non posse quam habeat quoniam ab optimo et sapientissimo gubernatur et disponitur); si igitur inquam sic est, Deus determi|605|natissime et inevitabiliter vult universum hanc dispositionem pati. Non potest autem universum esse sub
25 hac dispositione nisi maior, immo plurima pars hominum peccet; neque quis sanae mentis potest finem intendere nisi et per se ordinata in illum finem intendat. Vult igitur homines sic peccare ut peccant, et homines sic peccantes prosequuntur ordinem sibi a natura et a Deo inditum. (22) Quare
30 non videtur esse in potestate hominum sic ire vel non ire, sic velle vel nolle, sed esse totum in ipso Deo sic ordinante

2-3 rarissime essent ed. — 6 quod EB ed. — que *omm* Lδ ed. — 14 a Deo ed. — 17 notissimum ω LH (verum est et notissimum L); manifestum γ. — est *omm* AMH. — 20-24 habere . . . dispositionem *om* N. — 21 non *omm* MLδ. — 23 universam ed. — 31 et nolle ed. — non velle ECM.

9 Platon., *Tim.*, 30 A. — 19-20 Platon., *ibid.*

et disponente. Quare videntur fato omnia subiici et ut sunt
praevisa et ordinata a Deo, sic fieri. Aliter enim videtur esse
necessarium quod non quia Deus videt sic ideo sic futurum,
sed quoniam sic futurum est ideo sic Deus videt. Et sicut
5 dicit Boetius in V *De Consolatione*, scientia Dei et eius providentia dependerent a rebus et non res ipsae a Deo; quod
absurdissimum videtur. Sic enim Deus moveretur a rebus
neque esset autor totius entis, quod nephas est de Deo cogi-
tare; quanquam Origenes hu|606|ic sententiae *Super Episto-*
10 *la‹m› Pauli ad Romanos* videatur favere. Dicit enim: non quia
Deus scit te peccaturum ideo peccabis, sed quoniam tu
peccabis ideo scit te peccaturum. Multa quoque alia sunt
adversus hanc opinionem, de quibus infra suo loco dicetur.

Caput septimum in quo disputatur de sexta et ultima
15 *opinione recitata quae est Stoicorum sententia.*

(1) Superest igitur in hoc ultimo capite huius secundi voluminis sextam pertractare opinionem quam Stoici tenuerunt.
Dicit itaque ista opinio quod omnia subsunt fato sic quod
omnia sunt praevisa et a Deo praeordinata, et quoniam sic
20 sunt praeordinata ita erunt nihilque est quod talem providentiam subterfugiat, sive aeternum sive novum, sive in
universali sive in particulari. (2) Quo fit ut nihil in ordine
ad divinam providentiam sit casuale vel improvisum nihilque est in nobis ex nobis, sed tantum est a Deo sic dispo-
25 nente et praeordinan|607|te. Non enim voluntas nostra

1 sint ed. — 3 futurum est γ. — 8 est *om* ed. — 9-10 Epistola *cunct.* — 14 sexta ω BC²; septima L d ed. — 17 sextam cH; septimam δ ed. — 18-19 subsunt . . . omnia *om* ed. — 19 praeordinataque ed. — 21 aeternum sit γ.

5 *De Consol.*, V, prosa 6 (Peiper p. 145). — 9-10 Origen., *Comment. in Epistolam Sancti Pauli ad Romanos* (Rufini Presbyteri translatio) Lib VII, 8: « Nam et si communi intellectu de praescientia sentiamus, non propterea erit aliquid quia id scit Deus futurum, sed quia futurum est, scitur a Deo antequam fiat ». (PG 14, col. 1126); Cf. *ibidem*, I, 3 (PG 14, 841-846). — 13 Lib. IV, 5; pp. 352-363.

movet se nisi quoniam sic mota a Deo, quoniam est Dei instrumentum.

(3) Haec autem opinio videtur substentari super rationibus quae adductae sunt adversus alias opiniones. (4) Nam negare
5 Deum ut fecit Diagoras, vel dubitare Deum esse ut Prothagoras, videtur extrema insania. (5) Ponere etiam Deum esse et non cunctis providere et maxime hominibus, ut Epicurus et Cicero posuerunt, est dicere ignem esse et non esse calefactivum: quid enim aliud est Deus quam cuncta prospiciens
10 et cuncta fovens et regulans? (6) Ponere etiam Deum providentiam habere aeternorum et non caducorum, veluti Chalcidius attribuit Aristoteli, est aliquem cognoscere instrumentum et ignorare opus et finem instrumenti dicere; etiam caduca tantum in universali cognoscere et ignorare
15 in particulari, est non perfecte rem factionem terminantem cognoscere, sed diminute; quare neque Deus perfecte erit causa singularium. Et multa alia quae adducta sunt adversus quartam opinionem quae proculdubio est |608| opinio Aristotelis. (7) Affirmare autem ut dicit quinta opinio, est aut
20 pugnantia dicere aut fatum confiteri. Unde si quis intente illam opinionem consideraverit, videbit quod quanto magis opinio illa nititur destruere fatum, tanto magis construit fatum, dumque fatum effugit, inproviso in fatum incidit. (8) Ponit enim Deum certitudinaliter cuncta operari nihil-
25 que sine ipso movente fieri posse et omnia esse Dei instrumenta, omnia a Deo dirigi et secundum quod ab ipso diriguntur operari; et tamen dicunt velle et nolle esse nostrum. Qui igitur fieri potest ut hoc secundum stet cum primo? Quare sibi implicat et se ipsam destruit. (9) Cumque ulterius
30 quaeritur: Si in nobis est velle et nolle quod natura indeterminatum est, quomodo quod ex natura indeterminatum est

1 sic: sit B ed. — mota est γ. — 4 fuerunt ed. — 5-6 fecit Prothagoras γ. 12 tribuit ω. — 15 determinantem E; terminate M ed. — 19 aut: autem LH ed. — 28 Quid MF; quod E. — stat ENδι. — 31 quomodo . . . indeterminatum est *omm* γ ed.

11-12 Cf. supra p. 142, 21.

certe et determinate a Deo cognoscitur? Dicunt rem non cognosci secundum naturam rei cognitae sed secundum modum cognoscentis; quod certe inintelligibile est, quandoquidem cognoscens et cognitum adaequari oporteat; sic enim
5 impossibilia a Deo sciri possent. (10) Cum etiam quaeritur: Si quod a Deo comprehendi|609|tur, ut comprehenditur necesse est esse, comprehenditque Socratem peccaturum, quomodo igitur Socrates potest se a peccato cavere? Dicunt esse necessitatem consequentiae, non consequentis. Quod
10 utinam tam bene intelligeretur quam bene involvitur; videnturque potius esse illusiones istae quam responsiones.

(11) Quare si nulla dictarum opinionum videtur satisfacere nullusque modus restat nisi dicere omnia fato et inevitabiliter fieri; ideo per sillogismum divisivum necessarium est
15 confiteri omnia fato et inevitabili ordine divinae providentiae gubernari, nihilque in nobis esse quod fato non impellatur. (12) Adversus autem hanc opinionem multa adduxit Alexander de quibus in primo volumine huius libri visum est; ideo nunc non est opus ea repetere. Sed volumus nunc vi-
20 dere de illis quatuor rationibus quae in primo capite huius

3 intelligibile δo ed. — 6 Si quid NLγF ed. — ut comprehenditur *om* ed. — 7 comprehenditque *sic* A; aprehenditque N; comprehenditurque *cett.* — Socrates peccaturus C. — 15 et inevitabiliter ω. — 16 in bonis ed. — 17 autem *omm* E ed.

8-9 Cf. Thom. Aquin., *I Sent.*, dist. XXXVIII, qu. I art. 5; dist. XXXIX, qu. II art. 2; *Sum. Theol.*, I[a] pars. qu. 14 art. 13; qu. 22 art. 4. Cajetan., *In Thom. Aquin. Sum. Theol. Comment.*, I[a] pars. qu. 22 art. 4: «Ad hanc dubitationem (inevitabilitas de facto) nihil scriptum reperi in S. Thoma: quoniam nullibi eum movisse hanc recolo, sed semper studuit ad salvandam contingentiam. In aliis quoque doctoribus nihil hactenus comperi ad quaestionem istam, nisi quae communiter dicuntur de *sensu composito et diviso*, *de necessitate consequentiae et consequentis* . . . Sed haec omnia ut ex dictis patet, intellectum non quietant». (Leon. IV 270a n. VII). — Quoad J. D. Scoti opinionem. Cf. H. Schwamm, *Die Lehre des Duns Scotus und seiner ersten Anhänger über das göttliche Vorherwissen* (Philosophie und Grenzwissenschaften, v Bd, Heft. 1-4. 1934) pp. 126-130. Vid. D. Erasmi Roterodam., *De Libero Arbitrio Diatribe* (*Opera Omnia*, Lugd. Batav. 1703-1706. t. IX, col. 1232; trad. fr. P. Mesnard, Alger, 1945. § III A, 9, p. 128-129). H. Humbertclaude, *Erasme et Luther*, p. 78-79. — 20 Supra, pp. 155-157.

secundi voluminis adduximus adversus hanc opinionem; nam sic magis veritas apparere poterit.

I. (1) Prima itaque difficultas et videre meo omnium maxima, est quoniam ex ista videtur quod evitare non possumus 5 quin Deus omnium |610| vitiorum fomes sit et patens sentina. Et revera primo aspectu haec opinio videtur maxime improbabilis propter hanc rationem. (2) Verum acute perspicienti non minus hoc videtur sequi ad omnem opinionem affirmantem Deum omnium providentiam habere, veluti 10 quarta et quinta opinio volunt; et maxime quinta quoniam asserit Deum non tantum in universali verum et in particulari cunctorum sollicitudinem habere.

(3) Imprimis igitur considerare oportet inaequalitatem existentem in rebus universi. Et primo in ipsis intelligentiis 15 cum, ut communiter existimatur, non sunt duae intelligentiae eiusdem perfectionis, verum una est altera imperfectior, et una subditur alteri. Consimile etiam est in corporibus caelestibus, ut est oculo videre; unum enim continetur ab altero et quasi inferius a superiori rapitur. Descendamus 20 postea ad sublunaria; videbimus quatuor elementa disparia in perfectione et virtute. Deinde accedamus ad mixta imperfecta, postea ad inanimata perfecta, deinde ad plantas, deinde ad vilissima anima|611|lia, donec perveniamus ad naturam humanam, quae inter sublunaria, ut communiter 25 tenetur, est perfectissima. Et sic discurrenti per omnia videbitur quod non est reperire duas species, quaecunque sint illae, quae sunt eiusdem perfectionis. (4) Quaeritur igitur: An divina providentia sic faciens iustitiam an iniustitiam

2 veritas magis (maxime C) apparebit γ. — 3 et *omm* B d ed. — maxime omnium ed. — 4 evitari ed. — 7 acute: autem ed. — 9 affirmatam ed. — 10-12 et maxime quinta, . . . sollicitudinem habere *om* B. — 15 sint Ned. — 21 imperfectione ed. — accedamus α MH; accedemus *cett.* — 23 veniamus ed. — 24 et communiter ed. — 25 ut sic ed. — discurrens N. — 25-26 videbitur ed; videbis B; videbit *cett.* — 28 iniustitiam: iustitiam G ed.

servet? Unde igitur est, dicet [ali]quis, quod prima intelligentia est ita perfecta, et cunctis aliis dominatur, ultima vero est tam subiecta et tam infima in illo genere? Si enim cuncta ex nihilo sunt, sive de novo, sive ab aeterno, quid plus fecit 5 prima intelligentia Deo quam ultima? Similiter quid plus fecerunt superlunaria quam sublunaria, ut illa sint aeterna, haec vero corruptioni obnoxia? Inter sublunaria, quid plus fecit homo quam reliqua ut homo cunctis dominaretur, reliqua vero essent subiecta? Et sic de reliquis suo modo dicatur.

10 (5) Et profecto, nisi velimus incidere in errorem quem quidam Origeni ascripserunt, scilicet quod omnia a principio erant aequalia et ex peccato nata est tanta diversitas secundum diversitatem pec|612|catorum, quod ridiculosum est, oportet dicere hoc provenire ex natura universi et non ex 15 Dei iniustitia, immo magis ex Dei iustitia. Cum enim universum universas perfectiones contineat, ex sui natura est ut tantas habeat diversitates. Quod si in aliquo particulari et in se considerato non videatur esse iustum, si tamen consideretur in ordine ad universum, videtur esse iustum; 20 veluti et in uno animali videtur esse iniustum ut intestina recipiant faeces et sint cloaca omnium aliorum membrorum quae faeces ad ipsa transmittant, cum tamen utile sit hoc et intestinis et aliis membris; nisi enim intestina faeces reciperent non essent intestina. (6) Ordo igitur universi exigit tan- 25 tam diversitatem nulla existente iniustitia vel enormitate in Dei providentia, quare aliquod dominans et aliquod dominatum, aliquod aeternum aliquod caducum est, et sic de caeteris diversitatibus, quas enumerare prolixum et taediosum esset.

1 aliquis *cunct.* — 2 ut cunctis ω. — dominetur N. — 7 generationi et corruptioni ω. — 13 ridiculum EG. — 15 iustitia ω (E *ante correct.*) . . . iniustitia Aμ. — 16 sua ed. — 20 iustum ed; iniustitia C.

1 m: «Hoc nihil potest esse stultius quasi angelus unus possit esse quod est alius, aut aqua quod est ignis; quaerit quare omnia non sunt unum». — 10 Cf. Origen., *Comment. in Evangelium Johannis*, XX 2-3 (PG 13, 575B). «Non omnes ergo homines semen sunt Abrahae» et Huetii adnotationes ibidem, ubi de tali ascriptione disseritur.

(7) Ulterius consideremus in universo aliud in quo magna videtur esse iniustitia in ipsa natura. Videmus enim elementa |613| corrumpi in mixta; et mixta inanimata corrumpi in plantas; et ex plantis nutriri animalia; et unum animal
5 esse ordinatum in escam alterius animalis; et tandem omnia infra hominem ordinari in ipsum hominem et, quod crudelissimum videtur, animal innocens sit esca animalis nocentis. Homo quoque ingratissimum videtur animalium, qui cum longo ministerio usus fuerit bobus, cum amplius animal
10 innocens factum est inutile pro ministerio, homo ipsum devorat, ossa undique conterit pro aliquo instrumento, corium dilaniat et sic de singulis. Haec tamen fiunt ex natura sic ordinante, neque tamen Deus et animalia iniusta appellata sunt.

15 (8) Videamus etiam in universo unum alterum quod certe intente consideranti non videtur esse nisi ludus Deorum veluti est ludus pilae apud homines. Videmus enim quod sol continue oritur in mane, in sero occidit, et sic continue reiterat; ignis aerem corrumpit, modo aer ipsum ignem
20 quasi ultus; et sic successiva vicissitudine elementa corrumpuntur in mixta et denuo mixta vice |614| versa in elementa. Est enim perinde ac si quis ex multis lapidibus construeret domum, qua constructa, corrumperet eam et ex ea faceret lapides; et iterato ex lapidibus domum construeret, deinde
25 eam destrueret, et sic successiva et perpetua vicissitudine. (9) Nonne etiam ludus Deorum videtur quod tanto ingenio et tot adminiculis generet hominem (est enim organizatissimus homo) et statim facto homine aliquando corrumpat? Nonne enim Deus videtur similis architecto qui multa opera
30 et impensa construxisset aliquod palatium pulcherrimum in nullo deficiens, et statim confecto palatio rueret ipsum? nonne hoc ascriberetur insaniae architecti? Non minus et

3 immixta ed. — 18 et in sero ed. — 24 faceret domum γ. — 25 successive ed. — 27-28 organizatissimus: adminiculum organorum accuratissimus ed. — 29 videtur: ut ed. — 30 contraxisset E; extruxisset N. — 31 erueret ed.; dirueret N.

inintelligibile videtur an sit ludus, an insania, an insipientia hominem perducere ad summum culmen, et quam primum limen attigerit ipsum eiicere et in profundum emittere. (10) Et infinita possent adduci quae aut insaniam, aut crude-
5 litatem, aut ludum, aut aliud simile in Deo arguere videntur; quae tamen omnia salvantur quoniam sic exi|615|git universi natura. Quare si universum bonum est, omnia haec videntur esse bona.

(11) Unde si quis et humanam naturam consideraverit,
10 videbit talia dicenda esse in natura humana quae et in universo dicuntur. Humana enim natura est quoddam universum; cum enim media sit inter aeterna et generabilia et corruptibilia utranque naturam debet continere. Unde debent esse aliqui homines veluti Dii, quales videmus prophetas
15 et viros optimos; non quidem simpliciter sed secundum quod substinent fragilitas et natura humana; aliqui velut animalia innocentia, aliqui velut serpentes, aliqui velut tigres, aliqui velut leones, aliqui velut vulpes, aliqui ut lapides, et sic de singulis. Hoc igitur exigit natura humana, neque
20 propter hoc defectus aliquis est Deo ascribendus, sicut neque in ipso universo, quanquam tanta videatur esse diversitas in ipso universo.

(12) Quod igitur dicebatur Deum esse iniustum, crudelem, immitem, et sic de reliquis; dicitur minime illud sequi.
25 Quoniam quod talia sint in universo non est ex defectu Dei, sed |616| est ex natura universi sic exigente. Dicimus tamen aliquod animal esse crudele, aliquod mite; et similiter de homine, quoniam unus homo est perfectior vel imperfectior altero et sic de ipsis animalibus. Unde si Deus diceretur
30 esse misericors vel crudelis quoniam tales operationes dat hominibus, cum ista etiam reperiantur suo modo in animali-

1 intelligibile Eδo ed. — sapientia b. — 2 perducere LCδo ed; producere ωBG. — quam: quando ed. — 3 demittere ed. — 10 esse *omm* δ ed. — 12 medium ed. — 16 substinet BNG ed. — 19 sic *om* ed. — 28 vel: et ed. — 29 diceretur: demonstraretur I; demonstretur ed.

bus (et non est dubium etiam apud alios ista dari ex natura), Deus igitur diceretur crudelis quoniam dedit lupo ut ovem animal innocentissimum devoraret, et igni ut ligna combureret. (13) Unde si per misericordiam et crudelitatem intelli-
5 gamus effectum misericordiae et crudelitatis, sic concedendum est haec esse in Deo; si vero intelligamus ipsas passiones esse in Deo ut in subiecto, sic ista sunt a Deo relegata, immo impossibilia. Quare si Alexander dicebat opinionem Stoicorum reducere actus humanos in quemdam ludum Deo-
10 rum, neque ipse Alexander secundum suam opinionem ab hoc incommodo evadet.

(14) Verum ad haec aliquis et subtiliter dicet hanc responsionem minime procedere. De illa |617| enim inaequalitate quae est in universo, verum dicitur a sic respon-
15 dentibus; sed de illa quae in ipsis hominibus reperitur, veritatem non tenet. Pro quo scire oportet in hominibus reperiri defectum et virtutem, extendendo nomen virtutis ex natura vel ex fortuna. Ex natura quidem, ut pote quod sit magnus vel parvus, fortis vel debilis, iracundus vel mitis,
20 misericors vel crudelis, ut etiam reperitur in bestiis quarum aliquae ex natura sunt piae, aliquae vero ex natura crudeles. Defectus autem et virtutes ex fortuna sunt ut aliquis nascatur nobilis vel ignobilis, dives vel pauper et sic de reliquis. Modo tales defectus vel virtutes sunt ex Deo et natura, ne-
25 que arguunt aliquem defectum in Deo; non enim ex eo quod Deus dederit leoni crudelitatem talem, immo et Socrati si sequitur ex principio nativitatis, Deo attribuimus crudelitatem. (15) Sunt vero defectus et virtutes quae sunt ipsius voluntatis et consistunt in electione, quae non possunt be-
30 stiis inesse neque congenita esse hominibus, productivumque talis ele|618|ctionis sive secundum defectum sive se-

3 mansuetissimum E. — ignis Aδo. — 5 effectivum ωF (*cf. infra p. 198, 5-6*). — 10-11 ad hoc EμG ed. — 14-15 sic a respondentibus ed. — et sic respondentibus B. — 21 sunt crudeles ed. — 24 vel: et tales δ ed; virtutes vel defectus ω. — 26 talem: terribilem δ ed.

cundum virtutem dicitur esse bonum vel malum; non bonitate vel malitia naturali in quibus nulla est culpa vel meritum in his in quibus haec reperiuntur, sed bonitate vel malitia morali quae laudem et vituperium merentur et quibus de-
5 bentur poena et praemium. Quare si Deus esset horum causa effectiva, ut fingunt Stoici, Deus diceretur malus malitia morali et vituperandus et blasphemandus; quod horrorem inducit nedum in dicendo, sed in cogitando. Quare similitudo non fuit conveniens.

10 (16) Verum quanquam primo aspectu haec impugnatio videatur procedere, ulterius tamen considerando non videtur efficax. Quoniam, ut etiam superius aliqualiter tactum est, illi qui ex electione vel bene vel male operantur, hoc habent ex Deo; nam voluntas est movens secundum instrumentale,
15 quod movens sic vel sic movetur quoniam sic a principali movetur. Quod igitur bene vel male se habeat, hoc est quoniam bene vel male sic principale dirigit. (17) Quod et experimento comprobatur. |619| Nam recte eligentibus Deus dat omnia quae faciunt ad bonam electionem, male autem
20 eligentibus omnia dat conducentia ad malam electionem. Quis enim unquam vidit hominem iracundissimum a natura qui non fureret? quod si aliquando contingat talem non furere, hoc provenit quoniam Deus apposuit obstaculum maius quam sit potentia quam habuit a natura, ut pote in-
25 firmitatem vel aliquod prohibens. (18) Ex industria enim Deus videtur dedisse diversas dispositiones in hominibus et diversa promoventia et prohibentia, ut diversae essent electiones et operationes ipsorum hominum; veluti aucupes diversa tendunt retia et diversis utuntur ingeniis ut diversas
30 aves capiant. Quare totum attribui videtur Deo et non homini ipsi.

1 non: nam ANLδ ed. — 2 naturale AD. — 13 *omm* vel *ante* bene ωB. — 14 secundum et βG; secundum esse ω. — 15 movens: modo M ed. — 17 principale bC²H; principalis d ed — 19 mala ed. — 23 opposuit ed.

10 Vide solutiones infra p. 367, 18 sqq. — 12 Supra I, 9; p. 59. II, 1; p. 153.

(19) Quod et probatur. Secundum concessa ab adversariis, diversae a Deo et a natura sunt dispositiones datae ipsis hominibus quae promovent ad diversa vitia vel virtutes; aliqui enim sunt proni ad venerea, aliqui ad iram, aliqui
5 ad aliquod alterum. Et ultra hoc, a Deo et a natura extrinsecus |620| dantur promoventia ad talia vitia; ut aliquis ex natura erit venereus et necessario habet conversationem pulchrarum feminarum ut contingit. Quaeritur igitur: Cum ista naturaliter moveant ad venerea, aut igitur labetur in tale
10 peccatum aut non? Si sic, habetur intentum, quoniam hoc est ex ordinatione Dei et naturae quae sic disposuerunt; si vero non, actio Dei videtur esse vana et ociosa, cum non videantur istae dispositiones in aliud ordinari quam in talem lapsum. (20) Praeterea Deus vult misericordiam, se-
15 cundum adversarios, et poenitentiam et multa alia, quae esse non possunt absque eo quod peccatum praecesserit. Verum non potest desiderari finis nisi ea quae sunt de necessitate finis desiderentur. Cum itaque tales virtutes sint per se intentae a Deo, ergo et media erunt per se intenta. Haec
20 autem sunt peccata; ergo peccata sunt per se intenta.

(21) Firmatur et hoc. Quoniam martyrium est de maxime Deo placentibus; nam « praeciosa in conspectu Domini mors sanctorum eius ». Martyrium autem non potest esse absque sae|621|vitia et crudelitate. Ergo saevitia et crudelitas Deo
25 placent in ordine ad ipsum martyrium. Quare et in ordine ad perfectionem universi crudelitas et saevitia facta sunt et a Deo praeordinata.

(22) Sed ad haec fortassis quis diceret misericordiam et pietatem, martyrium et denique talia quae sine praecedente
30 peccato esse non possunt, Deo placere non absolute sed

19 Et haec ed. — 22-23 mors sanctorum eius: m. s. e. B. (*clericus ad usum clericorum scribens*).

23 m: « Hic non meminit illud: Deus qui nullas facit malas voluntates utitur illis quomodo vult vel ad perficiendum vel ad purgandum vel ad torquendum, et finis duobus modis appetitur vel simpliciter vel ex suppositione; appetit vendicare si sint mala. » — 22-23 *Ps.* 115: 15, et *Officium SS. Martyrum.*

tantum ex conditione; videlicet quod ubi cognoscit homines peccaturos, morbo paravit medelam, videlicet misericordiam et pietatem; et ubi cognovit crudelitatem tyrannorum, ex tanta crudelitate tam magnum bonum excerpsit veluti
5 est martyrium. (23) Verum haec non videntur satisfacere difficultati. Quoniam sic istae virtutes imprimis non essent per se intentae sed quasi occasionatae; non enim essent de principali intentione, neque tanquam absolute bonae, sed secundum quid. Itaque se haberent ad Deum veluti monstra
10 se habent ad naturam, quae ubi non potest producere hominem perfectum, producit hominem monstruosum. Sic itaque Deus volens omnes ho|622|mines salvos fieri et esse studiosos, ubi videt oppositum, ex occasione movetur ad tales virtutes. (24) Verum hoc inconvenienter dici videtur.
15 Nam aut istae virtutes, ut misericordia et martyrium et sic de reliquis eiuscemodi generis, sunt longe perfectiores virtutibus peccata non praesupponentibus, aut imperfectiores. (25) Si detur primum, non igitur sunt veluti occasionata et secundario intenta; nam occasionatum non potest esse
20 perfectius non occasionato ut patet in natura; homo enim monstruosus non potest esse perfectior homine non monstruoso. Quare absolute et non ex conditione istae virtutes sunt volitae a Deo. (26) Si vero detur secundum, videlicet quod sint imperfectiores, istud ex multis non videtur etiam
25 posse stare. Primo quoniam misericordia videtur excellere omnes alias virtutes adeo ut Deus maxime commendetur ex misericordia; et martyrium videtur esse excellentius

9 quod AMLC δ ed. — Ita ed. — 13 videtur moveri ed; movet B. — 15-16 sic de reliquis eiuscemodi generis: huiusmodi B; aliis E. — huiusmodi ENI (B); eiusmodi M. — 16 sunt BM; aut sunt ELN; *omm* A d ed; (sint *post* perfectiores C). — 23-25 videlicet quod . . . posse stare: hoc etiam non videtur posse stare ex multis B.

7-8 m: « Quae requiruntur ad depellenda mala simpliciter non quaeruntur, ut medicina contra aegritudinem ». — 16 m: « Heae (*sic*) virtutes non sunt occasionatae ut iste putat, sed per se. Sed sunt contra effectus malos actionum i. e. contra mala poena ‹e›, sicut alibi malum poenae est remedium contra malum poenae (*culpae* ?) ut in damnatis, et ibi nusquam reperitur simpliciter malum ».

temperantia et reliquis eiusmodi virtutibus. Unde et Ecclesia magis celebrat Martyres quam Confessores. Amplius mirum est, cum De|623|us et natura de possibilibus semper faciant quod melius est, si melius esset non esse istas virtutes, 5 quod Deus dimiserit eas esse; videtur enim hoc arguere aut insipientiam, aut impotentiam in Deo, aut invidiam. Praeterea si Deus mallet omnes homines salvos fieri quam tot damnari, cur dat Deus ipsis hominibus potentiam ad peccandum, et tot illecebras totque insidiatores apposuit? 10 Tam nanque arctam et difficilem viam ad virtutes posuit ut unusquisque quanquam validus et sapiens terreatur. (27) Quod si dicitur hoc Deus fecit non ut laberetur homo, sed ut mereretur; haec nanque ordinavit in bonum hominis et non in malum. Verum et istud non videtur sufficere. 15 Quoniam Deo secundum positionem erat apertum ipsos homines non superaturos cupiditates et repellentia a virtutibus, verum ipsos magis superari a cupiditatibus et ab inducentibus ad vitia. Sed haec videntur arguere aut insipientiam aut malitiam in Deo. Si enim quis det filio suo malos comites 20 quos sciat filium perdituros mittatque filium suum |624| per viam valde periculosam per quam de mille millibus vix unus evadit, nonne pater iste aut existimabitur insipiens, aut omnium crudelissimus? quanto magis hoc dicetur de Deo!

25 (28) Non itaque quinta opinio has difficultates effugiet quas ipsa obiicit adversus Stoicos; et videtur quod facilius Stoici evadunt difficultates quam Christiani. Nam si quis videatur peccare quoniam aliter fieri non potest, ut pote si quis claudicat quoniam tibiam habet extortam, excusabilior 30 est eo qui claudicat ex voluntate, ut dicitur in V *Metaphisicae*.

10 tam namque: tantamque γM (G *correx. in* tantumque); tamque N. — 12 liberetur ω B. — 13 meretur homo ed. — 15 Deo *om* ed. — 26 ipse ed. — 27 evadant NCD ed. — 30 ex *omm* d ed. — 30-1 claudicat . . . peccata *om* M.

30 *Metaph.*, v, 29. 1025 a 10. Cf. Platon., *Hippias Minor*. 365-376 (citat a J. Tricot, *Aristote. La Métaphysique*, tome I. Paris 1953, p. 370 n. 4).

(29) Secundum autem Stoicos, peccata sunt in universo quoniam sic exigit universi natura, neque potest esse universum nisi talia sint; quod experimentum ostendit et ratio. Experimentum quidem quoniam nunquam fuit mundus sine 5 bono et malo. Ratio quidem quoniam ex natura habent res humanae ut possint et bene et male operari; opus autem naturae non potest frustrari, aliter autor naturae esset vanus. (30) Secundum vero Christianos, Deus potest ab universo omne peccatum removere, |625| non tamen removet; immo quasi 10 nullus homo est bonus, et verius dici potest quod nullus quam quasi aliquis. (31) Rationabilior igitur videtur Stoicorum opinio opinione Christianorum, quandoquidem secundum Stoicos Deus se habet ut claudus sive claudicans ex natura, secundum Christianos vero se habet ut claudicans ex 15 voluntate. (32) Secundum enim Stoicos, Deus non potest aliter facere quam facit; quare si mala sunt in universo, hoc exigit universi natura. Secundum vero Christianos, posset Deus sed non vult; quod longe maiorem malitiam arguit; quanquam secundum Stoicos nulla in Deo sit malitia, veluti 20 si quis utatur bove suo ad arandum nulla utitur malitia; neque etiam secundum Christianos: ex eo quod in universo sunt animalia nocentia et innocentia in Deo non dicitur esse aliqua malitia. (33) Adde quod paria etiam videntur esse peccata (si peccatum dici potest) peccatum Stoicorum 25 et Christianorum. Nam apud Stoicos Deus videtur peccare quoniam concurrit effective ad peccatum. Secundum vero Christianos, et|626|si Deus non concurrat effective, permittit tamen peccatum fieri; verum ut dicitur II *Phisicorum*: «Absentia nautae est causa submersionis navis» et ad genus 30 causae efficientis reducitur; neque solum vituperatur quod

3-4 experimentum . . . Experimentum: Experimento et ratione manifestum est. Experimento C. — 13 Deus b; homo L² d ed (Deus homo *sic* H). — 15 voluntarie δ ed. — 22 ideo ed. — 24 peccatum Stoicorum b; *omm* peccatum d ed.

17 m: «Contra, non velle tollere malum et permittere malum non sunt actiones malitiae». — 28 *Physic.*, II, 3. 195 a 13-14. *Metaph.*, V, 2. 1013b 12-15.

effective subvertit navem, verum et quod non prohibuit eius
submersionem ubi potuit et cognovit. Immo magis dolosus
videtur esse qui non prohibuit et potuit prohibere eo qui
subversit; nam qui subversit palam fecit, hic vero clam et
5 dolose.

(34) Non minus et quarta opinio Aristoteli attributa graves
patitur instantias. Ex ordine nanque universi oportet esse
praeclaras virtutes quas sine peccatis committi impossibile
est ‹esse›. Necessarium est igitur esse peccata; divina
10 igitur providentia per se intendit esse peccata et est autor
peccatorum. Aut igitur sic esse autorem peccatorum non
arguit defectum in Deo, aut si arguit, etiam secundum Aristotelem in Deo erit defectus. (35) Amplius Deus dedit
voluntatem homini et ad peccare et ad non peccare. Nisi
15 potentia vana ponatur, oportet utrunque exire ad a|627|ctum
de necessitate, apposuitque omnia necessaria ut homo peccet. Aliquando igitur peccabit et aliquando non peccabit.
(36) Quod et firmatur, quoniam nullus homo in aetate adulta
est adeo probus qui aliquando non peccet, nec aliquis est
20 homo adeo flagitiosus et sceleratus qui aliquando non habeat
electionem bonam. Ergo videtur hoc necessarium; quod enim
semper est, necessarium videtur; quod enim non est necessarium aliquando deficit, nisi potentia ex toto ponatur vana.
(37) Praeterea ideo homo peccat quoniam potest peccare;
25 ideo potest peccare quoniam ex se nihil est, ut communiter
ponitur. Sicuti ergo habens materiam de necessitate corrumpitur et resolvitur in primam materiam, ita potens peccare
aliquando vertitur ad actum peccandi; sicut enim materia
est causa corruptionis, sic voluntatem ex nihilo fieri est causa
30 peccati. Si igitur habens materiam de necessitate corrum-

2 et dolosus ed. — 3-4 et potuit . . . subversit: cum posset quam qui subvertit B. — 4 subvertit ENB; submersit C ed. — 9 esse *ante* Necessarium *omm cunct.* — 11 igitur Deum sic esse ed. — aut igitur . . . peccatorum *om* δ. — 15 apposuit quod ed; apponitque E. — 18 Quod . . . quoniam: confirmatur E. — 21 necessarium. *Hic explicit* N (*fol.* 155v, *lin.* 13a). — 25 ideo potest peccare *omm* ω ed.

6 Vid. solutiones infra p. 374, 4 sqq.

pitur, sic voluntas ex nihilo de necessitate peccat. (38) Praeterea posse peccare et non peccare insunt homini ex natura. Ergo et actus |628| peccandi et non peccandi sunt actus naturales: nam sicuti est potentia ita videtur esse actus, quare
5 erunt actus naturales. Sed quod secundum naturam est, aliquando necessarium est esse. Ergo necessaria sunt peccata.

(39) Quare respondendo ad obiectionem dicimus neque in Deo esse defectum, neque in Deo esse crudelitatem vel iniustitiam, vel aliquod aliud quod Deo non conveniat.
10 Neque ex hoc quod pauperes conculcentur a divitibus arguit defectum vel crudelitatem in Deo, sicuti quod ovis devoretur a lupo, et lupus lanietur a canibus, et canes a leonibus. Nam licet considerando in particulari hoc videatur iniustum et impium, in ordine tamen ad universum non videtur tale;
15 quod enim agricolae tantum subiiciantur civibus videtur crudele, tamen si quis consideraverit ordinem Reipublicae hoc est necessarium; neque mundus esset perfectus nisi talia in ipso reperirentur. (40) Quod si dicitur: Nullus deberet puniri, nullus deberet praemiari; patet non sequi. Nam et
20 scorpiones interficiuntur et animalia pestifera; e contra fit de animalibus utilibus. Hoc enim e|629|xigit universi natura, et fato fit ut lupus qui ovem alicuius interemerit ab hero ovis insectetur. (41) Quod si dicitur: Iste videtur esse ludus in universo; dicitur quod etiam secundum eos non

10 et hoc ed. — 11 vel crudelitatem *om* ed. — 14 videatur AMC; videtur *cett.* — 22 devoravit ed; interimit C[I]E; interemit BG.

7 i. e. ad primam; cf. supra p. 193, 3. *Codex A in mg.*: « Obiectiones habentur supra in fine primi capituli huius libri ». Supra, p. 155, 17 sqq. — Vid. Thom. Aquin., *Sum. Theol.*, I[a] pars. qu. 22 art. 2: « Provisor universalis permittit aliquem defectum in aliquo particulari accidere ne impediatur bonum totius. Unde corruptiones et defectus in rebus naturalibus dicuntur esse contra naturam particularem: sed tamen sunt de intentione naturae universalis inquantum defectus unius cedit in bonum alterius, vel etiam totius universi . . . si enim omnia mala impediantur, multa bona deessent universo: non enim esset vita leonis si non esset occisio animalium; nec esset patientia martyrum si non esset persecutio tyrannorum ». (Leon. IV 265).

minus universum videtur esse ludus, ut satis abunde superius deductum est.

(42) Et dico quod si ponamus animam humanam esse mortalem, veluti existimo Stoicos tenuisse (Seneca enim
5 Stoicus fuit et credidit ipsam esse mortalem, veluti diximus in nostris tractatibus *De Immortalitate Animae*), certe haec ratio adducta aut nullam, aut paucam infert dubitationem. Nam ita erit de hominibus respectu Deorum quale est de nostris bobus et nostris gallinis, in quibus nulla videtur esse
10 crudelitas vel iniustitia. Si vero anima humana ponatur immortalis, argumentum maiorem habet evidentiam, quanquam efficaciter non concludat. (43) Existimo tamen secundum ipsos animam humanam non ponendam esse immortalem; quoniam si ponatur immortalis et ponatur modus Christia-
15 norum, videtur difficile posse salvare Deum a crudelitate, quandoqui|630|dem secundum positionem Christianorum Deus sciat vix nullum salvandum. Videtur enim quod poenis gaudeat. (44) Quod si Stoici ponerent animam immortalem et multiplicatam, fortassis haberent alium modum dicendi:
20 quoniam reiterato corporibus reunirentur et fierent vicissitudines contrariae; ut, exempli gratia, qui prius et in uno saeculo fuisset mendicus in altero saeculo fuisset rex vel dominus. Veluti est etiam videre nunc in hoc saeculo; nam aliquae civitates vel loca quae aliquando fuerunt magna et potentia,
25 postea fiunt parva et debilia, nam: «ubi mare ibi postea arida», et sic per infinitam vicissitudinem ut docet Aristoteles in fine primi libri *Metheororum*. Quare et sic erit de animabus si ipsae sint aeternae. Immo, secundum principia naturalia, si ponimus animas esse aeternas, aliter dicere non possumus,
30 quanquam secundum fidem Christianam et veritatem aliter

10 anima: natura ed. — 20 unirentur quod ed. — 22 medicus ELG. — 27 1° metheororum in fine C. — libri *omm* bGH. — animalibus ωδι ed (*correxerunt* MDI). — 28 si ipsa sint aeterna E ed. — 30 Christianam et veritatem *om* E. — aliter *om* ed; universaliter C.

1 Cf. supra p. 195, 15. — 4 Cf. P. Pomponatii, *De Immortalitate Animae*, cap. XIV; ed. Gentile, Bari 1925, pp. 114 sqq. — 27 *Meteor.*, I, 14. 351 a 18 sqq.

dicendum sit. (45) Unde et sic ponendo neque in Deo videbitur esse iniustitia neque crudelitas, quandoquidem unusquisque et de bono et de ma|631|lo aequaliter participabit; nam et qui erit rex aliquando erit pauper, et qui pauper ali-
5 quando rex. Quod si iterum dicatur iste videtur esse unus ludus deorum; verum, ut diximus, etiam ponere illam vicissitudinem in sublunaribus videtur esse ludus Deorum. Unde Plato in I *De Legibus* dixit se ignorare, cum homo sit miraculum in natura, ad quid Deus eum fecerit, an ludo an
10 serio. Et sic patet ad primam dubitationem.

II. (1) Ad secundam vero, in qua dicebatur quod homo qui non ridet non habet potentiam ad ridendum, qui non habet potentiam ad ridendum non est risibilis, qui non est risibilis non est homo; quare qui est homo non est homo,
15 quod repugnantiam claudit. Huic dicitur quod quamvis multi et sapienter fecerint differentiam inter potentiam et aptitudinem (multa enim habent aptitudinem quae non videntur habere potentiam et e contra), tamen quantum sit in proposito dicimus quod non omne quod quocunque modo
20 potest esse erit, sed tantum illud cui impedimentum non advenerit ex necessitate. (2) Nemini enim dubium est quod si lapis, exi|632|stens sursum, suae relinqueretur naturae caderet; et tamen, ut suppono, nunquam cadet neque poterit cadere, non quidem ratione sui, sed quoniam de necessitate
25 impedietur. (3) Quod si dicatur: Frustra igitur erit illa potentia cadendi in lapide; huic dicitur quod idem sequitur et secundum alios. Quare cum dicitur: Quod poterit esse erit, intelligitur de potentia secundum totum et non secundum partem, sic quod de necessitate non impediatur.

1 est B d ed. — 4 ut qui ed. — 12-13 qui non habet . . . ad ridendum *omm* δ ed. — 15 repugnantiam ωBγ ed; repugnantia Lδo. — 16 sapienter ALC²; sapientes EMB d ed. — fecerint et ed. — 21 adveniet ALC²; advenit E. — 22 rursum ed. — 28 quod poterit esse erit *add ditto. ante* secundum partem δ ed.

8 *Leg.*, I. 644 D.

(4) Et sic argumentum non procedit. Non igitur: Si non ridebit, non est risibilis, et si est risibilis, ridebit: quoniam ille qui risibilis est et non ridebit de necessitate impedietur.

III. (1) Ad tertiam vero cum dicebatur esse contra sensum
5 quoniam experimur in nobis esse velle et nolle; dicimus, veluti diximus in primo libro, in nobis experiri esse velle et nolle, neque hoc negamus. Verum a quo fiant velle et nolle ignoramus; unde nescimus quid moveat voluntates nostras. (2) Aliqui enim dicunt quod voluntas movet se, nullo extrin-
10 seco movente; aliqui dicunt quod |633| obiectum cognitum sub ratione boni; aliqui dicunt quod Deus, et sic volunt Stoici; immo Aristoteles in libro *De Bona Fortuna* videtur hoc dicere. Dicit enim: «Deus qui est melior ratione et intellectu, voluntatem movet». Quod si sic est, non est igitur
15 nostrum velle et nolle secundum intellectum quem ipsi dant, videlicet quod voluntas nostra a nullo mota se ipsam moveat; sed bene est nostrum velle et nolle quoniam ista sunt in nostra voluntate tanquam in subiecto, non autem tanquam in efficiente; sicuti et in bestiis est appetere et renuere
20 tanquam in subiecto, non autem tanquam in efficiente. (3) Unde vere experimur nos velle et nolle, sed non experimur nos causare velle et nolle; unde multotiens optamus habere velle et nolle quod non habemus. Quare exclamabat Medea:

25 *... si possem sanior essem;*
sed trahit invitam nova vis ...;

et ante dicit Poeta:

... postquam ratione furorem

6-7 vel nolle ed. — 8 nos ignoramus α. — quid MBCDH: quod *cett.* — 22 nos ea δι ed.

4 Vid. infra p. 377, 5 sqq. — 6 Cap. 13; supra p. 107, 10 sqq. (ad 7um). — 12 *De Bona Fortuna* [*Ethic. Eudem.* H 2]. 1248 a 25. Vid. supra p. 48, 12. — 24 Ovid., *Metamorph.*, VII, 18-19 et 10-12; cf. supra p. 81, 11.

Vincere non poterat, 'frustra, Medea repugnas,
Nescio quis Deus obstat'; ait . . .

et reliqua quae sequuntur, quae eandem praetendunt sententiam. |634| (4) Credo multos reperiri qui in semetipsis
5 experiuntur velle et nolle suum non esse, et conantur non amare aliquem nec possunt non amare, et similiter conantur odire et non possunt odire. Verum de his satis abunde in primo huius dictum est. Cum itaque dicitur possum scribere et non scribere, verum est, nisi impedimentum adve-
10 niat, et fiat determinatio per voluntatem. Verum nescimus ad quod determinabitur voluntas, quandoquidem huiusmodi determinatio non est ex nobis: omnis namque potentia quae aequaliter respicit opposita non exit in actum nisi ab alio determinetur. Quare ex fato oportet eam determinari et se-
15 cundum talem determinationem oportet eligere.

IV. (1) Superest modo ut ad quartam dubitationem respondeamus, in qua quaerebatur quomodo fatum necessitet et cunctae res gubernentur ipso fato.

(2) Et altius ordiendo videtur dicendum quod, cum tan-
20 tum in universo sit unum primum movens quod tantum est movens, non motum, caetera vero sint moventia et mota, aut tantum mota si detur aliquod quod |635| nullam habeat efficientiam, ideo omne movens aliud a primo movente est instrumentum primi moventis, neque ex se habet
25 motum nisi ut movetur a primo movente, taliterque movet qualiter dirigitur a primo movente. (3) Cum autem primum movens non possit movere nisi intelligendo et volendo, ideo oportet omnia a primo movente intelligi et ordinari non solum quantum ad eorum substantiam verum et quantum
30 ad eorum esse et suas operationes. (4) Talis intelligentia autem et ordinatio potest appellari divina providentia; ut

1 repugnas LCδ; repugnans ωGH ed; repugnat B. — 2 amori ait ed. — 6 et non possunt bC². — 8 primo libro B ed. — 14 opus eam ed. — 17 necessitet ω; necessitat *cett.* — 22 det δ ed; ded H.

8 Cap. 11; supra pp. 80-81.

vero quod provisum et ordinatum est ab ipso Deo in his quae provisa et ordinata sunt explicatur et perficitur, sic fatum potest appellari. (5) Quare et Boetius in IV *De Consolatione* dicit: «Providentia est ipsa divina ratio in summo 5 omnium principe constituta quae cuncta disponit». Quare et Virgilius noster in primo *Aeneidos* dixit:

> ... *O qui res hominumque deumque*
> *Aeternis regis imperiis* ...

Et postea idem Boetius in eodem loco subiunxit: «Fatum 10 vero est inhaerens dispositio rebus mo|636|bilibus per quam divina providentia suis quaeque nectit ordinibus».

(6) Est igitur talis ordo ut primo divina providentia quaeque intelligat et ordinet in mente sua, veluti sapiens architectus prius tenet in mente opus fiendum quam ipsum faciat. 15 Quare Plato appellavit Deum Architectum. Verum distat inter Deum et hominem architectum, quoniam in homine praeconceptio praecedit tempore opus; in Deo autem non est hoc necessarium, sed sufficit praecessio secundum naturam; et hoc supponendo quod mundus sit aeternus. (7) Post au- 20 tem ipsam intelligentiam et ordinationem rerum fiendarum fit executio, non quidem confuse sed ordinate. Quare primo producitur prima intelligentia, quae etsi varietatem non suscipiat quoniam est tantum substantia, potest tamen dici mobilis et variabilis pro quanto habet esse a prima et ab ea 25 continue conservatur. Non tamen potest aliter operari quam sibi datur a prima quoniam veluti tantum esse habet a prima, sic et suum operari. Unde talis dispositio existens in

2 praevisa ω F. — 3 ut Boethius ω H. — 6 noster: etiam M; *omm* EC[1]. — 7 rex MγDFH (*D ante correct.*). — deorumque d ed. — 12 et primo d. — divina intelligentia EM. — 15 Architectum M ed; Architipum *cett.* — et Plato AλC[2]. — 17 praeconceptio ωBC[2]; prius conceptio L d ed. — 17 operis ed. — 21 fit executio *omm* δ ed. — 26 tantum *om* γ.

3-4 *De Consol.*, IV, prosa 6a (Peiper p. 108). — 6 *Aeneid.*, I, 229-230. — 9 *De Consol.*, IV, prosa 6a (Peiper p. 108). — 12 sqq. Cf. Chalcidius, *Platon. Tim. interprete Chalcidio* (Wrobel c. 176; p. 225). — 15 *Tim.*, 28-29.

prima intelligen|637|tia, ut est in Deo secundum suam providentiam, dicitur Dei providentia de prima intelligentia; ut vero est in ipsa prima intelligentia, est fatum primae intelligentiae. (8) Secunda autem intelligentia dependet a
5 prima et a Deo, et non operatur nisi secundum dispositionem datam ab illis. Unde talis dispositio in ordine ad illas duas causas superiores est fatum eius, quoniam neque esse, neque operari habet nisi secundum illum ordinem sibi datum ab illis causis. Haec quoque secunda intelligentia dicitur magis
10 mobilis et variabilis quam prima, quoniam non tantum habet de entitate quantum prima habet. (9) Et sic discurrendo ab ista secunda usque ad ultimam causam post quam non est alia causa, sic quod semper posterior determinatur a priori aut posteriores a prioribus causis, et moventur et regulantur
15 secundum priores causas, neque possunt subterfugere ordinem illarum causarum. (10) Quare in ordine ad causas superiores nihil est enorme, nihil est casuale, nihilque potest aliter esse vel fieri quam secundum quod per causas superiores fue|638|rit dispositum et ordinatum. Cuius evidentis-
20 simum signum est quod boni astrologi tam determinate sciunt praedicere de futuris, neque tantum de his quae non subiiciuntur voluntati humanae, verum et de his quae voluntati humanae subiiciuntur. (11) Unde, ut apparet per historias, quas si vellemus enarrare tota mundi carta non
25 sufficeret, Mathematici multotiens aliqua praedixerunt pertinentia ad actus humanos, et cum multi conarentur effugere talia et falsificare dicta Mathematicorum, dum contendunt fugere fatum incidunt in fatum. Non igitur tantum ratione carentia regulantur fato, verum et actus humani.
30 Quare fatum est dispositio existens in causa vel in effectu inferiori et immobiliter, quae dispositio data est a causa vel a causis superioribus.

21 non *omm* δ ed. — 22 et *omm* LM δ ed. — 22-23 verum ... subiiciuntur *om* ed.

30 Cf. *Platon. Tim. interprete Chalcidio*, c. 152: « Est igitur universae rei anima fatum in substantia positum. Est item data huic informatio rem omnem recte gerendi » (Wrobel, p. 209).

(12) Cum autem quaerebatur quae esset ista dispositio vel quid esset, dico quod in aliquibus nihil aliud est nisi substantia rei quae talis naturae est ut taliter vel taliter operetur secundum quod datum est sibi a causa superiori. In
5 aliquibus autem praeter substantiam est et accidens; ut pote quod Socrates vivat per centum annos, hoc |639| datum est sibi ex syderibus quae dominium habuerunt in nativitate sua secundum coniunctiones, oppositiones et alia quae in Astrologia pertractantur. (13) Et credo illa sidera agere in
10 haec inferiora per qualitates taliter disponentes materiam foetus Socratis secundum quas Socrates vivet per centum annos, ut supposuimus, neque evitari poterit quin vivat per centum annos; unde si aliqua evenient impedimenta, ut puta infirmitates vel aliqua infortunia, erunt sidera praepo-
15 tentia et superantia illa adversa. (14) Nanque, ut legitur apud Iustinum de Abide rege, quanquam multa ingenia adhibita sint pro morte Abidis, tamen semper sidera praeservarunt eum. Quantas enim fatuitates fecerunt Alexander Magnus et Iulius Caesar in suis bellis et suis operibus ut
20 merito debebant succumbere! Videmus tamen eos cuncta evasisse; quod revera non possumus ascribere suis sapientiis, cum certe in multis erant bestiales et temerarii, sed hoc tantum ascribendum est corporibus caelestibus, veluti et per Mathematicos erat praedictum |640|. Immo nisi fuissent
25 tam temerarii et bestiales non pervenissent ad tantam feli-

3 natura ed. — 3-4 operatur ed. — 7 sibi *om* ed. — 12 poterit c; potuerit δo ed. — 13 advenient C; venient L; veniant B; veniunt EM; eveniunt A. — 17 sint ω L; sunt *cett.*

8-9 Scil. in tractatibus de *Nativitatibus* vel *Revolutionibus Annorum in Nativitatibus*, de quibus vid. L. Thorndike, *A History of Magic and Experimental Science*, Vol. II. N. Y. 1923. Index, *s. v.* Nativities; Albumasar; Omar ben Farrukhan; Abubacer; Guido Bonatti, Abenezra, etc. — 15-16 Iustin., *Histor. Philippic.*, Lib. XLIV, c. 4, de Habide rege Gallaeciae; vid. supra p. 116, 3. — 18 m: « Sed si fatum ut hic ait est dispositio quam habet quaeque res a nativitate a causis superioribus, nullae verae dispositiones erunt in homine vel in alia re; quia quicquid convenit, conveniet secundum dispositionem a causis acceptam, quae naturaliter agentes, dederunt quam potuerunt ».

citatem; quare et temeritas illa erat fatalis et ordinata in illam felicitatem sive fortunam, quomodocumque volueris appellare. Et postea cum sapientia voluerunt effugere fatum, inciderunt in fatum quoniam et illa sua sapientia ordinabatur
5 in suam infelicitatem.

(15) Superest autem inquirere hic: Si Saturnus, exempli gratia, in ortu Platonis, materiae Platonis influit dispositionem per quam infeliciter vivet, cum ista dispositio sit qualitas quae non potest recipi in materia foetus Socratis nisi prius
10 alteretur medium ad illam qualitatem, an igitur potest impediri ut talis dispositio non recipiatur in tali materia? (16) Exempli gratia: Veluti oculus meus illuminatur ex lumine solis, si obstaculum apponatur inter solem et oculum meum, lumen non diffundetur usque ad oculum meum. Nonne
15 igitur et talis influxus potest impediri per obstaculum positum inter Saturnum et foetum ipsius Platonis, et sic Plato evitabit malum fluxum Saturni? Quare et astrolo|641|gi certum iudicium non poterunt ferre de nato sub Saturno. Consimiliter et de reliquis suo modo dicatur.
20 (17) Ad hoc mihi videtur dicendum quod stellae necessario

5 felicitatem ω G ed. — 7 ortu bC²; ordine G (*ante correct.*) δo ed; formatione vel origine γ. — 12 ex *om* ω. — 17 influxum AB. — 18 indicium C² δ ed. — 19 dicitur ed.

17 Cf. Thom. Aquin., *Summa Contra Gentiles,* III c. 85: «Et propter hoc (*i. e. quia homines insequuntur passiones suas*) dicit Ptolomaeus in Centilogio (*verb. VII*) quod anima sapiens adiuvat opus stellarum, et quod non potest astrologus dare judicia secundum stellas nisi vim animae et complexionem naturalem bene cognoverit; et quod astrologus non debet dicere rem specialiter, sed universaliter (*Centilog., verb. I*) quia scilicet impressio stellarum in pluribus sortitur effectum, qui non resistunt inclinationi quae est ex corpore» (ed. Romae 1894, p. 414). — 20 sqq. Doctrinam de syderum influxu in ortum naturarum ac etiam animarum magna ex parte ab Alexandro Aphrodisiensi inter peripateticos originem duxisse multi arbitrati sunt. V. g. Paul Moraux, *Alexandre d'Aphrodise* . . . 1942, pp. 35-36 (Alexand. Aphrod., *Apor.*, II, 3); P. Moraux, *op. cit.*, p. 197; etiam p. 162 (Alexand. Aphrod., *De Intellectu*). — G. Théry, *Autour du décret de 1210. II; Alexandre d'Aphrodise,* pp. 106-107 n. 4, examinat loca ubi Thomas Aquin., contra Alexandrum invehit quod animam ex prima elementarum commixtione originem sumere

influant in origine uniuscuisque non solum aliquam qualitatem inducendo, verum et in commiscendo, et substantiam quae est forma inducendo. Unde existimo quod, quanquam anima Socratis et Platonis sint eiusdem speciei, si
5 anima tamen Socratis, exempli gratia, fuit inducta sub Saturno, et Platonis sub Iove, [quod] multum differant accidentaliter, et aliquid contraxit una a principio nativitatis quod non contraxit alia. (18) Quod autem stellae alterent ista inferiora sic veluti dictum est, apparet quoniam secun-
10 dum quod una stella coniungitur cum altera vel ab ea removetur et secundum diversas figuras vel aspectus videmus, ut dicunt astrologi, stellas fortificari vel debilitari in suis actionibus et diversas habere operationes. Quod esse non potest nisi una stella recipiat qualitatem ab alia; vel si stella
15 non recipit qualitatem ab alia, saltem continens diversimode alteratur ex ipsarum stellarum |642| dispositione secundum coniunctionem vel oppositionem vel aliam figuram; et medium sic alteratum disponit generationem eorum quae in medio continentur. Nam et locus est principium generationis

1 originem I ed. — 3 quod *om* C. — 6 quod *sic cunct.* — 14-15 vel si ... ab alia *om* ed. — 15 alia stella γH.

dixisset. Cf. Thom. Aquin., *Sum. Contra Gent.*, II c. 62. Similem Guillermi Alverniensis contra Alexandrum impugnationem refert Théry, *op. cit.*, p. 113 n. 1. Cf. Guill. Alvern., *De Anima*, cap. V, p. III. Vid. etiam Pierre Duhem, *Le système du monde*, IV, pp. 563-564. Cf. [Abou Ma'schar Dja'far ibn Muhammad al-Balhi], *Maior Introductorius Albumasar Astrologi ad scienciam iudiciorum astrorum* (Johanne Hispal. Interprete), tract. I, diff. 4a: « Quidquid vero non fuit specierum neque elementorum necesse est ut sit ei causa, et eius causa fortitudo (*potentia*) celestis. » Paris. Bibliot. Nation. ms. lat. 16204, fol. 15a; « hoc quod efficitur in eis (*naturalibus*) ex virtute solis sit forcius in composicione naturalium individuorum et differentia universarum specierum ab invicem et concordia animae vitalis cum corpore iussu Dei, » *ibid.*, fol. 13b; *Introductorium in Astronomiam Albumasaris Abalachi* (Hermanno de Carinthia interpret.) ... Erhardt Ratdolt, Augustae Vindelicorum 1489 (Hain-C. 612; *Gesamtkatalog der Wiegend.* n. 840), Lib. I, cap. 3um, fol. a7r ista nimis condensavit. — 8 sqq. Cf. *Introductorium ... Albumasaris* ... 1489, Lib. IV, cap. 2 sqq., ff. c1v sqq.; *Maior Introductorius* ... BN lat. 16204, fol. 67a sqq., tract. IV, diff. 2a sqq.

locati quemadmodum et pater, sicut dicit Porphirius in suis *Universalibus*.

(19) Cumque ulterius quaeritur an tales influxus possint impediri, huic mihi videtur dicendum quod non, quoniam impossibile est haec inferiora absolvi a regimine superiorum; eorum enim regimine (scilicet superiorum) cessante res tenderent in nihil. Quare continuum oportet esse influxum in haec inferiora a superioribus.

(20) Cumque ulterius quaerebatur: Veluti lumen impediri potest, quare et non talis influxus? Huic dicitur quod lumen est actus diaphani in quantum diaphanum. Ad hoc igitur quod lumen stellarum deferatur ad aliquod corpus, oportet medium, sive densum sive spissum sit, esse diaphanum; quare opaco interposito lumen non potest diffundi, quoniam actus activorum sunt in patiente disposito. (21) Verum influentia non est actus diaphani, sed transfunditur ad unumquodque corpus saltem genera|643|bile et corruptibile, quoniam unumquodque istorum inferiorum indiget influxu et conservatione caelestium. Non autem unumquodque indiget luminari; nam opaca luminari non possunt, sed sine influxu esse non possunt. Unde videmus homines etiam praeservantes se quantum possunt, et tamen sentiunt motus lunae sive in tempore calido sive frigido, ut sunt lunatici et laborantes doloribus iuncturarum vel aliquorum similium.

(22) Et quoniam ulterius quaerebatur an continue talis

1 patet ed. — 3 fluxus ed. — 6 inferiora tenderent (A *correx. in* res) α. — 7 nihilum EM. — 11-12 est actus . . . quod lumen *om* ed. — 15 passo B. — bene disposito G. — 23 in tempore frigido AM; in frigido C.

1-2 Comin. de Tr. I, IV DE: «Dicitur autem et aliter rursus genus, quod est uniuscuiusque generationis principium: vel ab eo qui genuit, vel ab eo loco in quo quis genitus est» quod solum approximat huic quod Pomponatius dicit. [Porphyrii *Isagoge et in Aristotelis Categorias Commentarium*, ed. Adolf. Busse (Commentaria in Aristotelem graeca . . . IV, pars 1^a), Berolin. 1887, p. 1^{23}-2^{1} (Brand. 1a 22-23)]. — 11 *De Anima*, II, 7. 418b 9; *De Sensu et Sensato*, 3. 439a 23. — 15 *De Anima*, II, 2. 414 a 11; *Metaph.*, IX, 8. 1050 a 30. — 18 Cf. *Physic.*, VIII, 6. 259a 2-6. — 21 sqq. Cf. *Introductorium in Astronomiam Albumasaris* . . . Lib. III. cap. 9 (ed. Ratdolt 1489 ff. C^6v sqq.).

qualitas foveatur ab illa stella, vel sufficit quod a principio habuerit esse ab ipsa stella; huic puto satis probabiliter utrumque substineri posse. Dici enim potest quod sicuti fortunatur vel infortunatur illa stella secundum coniunc-
5 tiones vel oppositiones et reliqua considerata in Astronomia, sic quod subiicitur tali stellae fortunatur vel infortunatur continue per transmissionem influentiae ab illa stella, veluti videmus in planta dicta heliotropium quae vertitur secundum motum solis et suam insequitur dispositionem. (23) Fortassis
10 etiam quod non |644| est opus continue stellam illam transmittere influxum ad talem genitum, sed tantum sufficit illum influxum fuisse missum in genito a principio generationis, et per talem dispositionem fortunatur vel infortunatur veluti stella. Nam videmus magnetem per qualitatem habitam a
15 principio generationis semper verti ad partem septemtrionalem, ut sciunt nautae in mari instrumento quo utuntur ad cognoscendum in qua mundi plaga sint.

(24) Et sciendum est quod non solum ea quae sunt eiusdem speciei propter diversum vel eundem aspectum siderum
20 habent eundem vel diversum terminum vitae et eodem modo vel diverso felicitantur vel infelicitantur, sed et ea quae sunt diversarum specierum, secundum tamen quod convenit naturae speciei. (25) Nam legimus apud Suetonium historiae scriptorem in principio *Vitae Galbae Caesaris*
25 lauros quasdam et gallinas in totum defecisse ad interitum et exitium Domus Aeneadum ultimum; quae lauri et gallinae descenderant ex quadam gallina quam aquila Liviae post Au-

3 verumque substineri ed. — 8 movetur γ. — 24 in principio ωCL; a principio BGδo ed. — 25 quosdam ed. — 26 et exitium *om* ed.

4-5 Cf. *Introductorium . . . Albumasaris*, Lib. IV, capp. 2-6 (ff. C7v sqq). — 8 Cf. *Introductorium . . . Albumasaris*, Lib. I, cap. 2 (fol. a3v). — 23-24 C. Suetonii Tranquilli *De Vita Caesarum libri VIII* (Bibl. Teubner. 1908, M. Ihm recens.), lib. VII: *Vita Galbae*, cap. I in princ. (Teubner., p. 260). Cf. P. Pomponatii, *De naturalium effectuum causis seu de Incantationibus liber*, cap. 10, suppos. 7ª (ed. Basileae 1556, p. 166): « Liviae olim post Augusti statim nuptias Veientanum suum revisenti, praetervolans aquila, gallinam albam *etc.* ».

gusti nuptias in Veientano praevolans in si|645|num reposuerat gerentem ramulum lauri in ore. Quod in nullam causam naturalem, ut mihi videtur, referri potest nisi quoniam haec eandem stellam respiciebant et consimili influxu fovebantur.
5 (26) Per hoc etiam solvi potest unum satis admirabile quod communiter fertur ab incolis illius loci. Est enim quaedam Apuliae pars in qua multum abundant phalangii; est autem phalangius genus araneae quod in vulgari nostro *Tarantola* appellatur. Qui autem ab huiusmodi aranea morden-
10 tur, moventur taliter ut stare loco nesciant, et quasi videntur tripudiare. Ferunt autem incolae quod talis motus periodicat per annum, videlicet quod si quis morsus fuerit a tali animali in Kalendis Iunii, cum iterum redibunt Iunii Kalendae a tali morbo infestatur, et sic successive. (27) Existimo eius-
15 modi accidentis causam esse similitudinem influxus, veluti videmus aliquas herbas revirescere vel florere semper vel quasi semper in consimili die anni; quod non videtur ex alio esse posse nisi ex influxus consimilitudine. Ferunt nanque aliqui se expertos esse |646| quasdam nuces in vigesimo quarto die

1 Veientano B; Veietano d ed; Veiectano AM; Viectano E; Veretano L. — pervolans ed; provolans E. — 2 gerente ADHβγ. — 5 etiam: autem ed. — 8 phalangius B (*qui tamen aliquando* phalangium *etiam scribit*); phalangium *cett.* — 10 nequeant B. — 11 periodicat *sic* BFG ed (*in errata*); perioditat *cett.* — 12 unum annum ω. — 14 infestatur *sic* MGF ed; infestantur αLCDH; insectantur BI. — 16 revificare E. — vel quasi semper *omm* δ ed. — 17 consimile MDF.

7 Cf. Plin., *Natur. Histor.*, XVIII, 17 (44) (Bibl. Teubner., ed. C. Mayhoff tom. III 1892, p. 185); XXIX, 4 (27) (Mayhoff IV [1897], p. 398): « vis ea annua est . . .; dolor a morsu eius qualis a scorpione . . .; huius morsus genua labefactat . . . ». Cf. *ibid.* VIII, 27 (41) (Mayhoff II [1909], p. 111); XI, 24 (28) (Mayhoff II 308). Notandum quod infra p. 217, 20 dicit Pomponatius se nihil tale invenisse scriptum ab autoribus, quod forte de solo phalangii eiusque morsus simul interitu intendit. — 18 sqq. V. g. Gervas. Tilbur., *Otia Imperialia*, 3ª decisio, n. 11. « De nuce que simul frondet et fructificat adicitur mirabile mirabili, dum in praetaxato vico Barioli aliquid novi conspexi. Vidi quippe nucem grandem in orto juxta antemuralia que . . . adveniente sancti Johannis Baptistae sollempnitate, repentina exultatione nascentis praecursoris gaudio congaudet et ex improviso producit folia et fructum ». (Monumenta Germaniae Histor., Scriptores XXVII, p. 384).

Iunii incipere frondescere et non ante; quod non videtur in aliam causam posse referri quam quae dicta est. (28) Quod si quaeratur: cur aliae nuces non sic faciunt? Hoc est propter naturae diversitatem, veluti contingit et in multis
5 aliis speciebus sive fortassis generibus; forte enim quod non sunt omnes illae nuces eiusdem speciei, sed tantum eiusdem generis proximi. (29) Posset et fortassis dici de phalangio quod veluti febris collerica habet de tertio in tertium affligere, et febris ex atra bili de quarto in quartum ex natu-
10 ra sua intrinseca, ita et ille morsus ex natura intrinseca habet affligere annuatim.

(30) Verum et unum mirabilius referunt de dicto phalangio quod referre in causam apud me est valde difficile. Dicunt enim praedicti incolae quod si phalangius aliquem momor-
15 derit et phalangius moriatur aut proprio fato, aut ex violentia, morsus ulterius non operatur; si vero phalangius supervixerit, quamdiu phalangius ille vivet affligetur qui fuit morsus. (31) Et certe si hoc est verum, est valde mirabile in natura. Existimo tamen, si hoc veritatem continet (quo-
20 niam satis du|647|bito de hoc quoniam nihil tale inveni ab autoribus), dico quod existimo huiusmodi accidentis

1 florescere G. — 5 fore enim ed. — 10 ita et . . . intrinseca *om* ed. — 13 Dicunt etiam ω B. — 14-15 aliquem . . . phalangius *om* ed.

13 sqq. Cf. P. Pomponatii, *Lect. sup. II De Generatione* (anno 1522), lect. 66a. Vid. Append. IX. — 19 Vid. supra p. 216, 7 n. De auctoris credulitate erga fabulas, cf. Ant. Bernard. Mirandulani, *Disputat.* XXIX, 6 (Basileae 1545, p. 499): « Neminem enim legisse memini ex eis qui Peripateticorum doctrinam profitentur, Alberto Magno excepto, qui plura miracula, plures fabulas et narret et credat, ipso Pomponatio. Si quis enim consideraverit quae dicat iste de Petro Caelestino et de versione sociorum Diomedis et Ulyssis in bestias naturaliter etiam loquendo, et de multis aliis huiuscemodi, facere, ut opinor, non poterit quin maxima admiratione afficiatur quomodo factum sit ut hic homo, alioquin doctissimus, in has ineptias atque in hos errores ab omni cuiusvis philosophi gravitate penitus alienos devenerit ». Citat. ex B. Nardi, *Sigieri di Brabante* . . ., Roma 1945, p. 153 n. 3. Iste Mirandulan. Pomponatii auditor vel discipulus fuerat (B. Nardi, *ibid.*).

causam posse esse quoniam ex proprietate naturae phalangii est ut ipse et suus morsus ‹eadem› periodo terminentur quoniam ab eadem constellatione foventur. Cum itaque, exempli gratia, A phalangius ex suo influxu habeat ut duret
5 per annum vel duos annos, vel quomodocunque sit, ideo ipso perempto et peribit suus morsus, quoniam ab eadem causa foventur. (32) Quod si dicitur et multum acute: Phalangius fortasse, si peribit proprio fato, durabit per duos annos; sed stat quod interficiatur in primo mense; quare
10 morsus non aequabitur vitae phalangii. Ad quod convenienter dicendum existimo quod phalangius a principio suae generationis habet ‹determinatam› periodum suae vitae, sive proprio fato moriatur, sive alieno; neque si proprio fato moritur potest mori alieno, vel si alieno fato moritur, non
15 potest proprio fato mori. Quare argumentum praesupponit falsum. (33) Hoc autem esse verum con|648|firmatur, scilicet quod non minus actus voluntarii fato subiiciuntur quam non voluntarii. Nam Suetonius refert in loco prius citato, scilicet de lauris et de Imperatoribus qui ex Augusto descen-
20 derunt, quod in ortu uniuscuiusque Caesaris nascebatur laurus et ita crescebat vel decrescebat veluti Imperator ille. Nam mortuo Imperatore, laurus ex qua coronabatur Imperator ille simul arescebat cum illo Imperatore et peribat. Et tamen Caius Caligula et Claudius Nero mortui sunt
25 morte violenta. Quare non minus voluntas subiicitur fato quam aliae potentiae subiiciantur. (34) Quare sive phalangius proprio fato pereat sive alieno, hoc habet a suo sidere; unde et morsus simul interibit cum phalangio quomodocunque contingat phalangium interire. Non mihi autem

2 eadem ed; eodem *codd.* — die C^1; tempore C^2; *qui et correx. in* periodo; periculo E. — terminetur E; determinetur ed. — 4 A phalangius A λ C^2; A *omm cett.* — 10-11 consequenter E C^2; contrarium L^1. — 12 determinatam ed; determinatum *codd.* — 13 namque ed. — 14 non potest ed. — 14 non *post* moritur *om* G. — 23 accrescebat Ged; crescebat ωB. — 24 imperator ille Caius δo ed. — 26 subiiciuntur L ed. — 29 contingit ed.

18 Supra, p. 215, 23.

videtur verisimile quod morsus phalangii dependeat in esse et conservari ab ipso phalangio quoniam non video quomodo fingi hoc possit, quandoquidem nihil morsus videtur recipere ab ipso phalangio; quare verisimilius videtur quod
5 dependeant phalangius |649| et morsus ab eadem causa; unde fit ut simul intereant, veluti diximus.

(35) Super his autem quae dicta sunt, videlicet: haec inferiora fato et a corporibus caelestibus universaliter regulari testantur, quoniam considerando omnia irrationabilia
10 quae sunt infra lunam, sive animata sint sive inanimata, videmus in eis magnam esse diversitatem secundum diversitates plagarum caeli et convenire secundum earum plagarum convenientias. (36) In diversis enim plagis aut non eadem specie generantur, aut si generantur, maxime diversificantur
15 aut in quantitate, aut in qualitate, aut in utrisque. Immo videmus animalia nutrita in civitatibus valde diversificari ab iis quae nutriuntur in ruribus, et montana diversificari a planis. (37) Non minus et consimiles diversitates inspiciuntur in rationalibus, non tantum quoad corpus verum quoad
20 mores. Nam Galli in utrisque, scilicet in moribus et naturalibus dispositionibus, differunt a Germanis; et Itali ab utrisque, scilicet Gallis et Germanis. (38) Et in tantum homines diversificantur in figura, quantitate, colore et moribus, ut non videantur esse |650| eiusdem speciei, immo neque
25 eiusdem generis proximi. Aliqui enim vescuntur carnibus crudis, aliqui coctis, aliqui ut tigres, aliqui ut serpentes, aliqui adeo timidi ut mures et cuniculi. Quae diversitates referri non possunt nisi in causas caelestes. (39) Videmusque aliquos homines ita proclives ad furta ut quamvis ter et

2 in conservari γB. — 10 et quae ed. — 12 caeli et . . . plagarum *omm* Med. — 13 convenientiam ed; convenientium M. — 18-19 respiciuntur ω. — 22 scil. Gallis et Germanis *om* E. — 29 homines *omm* Gδo ed.

18-20 Cf. J. J. Pontani, *In Centum Ptolomaei Sententias* [Centiloquium], Verbum III (ed. Venetiis 1519, tom. III fol. 5v-6v; ed. Basileae 1538, tom. III pp. 2 sqq.). Cl. Ptolem., *De Judiciis* [Quadripartitum] liber II (Apud Henric. Petrum, Basileae 1541, pp. 445 sqq.).

amplius fuerint suspensi et fere strangulati, et ex aliqua fortuna evaserint, tamen demum illo fato moriuntur. Et de infinitis consimilibus narrant historiae.

(40) Videmus quoque aetates diversificari secundum di-
5 versitatem siderum ut aliquando dicatur aetas aurea quoniam benigna sidera tunc dominantur; deinde argentea quoniam minus bona sydera dominantur; et sic declinando usque ad ferream; et iterum renovari auream, argenteam, aeream et ferream secundum vicissitudinem et ludum Deorum infi-
10 nitum. (41) Neque existimandum est, ut ignavum vulgus existimat, quod quando homines sint boni vel mali ideo regnant boni vel mali influxus; nam superiora ab inferioribus non gubernantur, sed inferiora a supe|651|rioribus. Quoniam maligna sunt sidera, ideo mali mores; et non quoniam
15 mali mores, maligna sunt sidera. Nam et hoc in particularibus universaliter videmus; annis enim existentibus intemperatis omnia sunt intemperata; unde cibi intemperati,

1 strangulati ELC ed; transgulati *cett.* — 2 demum d ed; tandem bC². — Ut bC. — 3 narrantur AM. — 6 deinde argentea: et sic declinando ad argenteam ed. — 7 et sic declinando: deinde ed. — 8 eneam B; haeneam M; *om* ed. — 13 sed inferiora a superioribus: sed e contra ω.

17 sqq. Auctores quidem medii aevi in Aristotelis *Meteorologica* commentando haud pauci fragmenta ex Albumasaro [Abou Ma'schar] quaedam suis inserere commentis non dubitabant ubi de cometarum influxu (*Meteor.*, I, 7. 344b 20 sqq.) qui aerem et cibos exsiccando, homines et maxime principes colericos efficiebant, unde oriebantur rixae et bella. Cf. Thom. Aquin., *Sum. Contra Gent.*, III c. 85 (ed. Romae 1894, p. 414; supra p. 212, 17). Siger. de Brabant. (in Van Steenberghen, *Siger*, pp. 251-252). Mahieu le Villain, *Les Météores d'Aristote* (ca. 1260 a. D.); ed. R. Edgren, Upsala 1945. liv. I, chap. 7, pp. 42, 2-43, 34. Vid. Lynn Thorndike, *Latin Treatises on Comets between 1238 and 1368 A. D.*, Chicago 1950, passim. De annis temperatis vel intemperatis ab astrologis praenuntiatum erat in eorum tractibus '*De Revolutionibus annorum*' quorum praecipuae auctoritates erant Albumasar [Abou Ma'schar] et Messahalla [Ma'sha'Allah], dum quasi omnia ad haec pertinentia in unum coadunavit Guido Bonattus, *Liber astronomicus*, ed. Augustae Vindelicorum 1491: Erhardt Ratdolt (*Gesamtkatalog d. Wiegendr.* n. 4643): « The most important astrological work produced in Latin in the 13th Century » (L. Thorndike, *A History of Magic . . .*, II, N. Y. 1923, p. 826).

quare homines male disponuntur et pro vita et pro moribus. Unde necessario et inevitabiliter proveniunt bella, mortalitates, diluvia per ignem et aquam, quare iterum renovatur mundus. (42) Et non tantum Stoici dicunt hoc, verum et
5 Peripatetici de necessitate fatentur hoc. Apud enim Aristotelem non tantum civitates, maria et flumina renovantur, verum et homines et eorum opiniones; secundum enim eius sententiam infinities fuerunt eaedem opiniones, et infinities renovata est Philosophia et unaquaeque ars. Quare cum
10 hoc sit semper et per se, habet et causam per se, quae non potest esse alia quam revolutio corporum caelestium. (43) Quare veluti diximus, ex opinione Aristotelis videtur quod inevitabile sit ipsum fatum, quanquam, veluti diximus, videatur Aristoteles habere invi|652|cem repugnantes ser-
15 mones. Quod enim omnia secundum speciem sint necessaria et tamen liberum arbitrium sit in nobis non videntur simul posse stare. Quare Stoici videntur magis convenienter respondere. (44) Sic itaque mihi videtur esse dicendum in sequendo Stoicorum opinionem, quanquam ut in sequenti li-
20 bro dicam, haec opinio sit falsa, quoniam religioni Christianae quae verissima est adversatur. Et in hoc terminatur secundus liber de fato. |653|

1 quare quando homines δo ed. — 3 per aquam Bed. — 5 confitentur b. — 9 quare dicitur Lδι (*linea subducta delevit* dicitur D). — 10 et *ante* causam *omm* G δ ed. — per se *post* causam *erass.* AD. — 15 sunt ed. — 16 videtur ωI. — 17 videntur magis b; respondere magis C ed; *omm* videntur Gδo. — 22 Finit secundus liber *ad* G.

5-6 *Meteor.*, I, 3. 339b 29. *Ibid.*, I, 14. 351a 18 sqq. *Metaph.*, XII, 8. 1074b 10. *De Caelo*, I, 3. 270b 19. *Politic.*, VII, 10. 1329b 25. Cf. Platon., *Tim.*, 21-25.

INCIPIT LIBER TERTIUS DE FATO

Caput primum in quo ponitur intentio subsequentium.

(1) In primis duobus voluminibus visum est de fato et libero arbitrio secundum disputationem et humanam inquisitio-
5 nem. In sequentibus vero intendimus de ipsis loqui secundum traditionem evangelicam quae non ex hominibus verum ex Spiritu Sancto processit. Si nanque volumus loqui de fato per argumentationes naturales, nulla mihi via certa videtur esse. Quare ad Dei sapientiam recurrendum est
10 quae nos firmissimos reddit et ab omni purgat errore.

(2) Neque eis consentio, qui viam fidei cum Aristotele convenire credunt; mihi nanque videtur has vias incompossibiles esse. (3) Tenet enim Aristoteles Deum |654| de necessitate agere et omnia, secundum speciem quae sunt, esse
15 necessaria. Modo, veluti dictum est in prioribus libris, hoc non videtur posse stare cum libero arbitrio; nam actus liberi arbitrii neque necessarii sunt secundum individuum neque secundum speciem, quandoquidem liberum arbitrium humanum excludat a se omnem necessitatem. (4) Habet quo-
20 que Aristoteles alterum principium quod libertati voluntatis aperte repugnat. Existimat enim quod causa eodem modo se habente non possunt provenire diversi effectus; quare ex hoc existimavit a Deo de novo non posse provenire mutationem vel motum, quicquid ponatur; quoniam si nunc
25 producitur de novo motus, oportet motorem vel motum vel aliquod aliud aliter se habere quam prius se habuit; quoniam si omnia eodem modo se haberent ut prius se habebant, sicuti prius non fuit motus, ita neque nunc. Verum hoc repu-

1 Incipit liber Tertius de fato b; *om* de fato d; (*om totum* H); Liber tertius Petri Pomponatii Mantuani de fato et libero arbitrio K; Petri Pomponatii De Fato liber tertius ed. — 2 *rubr. cap. om* K. — 4 dispositionem δed. — 5 subsequentibus A. — de ipsis *om* γι (G *ante correct.*). — 11 assentior K. — 12 enim γε. — duas γε (C² has). — 12-13 incompassibiles ed. — 15 propriis ω. — 24 nunc Bγι (GB *in correct.*); non *cett.* — 26 aliquid λγε ed.

gnat libertati voluntatis; si enim hoc esset necessarium, tunc quod a voluntate procederet de necessitate procederet, veluti satis |655| deduximus in primo libro adversus Alexandrum. (5) Quare stante libertate voluntatis, neque Deus
5 de necessitate agit, neque necessarium est diversos effectus esse a diversis causis; verum ipsa voluntas, vel quaecumque potentia sit illa, a nullo alio determinata indifferenter potest in actus oppositos. Unde quicunque vult libertatem voluntatis salvare, habet illa duo principia Aristotelis negare.
10 (6) Supposito igitur quod Deus contingenter agat ad extra, et aliqua potentia praecise eodem modo se habens possit indifferenter in duo opposita (quae necessaria sunt pro libero arbitrio), in hoc tertio libro tria intendimus indagare. (7) Primum est: Quae sit ista potentia quae tantam
15 dignitatem habet? An est una de virtutibus naturalibus non animatis? an virtus nutritivae, an sensitivae, an intellectivae? Et si intellectivae: an appetitiva, an cognoscitiva, an motiva? (8) Secundo: Cum eligere praesupponat cognitionem eligibilium, nunquid praesentatis virtuti electivae (quaecunque
20 sit illa) duobus eligibilibus aequaliter moventibus, [an] sit |656| in potestate virtutis electivae unum praeeligere alteri? Et si unum magis moveat quam alterum, an eadem virtus electiva possit eligere quod minus movet et minus videtur bonum? Unde ut paucis absolvatur, quaestio est: An electio
25 sive voluntas possit habere actus oppositos intellectui, sic quod ratio dictet de uno et voluntas de opposito? In his enim mihi videtur quod consistat difficultas liberi arbitrii, non referendo ad divinam providentiam, sed considerando liberum arbitrium in se. (9) Deinde tertio videbimus de
30 divina providentia, et secundum se, et in ordine ad liberum

5 diversas ed. — 16 nutritiva . . . sensitiva . . . intellectiva (*bis*) ed. — 17 cognoscitiva: sensitiva γ. — 18 intelligere ω (M *ante correct.*). — 20 an sit *omnes praeter* K. — 21 potentia γη. — 22 Et sic δ ed. — 24 Unde . . . est: Et paucis videtur absolvi K. — 25 possint AB; possunt LC δο ed. — 26 dictet EBK; dictat *cett.*

3-4 Cf. supra I, 9; pp. 50 sqq., praesertim pp. 53-56.

arbitrium, si compatiuntur; et si compatiuntur, quomodo. Et sic erit finis huius tertii libri.

Caput secundum, in quo disputatur cuius virtutis sit eligere, vel in qua potentia consistat libertas voluntatis;
5 *et recitantur tres modi.*

(1) Quantum igitur sit de quaesito primo, scilicet cuius virtutis seu potentiae sit liberum arbitrium, ne vaga|657|bundi existimemur, certum est quod tanta dignitas non attribuitur nisi virtuti habenti intellectum; nullum enim inanimatum
10 vel irrationale sive non intellectivum potest huiusmodi tam excellentis dignitatis esse particeps. (2) Et quanquam in Deo et in intelligentiis ponatur liberum arbitrium, maxime a Christianis, nostra tamen praesens intentio principalius vertitur circa humanum arbitrium quod de una voluntate in
15 aliam nedum disparatam verum et priori contrariam vertitur.

(3) Communis igitur opinio est quod, cum in parte intellectiva sive rationali duae ponantur potentiae quarum una est cognoscens et dicitur intellectus, altera non cogno-
20 scens sed appetens quae dicitur voluntas; et dicit ulterius quod vere et formaliter libertas consistit in voluntate, antecedenter autem et administrative consistit in ipso intellectu, quandoquidem voluntas non possit ferri in incognitum ut III *Ethicorum* dicitur, quare dixit Augustinus quod invisa
25 amare possumus, incognita nequaquam; sic itaque secundum hos, |658| duabus potentiis perficitur liberum arbitrium, intellectu scilicet et voluntate, sed intellectu tanquam subserviente voluntati, et voluntate tanquam vere et principaliter domina.

1 si (se: α) compatiuntur *post* arbitrium *omm* C δo ed. — 4 potestate ELG δo ed. — 10 irrationabile ed. — 11 et: quod ed. — in *omm* C ed. — 14 una *om* ed. — 15 disperatam G; desperatam ed. — 18 ponuntur δo. — 24 invisa: in vita ed.

24 *Ethic.*, III, 1, passim. — Augustin., *De Trinitate*, VIII 5-6 (PL 42, 952-956); *Ibid.*, X, 1-3 (971-976).

(4) Verum cum quaeritur quod et quale sit ministerium hoc intellectus ad voluntatem, varie et diverse a diversis exponitur; sunt tamen rationabiliores et magis usitati tres modi. (5) Aliqui enim dicunt intellectum subservire in hoc
5 opere ipsi voluntati, quoniam effective movet ipsam voluntatem. (6) Aliqui vero non quoniam moveat ipsam voluntatem, sed ipsi voluntati offert quod sit agendum, in-

6-7 aliqui vero . . . voluntatem *omm* M ed. — 7 affert ed. — 7-1 intellectus quod ed; *om* que E.

1 Cf. Cajetan., *In Thom. Aquin. Sum. Theol.*, Iª pars, qu. 80 art. 2 (Leon. v, 283-287, nn. III-V), passim. Vid. Append. x. Cf. etiam Thom. Aquin., *Sum. Theol.*, Iª IIªᵉ, qu. 9 (Leon. VI, pp. 74 sqq). — De istis opinionibus apud individuos philosophos medii aevi, vide Johannes Verweyen, *Das Problem der Willensfreiheit in der Scholastik*. Heidelberg 1909; passim. Dom. O. Lottin, *Psychologie et Morale aux XIIᵉ et XIIIᵉ siècles*. t. I *Problèmes de psychologie*, 1942, pp. 1-389: Libre arbitre et liberté depuis saint Anselme jusqu'à la fin du XIIIᵉ siècle; praesertim pp. 226-243 apud Thom. Aquin., usque ad annum 1270; pp. 252-262 post annum 1270. *Ibid.*, pp. 414-424: « Les différentes étapes de l'acte humain chez S. Thomas ». — 4 V. g. Durand. de Saint-Pourçain, *II Sent.*, d. XXIV, qu. 4: « Voluntas non potest in oppositum neque respuere quod est sibi propositum, si intellectus iudicaverit finaliter et completive aliquid ut nunc agendum . . . Et sic tota libertas electionis continetur in libertate iudicii conclusivi. Et sic patet quod intellectus est liber per prius et principalius quam voluntas ». (Verweyen, *op. cit.*, p. 235). — 7 sqq. Ut Scotus, Capreolus et Henricus de Gandavo secundum Cajetanum (supra, linea 1 n.). Cf. Henric. de Gand., *Quodlib.* I, 16 (Verweyen, pp. 156-164); Johann. D. Scot. (Verweyen, pp. 170 sqq.; H. Schwamm, *Die Lehre des Duns Scotus und seiner ersten Anhänger über das göttliche Vorherwissen* [Philosophie und Grenzwissenschaften, Bd v, H. 1-4], Innsbruck 1934, pp. 126-130, cf. E. Gilson, *Jean Duns Scot*, pp. 580 sqq.; P. Minges, *Doctrina philosophica*, I, p. 339 sqq.). Huic parti astipulandus videtur Johann. Buridan., qui ponit appetitum rationalem quasi aliquod primum in genere, v. g.: « libere agens non praenecessitatur ad agendum per quodcumque », *Quaestion. in X libros Ethic. Aristot.*, X, qu. 1 (Oxon., 1637, p. 850); Verweyen, p. 219; amplius: « In voluntate nulla requiritur dispositio praevia determinans voluntatem ad necessario volendum aut nolendum », *Quaestion.*, III, qu. 3 (Oxon., 1637, p. 171); « Illa intellectualis apprehensio . . . est dispositio animae sine qua non potest anima agere vel recipere illam volitionem et sic necessario requisita . . . tanquam dispositio seu instrumentum patientis ad patiendum . . . obiectum volitum non est principale activum volitionis . . . anima libera potest producere volitionem, per illam apprehensionem, et complacentiam; non per complacentiam sine apprehensione nec per apprehensionem

tellectusque se habet veluti consiliarius ad regem, et voluntas se habet ad intellectum veluti rex ad consiliarium; consiliarius enim regi ostendit quid expediat agere, non tamen rex de necessitate eligit quod per consultorem fuerit conclusum,
5 verum est in potestate sua eligere quam partem sibi placuerit. Unde considerans haec positio quod, si voluntas tantum passive se habeat ad velle, nulla sibi libertas relinquitur; libertas nanque in agendo consistere videtur et non in patiendo; ideo actum |659| volendi posuit effective pro-
10 cedere a voluntate. (7) Tertia autem via ab utrisque partim discrepat et partim convenit. Vult enim iste tertius modus loquendi neque intellectum solum concurrere active vel solum obiectum quod est in intellectu, neque solum voluntatem, sed utrunque partialiter; sic quod obiectum et volun-
15 tas producant simul volitionem vel nolitionem, verum voluntatem principaliter tanquam dantem substantiam volitionis et actus, obiectum vero tanquam secundarium et dans specificationem actus et qualitatem.

(8) Convenit igitur cum prima in quantum ponit obiectum
20 agere et hoc duabus de causis: prima quoniam non videtur quod esset ministerium ipsius intellectus vel obiecti ad ipsam voluntatem; secunda quoniam voluntas, nisi sit determinata per ipsum obiectum, non magis causaret in se volitionem huius quam cuiuscunque alterius, veluti intellec-
25 tus nisi sit informatus determinata specie non magis producit intellectionem unius quam alterius. (9) Discrepat autem a prima quo|660|niam si totalis actio voluntatis esset ab ipso obiecto iam, veluti superius dictum est, non salvaretur libertas in voluntate, sed aut penitus libertas auferretur aut
30 tantum in ipso obiecto remaneret; quod falsum est, immo nisi principalis motio in voluntate remaneret et non in obiecto,

4 elegit ed. — 10-11 partium discrepat M; partibus discrepat δo ed. — 24 alterius *om* d.

sine complacentia». *Quaestion.*, x, qu. 2 (Oxon., 1637, p. 862-864). Vid. infra, p. 252, 21 n. — 14 Sic Johann. D. Scotus secundum E. Gilson, *Jean Duns Scot*, pp. 591-592.

neque vere voluntas diceretur libera sed magis ipsum obiectum. Quare patet ex his quomodo haec tertia opinio conveniat et differat cum prima et a prima, et quare sic etiam conveniat et differat.

5 (10) Convenit etiam et differt a secunda. Convenit quidem, quoniam ponit actionem volitionis effective esse ab ipsa voluntate etsi non totaliter, partialiter tamen et principaliter, quoniam aliter non salvaretur libertas in ipsa voluntate, veluti multotiens dictum est. (11) Differt autem 10 quoniam secunda positio excludebat obiectum totaliter ab efficientia; quod tamen ostensum est per istam tertiam positionem stare non posse, tum quoniam non videtur ministerium intellectus ad voluntatem aliquid esse vel facere, tum quoniam volitio non posset |661| specificari.

15 (12) Isti igitur sunt communiores modi dicendi in hac materia et probabiliores, quanquam et multi alii ponantur de quibus nunc non est nobis curae, quandoquidem meliora et utiliora intendimus colligere.

Caput tertium in quo impugnantur dictae tres opiniones.

20 (1) Quoniam homo non semper dicit, etiam non mentiens, quod verum est, sed sic non mentiens dicit quod sibi verum esse videtur; homo enim et veridicus et iustus loquitur secundum existimationem suam, verum cum moderamine et modestia, sic quod non pertinaciter adhaeret suae opinioni et 25 quod si meliores rationes suis audiat non mutet sententiam. Quare et ego virum iustum et modestum aemulatus in hac re dicam quod mihi videtur, non firmiter meis dictis adhaerendo, sed ea dicta substinendo donec meliora his mihi appareant. (2) Novi enim vires meas et quod nullus est homo 30 qui aliquando non decipiatur, nisi divino |662| auxilio tueatur;

6 ad actionem ed. — 10 opinio γ. — 13 aliquod bK. — 17 cura ed. — 25 non *om* ed. — 26 virum . . . emulatus: modestum et iustum emulatus K; existens modestus emulus C. — 27 dictis *om* γη. — 28 dictu substinendo δι. — 30 teneatur Eγη ed (C *correx. ex* teneat; G *correx. in* tuueatur); sustentetur K; tuebitur H.

immo expertus sum multotiens nedum in aliis, verum et in me ipso quod, dum credo in aliquo maxime bene sentire et plus quam alii, deinde remota oculorum caligine errorem meum cognovi[sse], et ubi prius mihi maxime placebam postea mihi maxime displicui, pudebatque me recordari tanti erroris. Quare faciliter et in hoc possum decipi. (3) Dicam tamen quod mihi apparet. Nam et si bene erit dictum, et mihi et posteris erit utile; de quo Deus laudetur. Si vero perperam erit dictum, alii me cavebunt ab hoc errore, et ubi sic cognovero me emendabo. Pertinacem nanque esse inhumanum est cumque unicuique sit turpe, maxime tamen philosopho turpissimum est.

(4) Dico igitur, ut mihi videtur, quod quanquam isti modi sint maxime communes, et quasi omnes teneant unum istorum modorum, vel primum, vel secundum, vel tertium, nullus tamen mihi videtur esse conveniens. Et quod magis est, apud me unusquisque est inintelligibilis, et maxime secundus et tertius inintelligibiles videntur.

(5) Primu‹m› itaque mo|663|du‹m›, qui ponit actionem esse in obiecto et nullam in voluntate, veluti in priori capitulo dictum est, manifestum est nullo modo posse salvare libertatem esse in voluntate. Verum, ut diximus, aut penitus aufert omnem libertatem, aut ipsam esse in obiecto de necessitate ponit; quod minime fingi potest cum obiectum naturaliter agat et sit tantum determinatum ad unum. (6) Quod si fingatur, veluti quidam fingunt, libertatem consistere in voluntate ideo quoniam quanquam obiectum agat in ipsam voluntatem, est tamen in potestate voluntatis recipere vel non recipere actionem obiecti: certe hic multiplex est error.

2 maxime *omm* γL. — 4 cognovi ed; agnovisse K; cognovisse *cett.* — 5 magis displicui α. — tanti *om* ed. — 9 me *sic* C; *omm cett.* — 11 maxime tamen β; maxime tamen in α; maxime in M d ed. — 16 maius B ed. — 17 intelligibilis M ed. — 18 non intelligibiles K; intelligibiles δ ed. — 19 Primus . . . modus *cunct.* — 20 superiori ω. — 25 agit D.

26 sqq. V. g. J. Buridan, *Quaestiones*.., III, qu. 3 (Oxon., 1637, p. 171). Vid. supra p. 226, 7 n.

(7) Quoniam sic dicendo est dicere voluntatem non mere
passive concurrere ad volitionem neque consistere in pati,
sed vere active et principaliter consistere in agere; et conveniret cum 3^a saltem in hoc. (8) Deinde quomodo esset in
5 potestate voluntatis recipere actionem agentis obiecti, et non
recipere, si ipsa voluntas caeca et non cognoscens ponitur?
Non est enim apud me imaginabile quod |664| voluntas possit
habere illos tres actus qui communiter ei voluntati assignan-
tur, scilicet suspendere actum, velle et nolle, si ipsa nihil
10 cognoscit. Neque intelligibile est, ut existimo, cur est quod
aliquando suspendat, et aliquando velit, et aliquando nolit,
si nihil in ipsa imprimitur neque aliquam habeat operationem cognoscitivam. Unde sic dicere mihi monstrum super
omnia monstra videtur esse.

15 (9) Secunda etiam opinio [quae] volens salvare ministerium intellectus et obiecti ad ipsam voluntatem et non movendo ipsam voluntatem, mihi (bona tantorum virorum
venia dixerim) videtur esse perridicula. Dicit enim quod
‹intellectus› ostentat voluntati quod bonum est et quod non
20 bonum est quidve expediat vel non expediat; nam sic se
habet veluti consiliarius ad regem. Certe nescio quid incon-
sideratius et quid stultius dici aut excogitari possit. (10) Primo
enim consiliarius agit in regem: generat enim in mente regis
tales propositiones quales habet in mente sua ipse consilia-
25 rius; nisi enim sic generaret, possumus dicere quod |665|

7 potest b. — 10 agnoscit γ δε (C^2 cognoscit). — 15 quae *sic cunct.* — 19 intellectus *omm cunct.* — ostendat ed; ostendit B. — 20 sic C; si *cett.* — 22 aut dici ω. — potest ω. — 23 generat enim: generans K. — 23 mentem EM. — 24 ipse habet in mente sua (*om* consiliarius) K. — 25 possemus BK.

8-9 V. g. J. Buridan., *Quaestion.*, III, qu. 1 (Oxon. 1637, p. 148: « ideo (*voluntas*) libere potest se determinare ad quodlibet illorum (*contrariorum*) absque alio quocumque determinante ipsam, vel etiam potest ad neutrum illorum se determinare, sed in suspenso manere donec sit inquisitum per rationem ». Cf. *ibid.*, III, qu. 3 (p. 169); III, qu. 4 2^a conclusio (p. 175). Idem, *In Politic. Aristot.*, VII, qu. 5 (Verweyen, *op. cit.*, p. 221). Vid. Append. XI. — G. Biel vero duos tantum actus, scilicet velle et nolle, voluntati tribuit; *III Sent.*, d. XXVII (Verweyen, p. 250).

consulimus marmori. Verum secundum positionem, obiectum nihil agit in voluntatem, neque aliquid generat. (11) Secundo quid stultius dici potest quam dicere intellectum cognoscentem ostendere voluntati neque oculos habenti ne-
5 que sensum aliquem, et ab omni cognitione penitus absolutae, secundum quod asserit positio? Est enim perinde ac si quis caeco velit ostendere colores ut de eis iudicet; immo, quod peius est, lapidi, quandoquidem caecus etsi visu privetur, non tamen omni cognitione. Ast voluntas
10 ipsa ponitur a sic dicentibus vacua ab omni prorsus cognitione.

(12) Verum quod ab aliquibus audivi volentibus hanc fatuitatem substinere valere non videtur. Dicunt enim aliqui quod ipse intellectus pro tanto dicitur voluntati ostendere,
15 non quoniam revera aliquid demonstrat, quandoquidem ut praeostensum est ipsa voluntas nullam prorsus habet cognitionem; sed ideo dicitur ostendere voluntati quoniam voluntas non potest movere se ad volendum nisi ratione finis, hoc est, nisi finem inten|666|dat; oportet enim agens per
20 se, et maxime voluntatem, finem intendere. Finis autem a voluntate intendi non potest nisi sit praesens; quare intellectus, per obiectum intellectum ab ipso, facit finem voluntatis in quem intendit esse praesentem; quare et sic voluntas potest se movere ad actum volitionis. (13) Sed proh
25 Deus immortalis, quanta mihi videtur esse ignorantia in

1 consuleret K. — 9 privatus ω. — non sit tamen E. — 10 ponitur: penitus ω. — 13 falsitatem ed. — 25 ignorantiam DH.

12 Verisimiliter ad coaetaneos alludit Noster quos audivit sive in publicis disputationibus in Gymnasiis, sive in « circulis philosophorum » quibus solebat quandoque interesse (cf. B. Nardi, *Le opere inedite* . . ., GCFI, 1953. pp. 47-48 et n. 1), sive etiam in disputationibus coram fratribus in capitulis generalibus adunatis, v. g. ipse Pomponatius disputans in Generali Capitulo O. P. Mutinae a. D. 1520 (Fr. Fiorentino, *P. Pomponazzi* . . ., p. 58); Alex. Achillini in capitulo O. M. Bononiae habito a. D. 1494 (B. Nardi, *Appunti sull'Averroista bolognese Alessandro Achillini* . . ., GCFI, 1954. p. 67); Johannes Montesdoch. (cf. *Prolegom.*, p. XXVII n. 3).

hoc dicto! Nam si finis intenditur ab agente aliquo, iam ille non est in actu, neque praesens agenti; si nanque esset praesens et in actu, non desideraretur amplius neque intenderetur produci; dicitur enim finis quoniam finit et ter-
5 minat actionem et desiderium: habitibus nanque praesentibus in materia cessat motus, ut dicitur I *De Generatione.* Quod si quis desiderat, exempli gratia, aurum quod actu est, aurum revera non est finis desiderii sed auri possessio, veluti notum est. (14) Quod si dicitur verum esse quod finis se-
10 cundum tale esse quod terminat desiderium non debet esse in desiderante, verum solum debet esse secundum esse cognitum; certe neque istud videtur suffi|667|cere. Quoniam inanimata moventur ad suos fines qui tamen ab ipsis inanimatis non cognoscuntur, verum sufficit quod in universali saltem
15 ab intelligentia cognoscantur; quare sufficiet illa universalis intelligentiae cognitio secundum quam talia diriguntur, veluti in sagittatione sufficit quod finis a sagittante cognoscatur, quanquam sagitta non cognoscat. (15) Sed huic fortassis dicitur secus esse in animalibus quae moventur ex
20 se, ut dicitur VIII *Phisicorum* (et maxime in hominibus qui proprie dicuntur ducere se et non duci), et in rebus inanimatis quae ex se non moventur sed ab alio, ut VIII *Phisicorum* et IV *De Caelo et Mundo* dicitur. Unde non cognoscentia non habent nec habere debent cognitionem suorum finium.
25 Ast cognoscentia debent suos fines cognoscere. Quare quod adductum est pro simili est valde dissimile. (16) Verum et hoc non videtur satisfacere. Quoniam quod finis cognoscatur, hoc est ratione directionis, sive sit animatum sive sit inanimatum illud quod movetur ad finem; quod enim termi-
30 nus in quem |668| tendit sagitta debeat cognosci, hoc est

7 Quare ed. — 9 Quare ed. — 10 non habet esse K ed. — 15 intellectu E. — sufficeret Lγ (C² sufficiet); sufficiat F; sufficit EI ed. — 23 et mundo *omm* EBγε. — dicitur *om* E. — 28-29 sive sit inanimatum *om* ed.

6 *De Gener. et Corr.*, I, 7. 324b 15 sqq. — 20 *Physic.*, VIII, 4. 254b 25. — 22 *Physic.*, VIII, 4. 255a 30. *De Caelo*, IV, 3. 310b 25 sqq.

ratione directionis: nisi enim sagitta per cognitionem et artem dirigentis dirigeretur a sagittante, temere moveretur sagitta; et etiam nisi animal cognosceret terminum et per talem cognitionem dirigeretur, non magis ad unum quam
5 ad alterum terminum tenderet. Modo sic dirigere importat causam effectivam. Obiectum igitur effective movet voluntatem, quod tamen positio negat. (17) Amplius: Cognitio sic dirigens voluntatem vel necessitat voluntatem ad movendum, sicut dirigens sagittam necessitat ipsam sagittam nisi aliunde
10 impediatur. Quod si sic, quae igitur erit libertas voluntatis? Profecto nulla; quoniam neque in sagitta sic directa ulla est libertas. Si vero obiectum sic cognitum dirigit voluntatem non ut necessitet sed relinquat voluntatem in sua potestate, inimaginabile est quod ipsa, nihil cognoscens sed se habens
15 veluti inanimatum, habeat talem potestatem.

(18) Quod si dicetur, ut aliqui praedictae opinionis fautores et defensores dicere consueverunt, quod scilicet vo-|669| luntas non dirigitur, neque voluntati ostenditur vel consulitur, sed est ipse homo qui dirigitur et consultatur; quare
20 non caeco neque insensato consilium tribuitur. Sed et sic dicere est propriam vocem ignorare. Quoniam sicut voluntas non est illa quae dirigitur et cui consilium datur et bonum vel malum ostenditur, sed est homo ipse, ita neque est intellectus qui dirigit vel ostendit, sed est homo ipse; quare
25 ipsemet homo ipsimet homini consulit et ipsimet ostendit. (19) Quod si dicitur hoc verum esse tanquam quod, sed tamen per diversa principia tanquam quo; erit igitur necessarium, si idem homo seipsum dirigat et sibimet ostendat, quod hoc fiat per diversa principia. Quod si Socrates con-
30 sulit et ostendit quid sit bonum et non bonum ipsi Socrati,

8 vel *om* α. — 10 si sit B d ed. — 11 ulla K; nulla *cett.* — 12 sit cognitum ed. — 15 potentiam ed. — 16 dicitur ed; dicatur G; diceretur I. — 18 ostenditur vel *om* ω. — 18-19 consultatur: consultet L. — 20 attribuitur I ed; tribuit L. — etiam K; et *om* ed. — 23-24 ita neque . . . homo ipse *omm* MGδ ed (G *ante correct.*). — 25 ipsi ostendit ed. — 26 Quare ed. — 28 si ipse homo γ. — 29 Quare ed. — 30 quid sit K; quod sit *cett.*

per intellectum practicum faciet hoc; si autem sit ipse cui ostenditur, hoc erit per voluntatem eritque voluntas principium quo ei Socrati ostenditur. (20) Verum stant argumenta priora. Quoniam voluntati si caeca est, non potest tale
5 ostendi aliquod. Amplius: Cum dicit opinio quod intellectus ostendit homini et non voluntati, ille cui fit ostensio aut includit |670| intellectum et cognitionem aut non; si non, quomodo ei potest fieri ostensio? si vero includit, hoc est dicere intellectum intellectui ostendere. Quare voluntas in
10 hoc nullam habebit necessitatem vel officium. (21) Praeterea quantumcunque homo videat et non potentia visiva, et homo sit qui discernat inter sensibilia sensuum exteriorum, tamen oportet, praeter hominem sic distinguentem inter sensibilia diversorum sensuum exteriorum, ponere unam po-
15 tentiam ut sensum communem quo, ut principio, homo exercet tale opus, ut ostendit Aristoteles ‹III› *De Anima* in capitulo sensus communis. Et homo primo, sensu communi, tanquam principio quo, discernit inter sensibilia; et per talem sensum communem transfertur operatio ad ipsum
20 hominem tanquam quod. Sic et quamvis homo sit illud cui ostenditur, oportet tamen assignare principium quo, quo primo fit ostensio; tale autem est voluntas, nullum enim aliud fingi potest. Quare positio redditur invalida.

(22) Tertia quoque opinio non minus invalida est. Nam
25 et habet aliqua pro|671|pria adversus semetipsam, et aliqua communia cum duabus primis. (23) Propria quidem habet quoniam vult voluntatem cum obiecto ita se habere ad volitionem veluti intellectus cum specie intelligibili se habet ad intellectionem. Nam primum causans intellectionem est

1 praedictum ed. — hoc K; homo *cett.* — 4 tali B. — 5 ostendens ω. — 6 fit C; fuit *cett.* — 9 quin voluntas B ed. — 12 sensitiva ed. — 16 II de Anima *cunct.* (*cf. citationem infra*). — 21-22 principium quo primo EMδι ed. (D *expunxit unum* quo). — 25 semetipsum EMδι; seipsam K.

16 *De Anima*, II, 6. 418a 6-25, ubi de accidentali perceptione communium ab uno eodemque sensu loquitur. Sed ex professo de sensu communi loquitur Aristoteles *De Anima*, III, 2. 426b 9 sqq.

intellectus, et causat substantiam actus intellectionis; verum intellectio specificatur per speciem intelligibilem; quare et voluntas causat substantiam actus volitionis et obiectum specificat actum.

5 (24) Verum similitudo non videtur esse conveniens; neque in se, absque similitudine, dictum istud videtur esse verum. (25) Non enim par est similitudo, quoniam species intelligibilis subiective est in intellectu, quare potest contingere quod dicitur de intellectu. Ast obiectum non est in
10 voluntate, sed in ipso intellectu. Nisi fingatur quod obiectum existens in intellectu producat in voluntatem speciem sui et postea ipsa voluntas, sic informata tali specie, reducat se ad actum volitionis eo modo quo dicit opinio. Sed istud non videtur verisimile; quoniam |672| species non videtur
15 poni nisi pro cognitione, et iam ponitur per positionem quod voluntas non cognoscit; praeterea si obiectum est in intellectu et non in voluntate, obiectum videtur esse instrumentum intellectus et non voluntatis, quare voluntatis non est movere tale obiectum, sed ipsius intellectus officium esse
20 videtur. (26) Secundo deficit ista opinio quoniam obiectum cognitum ponitur ab ista positione non habere aliam causalitatem supra volitionem nisi quoniam specificat actum. Ast secundum Aristotelem III et VI *Ethicorum* obiectum ipsum se habet ut consilians et ostendens quod est bonum
25 et quod est malum, et non tantum ut specificans actum. Praeterea ponitur obiectum secundum istam opinionem non ut moveat voluntatem, sed ut motum et directum a voluntate causat volitionem; sic enim species intelligibilis existens in intellectu non movet intellectum, sed intellectus movet spe-
30 ciem intelligibilem veluti instrumentum movetur a suo principali ad causandam intellectionem. Verum, |673| ut inquit

7 pars Eδo ed. — 15 nisi per cognitionem ed. — ita ponitur ed. — 16 propterea ed. — 21 ob ista ed. — opinione C ed. — 24 consiliarius E ed. — 26 propterea ed. — 28 causet K; causat *cett.*

23 *Ethic.*, III, 4, de consilio; *Ethic.*, VI, 2, praesertim 1139 a 31 (virtus moralis est cum consilio).

Commentator XII *Metaphisicae* commento 36, balneum ut est in anima effective movet desiderium, et quod est extra animam finaliter movet; quod secundum positionem non est verum, immo virtus desiderans movet balneum in anima,
5 sive formam balnei, ad causandum desiderium balnei.

(27) Habet et haec opinio communem difficultatem cum prioribus. Quoniam quanquam ad actum volendi concurrant voluntas et obiectum, primo tamen concurrit voluntas secundum opinionem, et in ea est potestas suspendendi
10 actum volendi et nolendi; sed pariter, ut priores opiniones ponunt, vult voluntatem esse caecam nihilque ab ipso obiecto imprimi in voluntate ipsa nisi volitionem vel nolitionem. Quomodo itaque intelligibile est quod voluntas sic nuda et sic caeca habeat potestatem faciendi illos tres actus, videlicet
15 suspendere actum, velle et nolle, etsi non sit tanquam quod, tamen veluti ostensum est tanquam quo et primo principio.

(28) Et praeter haec ego non video quin secundum positionem voluntas non possit velle quod nunquam ab ipso intellectu cognitum sit, quandoquidem neque ipsa voluntas
20 aliquid producit in isto opere in ipso intellectu, neque ipse intellectus in ipsam voluntatem, nisi for|674|tassis dicat intellectum producere ipsam volitionem ut ipsa volitio est ab obiecto. Nam volitio est specificata, per positionem, ratione obiecti; obiectum autem fit ab ipso intellectu; quare

2-5 et quod . . . desiderium *omm* δ ed. — 7 concurrat H ed. — 17 quin: quod K; quid G. — hoc γι. — 17-18 secundum positionem *om* b. — 18 isto LCδ ed. — 20 ipse *omm* δ ed. — 20-24 neque ipse . . . intellectu *om* γ. — 23-24 nam volitio . . . obiecti *post* intellectu *linea sequenti, et semicirculis vallata reportat* ed. — 24 sit ed. — quare: quia ed.

1 *Metaph.*, XII, t. c. 36 (Comin. de Tr. VIII 337r): « Balneum duplicem habet formam, in anima et extra animam: et propter illam formam quae est in anima desideramus aliam formam quae est extra animam. Forma igitur animae balnei in quantum est in anima est agens desiderium et motum; secundum autem quod est extra animam est finis motus, non agens. Si igitur forma balnei non esset in materia, tunc moveret et secundum agens et secundum finem sine aliqua motione contingente. Et sic est intelligendum de moventibus corpora caelestia ». Cf. supra p. 165.

intellectus est necessarius ut voluntas velit aliquod. (29) Verum istud non satisfacit. Tum quoniam si per possibile obiectum fieret a non cognoscente, voluntas tunc posset exire in actum per tale obiectum et per ipsammet; quare posset 5 esse volitio absque cognitione. Amplius: Secundum positionem, obiectum non movet nisi ut instrumentum potentiae volitivae; actio autem instrumenti praesupponit actionem principalis etsi non tempore, de necessitate tamen natura; quare potentia volitiva prius natura est in potestate exercere 10 illos tres actus, saltem quantum ad substantiam actus, quam exigatur opus ipsius intellectus. Non enim exigitur nisi secundum specificationem actus; prius autem, ut dicit positio, est actus substantia quam eius specificatio; quare essentialiter et primo voluntas non praesupponet operationem intellectus. 15 Et |675| sic omnino caecum, immo insensatum et marmor habet liberum arbitrium; et sic prima ratio libertatis non erit ab intellectu, quod tamen multis repugnat. (30) Unde quae adducta sunt adversus primam opinionem pro maiori parte procedunt contra tertiam et contra secundam. Quare 20 isti modi a me non recipiuntur.

Caput quartum in quo ponitur alter modus dicendi.

(1) Propter igitur ea quae adducta sunt adversus priores positiones, mihi aliter dicendum videtur. Et dico quod si istos errores evitare velimus, oportet alterum duorum dicere: 25 Aut quod intellectus et voluntas sint una et eadem potentia, aut quod si sint diversae potentiae, intellectus est ille in quo proprie consistit actus liberi arbitrii, quoniam in eo tanquam in efficiente, in voluntate vero improprie et executive, quo-

1 aliquid γη ed. — 2 sufficit E. — impossibile K. — 8 natura *om* γ. — 15 marmor b; immemor d ed. — 18 positionem ω. — 22 praedictas γ.

26 De identitate animae cum suis potentis apud Thom. Aquin, vid. Dom O. Lottin, *Psychologie et Morale aux XII*ᵉ *et XIII*ᵉ *siècles*, t. 1 (1942) pp. 483-502.

niam mere passive concurrit ad istos actus. Libertas autem magis consistit in agere quam in pati.

|676| (2) Primae parti favet Averrois in III *De Anima* qui ubicunque ponit intellectum et voluntatem esse unam et
5 eandem rem; et ex intentione in 49° commento, III *De Anima*, dicit necesse esse eandem vim intellectivam et desiderativam et quod impossibile est ipsas diversificari. (3) Themistius quoque in Paraphrasi III *De Anima*, capitulo 62° illud idem ex intentione contendit ostendere.
10 (4) Eustratius quoque III et VI *Ethicorum* vult unam et eandem esse virtutem quae consulit et eligit, sic quod electio apud ipsum dicit formaliter cognoscere et desiderare; verum ambo sunt unius potentiae veluti ordinans praemissas et colligens conclusiones. (5) Videtur et non minus hoc esse

4 posuit ed. — 6 quod necesse est ω. — 8 III de Anima *om* δ; de Anima *om* M. — 10 Eustatius δο. — 14 conclusionem γ; questiones M. — hanc C; haec B ed.

1-2 Cf. J. Buridan., *Quaest. in X lib. Ethic. Arist.*, III, 2 (Oxon. 1637, p. 155): « libertas et dominium magis videntur attribuenda agenti quam patienti ». — 3 *De Anima*, III, t. c. 49 (Comin. de Tr. VII, 134r): « Omne desyderium est desyderium ad aliquid; ideo desyderium non est principium movens intellectum speculativum, sed illud desyderatum movet intellectum, et tunc desyderabit intellectus; et cum desyderavit, tunc movebitur homo, scilicet a virtute desyderativa quae est intellectus aut imaginatio . . . Quia principium motus est ex desyderato, apparet quod haec duo movent hominem, scilicet desyderium et consensus qui sunt erga operationem, secundum hunc modum scilicet quod faciens desyderare et movere, quod est intellectus, idem sunt, sed est movens quia facit desyderare rem. » — 8-9 Themistii . . . *Paraphrasis* . . . *In lib. De Anima*, III, cap. 62 (Venetiis, apud H. Scotum, Hermolao Barbaro interprete, 1559, f. 208rb n. 50). Themistii *Librorum De Anima Paraphrasis*, edidit Ricardus Heinze (Commentaria in Aristotelem graeca . . . V, 3), Berolini 1899, Λογος εβδομος, (H) pp. 116-126. — 10 Eustratii episcopi Nicaeni *In Aristotelis Moralia Nichomachia doctissimae explanationes* . . . a Ioanne Bernardo Feliciano latinitate donata. Venetiis, apud Haeredem H. Scoti 1559. Lib. III, cap. 2, fol. 68-70; VI, 2, fol. 154-156; ed. Haylbut (Comment. in Aristotelem graeca . . . XX), 1892; cf. S. D. Wingate, *The mediaeval Latin Versions of the Aristotelian Scientific Corpus*. London 1931, p. 16 n. 5. Aug. Pelzer, *Les versions latines des ouvrages de morale* . . . pp. 381 sqq.

sentententia Aristotelis VI *Ethicorum*, cum dicat electionem esse intellectum appetitivum, vel appetitum intellectivum; quanquam III *Ethicorum* videatur magis dicere esse appetitum intellectivum, cum ponat ipsam esse desiderium eorum quae
5 sunt ad finem. (6) Secta etiam Nominalium videtur esse huius opinionis; ponit nanque differentiam inter intellectum et voluntatem, non ratione |677| subiectae potentiae, verum ratione operis diversi.

(7) Secundum itaque modum hunc dicemus quod ubi
10 intellectus negociatus fuerit de aliquo utrum expediat vel non expediat (quoniam hoc est opus intellectus practici ut dicitur III *De Anima* et IV *Ethicorum*), ipse intellectus sic dispositus causans in se ipso de negociato volitionem vel

4 ponit ed. — 5 esse *om* ed. — 7 subiectae EBγι FH; substantiae ω LI (E *ante correct.*); subae DC; subiectivae ed. (*Sed vide infra, p.* 246, 12: substantiam; 246, 19: subiecto; 248, 24: subiective). — 10 negotiatus *om* ed. — utrum: ut C[I]DH; verum M. — 10-11 vel non expediat: necne K. — 13 6° de anima Aδ ed. — animalibus I. — 13 de *omm* ω ed.

1 *Ethic.*, VI, 2. 1139a 22 sqq. (Comin. de Tr. III, 250rC): « Cum moralis virtus habitus electivus est, electio vero consultatrix appetitio, propterea oportet si modo electio proba est, ut et ratio sit vera et appetitus rectus, et eadem et illa dicat et hic persequatur . . . Iccirco vel appetitivus intellectus vel intellectivus appetitus electio est. Tale autem principium est homo. » — 3 *Ethic.*, III, 4 (*olim* 2). 1111b 26 (Comin. de Tr. II, 207v- 208r): « Voluntas praeterea finis magis est, electio vero eorum quae ad finem spectant . . . ; in universum vero esse idem cum opinione electionem fortasse neque diceret quispiam: sed ne cum aliqua quidem in particulari. Bona etenim aut mala eligendo, qualitate quadam affecti sumus: opinando autem minime. » — 5 V. g. G. Occam., G. Biel, Gregorius Ariminensis, Petrus Aureolus etc. (cf. Paul Vignaux, *Justification et Prédestination au XIV*[e] *siècle*, passim; P. Vignaux, art. *Nominalisme*, in Dictionnaire de Théologie Catholique, tom. XI, 1931, col. 733 sqq. J. Verweyen, *Das Problem der Willensfreiheit* . . ., passim). Quoad J. Buridan., cf. *Quaestion. in X lib. Ethic. Aristot.*, IV, qu. 3 (Oxon., 1637, pp. 480-486): « Utrum potentiae animae sint ab anima realiter distinctae » ubi ad partem Nominalium videtur inclinare (v. g. pp. 484-485). Quoad Thom. Aquin., cf. *Sum. Theol.*, I[a] pars, qu. 77 art. 1 et 2. (Leon. V, pp. 236-241). De Achillini et Nifo, cf. B. Nardi, *Sigieri di Brabante nel pensiero del Rinascimento Italiano*. Roma 1945, p. 28 n; p. 81 et 81 n. — 12 *De Anima*, III, 7. 431b 1-13. *Ethic.*, VI, 2. 1139 a 31.

nolitionem dicitur voluntas activa, et ut recipit dicitur voluntas passiva; magisque libertas consistit in ipso dum active causat tales actus quam dum passive recipit eos actus. Et istemet ad sic velle vel nolle disponitur per consilium 5 praecedens, sic quidem quod ipsemet intellectus qui causat velle et nolle habet ante se negociationem factam per consilium, et non est diversus ab eo qui consilium fecit. Quare sapienter dixit Aristoteles electionem esse intellectum appetitivum, i.e. intellectus generans desiderium, vel appe- 10 titum intellectivum, i.e. desiderans persuasum ab intellectu.

(8) Si vero teneatur secunda opinio quae communius tenetur, scilicet quod intellectus et voluntas sint duae potentiae realiter di|678|stinctae, dicendum est quod intellectus post consilium inducit in voluntatem velle aut nolle, sic 15 quod intellectus concurrit mere active, voluntas autem mere passive. Quapropter cum libertas verius salvetur in agendo quam in patiendo, verius libertas stat in intellectu quam in ipsa voluntate. Et haec dicta sunt ad evitanda argumenta quae adducta sunt adversus priores opiniones.

20 *Caput quintum in quo moventur dubitationes aliquae adversus dicta in superiori capite; et solutiones ad eas dubitationes.*

(1) Adversus ea quae nunc dicta sunt multae occurrunt dubitationes.

25 (2) Et primo adversus primum modum dicendi in quo dictum est quod intellectus et voluntas sunt una et eadem potentia quae et consulit et in se ipsam producit actum volitionis. Hoc autem non videtur esse verum. (3) Primo quo-

1 quod ut recipit ed. — 2 eos: ipsos M; tales EBGF (G *ante correct.*) — 4 ipsemet E ed; istamet B. — 9 intellectum generantem K. — 9-10 appetitum intellectivum α K; appetitus intellectivus *cett.* — 16 melius salvetur ω. — 21 capite GI; capitulo *cett.* — 26 et voluntas *omm* δo ed; G *linea subducta delev.* — 27 ipsa EG.

11 Cf. Thom. Aquin., *Sum. Theol.*, I[a] pars, qu. 77 art. 1 et 2 (Leon. V, p. 236 sqq), et loca parallela ibi signata.

niam II *De Anima* potentiae distinguuntur per actus. Sed actus in|679|tellectus, qua intellectus est, est apprehendere et intelligere; actus voluntatis est velle et nolle, qui non sunt apprehensio ut communiter dicitur. Ergo intellectus et voluntas non sunt eadem potentia. (4) Secundo quoniam Aristoteles II *De Anima* contradistinguit appetitivam potentiam aliis potentiis. Dicit enim quinque esse potentias: vegetativam scilicet, sensitivam, appetitivam, intellectivam et secundum locum motivam. At membra contradistincta non coincidunt, ut dicit Boetius in *Libro Divisionum*. Ergo idem quod prius. (5) Tertio quoniam sic idem ageret in se ipsum realiter; quod videtur contra determinata in IX *Metaphisicae* et in multis aliis locis; ergo etc.

(6) Adversus secundum modum dicendi sunt etiam multae instantiae. (7) ‹Primo› quidem quoniam dictum est liberum arbitrium verius esse in potentia intellectiva quam in voluntate. Hoc non videtur posse stare. Quoniam in quo consistit primo peccatum et meritum, in illo primo consistit liberum arbitrium, ut dicitur III *Ethicorum*, et omnes confitentur. Sed in voluntate et |680| non in intellectu consistit peccatum, ut apertissime docet Aristoteles in principio III *Ethicorum*: non enim aliquod opus est studiosum vel vitiosum nisi quoniam voluntarium; et Augustinus in libro *De Peccato* dixit peccatum esse adeo voluntarium quod si

2 qui intellectus ed. — 15 prima *cunct.* — 15-16 ut dictum est . . . verius est ω. — 20 in *ante* intellectu *om* ed. — 21 et apertissime AG δo. — 24 ideo ω.

1 *De Anima.*, II, 4. 415a 16-21. Cf. Thom. Aquin., *Sum. Theol.*, 1ª pars, qu. 77 art. 3 (Leon. V, 241-243). — 6 *De Anima*, II, 3. 414a 30-32. Cf. Thom. Aquin., *In Aristotel. lib. de Anima*, II, lect. V; *Sum. Theol.*, 1ª pars, qu. 78 art. 1 (Leon. V, 250-252). — 10 Boethii, *Liber Divisionum* (PL 64, 881 CD): « Quoniam vero quaedam sunt quae differunt quae contra se in divisionibus poni non debent . . . Constat quaecumque a se aliqua oppositione differunt, eas solas differentias sub genere positas genus ipsum posse disiungere ». — 12-13 *Metaph.*, IX, 1. 1046a 27; IX, 2. 1046b 15; IX, 7. 1049a 16. — 19 *Ethic.*, III, 1-2. passim. — 22 *Ibid.*, 1110b 30 sqq. — 24 Augustin., *De Peccatorum meritis et Remissione*, I, cap. 35: « Ut probemus atque doceamus quomodo per propriam voluntatem sine qua nullum vitae

non sit voluntarium non est peccatum. Igitur liberum arbitrium non consistit in intellectu. (8) Secundo quoniam omnis operatio proveniens ab intellectu est cognoscere et intelligere. Velle et nolle neque sunt cognoscere neque intelligere,
5 ut communiter dicitur. Ergo velle et nolle non sunt operationes intellectus. (9) Tertio quoniam operatio proveniens ab intellectu est mere naturalis nisi fiat a voluntate imperante. Sed primum velle et nolle non sunt a voluntate imperante, quoniam sic ante primum actum esset actus. Ergo velle et
10 nolle non sunt ab intellectu, quoniam sic essent operationes naturales; quod manifeste falsum est. (10) Quarto quoniam secundum istam positionem obiectum ad volitionem vel nolitionem causandam non concurret nisi ad specificationem actus; non enim videtur quam aliam causalitatem |681|
15 habeat. Sed hoc supra improbatum est, quoniam se habet et ut praeostendens quid expediat vel quid non expediat. Ergo etc. (11) Quinto quoniam ista 2^a positio ponit intellectum et voluntatem esse diversas potentias, cum tamen multae sint autoritates sonantes oppositum. (12) Sexto et

4 neque: et ω C^I. — 8 Sed primum . . . imperante *om* ed. — 15 habet B; habent *cett.* — 16 non quid βC^I δη; *omm* quid EF (F *ante correct.*). — 19 sexto et *sic* ω; *omm cett.*

propriae potest esse peccatum, nihil mali commiserint infantes, qui propter hoc ab omnibus vocantur Innocentes.» (PL 44, 147a). Sed vid. Thom. Aquin., *Sum. Theol.*, I^a II^{ae}, qu. 71 art. 5, 2^a obj. (Leon. VII, 1892, p. 7): «Augustinus dicit in libro *de Libero Arbitrio* [III 17-18, PL 32, 1294-1296; *De Vera Religione*, XIV n. 27, PL 34, 133; *I Retract.*, 13 n. 5, PL 32, 603-604] quod omne peccatum adeo est voluntarium quod si non sit voluntarium, non est peccatum». Cf. etiam I^a II^{ae}, qu. 74 art. 2, 3^a obj. (Leon. VII, p. 36). Alanus de Insul., *Contra Haereticos*, I 40 (PL 210, 346): «Dicit tamen Augustinus quod originale voluntarium est, non voluntate originis . . . sed ab origine voluntatis . . . Dicimus etiam quod ubi non est libertas, ibi non est actuale peccatum». — 6 Cf. Thom. Bradwardin., *De Causa Dei*, I, 10 (ed. London, 1618, p. 197D): «Omnes aliae potentiae (*extra voluntatem*) sunt pure naturales et voluntate remota, si agerent, pure naturaliter et necessario agerent» (J. Verweyen, *op. cit.*, p. 211). Joann. D. Scot. (Verweyen, p. 170). — 8 Vid. Th. Bradwardin. (J. Verweyen, p. 209); Petr. Aureol. (J. Verweyen, p. 224-230); G. Biel (J. Verweyen, p. 243). — 15 Cf. supra p. 235, 20 sqq.

ultimo contra omnes modos arguitur quoniam in libro *De Bona Fortuna* Deus ponitur motivum voluntatis; non igitur voluntas, vel obiectum, vel intellectus, vel ista simul.

(13) Ad has autem dubitationes respondetur. Et primo ad
5 ea quae obiecta sunt contra primum dicendi modum qui videtur esse Averrois et Themistii. (14) Et ad primum dicunt Nominales quod bene voluntas et intellectus distinguuntur formaliter; sunt tamen una et eadem potentia realiter, sed cum identitate reali stat diversitas formalis. Verum videtur
10 quod non solum sunt idem realiter verum et formaliter, ut sumuntur in proposito: sic enim possumus dicere visum et

5 adversus ω. — 11 sumitur B.

2 Cf. supra p. 48, 12 n. — 6-7 Cf. supra, p. 239, 5 n. De percelebri illa «distinctione formali a parte rei» J. D. Scoti, vid. P. Minges, O. F. M., *Die distinctio formalis des Duns Scotus* in Theologische Quartalschrift. Tübingen 1908, pp. 409-436. Idem, *Iohannis Duns Scoti Doctrina philosophica et theologica* . . ., Quaracchi 1930 I, pp. 58-64; 132-136. B. Jansen, S. J., *Beiträge zur geschichtlichen Entwicklung der Distinctio formalis* in Zeitschrift für Katholische Theologie, t. 53 (1929) pp. 317-344, praes. 321-332; pp. 517-544. Etienne Gilson, *Jean Duns Scot. Introduction à ses positions fondamentales* (Etudes de Philosophie Médiévale XLII), Paris 1952, pp. 244-246; p. 345; pp. 497 sqq. Iam adumbrata distinctio formalis in Pet. Joann. Olivi, *Quaest. in II Lib. Sent.*, qu. VII (ed. B. Jansen, Quaracchi 1922, pp. 133-146), praesertim in materia de attributis divinis deque divina essentia a Scoto reclamabatur (*Op. Oxon.*, I, dist. VIII, qu. IV, art. 3; ed. F. Garcia, Quaracchi I (1912), pp. 633-635; cf. E. Gilson, *Jean Duns Scot*, pp. 244-246; P. Minges, *J. D. S. Doctrina philosophica* . . ., I, pp. 105-106; II, pp. 52 sqq.) sed a Nominalibus extendebatur ad distinguendas animae potentias, vel actiones cuiuscumque substantiae; cf. J. Buridan., *Quaestion. in X Lib. Ethic. Aristot.*, qu. IV, 3 (supra p. 239, 5 n). Princeps autem Nominalium Guillelmus Occam. istam distinctionem quasi universaliter reiicit, v. g. *I Sent.*, dist. II, qu. I, F (ed. Lugd. 1495): «Ideo non debet poni (*distinctio formalis*), nisi ubi evidenter sequitur ex traditis in scriptura sacra vel determinatione ecclesiae . . . et eam universaliter nego in creaturis, quamvis posset teneri in creaturis sicut in Deo . . . quia tantum unum est expressum in scriptura, et aliud non, et videtur repugnare rationi, ideo unum est ponendum, et aliud negandum», cf. etiam *Ibid.*, D, G; qu. 6 [E]: «Contra istam opinionem potest argui duplici via» (*littera E per inadvertentiam omissa*).

auditum esse unam et eandem potentiam, quoniam secundum ipsos Nominales potentiae animae sunt idem |682| quod anima; et tamen negamus esse eandem potentiam. Unde quaestio est an ita diversentur inter se intellectus et
5 voluntas veluti visiva potentia et auditiva, aut veluti sensus exterior et sensus communis? (15) Quamvis fortassis dici potest quod illae potentiae, videlicet sensus exterior et sensus communis, non dicuntur diversi ratione potentiae quoniam sunt idem quod anima, maxime si ponatur inex-
10 tensa; sed sunt diversi ratione situs et dispositionis: dicitur enim visus ut est in oculo, et dicitur sensus communis ut est in primo ventriculo cerebri, ut communiter ponitur, vel in corde. Puto tamen quod melius potest dici (et mihi videtur quod ista sit mens Themistii in loco prius citato,
15 videlicet in 62° et 63° capitulis III *De Anima*), videlicet quod intellectio potest considerari ut habet rationem distinctam a volitione; et sic intellectus et voluntas dicuntur diversae potentiae formaliter distinctae, quanquam sint realiter unum et idem. (16) Et potest considerari ipsa intellectio ut ordi-
20 natur ad appetitum et est |683| pars integralis ipsius electionis; secundum enim Eustratium, intellectio est de formali intellectu electionis. Et intellectio illa practica est tota appetitiva sumitque formalitatem ab ipso appetitu, quare ut sic intellectioni et volitioni debetur eadem ratio universalis po-
25 testque ipsa intellectio volitio quaedam appellari. Et ut sic intellectus et voluntas non sunt diversae potentiae, verum una, dicens tamen duas rationes partiales quarum una ordinatur ad alteram. Unde et Aristoteles VI *Ethicorum* appellavit electivam potentiam intellectum volentem aut volun-
30 tatem intelligentem, quoniam una ratio formalizat alteram.

(17) Et per hoc dicitur ad secundum quod comprehensiva et appetitiva contradistinguuntur et faciunt diversas poten-

13 et: quod ed; ut M. — 15 et in 63° I ed. — 21 Eustatium G. — 31 Et per hoc dicitur: dico E. — dicit ed.

14 Cf. supra p. 238, 8. — 21 Cf. supra 238, 10. — 28 *Ethic.*, VI, 2. Cf. supra p. 239, 1.

tias ut separatim considerantur, et una ratio non informat alteram; secundum quem modum locutus est Aristoteles II *De Anima.* (18) Possunt et considerari secundum alium modum qui dictus est, videlicet quod unum constituant
5 quorum unum sit sicut forma et reliquum sicut materia; et sic non con|684|stituunt intellectus et voluntas duas diversas potentias sed unam tantum, compositam tamen ex formali et materiali. (19) Et sic locutus est Aristoteles VI *Ethicorum* cum dixit electivam potentiam esse intellectum
10 volentem aut voluntatem intelligentem. Et sic voluit Eustratius. Et mihi idem videtur voluisse Themistius ubi supra.

(20) De tertio autem argumento, scilicet quod idem ageret in se ipsum, est argumentum satis commune; non enim praecise per idem est agens et patiens sicut dicitur de in-
15 tellectu quando causat intellectionem in se ipso, cum IX *Metaphisicae* intellectio et volitio sint operationes immanentes. Sed alibi haec difficultas pertractanda est.

(21) Substinendo autem secundum modum dicendi, quod scilicet intellectus et voluntas sint duae potentiae realiter
20 distinctae, ad primam rationem in oppositum adductam dicitur quod libertas magis stat in intellectu ut causat effective volitionem et nolitionem quam in ipsa voluntate quae hos actus tantum recipit et est caeca et velut lapis marmoreus qui non movet nisi motus. (22) Et cum |685| dicitur
25 quod tunc peccatum staret in intellectu et non in voluntate, dico quod intellectus et voluntas aequivoca sunt. Nam aliquando sumitur voluntas, et quasi ut in pluribus, pro potentia suscipiente volitionem; et in ea prima non consistit peccatum, quoniam bellua vel lapis non peccant neque sunt
30 principia peccandi. Alio modo sumitur voluntas non pro eo

1 informet λKδo. — 2 secundum *om* ed. — quemadmodum F ed. — 4 unum: cum ed. — 15 quando: quia ed; qui K; quare I. — 15-16 quo Metaphisice ed. — 25 stat etiam ed. — 29 peccat B ed. — 30 in principio AM; in potentia E.

2 Supra p. 241, 6. — 11 Supra p. 238, 8. — 16 *Metaph.*, IX, 8. 1050 a 34-1050 b1.

quod vult formaliter, sed pro eo quod volitionem inducit. Sicuti dicitur intellectus agens esse intellectus non quoniam intelligat; nam secundum tenentes esse potentiam fundatam in anima, intellectus agens neque intelligit neque
5 suscipit intellectionem, cum tamen dicatur intellectus; sic et illa potentia, quae revera intellectus est et voluntas agens, est voluntas quanquam non recipiat subiective volitionem. (23) Et in hac voluntate agente principaliter consistit peccatum et liberum arbitrium. Peccatum ergo voluntarium est
10 non proprie et primo quia sit in voluntate agente ut in subiecto, sed quoniam est a voluntate agente quae revera |686| est intellectus secundum substantiam, sed dicitur voluntas quoniam agit volitionem.

(24) Et secundum istum modum intelligendae sunt omnes
15 autoritates quae in oppositum adducuntur. Secundum nanque istam positionem, intellectus intelligens est voluntas movens, non autem est voluntas recipiens volitionem secundum quam formaliter voluntas passiva dicitur volens; et sic intellectus et voluntas sunt idem subiecto et diversa
20 ratione, quoniam qua recipit intellectionem intellectus dicitur, qua vero volitionem generat, non in se sed in alio, dicitur voluntas. (25) Unde non convenit haec secunda positio cum prima, quamvis utraque concedat eandem potentiam esse intellectum et voluntatem; quoniam secundum
25 primam, quod recipit intellectionem est idem re cum eo quod recipit volitionem. Ast secundum 2^{am} sunt haec realiter distincta. (26) Quod si arguatur contra istam 2^{am}, scilicet contra hoc quod intellectus recipiens intellectionem et voluntas faciens volitionem sint diversae potentiae, quo-
30 niam isti actus sunt |687| valde diversi; certe eodem argumento posset probari quod potentia visiva quae recipit visionem, et quae movet sensum communem ad discer-

6 est *bis* ω B ed; est intellectus, est voluntas C. — 7 est voluntas K; et voluntas *cett.* — 11 qua revera E ed. — 22 coit MCHI ed. — 25 re *omm* ω K. — 28 scilicet B ed; sed K; si *cett.* — 32-1 addiscendos γ.

6 Voluntas agens: cf. infra p. 247, 16.

nendos colores, essent duae diversae potentiae, quod ridiculum est. (27) Horum itaque actuum diversitas non arguit diversitatem potentiarum, ut manifestum est; quoniam una operatio est manens et altera transiens; modo una potentia
5 has duas operationes habere potest. Veluti enim dictum est, unaquaeque sensitiva potentia in homine cum hoc quod sentit etiam movet alteram potentiam, ut patet; quoniam sensus exteriores et sentiunt et movent sensum communem, et communis phantasticam, et phantastica intellectum. Qua-
10 re diversitas talium operationum quarum una est immanens, altera transiens, non facit potentiam diversam, quanquam aliquam diversitatem secundum rationem et denominationem faciat; quae rationis diversitas non est sufficiens ad faciendum diversas potentias. Unde sicut intellectus causans volitionem
15 in voluntate potest dici voluntas agens, ita sen|688|sus exterior posset dici sensus agens. Verum hoc non est in usu.

(28) Ad secundam cum dicebatur: Omnis operatio intellectus est intellectio, patet per dicta propositionem esse falsam, quoniam neque omnis operatio sensus est sensatio
20 vel cognitio. Nam nemini dubium est appetitum sensitivum moveri a sensu et a sensibili; et tamen talis operatio facta a sensu non est sensatio, quoniam appetitio non est sensatio. Vera fortassis est illa propositio si sit manens in sensu; verum si tendit in alterum, veritatem non tenet. Neque etiam se-

4 in manens AMCL. — 13 rationis *om* E. — 16 verum . . . in usu *om* γη. — 18 positionem ACδ ed. — 19 quoniam neque omnis operatio intellectus est intellectus *ad post* falsam E. — 22 appetitus ed. — 23 impositio ed. — 24 tendit AλK; tradit E; tenditur d ed. — namque ed.

16 cf. J. Buridan. *Quaest. in X lib. Ethic. Aristot.*, III, qu. 2 (Oxon. 1637, p. 157): « ponunt multi sensum agentem et voluntatem sicut Aristoteles ponit intellectum agentem ... » et haec opinio videretur mihi probabilis nisi ei obstaret Parisiensis articulus ubi dicitur sic *quod intellectus agens sit quaedam substantia separata, superior ad intellectum possibilem; et secundum substantiam, potentiam et operationem sit separatus a corpore, nec sit forma corporis humani; est error* (art. 123; *Chartul.*, I, 550). — Joann. de Janduno fortasse primus talem sensum agentem posuerit, secundum M. M. Gorce, *L'essor de la pensée au moyen-âge*, 1933, p. 185; cf. etiam E. Renan, *Averroès et l'averroïsme*, 2e éd., 1861, p. 349.

cundum alios omnis operatio proveniens a voluntate est volitio; itio nanque provenit a voluntate et non est volitio.

(29) Unde et ad tertiam cum dicebatur: Operatio intellectus est naturalis; vera est si sit in ipso intellectu tanquam in
5 subiecto; sed si est ab intellectu, veritatem non continet, ut per dicta patet esse manifestum. Dico autem intelligere esse naturale, nisi fiat secundum imperium voluntatis; quoniam ut sic, dicitur esse voluntarium, quoniam est a voluntate imperante.

10 (30) Ad quartam dicitur quod obiectum concurrit ad volitionem quoniam specificat ipsam; verum non tantum isto |689| modo concurrit, sed etiam quoniam ipsum obiectum negociatum per intellectum insinuat ipsi voluntati activae quid agendum sit, quoniam ipsa voluntas activa per consi-
15 lium praecedens directa est de agendo vel non agendo. Est enim unum et idem quod consilium fecit et quod volitionem vel nolitionem inducit; unde non est caeca, neque ignorat quid faciat, ut priores dicunt.

(31) Ad quintam autem patet responsio. Quoniam se-
20 cundum istam opinionem, virtus electiva est voluntas activa intelligens subiective, aut intellectus volens active et non subiective. Et istud voluit Eustratius; et fortassis sic voluerunt Averrois et Themistius; non quod eadem sit potentia subiective et formaliter intelligens et subiective et formaliter
25 volens, sed ad modum expressum.

(32) Ad ultimam vero dicitur quod revera Deus non est immediatum motivum voluntatis, sed est ipsa voluntas. Quod vero adducitur de dicto in libro *De Bona fortuna*, dicitur quod, ut patet inspicienti locum illum, Aristoteles

2 itio: volitio M. — itio . . . volitio *omm* C[1] ed. — 4 est *ante* naturalis *omm* M ed. — 9 imperata αLd; imperante C[1]BM ed. (vel imperante *in mg.* G; vel imperata *in mg.* C[2]). *Cf. supra p.* 242, 7-8: imperante. — 15 procedens ed. — 16 unum: verum ed. — 18 quod ELKδ. — 20 activa *om* E. — 21-22 et non subiective *ante* aut intellectus ed. — 24 subiectiva Aλ γη δι ed. — 26 ultimum AMBγη ed. — 28 additur γη; dicitur B. — de deo E.

28 *De Bona Fortuna*, cf. supra p. 207, 12.

voluit Deum esse primum motivum et remotum ne-|690|
dum in volitione verum et in intellectione et in unoquoque
motu et mutatione. Et hoc proculdubio concedimus neque
repugnat dictis nostris.

5 (33) Scias etiam quoniam quanquam divus Thomas quasi
semper determinet voluntatem realiter distingui ab intellectu
et eam non cognoscere, tamen notavi quod aliquando dicit
oppositum. Et pro nunc mihi occurrit unus locus; in scripto
enim in I *Sententiarum*, in distinctione tertia, in una quaestio-
10 ne qua quaerit an memoria pertineat ad imaginem, in responsione ad octavum et ultimum argumentum eiusdem quaestionis sic dicit ad litteram: « Voluntas enim quia considerat
finem movet alias potentias omnes quae ordinantur ad finem
et imperat eis actus suos ». Quid clarius? Idem legi in aliis
15 locis ab ipso scriptis. Quare coactus veritate concessit voluntatem cognoscere; licet non qua inducit volitionem, veluti
nos diximus.

Caput sextum in quo indagatur de causalitate intellectus ad voluntatem.

20 |691| (1) Ex dictis, ut opinor, patere potest quam causalita-
tem habeat obiectum ad voluntatem in eliciendo actum
suum. Nam quod obiectum sit necessarium pro specifica-

2 3[m] in *omm* Lγι δο ed (G *ex correct.*). — 6 determinat γι ed. — distinguit ed. — 7 cognoscente ed. — notavit ed. — 8-9 in scripto enim *om* E; in commento C; nam in scripto super K. in *ante* distinctione *om* γ. — 9 una *omm* EK. — 10 imaginationem EMBγε. — 13 qua ordinantur ed. — 16 licet: sed ω; scilicet ed. — aliter recipit *post* inducit *ad* L². — 19 volitionem γ. — 21 eliciendo αB; essiciendo ad L; eligendo *cett.* — 22-1 per specificationem ωL.

9 Thom. Aquin., *I Sent.*, d. III, q. 4 art. 1, ad 8um (ed. Fretté, Paris 1873, vol. VII, 62b). — 15 V. g. Thom. Aquin., *Summ. Theol.*, 1ª pars, qu. 82 art. 4, *in corp.* (Leon. V, 303b): « Et ideo voluntas per modum agentis movet omnes animae potentias ad suos actus, praeter vires naturales vegetativae partis quae nostro arbitrio non subduntur ». Cf. 1ª IIae, qu. 9 art. 1 (Leon VI, 1891, p. 74b); qu. 16 art. 1 (Leon VI, p. 114b).

tione actus apud me non vertitur in dubium. Impossibile nanque est voluntatem exire in actum absque determinatione; cum enim operationes sint circa singularia et determinata, ut in Prohemio *Metaphisicae* dicitur, aut igitur
5 voluntas in omnem actum exit, quod non est dare, aut in nullum, quod etiam aperte falsum est, aut in aliquem determinatum. Non est autem dabile aliud determinans quam ipsum obiectum. Quare necessario per obiectum determinatur ad actum et eius specificationem; et currit similitudo
10 eadem inter intellectum et voluntatem. (2) Verum istud non sufficit. Si nanque talis causalitas sufficeret, veluti et superius diximus non video repugnantiam quin posset esse volitio non existente cognitione; et sic incognita velle possemus, quod rationi et autoritati aperte repugnat. Ubi enim obiec-
15 tum esset praesens voluntati, et factum fuisset obiectum a non cognoscente, ni|692|hil vetaret quod voluntas non posset elicere actum. Quare cum apud alios voluntas ponatur caeca et non cognoscens, esset electio absque cognitione; secundum vero nos, quantumcunque voluntas sit cognoscens
20 quoniam voluntas est intellectus sicuti superius diximus, volitio tamen non est cognitio formaliter neque realiter; et tunc electio posset esse absque consilio et deliberatione.
(3) Unde videtur dicendum quod praeter illam causalitatem quam habet obiectum ad specificationem electionis,
25 intellectus et obiectum habent aliam causalitatem supra voluntatem in productione volitionis vel nolitionis; et est quoniam intellectus consultat voluntatem de agendo, quare obiectum voluntati repraesentatur sub ratione boni vel mali.

3 circa: contra ed; esse E. — 5 exigit ed. — 5-6 aut in . . . falsum est *om* ed. — 12 expugnantiam ed. — 16 quod . . . non: quin K. — 17 elicere αβ (L *ad* in); eligere M d ed. — 19 sit cognoscens *om* F; *ad in mg. ead. man.* D.

4 *Metaph.*, I, 1. 981a 15-20. — (Comin. de Tr. VIII, fol. 6v H, Prohemium Metaph. [vetus translatio] « actiones autem ac generationes omnes circa singulare sunt . . . ») Cf. Averr., *Prohem. Metaph.*, t. c. 5 (Comin. de Tr. VIII, 7r C): « actus et operationes omnes circa singularia sunt », quod magis appropinquat Pomponatii citationi. — 11 Cf. supra p. 236, 17 sqq.

Unde secundum istum modum obiectum voluntatem movet et non voluntas obiectum, et actio obiecti praecedit actionem voluntatis. In ratione autem specificationis actus volitionis est vice versa, quoniam voluntas movet obiectum ipsumque
5 obiectum est |693| instrumentum voluntatis; quare actio voluntatis natura praecedit actionem obiecti, quandoquidem instrumentum non movet nisi quia motum. (4) Unde imaginari oportet quod intellectus est veluti consiliarius ostendens ipsi voluntati tanquam ei cui datur consilium de agen-
10 do; quare ut sic intellectus concurrit active ad volitionem causandam et voluntas passive. Et quoniam intellectus non causat nisi mediante obiecto, ideo dicimus et obiectum ut sic concurrere active ad volitionem causandam. Verum considerandum est quod quemadmodum consulens etsi in
15 dando consilium concurrat active, et id cui consilium datur passive concurrat in ratione consilii, consultor tamen in executione operis quod subsequitur consilium non est causa principalis neque adaequata, sed est veluti adiuvans et occasionaria, sicut etiam dicit Philosophus in II *Phisicorum*
20 et V *Metaphisicae*; nam est in potestate consultati exequi consilium et non exequi. (5) Quare cum intellectus se habeat ad voluntatem veluti consiliarius, etsi ut sic intellectus concurrat active per se et principaliter, et voluntas pas|694|sive, tamen in electione actus intellectus est causa coadiuvans
25 et quasi occasionaria et non per se; voluntas autem est causa per se et adaequata. Quo fit ut obiectum est causa effectiva movens voluntatem, sed non totalis et sufficiens; immo est veluti causa sine qua non. (6) In specificatione autem actus voluntas movet obiectum ut per ipsum specificetur operatio,

3 voluntatis EMB (B *ante correct.*) — 10 quare ut bC²; et d ed. — 10-11 concurrit active . . . et quoniam intellectus *om* ω. — 11-13 et voluntas passive . . . causandam *omm* δ ed. — 14 consultans E; consilians B. — 14-15 si in dando: id quod dat K. — 15 dando consilio ω. — 20 consultantis ed. — 26 obiectum sit EK ed.

19-20 *Physic.*, II, 3. 194b 30. *Metaph.*, V, 2. 1013b 24. — 24 Cf. supra p. 226, 7 n. — 27-28 Cf. J. Buridan., *Quaestion. in X lib. Ethic. Aristot.*, X, qu. 3. (Oxon., 1637, pp. 862-864); supra p. 226, 7 n.

ipsumque obiectum est causa per se et necessaria specificationis actus, quanquam obiectum non moveat nisi motum prius ab ipsa voluntate. (7) Quapropter in ratione consultantis et repraesentantis, obiectum praecedit omnem actum
5 voluntatis et est ante ipsam voluntatem qua voluntas est; in ratione vero specificantis, obiectum est post voluntatem, et actio specificantis obiecti praesupponit motionem voluntatis tanquam principalis agentis.

(8) Erit igitur iste ordo in electione actus voluntatis:
10 Nam primo intellectus practicus consultat de agendo et demonstrat voluntati quid sit agendum; et secundum hoc intellectus concurrit active, et voluntas passive non quidem quoniam tunc velit, sed intelligendo quid |695| sit agendum et consilium recipiendo. Deinde hoc habito, voluntas habet
15 potestatem exequendi et non exequendi quod sibi consultum fuerit, et ex sui potestate, exempli gratia, eligit partem affirmativam contradictionis. In hac electione voluntas est primum movens, obiectum est secundum movens motum a voluntate et per se specificans actum; consilium autem et
20 obiectum sumptum in ratione praesentantis concurrunt ad istam electionem non primo et per se, sed in ratione adiuvantis et causae sine qua non.

(9) Quare ex his patere potest tota causalitas intellectus et obiecti ad ipsam volitionem. (10) Unde prima opinio

1 necessariae Bδ. — 6 specificationis EλC. — 7 specificationis bC. — 9 erit igitur . . . voluntatis *om* ed. — 10 in primo ed. — 15 et non exequendi *om* ed. — quid CF ed. — 18 principium ed. — est: et ed. — 20 repraesentantis AM; repraesentationis E. — 21 non *ante* primo *om* ed. — 24 voluntatem A (*ante correct.*) B; volitionem *cett.* (*cf. tamen titulum cap.*, *p.* 249, 19).

14 sqq. Cf. J. D. Scoti, *II Sent.*, dist. XLII, qu. 4, n. 10-11: « Voluntas firmando intellectum mediante suo velle in tali cogitatione intendit illam, et sic eadem cogitatio, ut imperfecta, est prior volitione, et ut perfecta est posterior ». (J. Verweyen, *op. cit.*, p. 171). — 21-22 De obiecto ut causa *sine qua non*, vid. supra, p. 226, 7 n., textum Johannis Buridani, x, qu 3. Cf. tamen P. Minges. *J. D. Scoti Doctrina philosophica* . . ., 1, pp. 324 sqq., pp. 339 sqq.; E. Gilson, *Jean Duns Scot*, p. 591 dicit Scotum cuidam « Magistro » sententiam talem tribuisse.

quae dicit obiectum concurrere effective ad volitionem, si intelligeret secundum modum repraesentantis et consulentis et iterum in ratione specificantis, recte diceret et servaret naturam volitionis; verum hoc non expressit. Quare aut
5 falsa, aut diminuta est. (11) Secunda opinio quae dicit obiectum movere finaliter voluntatem et non effective, aut penitus abiicienda est, aut est abusus in nomine. Si nanque |696| per hoc intelligeret quod ut voluntati obiectum repraesentatur sub ratione boni vel mali voluntas non necessitatur
10 ad actum eligendi, verum est quod dicitur; sed hoc nullo modo praetendunt talia verba, sed esset maximus verborum abusus, cum hoc quod aufert actionem obiecti in ratione specificantis actus et in ratione consultantis et demonstrantis. (12) Tertia autem opinio inter omnes magis veritati appro-
15 pinquat, quoniam obiectum proculdubio est movens in ratione specificationis actus, sed non movet nisi ut praesupponit actionem voluntatis tanquam principalis agentis. Verum diminuta et imperfecta est; quoniam praeter istam causalitatem, habet et aliam priorem, videlicet quoniam repraе-
20 sentat voluntati, neque voluntas exiret in actum nisi prius facta esset talis repraesentatio, quanquam huiusmodi actio obiecti et intellectus non sit causa proxima et per se volitionis et nolitionis.

(13) Hoc autem totum provenit quoniam omnes opiniones
25 ponunt voluntatem esse caecam et non cognoscere; quod apud me non est intelligibile, veluti per multa superius visum est. (14) Non |697| debet autem aliquis ex his dictis perturbari quoniam dicimus intellectum consulere voluntati cum tamen dicimus eandem esse potentiam intellectum et
30 voluntatem; quoniam haec distinctio quasi inter duo diversa

1 elective ed. — 2 intelligeret *sic* BK (K *in correct.*); intelligunt *cett.* — 3 dicunt γη. — 6 finaliter EλC²; formaliter A d ed (*cf. supra p.* 226,7-227, 10). — 8 per *omm* L ed; propter γη; pro F. — 11 maxime B δη. — 12 actionem: rationem EBKF (BK *ante correct.*); causalitatem K (*in correct.*). — 13 specificantis actus et in ratione *omm* δ ed. — 15 movens *om* ed. — 19 scilicet bC². — 23 et nolitionis *om* ed. — 24 quod ed. — 25 intelligere ω. — 30 quasi: quae MGδ ed.

facta est ut melius intelligatur. (15) Oportet enim imaginari intellectum consulentem ipsimet et non alteri; quare loco duarum rationum ponimus quasi duas res, quarum una se habet in ratione actionis, altera vero se habet in ratione
5 passionis. Et ut intellectus producit velle vel nolle, quod voluntatem appellamus, intelligitur ut informatus consilio et repræsentatione. Quare sic intelligendo nullum sequitur incommodum.

Caput septimum in quo moventur dubitationes
10 *adversus ea quae dicta sunt.*

(1) Verum et non minor apud me adhuc insurgit difficultas, quoniam sic stante ista opinione, quaero: Utrum praesentato summo bono vel aliquo in |698| quo voluntas non conspiciat aliquod malum sed tantum bonum, utrum voluntas de ne-
15 cessitate velit illud summum bonum vel illud in quo nullum conspicit malum? (2) Communiter et quasi omnes tenent quod non. Dicunt tamen aliqui, immo maior pars, quod licet in isto casu voluntas non possit odire illud, quoniam nihil odio habetur nisi quoniam praesentatur ut malum sicut
20 nihil amatur nisi praesentetur ut bonum, tamen voluntas potest suspendere actum ita quod neque amet neque odio habeat.

(3) Verum hoc dictum apud me habet magnam difficul-

1 enim *om* ed. — 4 vero *om* E. — se habet *omm* EK ed. — 5 et nolle γI ed. — 5-6 quod voluntatem . . . informatus: voluntatem eum appellamus intellectum autem ut informat K. — quod: et E; *om* γ. — 11 minus ω ed. — adhuc *omm* ω G. — 12 opinione dicta ed. — 14 utrum *om* K. — 16 qui omnes δ. — 18 odisse K; odere M; odire *cett.* — 19 repraesentatur α; repraesentantur M.

16 Cf. Thom. Aquin., *Sum. Theol.*, I[a] II[ae], qu. 10 art. 2 (Leon. VI, 85-87); cf. infra p. 257, 20. — J. Buridan., *Quaest. in X lib. Ethic. Aristot.*, III, qu. 4 (Oxon. 1637, pp. 172). Vid. Append. XII. — 18 sqq. Contrariae favere opinioni videtur J. D. Scotus, *Op. Oxon.*, I, dist. I, qu. 4 n. 18 (Vid. P. Minges, *J. D. S. Doctrina philosophica . . .*, I, p. 309: «saltem esse possibile quod voluntas malum sub ratione mali possit eligere».)

tatem. Quoniam veluti quod odio habetur necessarium est cognosci ut malum et quod amatur ut bonum cognoscatur, ita videtur quod si voluntas stet suspensa, oporteat intellectum esse ancipitem. Cum itaque voluntas habeat de necessitate unam istarum trium operationum, et unaquaeque habeat dispositionem distinctam ab altera, quarum unaquaeque stat ad intellectum veluti ostensum est, secundum igitur dispositionem intellectus de necessitate ope|699|rabitur ipsa voluntas. (4) Ex quo sequitur etiam quod non est in potestate voluntatis suspendere actum, quoniam ostendi hoc voluntati tanquam anceps non est voluntatis sed intellectus; et cum intellectus naturaliter operatur quantum ad intelligere voluntasque sequitur intellectum, voluntas igitur naturaliter operabitur, et sic nullum erit liberum arbitrium (quod Stoici intendunt) nisi ad modum expressum in primo libro.

(5) Sed huic forte dicitur quod quanquam ad hoc quod voluntas faciat illam suspensionem necesse sit intellectum sic voluntati ostendere, scilicet sub ratione ancipitis, tamen adhuc voluntas est libera ad acceptandum illam suspensionem; quare non sequitur voluntatem necessitari ab intellectu. (6) Verum hoc multipliciter videtur deficere. Primo quidem quoniam nullus dicet aliquid esse absolute in potestate alicuius cum indiget altero ad hoc ut illud faciat, veluti manifestum est ex terminis. Sed si voluntas debet suspendere talem actum, indiget intellectu sic offerente; neque est in potestate intellectus sic offerre |700| quandoquidem libertas in ipso non consistat, sed est Dei vel alicuius extrinseci, quicquid sit illud, quod non est in nobis. Quomodo igitur fingi potest voluntatem ex se habere quod possit

3-4 quod oporteat *cuncti praeter* K *qui om* quod. — intellectum esse ancipitem: obiectum esse anceps, ita ut neque bonum neque malum cognoscatur K. — 6-7 una quamquam Mδ. — 10 ostendi bC²; *omm* d ed. — 11 voluntatis ed. — videri *ante* tanquam *ad* K. — 13 que *om* ed. — 17-18 ad hoc quod voluntas γε; *omm* quod *cett.* — 25 est *om* ed.

15-16 Cap. 9; supra pp. 60-62.

suspendere actum? (7) Amplius quoniam si praesentato voluntati actu suspensionis voluntas non cogitur suspendere sed potest adhuc suspendere illam suspensionem, tunc ad hoc quod suspendat indiget adhuc intellectu ostendente talem suspensionem. Et sic non erit voluntas absolute in potestate talis suspensionis, veluti superius declaratum est; et tunc suspensionis erit suspensio, quare abibitur in infinitum et nunquam aliqua erit determinatio talis actus, quandoquidem infinitum est inpertransibile. (8) Praeterea mirum est et vix credibile, [quod] si obiectum praesentetur sub ratione omnis boni, et suspensio ostendatur non sub ratione omnis boni (non enim includit suspensio omne bonum, immo est maxime culpabilis et est viri omnino insipientis) quod velit suspensionem illam. Non enim suspenderet nisi vellet; est enim actus volun|701|tatis. Quare sic eligit voluntas illud quod nullam habet rationem boni et dimittit summum bonum. (9) Unde inconvincibile est quod voluntas respiciens ad malum velit ipsum, et respiciens nedum ad bonum, verum ad summum bonum, spernat ipsum; quod non tantum adversatur dictis philosophorum et sanctorum, verum et experimento ipsi. Unusquisque enim in se ipso experitur quod si duo praeponantur sibi quorum unum est absolute melius altero, verbi gratia abstinere ab adulterio et committere adulterium, si quis committit adulterium, pro eo tempore pro quo committit existimat adulterium melius esse; nam praeponit bonum delectabile bono honesto, et ratione qua bonum prosequitur adulterium et non qua malum. Quare concludendo videtur esse impossibile quod tale bonum sic ostensum voluntati non acceptetur ab ipsa voluntate.

1 quoniam si: sic Lδη ed. — 4 suspendeat ed. — 5-6 voluntas ... suspensionis: in potestate voluntatis talis suspensio C. — 10 quod si *sic cunct.* — 11 ostenditur G ed. — 20 tantum: tamen δ. — 22 proponantur ed. — unus Lδ ed. — 23 melior B ed. — alio AMBC². — exempli Mγ. — 27 et non ratione qua γ.

9 *Poster.*, I, 3. 72b 10. *De Caelo*, I, 5. 272 a 2. *Metaph.*, II, 2. 994 a 1.

(10) Quod si quis dicat istud verum esse, et quod non potest suspendi actus volitionis vel nolitionis nisi in re ancipiti et ubi in obiecto videantur esse simul com|702|mixta bonum et malum. Quare difficultas aufertur. In summo
5 nanque bono non videtur esse libertas sic quod voluntas possit velle et nolle et suspendere; veluti neque in miseria, de necessitate enim unusquisque vellet esse felix et nullus miser. Unde Augustinus in *De Civitate Dei* dicit: «Quanquam multi sint qui nollent esse reges, nullus tamen est
10 qui nollet esse beatus vel qui vellet esse miser». Unde ad hoc ducimur natura; hoc ab ea instruimur, sicut et caetera naturalia. Quare sicut quilibet de necessitate assentit primis principiis ubi intelliguntur et dissentit oppositis primorum principiorum, sic unusquisque de necessitate vult felicitatem
15 et fugit miseriam ubi voluntati sint proposita. Quare prior opinio spernenda est tanquam irrationabilis.

(11) Verum hoc dictum est multum suspectum, neque videtur evadere priores difficultates. Primo quidem suspectum est. Quoniam fere omnes viri doctrina eminentissimi,
20 ut sanctus Thomas et Ioannes Scotus (et eos fere sequuti sunt omnes), tenuerunt illam positionem dicentes quod licet voluntas |703| non possit nolle vel refutare felicitatem vel velle miseriam, potest tamen actum utrumque suspendere. (12) Neque par ratio est de intellectu et voluntate; quoniam
25 intellectus ante actum voluntatis mere naturaliter agit, voluntas vero est libera; immo propositis ipsis principiis ipsi intellectui, potest voluntas auferre actum consentiendi (licet non possit facere dissentire), quoniam potest ab intellectu auferre considerationem; quanto magis potest a se ipsa au-

2 vel EMLC^2; et *cett.* — 4 auferretur ed. — 8 *post* Augustinus in, *spatium vacat in* δo; libro *add* M ed. — 11 caetera: alia E. — 12 de necessitate *om* ed. — 15 sit ed; sunt B. — praeposita MG δo ed. — 20 et *om* ed. — 22 non *exsculpsit* δι — nolle: velle EMC^1. — 24 Namque ed.

8 Augustin., *De Civit. Dei*, IV, 23 (Dombart, I [1863], p. 153, 31-33). — 20 Cf. Cajetan., *In Thom. Aquin. Sum. Theol.*, I^a II^{ae}, qu. 10 art. 2. (Leon. VI, pp. 85-87); *ibid.*, I^a pars, qu. 82 art. 1 et 2. (ed. Leon. V, pp. 293-298).

ferre actum volendi vel nolendi! (13) Praeterea veluti diximus, stant etiam adhuc illae primae difficultates. Quoniam si suspensio tantum est possibilis ubi in obiecto bonum et malum sint admixta, vel igitur bonum et malum apparent
5 aequalia vel inaequalia; si inaequalia, unum igitur praesentabitur sub maiori bono, et alterum sub minori. (14) Quaero igitur: An voluntas possit eligere minus bonum et relinquere maius bonum aut non? Si detur quod non, istud videtur contradicere imprimis Aristoteli VI *Ethicorum* ubi di-
10 sputat adversus Socratem dicentem volun|704|tatem non posse adversari scientiae, quare Socrates negavit incontinentiam. Et III *Ethicorum* Aristoteles dicit: «non oportet quod idem sit eligens optima et veram habens opinionem de optimis»; etenim aliquis habere potest veram opinionem de
15 optimis et non eligere optima; quare esto quod iudicet illud esse melius altero, potest tamen secundum dicta Aristotelis minus bonum eligere. Amplius haberetur quod quaeritur, videlicet quod voluntas non agit nisi ut instructa ab intellectu; quare aut nulla esset libertas, aut esset in intellectu,
20 quod non dicitur. (15) Si vero detur altera pars, scilicet quod minus bonum potest praeeligi maiori bono, cum minus bonum in ordine ad maius bonum habet rationem mali, sicut minus magnum in ratione magis magni retinet rationem parvi, tunc malum qua malum eligetur. Quod, ut dictum fuit,
25 adversatur omnibus; et in nobismet experimur oppositum: sentimus enim quod semper eligimus aliquod quoniam me-

3 obiecto ωLC²K; obiectum B d ed. — 8 an G ed. — 13 optima BK; optimam *cett.* — 14-15 etenim . . . de optimis *omm* ω δ ed. — 18 non *om* δι. — 21 *2m* minus: maius ed. — 22 habeat ed. — 23 respectu K. — 26 quoniam: quod C² ed.

6 Cf. J. Buridan., *Quaest. in X lib. Ethic. Aristot.* (Supra p. 254, 16 n.). — 9 *Ethic.*, VI, 13. 1144b 17 sqq.; VII, 3 (*olim* 2) ubi ponitur in extenso opinio Socratis; VII, 4, ubi refellitur. (Cf. supra p. 88, 7). — 12 *Ethic.*, III, 4 (*olim* 2). 1112a 8. — 21 Cf. J. Buridan., *Quaest. in X lib. Ethic. Aristot.*, III, qu. 4, (Oxon. 1637, p. 174): «minus bonum ut opponitur maiori bono habet rationem mali, sicut minus album ut opponitur magis albo habet rationem nigri, et sic de aliis contrariis, ut patet III° *Physicorum* . . .»

lius videtur altero, et si quis increpetur quod magis malum elegerit, increpatus aut vult substinere quod electum per ipsum est me|705|lius neglecto, aut excusat se quod sibi pro tunc visum fuit sic. Et sic eadem sequuntur quae ad
5 priorem.

(16) Sed huic forte dicitur sicuti a multis dicitur et videtur esse sententia Aristotelis in III *Ethicorum*, videlicet quod maiori bono et minori propositis secundum apparentiam ipsi voluntati, non potest rebus sic se habentibus voluntas
10 velle minus bonum et renuere maius bonum, ut ostensum est; verum potest voluntas intellectui imperare ut recte consultet, et facere quod dispositio sit contraria, videlicet quod ubi prius erat sive apparebat minus bonum appareat nunc melius, et ubi tunc melius nunc peius; quare secundum
15 istum modum stat libertas. (17) Verum neque istud dictum videtur sufficere. Quoniam voluntas nihil imperat intellectui vel alicui alteri potentiae nisi prius sit tale praeostensum esse bonum ipsi voluntati. Unde de necessitate talis praeostensio praecedit imperium voluntatis, et est naturalis
20 neque aliquo pacto est in potestate voluntatis, quandoquidem voluntas intellectum praesupponat. Erit igitur hoc ex aliquo ex|706|trinseco, ut Deo vel quovis alio; quod maxime volunt Stoici. Non igitur hoc est in potestate voluntatis. (18) Amplius quoniam eo dato, ubi intellectus non haberet rationes
25 per quas posset convincere quod illud quod prius visum est minus bonum ostenderet voluntati esse maius bonum, tunc de necessitate voluntas sequeretur magis bonum. Et sic voluntas necessitatur ab intellectu; quod maxime intendimus, et est contra determinata. Sic enim aufertur omnis
30 libertas; cum nanque intellectus mere naturaliter operetur,

2-3 per ipsum: ab ipso E. — 3 sibi: ibi ed. — 8 bono *om* ed. — 12 videlicet: verum ed. — 16 intellectioni ed. — 26 maius: magis Mγε; minus G. — ostenderetur K. — 27 tunc de necessitate ... bonum *omm* Mγι δι ed. — 29-30 omnis voluntas ed.

7 *Ethic.*, III, 4 (*olim* 2). 1112a 1 sqq. Cf. J. Buridan., *op. cit.*, p. 172. (Vide supra, p. 254, 16 not.).

et voluntas de necessitate insequatur intellectum, omnis igitur libertas aufertur. Quare stabit opinio Stoicorum.

(19) Praeterea Aristoteles VII *Ethicorum* dicit quod si maior et minor in intellectu practico bene ordinata sunt, ita sequitur 5 voluntas et deliberatio sicut conclusio de necessitate sequitur in sillogismo bene ordinato. (20) Et in libro *De Motibus Animalium* sic scribit: « Cum enim duas propositiones intellexerit, conclusionem intellexit et composuit; haec autem ex duabus propositionibus conclusio fit operatio ut puta cum intellexit 10 quia omni homini ambulan|707|dum, ipse homo, ambulat confestim; si autem quod nulli ambulandum homini, ipse autem homo, statim quiescit. Et haec ambo facit si non aliquid prohibeat aut compellat: faciendum bonum; domus autem bonum; facit domum statim ». (21) Et in VII *Ethico-* 15 *rum* in ea parte in qua solvit ad rationem Socratis negantis incontinentiam sic scribit: « Adhuc autem et sic naturaliter

2 auferetur EK; auferretur F; auferret M. — 3 propterea LK δη ed. — II δι ed. — 4 sint bC² K. — 7 scribitur bC. — 8 conclusionem intellexit *om* ed. — composuerit ed; cognoscit E. — 10 quia: quod ed (*et Comin. de Tr.*); quare G. — 14 II ωG ed; III D.

3 *Ethic.*, VII, 5 (*olim* 3). 1147a 24 sqq. (Comin. de Tr. III, 262v). — *Ethic.*, VII, 4 (*olim* 3). 1146b 12 (cf. infra l. 16). — Cf. etiam J. Buridan., *Quaest. in X lib. Ethic. Aristot.* III, qu. 1 (Oxon. 1637, p. 149). Vid. Append. XIII. — 6-7 *De Motibus Animal.*, 7. 701a 10-17 (Comin. de Tr. VII, « *De Animalium Motu* », fol. 174v D): « Cum enim duas propositiones intellexerit, conclusionem intellexit et composuit; hic autem ex duabus propositionibus conclusio quae fit, operatio est; veluti cum intellexit quia omni homini sit ambulandum, ipse se autem quod sit homo, ambulat confestim; si autem quod nulli homini nunc ambulandum sit, ipse autem quod sit homo, statim quiescit. Et haec ambo operatur nisi aliquid prohibeat aut cogat; faciendum mihi bonum, domus autem bonum, facit domum statim ». — 14 *Ethic.*, VII, 3 (*olim* 2). 1145b 21 sqq. (Comin. de Tr. III, 261r B). — 16 *Ethic.*, VII, 4 (*olim* 3). 1146b 12 sqq. (Comin. de Tr. III, 263r B): « Adde quod ita quoque naturali quadam ratione inspicere causam quispiam posset. Altera enim universalis opinio est: altera de particularibus rebus quibus praesidet sensus. Quando autem ex ipsis una evaserit alibi quidem enunciet anima, in effectivis vero agat statim, necesse est ut si omne dulce gustandum est hoc autem est dulce ut pote unum (*sic*) quoddam ex particularibus: necesse est ut qui potest et non prohibetur simul hoc quoque agat ». Cf. *Ethic.*, VII, 5 (*olim* 3). 1147 a 24 sqq.

aliquis respiciet; tamen haec quidem universalis opinio, altera
autem de singularibus est, quorum sensus iam proprius; cum
autem una fiat ex ipsis, necessarium conclusum hoc dicere
animam; in factis autem operari confestim: puta si omne dul-
5 ce gustare oportet, hoc autem dulce ut vinum aut aliquod singularium, necessarium potentem et non prohibitum simul et
hoc operari.» (22) Quare etsi possit accidere impedimentum
quantum ad executionem deliberationis et voluntatis, quoniam haec non sunt in nostra potestate, necessario tamen vo-
10 luntas volet et eliciet, quae ab alio constringi non potest sed
tantum ab intellectu ut ostensum est. Aut igitur nulla est libertas in voluntate, aut erit in intellectu; quod minime fingi
po|708|test. Quare cum intellectus naturaliter operatur, et ut
ostensum est voluntas de necessitate sequitur intellectum,
15 ergo voluntas de necessitate operatur; non igitur libera est.

(23) Verum et hoc auget ad difficultatem. Quoniam appetitus semper ponitur ab Aristotele potentia passiva, quae non
movet nisi ab alio mota. Nullum autem motivum appetitus
ponit Aristoteles nisi obiectum; quare prima motio in appe-
20 titione est ab obiecto. Non itaque obiectum movetur ab
appetitu, velut instrumentum movetur a principali, et solum
secundum specificationem, verum est totum oppositum;
quoniam obiectum movet ipsum appetitum et dirigitur appetitus secundum regulam obiecti, veluti manifestum est in
25 sensu, et ab omnibus concessum est. (24) Quare nulla apud
Aristotelem videtur esse libertas tum propter istam rationem, tum propter alias superius adductas et infra adducen-
das; cum tamen clarissima voce proclamet ‹III› *Ethicorum*:
«Sumus a principio usque ad finem nostrorum actuum do-
30 mini, licet non habituum»; et ‹VII› *Politicae*: Invi-|709|

11-12 ut ostensum . . . intellectu *omm* δι ed. — 16 ad *om* ed. — 18 motivum intellectus ω. — 23-24 dirigit appetitum ω. — 28 II *cunct.* — 30 II ed; III E; V *cett.* — Politicorum AM.

28 *Ethic.*, III, 8 (*olim* 5). 1114b 32; *Ethic. Eudem.*, II, 6. 1223a 5. (Cf. supra p. 111, 28 n.) — 30 Nihil tale in V *Politic.* invenimus ut volunt codd., sed *Politic.*, VII, 7. 1328a 7 legitur: «Dominans enim et invictus est animus» (Comin. de Tr. III, 454v D).

ctissimus est animus, a nullo cogitur, a nullo necessitatur, sunt virtutes, sunt vitia nostra, non naturae, non fortunae.

(25) Ista igitur sunt quae me premunt, quae me angustiant, quae me insomnem reddunt; ut vera sit interpretatio
5 fabulae Promethei qui dum studet clam surripere ignem Iovi, eum relegavit Iuppiter in Rupe Scythica in qua corde assidue pascit vulturem rodentem eius cor. Prometheus vere est philosophus qui, dum vult scire Dei archana, perpetuis curis et cogitationibus roditur, non sitit, non famescit, non
10 dormit, non comedit, non expuit, ab omnibus irridetur, et tanquam stultus et sacrilegus habetur, ab inquisitoribus prosequitur, fit spectaculum vulgi. Haec igitur sunt lucra philosophorum, haec est eorum merces. Unde fiunt argumenta Poetarum veluti Socrates fuit argumentum et mate-
15 ria in comedia Aristophani, et omnes philosophi Luciano comico.

Caput octavum in quo respondetur ad obiecta prioris capituli.

|710| (1) Quanquam arduum et mihi difficile videatur his sa-
20 tisfacere, conabor tamen secundum vires meas qualescunque sint, ad haec respondere; illud tamen in primis protestantes quod nihil pertinaces asserimus, sed si aliquando aliter nobis videbitur, sumus mutaturi sententiam et meliorem secuturi.

(2) Substinendo igitur libertatem et quod taliter voluntas
25 velit veluti diximus, quod gratia brevitatis non repetimus,

4 insomnem MBK ed; insomnium *cett.* — et insanum *ad* ed. — reddunt: redigunt E. — 6 eum relegavit . . . Scythica: relegatus est a Jove in rupem Scythiae K. — 7 assiduo LMCFH; suo K. — Proteus ed. — vero I ed. — 8 secreta E. — 12 insectatur K; persequutus aspicitur B. — 15 Aristophanis Eγι. — 16 comico ELMC ed; amico B; *omm* A γιδο. — 21-22 protestatus . . . pertinaciter K. — 23 meliorem EM; meliores *cett.*

15 Aristoph., in *Nub.*, Socratem eiusque discipulos ridiculos facit. — Quoad Lucianum, vid. *Luciani Samosatensis opera*, ed. C. Jacobitz (Bibl. Teubner.) *s. v.* « Philosophiae » in indice (vol. III, 1853, p. 503): « Philosophorum habitus, mores, vitia, vanitas describuntur et deridentur ubique ».

dico quod liberum arbitrium non consistit in hoc quod si voluntati ostendatur aliquod esse bonum, illud re sic se habente per totum, voluntas possit odire ipsum, vel quod si praesentetur ut malum, voluntas possit illud prosequi. 5 Sic proculdubio et bonum oderetur et malum amaretur; et sic respiciens ad malum faceret bonum et respiciens ad bonum faceret malum, quod manifeste adversatur experientiae et dictis sanctorum et philosophorum. (3) Sed ut existimo libertas voluntatis consistit in hoc quod praesentato 10 bono, est in sua potestate subtrahere actum volitionis et velle ipsum; et rebus sic se ha|711|bentibus voluntas non potest illud refutare; quod si refutaret, fieret mutatio ex parte intellectus, quare casus variaretur. Et consimiliter dicatur: si obiectum praesentatur sub ratione mali, non po- 15 test illud velle voluntas, verum aut illud renuit, aut actum renuitionis suspendit. (4) Dicoque ulterius quod talis suspensio, quae absolute et vere est in potestate voluntatis, non est quoniam illud ostentatur sub ratione dubii, nam talis dispositio pertinet ad intellectum; sed est quoniam 20 ipsa non elicit actum. Neque oportet aliam causam quaerere, quoniam si qua esset causa reduceretur in naturalem, quare voluntas non esset libera sed naturaliter ageret secundum illam dispositionem.

(5) Quod si dicatur ut dicebatur opponendo: Si suspendit 25 actum ipsa voluntas, nonne vult illam suspensionem? et omne volitum est apprehensum ut bonum, ergo oportet intellectum voluntati sic ostendere. Huic dicitur quod sic dicere est negare suspensionem esse in potestate voluntatis; quoniam oporteret, si deberet exire in talem actum |712|, ut intellectus

2 illo K. — *omm* re γ. — 3 odire *cunct.* — ipsum *sic cunct.* — (*redundat si* illud, *lin. 2 ut objectum verbi* odisse *sumatur; aliter est si* illud *ad verba* per totum *refertur.* — 5 odiret . . ., amaret, ed. — odiretur Aβd ed. — 9 existimo *omm* d ed (C² existimo *in mg.*). — 15 remittit ω. — 16 remittitionis AM; remissionis E. — 18 ostentatur AM; ostenditur γ; ostendatur βδo ed; ostendat E. — 20 elicit αβC²; eligit M d ed. — 21 ad naturalem E ed. — 24 Et si ed. — in opponendo ed.

sibi prius appraesentaret illud esse bonum, quae praesentatio fit a causa extrinseca, quaecunque sit illa. (6) Quare dicitur: Cum voluntas suspendit talem actum, voluntas non vult suspendere talem actum sic quod velle dicat aliquod positi-
5 vum, immo tunc voluntas est mere ociosa et ille actus suspensionis non vere est quid positivum sed tantum negativum; verum dicitur actus voluntatis quoniam est privatio actus voluntatis, veluti diximus quod nolle succurrere navi periclitanti est actus voluntatis, et absentia nautae est causa
10 submersionis navis. (7) Quod si quaeritur: Cur est, si aliquod obiectum debet amari a voluntate, de necessitate requiritur praeostensio boni per ipsum intellectum; si tamen voluntas debet suspendere actum, non requiritur aliqua praeostensio? nam non est fingere quae sit illa nisi ostenda-
15 tur per modum ancipitis, quod tamen negatum est. Huic quidem dicitur quod illud contingit, scilicet quod voluntas suspendat actum ex tali ostensione; sed illud neque est necessarium, neque causa per se. (8) Verum quod |713| talis praeostensio sit necessaria in actu positivo et non in priva-
20 tione est rationabile, quandoquidem positivum habet vere causam effectivam, privativum vero non habet causam efficientem sed deficientem. Nam si voluntas amat aliquod vel vult, oportet illud esse bonum vere vel apparenter; sed quod non eliciat actum sufficit sola deficientia actus et eius
25 privatio; quod enim agens non agat sufficit sola privatio. (9) Dico tamen quod voluntas non eliciens actum secundum quancumque dispositionem non dicitur suspendere actum, sed quando est in propinquissima potentia eliciendi actum, ut pote cum intellectus ei offert et actualiter intelligit; si
30 nanque homo dormiret, non propter hoc diceretur suspendere

1 repraesentaret γι; ostenderet E. — 10 Et si quaereretur ed. — 23 vult *sic* C; velit *cett.* — 24 eliciat ω BC²; eligat LKδo ed; eligit γη. — differentia ω. — 25 ut non ed. — 26 eliciens αβC²; eligens M d ed. — 28 quando *om* ed. — eliciendi bC²; eligendi δo ed. — 28-30 sed quando . . . suspendere actum *om* γ (C² *ad in mg.*).

9-10 *Physic.*, II, 3. 195a 13-14; *Metaph.*, V, 2. 1013b 14.

actum, quoniam tunc non est apta operari et in potentia propinquissima existens. Quare et per haec ad omnia sigillatim respondetur.

(10) Ad primum igitur cum quaerebatur: Praesentata vo-
5 luntati beatitudine, an possit indifferenter suspendere velle et nolle? dico quod non potest eam nolle, ubi nolle non sit mere |714| privativum; quoniam voluntas respiciens ad malum non potest velle illud, neque respiciens ad bonum nolle ipsum, quanto magis ad summum bonum; tamen est in
10 potestate volendi et suspendendi actum, et sic salvatur libertas. (11) Cumque ulterius dicebatur: Si debet talem actum suspendere, oportet quod voluntati offeratur per modum ancipitis ab intellectu, veluti si debet velle, oportet offerri per modum boni; iam patet hoc non tenere, immo concludi-
15 tur oppositum, quoniam sic non esset mere libera, sed praesupponeret aliam actionem. Verum tamen est quod si primo praesentasset intellectus voluntati obiectum sub ratione dubitabilis vel non omnino boni, ex illo posset persuaderi, sed non cogi. Sed ad simpliciter suspendendum nihil aliud
20 requiritur nisi ipsa voluntas non agens, potens tamen in dispositione propinquissima agere. Quare argumentum supponebat falsum; et dictum est non esse simile de actu positivo et privativo, et quod suspensio proprie non est velle nisi quatenus est privatio velle; unde ma|715|gis est volun-
25 tatis quam velle.

(12) Unde et ad secundum dicitur quod si duo praesententur quorum unum sit maius vel apparens maius bonum quam alterum, stante tali casu non potest praeeligere minus bonum; neque aufertur libertas. Sed potest voluntas suspendere
30 actum circa maius bonum, quo suspenso, quasi ex consequentia delitescit operatio intellectus respectu illius maioris boni, quasi intellectus tanquam consiliarius fuerit spretus a rege; et remanet consideratio illius minoris boni, quare sic a voluntate eligitur; et est peccatum ipsius voluntatis

5 an indifferenter suspenderet E. — 23 privato L ed; negativo B. — 24 velle *post* privatio *om* ed. — 26 et *om* ed. — 34 si a voluntate ed.

peccatum omissionis, quare punienda est. (13) Neque approbo quod adducebatur ex communi modo loquendi quasi ab omnibus, videlicet quod sic minus bonum eligitur quoniam voluntas imperat intellectui quod discurrat; unde fit
5 transpositio, quoniam quod prius videbatur maius, postea videtur minus, et e converso. (14) Quoniam ut supra deductum est, voluntas non potest facere tale imperium nisi prius fuerit ostensum ab intellectu; quare non staret simpliciter li|716|bertas in potestate voluntatis. (15) Amplius
10 ut dicebatur, ubi per intellectum illud fieri non posset, nunquam voluntas eligeret minus bonum; quod falsum est et contra experientiam. Ideo dicendum est ut diximus. Et pariter dicatur de duobus aequaliter bonis; quoniam neglecto uno, eligeret alterum ut diximus.

15 (16) Quod si adhuc quaeratur: Quando eligit unum et alterum negligit, nunquid respicit ad alterum ut pote ad maius bonum? Dicitur quod minime; immo istud est impossibile, veluti prius dictum est; verum voluntate frigescente circa illud maius bonum quoniam voluntas suspendit
20 actum maioris boni, cognitio delitescit. (17) Neque dico quod ideo intellectus cessat illud intelligere quoniam illud imperetur a voluntate; nam voluntas non imperaret nisi sic ostenderetur per intellectum esse imperandum, et non appareret illud sub ratione boni. Quod verum non est; nam posi-
25 tum est quod offeratur sub ratione maioris boni. Verum est, ut diximus, per quandam sequelam; scilicet quod voluntate frigescente circa maius |717| bonum deficit apparitio maioris boni, quare tantum restat apparitio minoris boni; et tunc habet apparitionem absolutam et non comparatam
30 ad maius bonum, quare voluntas tunc eligit illud. (18) Unde non ideo eligit de necessitate quoniam de minori bono factum est secundum apparentiam magis bonum, ut dicebant alii, sed quoniam solum minus bonum remansit ostensum

2 nostro modo ed. — 7 talem δε. — 14 eligeretur ω G (G *correx. in* eligeret). — 22 imperaret ABKF; imperat *cett.* — 23-24 quod non apparet ed. — apparet G (ed). — 32 magis ω Lδο ed; maius Bγ.

voluntati. (19) Quod si dicitur: Cur obiectum minoris boni remansit et maioris boni deletum est, cum multo magis illud debuit remanere quoniam magis movebat quam minus bonum? Huic existimo dicendum quoniam fortassis habet
5 minus bonum causam magis conservantem; quare imputandum est voluntati quod suspenderit actum maioris boni et peccaverit peccato omissionis. Unde ex omissionis peccato secutum est peccatum commissionis; unde non eligendo quod debebat eligere, eligit quod non debet eligere:
10 unum enim peccatum subministrat alteri. (20) Et forte quod ex quo illud obiectum erat magis movens et frustratum |718| est suo fine delitescit, quod non est ita in altero obiecto; natura enim ubi perfectum non potest facere, monstrum inducit magis quam non animatum producere, quasi vices
15 alternans, et ubi optimum non facit, quod magis ad bonum accedit facit.

(21) Unde et per haec dicitur ad ultimum quod si intellectus practicus habet maiorem et minorem in actu, sequitur de necessitate electio nisi impediatur, ut manifeste in utrisque
20 locis citatis dicit Aristoteles. Verum impediri potest, et de facto aliquando impeditur. (22) Nam illae praemissae ordinabantur ad electionem conclusionis; verum non est in potestate voluntatis eligere oppositum conclusionis, quoniam ut dictum est, ostensa bonitate, non possumus refutare,
25 sed possumus actum suspendere nulla alia dispositione praecedente; quare impedimentum advenit cum finis in quem ordinabatur sillogismus impeditur. Unde recte dixit Aristoteles quod stante scientia perfecta et completa, non possumus operari adversus scientiam sic quod agamus oppositum et
30 velimus |719| oppositum; sed bene possumus actum suspendere. (23) Cumque dicitur Aristotelem non intelligere de electione sed de opere sequente electionem quod non est in

4 puto E. — 8 est et peccatum ed. — 15 magis bonum ed. — 17 et per haec *om* E. — 25 tamen *post* sed *add* bC² (tantum M).

27 *Ethic.*, VII, 5 (*olim* 3). 1146b 6 sqq. 1147b 13-17. Cf. supra, p. 260, 3 sqq.

potestate nostra, huic dicitur quod per exemplum extra dedit intelligere et illud intra; posuit autem illud exterius quoniam est magis notum. Unde cum dixit: Efficit domum, intelligit electionem et ea quae sequuntur ad electionem. Sic
5 itaque mihi videtur dicendum in tam ardua difficultate quam ideo introduxi magis ut alii doceant me quam ego alios.

Caput nonum in quo moventur quaedam dubia adversus ea quae dicta sunt.

(1) Adversus autem ea quae adducta sunt in superiori capi-
10 tulo arduae mihi insurgunt dubitationes. Dictum est enim quod praesentato aliquo bono tantum sub ratione boni, vel maiori bono, non possum renuere illud; neque in hoc stat libertas voluntatis, sed possum sus|720|pendere actum vel velle, stantibus dictis conditionibus. (2) Verum cadit dubi-
15 tatio: Quoniam aut requiritur alia dispositio ratione suspensionis et alia ratione volitionis, sic quod si voluntas in casu isto debet suspendere suum actum, exigit unum alterum ad hoc ut suspendat et alterum ad hoc quod eligat; aut praecise secundum eundem modum se habens potest utrunque
20 divisim facere. (3) Si detur primum, hoc est contra determinata et contra rationem libertatis. Quoniam si A, exempli gratia, requiritur pro suspensione et B pro electione, aut igitur A est voluntarium, aut naturale et habens causam ex aliquo extra voluntatem: si voluntarium est, illud etiam erit in
25 potestate ad opposita ut ab ea voluntate eligatur, quare erit processus in infinitum; si vero naturale, ergo cum voluntas determinetur per illud quod non est in potestate sua, non est libera in eligendo, quod est contra dicta. (4) Relinquitur ergo quod nulla alia requiritur dispositio, verum ipsa volun-
30 tas eodem modo se habens indifferenter potest in opposita. Et hoc necessarium est dicere si priorem positionem volumus substinere.

3 quando dicit ω. — 9 dicta E. — 20 hoc *om* ed. — 22 ut igitur ed. — 28-29 est libera . . . quod nulla *om* ed.

(5) Verum |721| stant angustiae. Quoniam virtus quae est in potentia aequaliter ad utrunque oportet ut determinetur per aliquod aliud, quoniam aut utrunque simul produceret aut nullum, ut dicit commentator II *Phisicorum*, commento 48; et videtur esse sententia Aristotelis in IX *Metaphisicae*; igitur voluntas sic indeterminata non potest aliquem istorum actuum producere. (6) Huic fortasse dicitur, ut communiter dici solet, Averroim ibi intellexisse de naturali potentia et non voluntaria. Certe hoc inconsiderate dicitur. Quoniam manifeste VIII *Phisicorum*, commento 8, et manifestius et copiosius commento 15 dicit quod neque voluntas, quaecunque sit illa, potest haec facere; immo quod istud non est intelligibile. (7) Et non tantum ista est sententia Commentatoris et Themistii et aliorum peripateticorum, verum et Aristotelis. Nam negata ista propositione, nulla remanet via apud Aristotelem ad probandum motum aeternum esse; innititur enim illi quod diversa produci non possunt nisi secundum dispositiones diversas, quare ante quemcumque motum datum oportet |722| dari alium motum praecedentem et subsequentem; unde si motus incipit, ante motum erit motus, et si motus desinit, post motum erit motus. Quare si voluntas a nullo mota potest incipere moveri et per nullam aliam causam potest a tali motu se abstinere, quanto magis divina voluntas potest incipere motum sine motu praecedente et desinere movere absque motu subsequente! (8) Neque prodest quod ab aliquibus dicitur, veluti et superius diximus, quod etsi voluntas potest suspendere actum et facere actum, non tamen sine sui mutatione, quoniam volitio su-

1 angustae DH ed (stat anguste ed). — 6 indeterminata ω B; determinata *cett.* — 13 tamen δι. — 15 praepositione E δο; positione M. — 16 esse *om* ed. — 25 movere bCF; motum G; moveri Kδη ed. — sine G; absque motu *om* ed. — 27 quod et: ut ed.

4 *Physic.*, II, t. c. 48. (Cf. supra p. 39, 15 sqq.) — 5 Aristot., *Metaph.*, IX, 2. 1046b 19-22. — 8 Averr., *Physic.*, VIII, t. c. 8 et 15. (Cf. supra p. 46, 15 sqq.) — 15 Aristot., *Physic.*, VIII, 1. 250b 23 sqq. (Cf. supra 56, 2; 181, 7). — 26 Cf. J. Buridan., *Quaest. in X lib. Ethic. Aristotel.*, III qu. 1 (Oxon. 1637, pp. 152-153). Vid. App. XIV.

biective est in ipsa voluntate et motus subiective non est in movente sed in moto, ut dicit Philosophus III *Phisicorum*; quare si Deus inciperet movere, saltem moveret se, et sic esset mutabilis, quod est contra rationem Dei. (9) Verum
5 haec responsio ex toto est corrupta. Primo quoniam sic destruitur ratio Aristotelis et efficitur falsa. Dicit nanque Aristoteles quod si motus inciperet, ante primum motum esset motus; modo secundum tales hoc non sequitur, sed solum quod Deus moveretur. |723| Ex illo antecedente igitur
10 non infertur quod per Aristotelem infertur sed quod per Aristotelem non infertur. Quare duplex erit peccatum Aristotelis, unum quidem quod non intulit quod debebat inferre, alterum vero quod intulit quod non debebat inferre. (10) Secundo quoniam si teneamus intellectum esse volunta-
15 tem agentem distinctam a voluntate recipiente, ut tenuimus in secundo modo, nullo modo intellectus sive voluntas activa movebitur; quare eadem erit ratio de Deo et voluntate in agente in aliud et non in se. (11) Tertio quoniam ut multotiens dictum est, nulla est maior ratio quod virtus eodem
20 modo disposita producat contraria in se ipsam quam in aliud; est enim illud accidentale, scilicet agere in se vel in aliud quoniam tota difficultas stat in illo, scilicet: Unum in quantum unum non facit nisi unum sive in se sive in aliud. Quare est fallacia non causae ut causa.

25 (12) Est et altera dubitatio quoniam in eodem capitulo concessum est quod intellectu practico ordinante maiorem et minorem debito modo, stat quod voluntas non eligat, sed suspendat actum. Verum hoc non videtur esse

1 movens ω ed. — subjective *om* ed. — 11 duplex ωγε (*om* E); dupliciter *cett.* — 12 debebat: debeat LMFH; debuit γ. — 12-13 quod debebat . . . quod intulit *omm* δι ed. — 13 alterum vero . . . inferre *omm* KH ed (H *correx.*). — debebat: debeat LM δο ed. — 15 distinctam ωKI; distinctum *cett.* — 16 *1m* modo *omm* E ed. — 18 in *ante* agente *om* B. — 20 ipsa EM. — 22-24 quoniam tota . . . in aliud *omm* δι ed. — 24 ut causae E ed. — 25 et *om* ed. — 27 modo: meo ed.

2 *Physic.*, III 3. 202a 13-21. Cf. *Metaph.*, XI, 9. 1066a 26-34. — 22 Cf. *Metaph.*, IX, 1. 1046a 26-27 (unum in quantum unum non facit nisi unum). *Soph. Elench.*, V, 9. 167b 21 sqq. (Fallacia non causae ut causa).

possibile; quoniam stat quod sic peccet, etsi non peccato commissionis quoniam secundum dicta in tali suspensione voluntas nihil |724| agit, tamen peccato omissionis. Non solum enim peccamus operando quae non debemus vel modo
5 quo non debemus, verum et omittendo quae debemus (quare et in Confessione dicitur non solum commissione sed et omissione). Verum in tali peccato nullus est error in intellectu et est error in voluntate, ut apertum est. (13) Sed hoc est manifeste contra Aristotelem et contra communiter lo-
10 quentes, et maxime aliquos Theologos. Contra Aristotelem quoniam II *Rhetoricae* manifeste dicit Aristoteles nullus sciens et volens prava eligit; ast in tali peccato, eligit pravum (quoniam non esset peccatum nisi esset pravum ut patet III *Ethicorum*); et est sciens, quoniam et habet maiorem et
15 minorem in actu.

(14) Item sequitur ex positione quod non omnis qui peccat, aut per ignorantiam peccat, aut peccat ignorans; ex quo sequitur quod non omnis malus est ignorans, quod aperte Aristoteli adversatur in III *Ethicorum* et Socrati et Platoni,
20 ut patet in *Menone* et in II *Alcibiade* et alibi, et nostris Theologis qui tantos autores insequuntur. (15) Patet autem illud ma|725|nifeste sequi, quoniam talis scit maiorem et minorem; quare neque in universali neque in particulari ignorat. (16) Quod si concedatur non esse necessarium peccan-
25 tem ignorare, et arguitur ab aliquibus quod istud esse non potest, duabus evidentibus rationibus. Prima est: Sicut se habet bona existimatio ad actum moralem bonum, ita mala

5 *2m* deberemus AM. — *ad* operari ω. — 6 et *post* quare *add* δι ed; *omm cett.* — 8 et *post* intellectu: sed K. — 10 aliquos Theologos *om* ω. — *post* Aristotelem ed *ad* 2ª *vice semicirculis vallata* et contra communiter loquentes. — 13 quoniam . . . pravum *omm* δι ed. — 16 idem ed. — omnis: minus Lδι ed. — 19 Aristotelis Bδε. — 20 Menone ELKHI; Mennone BD; Memnone AMγη F ed. — Alcibiade C² LK δο ed; Alcibiadis ωB; ad Alcibiadem γη.

11 Potius *Ethic.*, II, 4. (v. g. Comin. de Tr. III, 198rC-vD). — 14 *Ethic.*, III, 2 (praesertim 1110b 30 sqq.). — 19 *Ethic.*, III, 2 (*olim* 1). 1110b 17 sqq.; 1110b 28. — 20 *Meno*, 88C-89A; 96D, *etc. II Alcib.*, passim.

existimatio ad actum moralem malum; sed non est bonus actus moralis absque bona existimatione, ut dicitur VI *Ethicorum*; quoniam prudentia est necessaria, quae est cum bona existimatione, ergo mala existimatio est necessaria in pec-
5 cato, ergo deceptio est necessaria in intellectu. (17) Amplius quoniam omnis peccator est imprudens, sicut docet Philosophus in VI *Ethicorum*; omnis enim qui peccat imprudenter facit; imprudentia pertinet ad intellectum veluti et prudentia, quoniam opposita pertinent ad eandem potentiam; cum
10 itaque prudentia sit recta, ut dicitur VI *Ethicorum*, ergo imprudentia erit obliqua in intellectu, et sic non est peccatum in voluntate nisi sit et in intellectu. (18) Hoc idem com|726|muniter, ut diximus, dicunt Doctores scribentes super III *Ethicorum*, super illa parte: «Omnis malus igno-
15 rans». Et Egidius Romanus in *Quolibeto* III, questione ‹17› ex intentione determinat hoc et intendit istud ostendere. Divus quoque Thomas multotiens idem approbat, et est quasi universalis opinio. (19) Immo et Salvator noster dum in cruce penderet rogavit Patrem ut parceret Iudeis dicens:
20 «Pater ignosce illis quia nesciunt quid faciunt»; et Stephanus dum lapidaretur rogavit Redemptorem dicens: «Domine ne statuas illis hoc peccatum, sed ignorantiae ascribas».

5 in *om* ed. — 6-7 philosophus in: Aristoteles E. — 7 VI: secundo ed (*iterum lin.* 10). — 11 prudentia ed. — 12 et *om* ed. — 12-13 idem communiter . . . scribentes E δο ed; hoc idem ut communiter dicitur ut diximus dicunt Doctores scribentes Aλ; hoc idem ut diximus dicunt Doctores et scribentes γ. — 15 questione 15 *cunct.* — 16 ex intentione *om* E. — 22 hoc in ed.

2-3 *Ethic.*, VI, 2. 1139 a 30 sqq. (Comin. de Tr. III, 250r B); VI, 5. 1140 a 24 sqq. (252r A); VI, 10 (*olim* 9). 1142b 8-32 (255r C). Cf. *Ethic.*, VI, 13. 1144b 30 sqq. Notandum tamen aliter sentire Scotum, *Op. Oxon.*, III, dist. 36, n. 15-18, scilicet quod virtus prudentiae esse potest sine virtute morali (Vid. P. Minges, *J. D. S. Doctrina philosophica* . . ., I, p. 299). Cf. infra p. 278, 19 sqq. — 7 *Ethic.*, VI, 13 (*olim* 12). 1144a 34-37; 1145a 2-5. — 9 *Metaph.*, IX, 1. 1046a 29-31. — 10 *Ethic.*, VI, 5. 1140b 4-5. — 15 Aegidii Romani, *Quodlib.* III, qu. 17: «Videtur quod non possit esse malitia in voluntate non existente errore in ratione» (ed. Locatelli, Venetiis 1504, fol. 41 v B). — 19 *Luc.*, 23: 34. Cf. Thom. Aquin., *Sum. Theol.*, I^{a} II^{ae}, qu. 77 (Leon. VII, pp. 52-61). — 22 *Act.*, 7: 58.

Et Apostolus dixit quod de sua persecutione adversus Christianos veniam meruit quoniam ignoranter fecit. Quare nullum videtur esse peccatum in voluntate absque peccato intellectus. (20) Unde commentator XII *Metaphisicae*, com-
5 mento 36 removit peccata ab intelligentiis quoniam removit et ignorantiam, cum sint actus simplices. Et eadem videtur esse sententia Aristotelis aperte in IX *Metaphisicae*, ubi voluit peccatum et errorem removeri ab intelligentiis, quo-|727|niam sunt actus simplices. Quare etc.

10 *Caput decimum in quo respondetur ad obiecta.*

(1) Utinam ad haec obiecta haberem convenientem solutionem! Tamen dicam ad haec quae mihi videntur rogoque videntes has nostras nugas, si temerarius eis videbor et nimium audax, hanc opinionem a se removeant; quando-
15 quidem non ex aliqua malitia neque ut mihi gloriam comparem haec dico, sed solum desiderium sciendi ad hoc me inducit: certe voluntas non peccat si intellectus peccat.

(2) Quantum igitur sit de prima dubitatione, in sequendo hanc opinionem dico quod voluntas praecise existens sub
20 eadem dispositione potest in duo opposita et extrinsece et intrinsece se habendo secundum eundem modum, et non indiget alia dispositione, ut sequendo opinionem argumentum mihi videtur demonstrare. (3) Et cum dicitur: Potentia aequaliter respiciens duo non potest in alterum nisi per
25 aliquod determinetur, |728| dicitur, ut ibi dicebatur: fallit responsio in voluntario agente, alia vero subduntur illi regulae; quod provenit ex eorum imperfectione. Quare voluntas ex sui perfectione et actualitate in utrunque potest sic

1 Paulus ait E. — 9 quare etc. *om* ed. — 12 dicam *om* δι. — 13 legentes K. — 15-16 compararem G ed; parem Aλ. — 21 secundum BC²; in *cett.* — 26 responsio *omm* BE ed; regula γη.

1 *I Tim.*, 1: 13. Cf. *Act.*, 8: 3. *I Cor.*, 15: 9. *Gal.*, 1: 13. *Phil.*, 3: 6. *Act.*, 9: 1. — 4 *Metaph.*, XII, t. c. 36 (Comin. de Tr. VIII 337r-v). Cf. *Metaph.*, IX, t. c. 22 (Comin. de Tr. VIII 278v). — 7 *Metaph.*, IX, 8. 1050b 6 sqq.; 1050b 16-28.

sine determinatione alia; quanto magis igitur Deus benedictus qui est fons omnis perfectionis et pelagus inexaustum! (4) Cumque adducitur Commentator in II et VIII *Phisicorum*, autoritas eius in hoc admittenda non est, neque etiam Aristo-
5 telis, veluti et omnes Leges quae mundum de novo faciunt habent dicere. (5) Unde mirum est de eis si ponunt liberum arbitrium in hominibus, ad quod de necessitate sequitur quod voluntas ex se sine alia dispositione potest in duo opposita, et negant hoc in Deo, quandoquidem sic posse
10 agere in duo opposita sit ex rei perfectione, et Deus sit summe perfectus. Unde proculdubio illa ratio Aristotelis de aeternitate mundi est sophistica et puerilis. (6) Quod si dicatur: Cum Aristoteles acceperit illam propositionem quae falsa est et destruit liberum arbitrium, ergo Aristoteles
15 negavit liberum arbitrium, |729| quod non videtur verum cum dicat nos esse dominos nostrorum actuum et virtutes et vitia esse in potestate nostra. Huic dico quod de necessitate aut Aristoteles negavit liberum arbitrium, quod Cicero in libro *De Fato* Aristoteli ascribit aperte dicitque Aristotelem
20 tenuisse omnia inevitabiliter evenire; aut si tenuit in nobis esse liberum arbitrium, ut in I *Perihermeneias* ad finem dicit, et in III *Ethicorum*, sibi manifestissime contradixit in his locis et in VIII *Phisicorum*. Existimo tamen opinionem Ciceronis esse magis ad mentem Aristotelis. (7) Quod si aliter videatur
25 dixisse in *Ethicis*, hoc fecit propter vulgares et bonos mores existimoque unum dixisse et alterum sensisse. In ‹III› nanque *Ethicorum* multum se involvit de illa quaestione, an sit videlicet in potestate nostra quod res appareat bona vel mala; unde ibi dicit fatuum esse dicere virtutes esse nostras

1-2 benedictus *om* ω. — 5 veluti *omm* ω F. — 6 de his qui B. — 11 summae perfectionis ω. — 24 Quod: Et ed. — 26 II *cunct.* — 28 vel bona ed.

19 Cap. 17; cf. supra p. 182, 20. — 26 Videtur potius ex III *Ethic.*, 7-8 (*olim* 5). 1113b 3-1115a 22 (Comin. de Tr. III, 211 v DE): « Si inquam haec vera sunt, cur magis virtus quam vitium sponte acquiratur, non video. Utrinque enim tam bono quam malo simili modo finis vel natura vel quomodocumque agunt; sive igitur finis

et non vitia, et verum dicit. Sed neque virtutes neque vitia sunt nostra, secundum Stoicos. Unde erat suum ostendere virtutes esse nostras. |730| Quare ego existimo illud Aristotelem non dixisse ex propria intentione sed complacens vul-
5 garibus et propter bonos mores. Ista ergo in hoc est mea existimatio, non autem sententia.

(8) Ad alteram autem dubitationem in qua inferebatur quod aliquis sciens et volens prava vellet, et quod non omnis malus esset ignorans; quod adversatur Aristoteli et Platoni.
10 Huic dicitur quod conclusio de necessitate sequitur, ut optime argumentum deduxit. (9) Quod autem hoc adversetur Aristoteli mirum esse non debet, quoniam ista conclusio sequitur ex praesuppositione illius quod voluntas eodem modo se habens intrinsece et extrinsece potest in duo oppo-
15 sita; hoc autem manifeste repugnat eius sententiae in VIII *Phisicorum* unde voluntas, cum se ipsam non possit limitare ad alteram partem, oportet quod limitetur ab alio quod naturaliter agit; quare secundum directionem illius dirigitur voluntas. Ex quo manifeste aufertur ab ea libertas et ab
20 omni alio, sic loquendo de libertate quod immedia|731|te nullo addito limitante possit in duo opposita. Quare omnis error in voluntate erit ex errore intellectus, et sic nullus apud Aristotelem sciens et volens efficitur pravus, et omnis malus est ignorans. (10) Ille quoque tertius actus quem
25 communiter attribuimus voluntati praeter velle et nolle, scilicet actum suspendere, non est a voluntate vere et solitarie, sed est ab intellectu dirigente ipsam suspensionem.

(11) Unde Aristoteles posuit voluntatem mere passivam et moveri ab obiecto, et non voluntatem movere obiectum;
30 veluti est in sensu et in appetitu eius sensus, quoniam appe-

10 de *om* δι. — 11 Quare ed. — 12-13 conclusio: praemissa γ. — 19 ea ABC; eo *cett.* — 30 *2m* in *omm* K ed. — sensus *om* K.

non natura unicuique apparet, qualiscumque is sit, sed aliquid etiam apud ipsum est, sive naturalis quidem finis est, quia tamen reliqua probus vir sponte agit, virtus spontanea est; nihilominus vitium quoque spontaneum sit necesse est. »

titus sensitivus movetur a sensu informato obiecto, et appetitus sensitivus non movet se. Quare cum Aristoteles nullam faciat differentiam inter voluntatem et appetitum sensitivum quantum ad moveri ab obiecto (sub una etenim regula
5 utrosque comprehendit), nulla relinquitur libertas in voluntate; neque etiam in intellectu, quandoquidem naturaliter agit ipse intellectus. (12) Sed tamen est differentia inter appetitum sensitivum et |732| voluntatem, quoniam est et differentia inter intellectum et sensum; quoniam sensus est
10 sine discursu et particulariter cognoscit neque mensurat et comparat inter suas actiones, quae tamen omnia fiunt ab intellectu. Hinc existimatur voluntatem esse liberam quoniam intellectus ad partes consulit, ad partes utrasque argumentatur; sed ipsa voluntas semper sequitur ipsum intel-
15 lectum, sive bene iudicet intellectus, sive male iudicet. (13) Quod autem bene intellectus iudicet vel male non est principaliter ex voluntate, quoniam, ut dictum est, voluntas movetur ab intellectu, sed ex bona dispositione intellectus quam contraxit a corpore in principio generationis. Nam
20 apud Aristotelem anima est mortalis et non potest secundum ipsum a corpore separari, veluti diximus in nostris tribus tractatibus de immortalitate animae quorum unus inscribitur *De Immortalitate Animae* et est primus, secundus est *Apologia* in qua respondemus quibusdam impugnantibus nos,
25 tertius inscribitur *Defensorium* in quo particulariter respondemus cuidam nostro calumniatori. (14) Be|733|ne etiam vel male discurrit intellectus ex dispositionibus extrinsecis ut sunt corporum caelestium influxus, conversari cum viris

2-3 non faciat aliquam E. — 4 etenim: et eadem M. — 11 cooperat γη δο. — 19 a principio λC². — corpore in *om* E. — 20-21 secundum ... separari: separari ab ipso γ. — 22-23 quorum unus inscribitur de Immortalitate Animae *omm* ALδι ed. — unus: primus B (*qui et om* et est primus). — 24 nos *sic* bC²; *omm* d ed.

21-22 Notatu dignum quod auctor unam continuatamque materiam, scil. de immortalitate animae, tribus his suis tractatibus adiudicat, ita ut nullum ab alio separatim considerari liceat. Cf. infra p. 430, 21. Vid. Append. xv.

doctis, habere necessaria ad victum et vestitum et sic de singulis; quae omnia tamen subiiciuntur fato neque sunt in nostra potestate simpliciter. (15) Quod si quis dicat Aristotelem non tenuisse fatum propter multa quae ab eo di-
5 cuntur, dicatur ipsum sibi repugnasse et inconstantem et fluidum fuisse, quod est proprium hominis; neque ego sum solus quandoquidem et ipse Cicero in libro *De Natura Deorum* hoc Platoni et Aristoteli amplissime tribuat.

(16) Sequendo igitur opinionem veram et religionis Chri-
10 stianae quam ego profiteor et pro qua paratus sum tollere crucem et cum Christo et pro Christo mori, dico istud non esse inconveniens quod aliquis habeat intellectum non errantem et voluntatem errantem, quare sciens et volens eligit prava, extendendo tamen nomen electionis ad suspensionem
15 actus; et quod non omnis malus sit ignorans sic quod peccet propter |734| ignorantiam aut ignorans. Et hoc totum conceditur quoniam conceditur quod idem eodem modo se habens potest in opposita; et hoc soli voluntati convenit et nulli alii. (17) Advertas tamen quod ubi esset peccatum commis-
20 sionis hoc non potest concedi, sed tantum in peccato omissionis. In peccato enim commissionis eligitur malum quod voluntati per intellectum ostenditur esse bonum, quare intellectus peccat quoniam ostendit aliter quam est, aut reiicitur bonum quod existimatur esse malum quoniam intellectus
25 sic ostendit voluntati. Unde est error in ipso intellectu et transfertur ad voluntatem. (18) Quod si dicatur: Prius igitur peccatum est in intellectu quam in voluntate, quod dictis et rationi repugnat; huic dicitur, ut supra visum est, quod peccatum est primo in voluntate. Sed primum peccatum vo-

6 fluvidum LC²; fluxum d ed. — 7 et ipse *om* E. — 13 voluntatem non errantem ed. — 16 per ignorantiam γ ed. — 26 Quod: et ed. — 28 dictum est E.

7-8 *De Nat. Deor.*, I, cap. 12: «Jam de Platonis inconstantia longum est dicere . . .» (Mueller, p. 14,30). *Ibid.*, cap. 13: «Aristoteles quoque in tertio *de Philosophia* libro multa turbat . . . modo enim menti tribuit omnem divinitatem, modo mundum ipsum deum dicit esse». (Mueller, p. 15,33).

luntatis est peccatum omissionis, ex quo peccato descendit peccatum commissionis; quare peccatum est ex voluntate. (19) In pec|735|cato igitur commissionis semper intellectus peccat ut ostensum est; in peccato autem omissionis stat
5 oppositum, quoniam stat quod sciat in universali et in particulari, et quod suspendat actum; quod est omissionis peccatum. Sed non posset velle aut nolle, ut affirmationem dicit, contra scientiam in universali et in particulari.

(20) Verum ad rationes. Ad primam, in qua dicebatur quod
10 sicut actus bonus secundum morem exigit existimationem rectam, sic actus malus secundum morem exigit existimationem falsam, dicitur negando similitudinem. Quoniam ad bonum et ad perfectionem omnia requiruntur integra; si enim domus debet esse perfecta, oportet quod habeat
15 omnes partes requisitas ad domum. Verum ad imperfectionem sufficit defectus unius partis. Quare virtus exigit mentem rectam et voluntatem bonam; ad vitium autem sufficit vel quod ratio sit mala, vel mens mala; nam vera virtus non est absque prudentia, ut dicitur VI *Ethicorum*.
20 Quare si ratio esset mala et recta voluntas, scilicet ad bonum finem, proprie non est actus virtuosus.

(21) Unde et ad secundam di|736|citur quod malus est imprudens non ratione rationis, sed ratione voluntatis; nam cum prudentia exigit et rectam rationem et rectum
25 appetitum, imprudentia ei opposita exigit vel falsam rationem vel obliquum appetitum. Et sic rationes nihil cogunt in eo qui est malus per omissionem et non per commissionem. (22) Quare forte propositio dicens: 'Nullus sciens et volens eligit prava', intelligitur per actum positivum et in
30 peccato commissionis, non autem de peccato omissionis. Immo, omittendo proprie non est electio, sed improprie dicitur electio; unde sic peccans peccat non quia eligit sed quoniam non eligit. (23) Quod si dicatur: Iste qui non eligit

32 peccant D (*item* 279, 1).

19 *Ethic.*, VI, 5 (cf. supra 272, 2); *Ethic.*, II, 4 (Comin. de Tr. III, 198r C-vD).

vult non eligere; sed velle est affirmativum; ergo peccat committendo quoniam vult quod non debet, vult enim non eligere quod non debet non eligere, immo debet eligere. Patet illud non bene inferri quod si non eligit, vult non eli-
5 gere, nisi intelligatur privative, quod scilicet privatio illa sit voluntatis; neque talis omissio habet obiectum |737| aliquod, quoniam privatio non exigit obiectum proprie. Et similiter glosari potest: 'Omnis malus ignorans', scilicet: malus committendo, non omittendo.
10 (24) Unde tres attribuimus actus voluntati, scilicet velle vel complacentia, nolle vel displicentia, et purum non velle quod est actum suspendere. Velle exigit ut bonum praesentetur; nolle praesentetur tanquam malum; suspensio nullum istorum exigit quanquam suspensio possit esse bona et mala,
15 bona ubi suspendit quod suspendendum est, mala vero ubi suspendit quod non suspendendum est ut est in malo omissionis. (25) Quantum autem ego recordor mihi videtur quod Aristoteles non faciat mentionem de ista suspensione nisi ut suspensio est volita positive, sic quod si voluntas suspendit
20 velle vel nolle, hoc est ut sibi placet sic suspendere ex aliqua causa, et suspensio habet rationem boni. Unde si quaeratur: Quare suspendis? dicit Aristoteles: quoniam hoc videtur bonum, quoniam anceps sum de partibus, quare volo maturius consulere. (26) Unde velle exigit ap|738|parentiam boni;
25 nolle ut affirmativum includit apparentiam mali; suspendere vero, aut quoniam videtur anceps, vel existimat protelationem sive dilationem convenire ex aliqua causa. Quare isti tres actus, extendendo nomen actus etiam ad privationem, exigunt diversas dispositiones, quoniam idem eodem modo
30 se habens non producit diversa; unde ante motum de necessitate est motus, ut dicitur in VIII *Phisicorum*. (27) Quo dato,

10 adhibuimus ed. — voluntatis ed. — 13 nolle praesentetur *om* ed. — 22 quoniam: quomodo δι. — 25 includit: exigit γ. — 26 non videtur ed. — 26-27 protelationem sive *om* ω; procellationem βC².

22 *Ethic.*, III, 3 (Comin. de Tr. III, 208v-209r). — 31 *Physic.*, VIII, 1. 251a 19. 251a 27-28.

quicquid evenit inevitabiliter evenit auferturque liberum arbitrium. Quod si salvare volumus, oportet illud principium negare, scilicet quod idem eodem modo se habens non possit producere diversa, ut quietem et motum, suspen-
5 dere actum et non suspendere. (28) Unde cum Aristoteles posuit quod de necessitate motus est aeternus quoniam idem eodem modo se habens non potest producere opposita, et quod nos sumus domini nostrorum actuum, implicite posuit duo contradictoria. Quare cum, principiis existentibus repu-
10 gnantibus, ne|739|cesse sit sequi conclusiones repugnantes, non est mirum si in hac materia reperitur contrarietas et involutio in dictis Aristotelis.

Caput undecimum in quo moventur quaedam dubia circa divinam providentiam.

15 (1) Quoniam fatum concernit divinam providentiam et liberum arbitrium, sicuti dicit Boetius in V *De Consolatione*: in diffinitione enim fati, quemadmodum dictum est, ponitur divina providentia; et quoniam si quod subterfugit inevitabilitatem, maxime est liberum arbitrium; cum igitur in supe-
20 rioribus capitulis visa sunt quaedam pertinentia ad liberum arbitrium, ideo nunc intendimus quaedam ponere quae pertinent ad divinam providentiam.

(2) Illud autem mihi praecipuum est: An Deus cognoscat actus voluntatis humanae? Neque facio vim an antequam
25 fiant, vel dum fiunt, vel dum facti sunt; quoniam quantum ad id quod quaerere intendo, est eadem difficultas; |740| quare dicamus de his actibus humanis qui nunc sunt vel facti sunt. (3) Et nemini dubium est quod, insequendo hanc opinionem quam verissimam credimus, oportet dicere quod
30 sic; et sic unanimes omnes confitentur dicereque oppositum

1 aufertque EMδι; offertque ed. — 13 dubitationes Αλ. — 16 v: 4° ed. — 18 si quid K δι ed. — 24 an *omm* α ed. — 29 credimus: ostendimus E. — 30 sic *ante* unanimes *om* ed.

16 *De Consol.*, IV, prosa 6ª (Peiper, p. 108).

est haeresis manifesta et aperte destruit dictam opinionem.
(4) Verum apud me maximam habet difficultatem quam maxime desiderarem a me removeri. Nam actus humanus elicitus, ut puta volitionis vel nolitionis, dependet non tan-
5 tum ab essentia animae et eius potentia quae est voluntas, sed a determinante voluntatem ipsam. (5) Non enim volitio huius vel illius obiecti producitur a voluntate, nisi determinetur ipsa voluntas ad unum oppositorum; quandoquidem cum sit in potentia contradictionis ad duo opposita, si debet
10 agere, simul utrunque non agit sed unum tantum determinate; quare oportet ipsam determinari. (6) Quod si ista de necessitate requiruntur ad esse volitionis, requiruntur et ad eius cognitionem; non potest igitur sciri volitio nisi et volitionis |741| causae sciantur. Si igitur Deus cognoscit volitio-
15 nem, cognoscit et illa tria scilicet: essentiam animae, potentiam quae est voluntas, et determinationem. (7) Verum potentia et essentia sunt effectus Dei; quare illa duo sciuntur a Deo scientia practica sive factiva. Determinatio autem, ut dictum est in prioribus, est ab ipsa voluntate; nam deter-
20 minationis alia causa non est quaerenda nisi quoniam voluntas; quare volitio et nolitio sua sunt, unde per ipsas meretur laudem et vituperium et consequenter poenam et praemium. (8) Cum igitur talis determinationis Deus non sit causa, neque causa talis actus, quomodo igitur talis actus a Deo
25 cognosci potest? quoniam ut est communis sententia Philosophorum et Theologorum qui concedunt Deum cognoscere extra se, dicuntur illa a Deo cognosci quorum Deus est causa. Cum igitur tales operationes et determinationes nostrae sint et non Dei, igitur talia Deus cognoscere non potest, quan-
30 doquidem talium non sit causa.

(9) Sed huic fortassis dicitur quod immo et actus et determinatio|742|nis voluntatis Deus est causa, sed universalis: nullus enim effectus subterfugit causalitatem Dei. (10) Sed istud magnam apud me difficultatem habet. Quo-

4 ut pote ω LC ed. — vel: non Gδο; et C. — 25-26 physicorum ed. — 31 quod *om* ed.

niam vel Deus est totalis causa huius effectus et talis determinationis, vel tantum partialis. Si primum detur, tunc cum
actus liberi arbitrii magis attribuitur agenti quam patienti,
cum Deus sit totalis causa talis determinationis et actus,
5 actus ille non erit voluntatis sed erit Dei, et sic velle et nolle
non erunt nostra sed Dei; quare libertas aufertur ab ipsa
voluntate. (11) Si vero detur quod ista sint Dei et voluntatis,
aut igitur Deus regulat voluntatem et dirigit ipsam, veluti
immo et magis quam carpentator securim. Quoniam etsi
10 securis in hoc opere non moveatur nisi mota, habet tamen
ex dispositione securis quod sic vel sic faciat, ut puta quod
bene incidat vel male incidat, vel aliquam aliam dispositionem se tenentem ex parte ferri, ut quod ferrum sit bonum
vel malum, et acuties sit bona vel mala, quae non se tenent
15 ex parte carpentarii, neque sunt in eius potestate. (12) Ast
vo|743|luntas quoad substantiam totum esse habet a Deo;
unde nihil est quod sibi imputetur ex parte suae substantiae,
quoniam Deus sic fecit ipsam voluntatem et eam sic movet;
quare totum debet attribui ipsi Deo. Unde si per possibile
20 securis haberet materiam suam, ut pote quod esset ferrea,
et figuram et motum ab ipso carpentatore, nihil remaneret
in securi per quod in opere imputaretur securi, sed totum
carpentatori. (13) Cum itaque motus sit a Deo, et essentia
voluntatis, tota actio voluntatis erit ipsius Dei. Quare libe-
25 rum arbitrium sive operationes ascriptae libero arbitrio non
erunt nostrae sed Dei. (14) Si autem detur quod voluntas
moveat Deum et ipsum regulet, quid stultius imprimis dici
potest? (15) Amplius quoniam habetur quod quaeritur.
Prius enim natura erit actio voluntatis quam Dei, et cum
30 prius non dependeat ut sic a posteriori neque sit causa
posterioris, Deus ergo non erit causa talis primae motionis
a voluntate. Sed actus voluntatis dependet a tali prima mo-

9 carpentarius E. — 11 securis *om* ed. — pote bC^{2}. — 13 ut b; aut d ed. — 14 acuitas ω. — 15 carpentatarii ed. — 16 totum esse b; *omm* esse d ed. — 22 per *om* ed. — 24 tota actio voluntatis *om* ed. — 27 imprimis *om* ω. — 30 neque . . . posterioris *om* K.

tione ut manifestum est. Non igitur cognosci potest talis actus nisi cognoscatur talis prima causalitas. |744| Aut igitur talis causalitas non cognoscitur a Deo, aut aliquid cognoscitur a Deo extra ipsum cuius ipse Deus non est causa. 5 Horum utrumvis inconveniens est; ergo illud dici non potest.

(16) Sed ad haec fortassis dicitur quod Deus est causa talis determinationis, quoniam quod voluntas possit se determinare hoc habet a Deo; sed quod ab alio habetur, est effectus illius a quo habetur; quare determinationis Deus 10 est causa. (17) Verum sermo iste sophisticus est. Tantum enim probat quod potestatem determinandi habet a Deo, sed non quod actum; quod si etiam actum haberet a Deo, actus non esset noster sed Dei. Unde perinde est ut praetor in civitate: habet a rege quod possit suspendere et non 15 suspendere, actualis autem determinatio est ipsius praetoris ut notum est. (18) Praeterea cum voluntas producit volitionem, aut est aliqua ratio activa voluntatis quae non est Dei, aut nulla: si nulla, tota actio est a Deo; si aliqua, illius Deus non est causa, quare et eam Deus non cognoscit si nihil 20 ex|745|tra a Deo cognoscitur cuius ipse non sit causa. (19) Amplius peccatum est ipsius voluntatis et nullo modo Dei, quoniam Deus non potest esse causa peccati. Aut igitur peccatum a Deo cognoscitur aut non. Secundum dari non potest, secundum positionem; ergo peccatum a Deo cogno-25 scitur. Sed peccatum causam habet cuius Deus non est causa; aliquid igitur extra cognoscitur a Deo cuius Deus non est causa. (20) Sed huic forte dicitur quod peccatum non habet causam efficientem sed deficientem, quae a Deo cognoscitur quoniam defectus cognoscitur per habitum; 30 et sic Deus cognoscit causam peccati quanquam Deus non sit causa peccati. Unde propositio: Quicquid Deus extra se cognoscit illius Deus est causa, intelligitur: est eius causa,

14 habens ed. — 15 ut *ante* ipsius *ad* ed. — 16-17 nolitionem E (*corr. in* volitionem) ed. — 26 a Deo *om* ed. — 28 qua E. — 29 per actum ed. — 31 propositio *om* δι. — 32 intelligit ω. — Deus *post* intelligitur *ad* γ.

aut est causa eius per quod Deus cognoscit causam illius. (21) Sed contra: Quoniam Deus non potest scire Socratem peccare nisi Socrates peccet; pro hac igitur cognitione Dei necessarium est Socratem peccare. Hoc ergo quod est So-
5 cratem peccare, si necessarium est esse pro |746| hac Dei scientia, aut igitur est necessarium esse quoniam est effectus scientiae Dei, aut causa scientiae Dei: altero enim modo necessarium est intelligi. Si igitur necessarium est esse tanquam effectus consequens suam causam, Deus igitur erit
10 causa peccati et sic stabit Stoicorum opinio; si ergo erit tanquam causa, quod igitur Socrates peccet est causa quare Deus scit Socratem peccaturum; unde et Origenes *Super Epistolam Pauli ad Romanos* scripsit: «Non quoniam Deus praescit Socratem peccaturum ideo peccabit Socrates, verum
15 quoniam Socrates peccabit Deus scit Socratem peccaturum».

(22) Sed adhuc fortassis aliquis diceret Deum esse causam volitionis vel nolitionis quoniam voluntas ipsa est causa utriusque veluti dictum est superius, determinatioque voluntatis nihil aliud est quam ipsa voluntas. Quid enim aliud
20 esse potest? non enim aliud quod sit in intellectu, quoniam sic voluntas cogeretur ab intellectu; neque aliud extrinsecum eadem ratione. (23) Si quid vero est quod sit in voluntate et non sit ipsa voluntas, illud non potest esse |747| nisi aliquod voluntarium. Et stabit similis difficultas: Quomodo
25 voluntas fuit determinata ad tale voluntarium? Quare illa determinatio est idem quod ipsa voluntas. (24) Cum igitur Deus sit causa voluntatis, quoniam potentias habemus ab agente: quod igitur induxit animam humanam, induxit et potentiam volitivam; quare cum talis potentia sit causa actus,
30 Deus igitur est causa actus. Et sic Deus potest cognoscere, immo de facto actum cognoscit, quoniam cognoscit causam, scilicet voluntatem; cognoscit autem voluntatem, quoniam est causa voluntatis. Et sic non procedit ratio.

16 Sed ad hoc M ed. — 27 causa: ratio ω. — voluntati α. — 28 introduxit animam ed. — 29 nolitivam ed.

13 sqq. Cf. supra p. 109, 9 n.

(25) Verum quanquam responsio cum ratione ista adducta sit valde efficax et difficilis apud me solutionis, non tamen cum prioribus dictis videtur posse stare. (26) Quoniam si ideo Deus est causa actus voluntatis quoniam est causa poten-
5 tiae et determinationis (quoniam determinatio est idem quod voluntas, ut deductum est), manifeste tunc inevitabile est quin Deus sit causa peccati, quoniam erit causa determi-|748| nationis peccati et potentiae; nam utrobique par est ratio, ut patet. (27) Amplius non plus erit in nobis velle quam
10 intelligere ante omnem actum voluntatis, immo quam quod lapis existens sursum et dimissus naturae suae cadat deorsum; quoniam iste casus est a gravitate per quam inclinatur ad motum deorsum, quam gravitatem et inclinationem totam habet a generante. Cum itaque totus actus voluntatis consi-
15 militer se habet ad potentiam volitivam (quoniam tota volitio vel nolitio fit totaliter a potentia volitiva et nullo alio), quae tota dependet et habet esse a creante et conservante, veluti igitur descensus in lapide attribuitur generanti, ita et volitio creanti potentiam volitivam. (28) Amplius sequeretur quod
20 actus, antequam produceretur, non plus esset contingens quam ubi est productus, dummodo salvetur in esse voluntas ipsa; quod est impossibile manifestum apud opinionem negantem fatum, quanquam illud a Stoicis necessarium sit dici, veluti apertum est. (29) Illatum deducitur: Quoniam
25 si ante actum |749| voluntatis actus est in contingentia et post actum non est in contingentia, hoc erit quoniam causa productiva actus in aliquo potest impediri; sed supponitur quod voluntas quoad potentiam remaneat illaesa: nam si est immaterialis, ut ponit positio, non potest desinere esse,
30 saltem ex potentia ordinaria; ergo causa volitionis nullo modo potest impediri. Ex quo igitur causa certa est et impediri non potest, ideo effectus est certus de suo eventu quanquam actu non sit; veluti eclipsis futura est ita certa quando actu non est sicut quando actu est, quoniam sua

11 demissus BC ed. — natura sua ed; natura sui M. — 14 totus *om* ω. — 34 *1m* quando: quoniam LC[1] (quando C[2]).

causa impediri non potest. (30) Quod si dicatur: Licet potentia non sit impedibilis quoad esse quoniam necessarium est ipsam esse, tamen impedibilis est secundum determinationem quoniam ipsa voluntas non exit in actum nisi se
5 determinet; et quoniam potest determinare et non determinare se ad alteram partem contradictionis, ideo ante actum productionis est in contingentia, quod non potest esse ubi est producta. (31) Verum ista videntur esse verba super-|750| flua et nihil ad rem attinentia. Quoniam ista determinatio
10 nihil aliud est quam ipsa voluntas; quare si esse voluntatis non est in potestate voluntatis sed sui conditoris, neque determinatio est in potestate ipsius voluntatis sed eiusdem conditoris. Cumque per concessa actus insequitur potentiam et determinationem, totum igitur erit a Deo; quare velle et
15 nolle totum est a Deo, et non in potestate voluntatis.

(32) Accidit etiam dubitatio non tantum circa actus humanos an a Deo cognoscantur, verum etiam universaliter circa unumquodque quod aliquando est et aliquando non est. Exempli gratia: Deus nunc scit Socratem esse; corrupto
20 Socrate non amplius scit Socratem esse, quoniam sic esset Socrates et non esset. Cum igitur prius scivit Socratem esse et postea nescit, ergo mutatio facta est in Deo ex scientia in ignorantiam, et sic in Deo esset mutatio. (33) Quod si dicatur mutationem factam esse in re et non in Deo, quoniam
25 ex eo quod res est vel non est oratio dicitur vera vel falsa, certe responsio ista nulla est. Quoniam quando res mu-|751| tatur remanente eadem opinione et non variata, opinio ipsa, etsi in essentia et quoad absoluta non variatur, variatur tamen quoad respectum; quoniam ubi prius erat vera opinio,
30 postea efficitur falsa. Quare si variata re, praecise cognitio Dei remanet integra quoad absoluta et intrinseca, variabitur

4 quoniam: quando δo ed. — exiit ed; exigit H. — 9 pertinentia KI ed. — 13 insequatur ω γη; sequitur ed. — 16 non tamen circa ed. — 17 cognoscatur ed. — 18 aliquando est et *om* ed. — 22 nescivit E ed. — 24 mutationem *omm* d ed. — 25 rex D. — 26 ista *omm* Aδ ed. — 28 etsi non essentia ω ed.

tamen de veritate in falsitatem vel e contra; et ita aliquando in Deo erit falsitas, quod a Deo remotissimum est. (34) Quod si hoc evitare volumus oportet et Deum in opinione variari. Veluti si ego te sedente credam te sedere, ubi tu non se-
5 deas, aut habeo praecise eandem opinionem de sessione tua quam prius habebam quando tu sedebas; et sic, licet variatio non sit facta ex parte mei sed tui, tamen opinio mea falsa incipit esse. Quod si opinio mea non debet esse falsa de tui sessione, oportet quod muter de opinione una in opinionem
10 alteram. (35) Et breviter: Aut Deus de necessitate mutabitur, aut in Deo erit falsitas; horum quodlibet inconveniens est; ergo Deus mutabilia non potest cognoscere, quod peri-|752| patetici confitentur.

(36) Esset et tertia difficultas: Quomodo intellectus divi-
15 nus, quo nihil abstractius et remotius a materia est, singularia materialia cognoscere potest? cum intellectui humano qui est infimus in genere immaterialium non convenit talia singularia cognoscere ratione immaterialitatis, veluti communiter dici solet.

20 (37) Quarta etiam dubitatio solet in hoc adduci; Quoniam si intellectus Dei singularia cognoscit, ista sunt infinita; infinitas autem excluditur a cognitione, quoniam infinitum qua infinitum cognosci non potest. Hae itaque difficultates circa providentiam sive scientiam Dei occurrunt.

25 *Caput duodecimum in quo respondetur ad dubitationes adductas.*

(1) Prima harum dubitationum est insolita, neque unquam de ea aliquid vidi; quare videtur mihi admodum difficilis. Atque cum de hac conferrem cum aliquibus me peritioribus
30 suasque opiniones dixissent, mihi minime satisfa|753|ctum

2 Quare ed. — 4-5 sedens Aδ. — 14 quomodo: quod Kδι ed. — 20 etiam adduci ed.

29-30 Ad familiares Pomponatii cum Cajetano relationes mens lectoris revocetur. Cf. B. Nardi, *Le opere inedite* . . . GCFI, 1953, p. 187 n.

est. Quare a relatione horum dictorum me abstinebo, ne mihi et caeteris taedium generem; sed tantum dicam illud quod ego existimo in hoc quaesito dicendum. Quod si aliis non satisfecero, scribant et ipsi suas opiniones ut ego et alii fruc-
5 tum in scientia habeamus. Hoc enim humanum et pium videtur ut alter alteri succurrat, et ubi videt fratrem erran- tem, ipsum reducat in viam rectam.

(2) Dico itaque, ut mihi videtur, ad primam dubitationem quod Deus actus humanos antequam fiant intelligit et cogno-
10 scit, et ipsos actus cognoscit dum sunt, et etiam postquam facti sunt; verum et semper, et uno intuitu, hos cognoscit, non tamen secundum eandem rationem et modum. (3) Quo- niam Deus cognoscens hos actus futuros qua futuri sunt, veluti ex parte rei determinationem non habent, sic etiam
15 ex parte cognitionis divinae non determinati sunt; quoniam res cognosci non potest aliter quam sit natura eius, aliter enim impossibilia sciri possent. Cum itaque actus, ut futuri sunt, contingentes |754| sint et indeterminati (nam de his vertitur quaestio), ideo Deus ut contingentes et futuros
20 cognoscit, non plus cognoscit nisi quod possint evenire et non evenire. Quod si determinate unam partem cognosce-

2 sed tamen EG. — 11 utrum et semper G δo ed. — 21 quod si: et si ed.

13 sqq. Cf. Petr. Aureol., *I Sent.*, d. XXXVIII, art. 2 (P. Vignaux, *Justification et prédestination*, 78-79, nn. 3 et 1-2) « . . . non cognoscit (*Deus*) futurum infallibiliter et de necessitate nisi Dei voluntas est causa immutabilis et non impedibilis eorumdem . . . Secundum hoc vero habent isti (*Scotistae*) dicere consequenter, cum voluntas non sit actu causa futuri sed tantum erit, quod Deus non cognoscit futurum ut praesens vel coexistens, sed potius ut futurum ». Vide Phil. Boehner, *The Tractatus de praedestinatione et de praescientia Dei et de futuris contingentibus of William of Ockham* [Franciscan Institute Publications n. 2], St. Bonaventure. N. Y. 1945, Quaestio 1ª Quinta suppositio (p. 13); Sexta suppositio (pp. 13-16). Petri Aureoli *In I Sent.*, d. XXXVIII, art. 3: « An propositio singularis de futuro contingenti sit determinate vera vel falsa in altera parte contradictionis » etiam dat in appendice IV Ph. Boehner (*The Tractatus . . .*, pp. 118-124) sicut et Gregor. Ariminensis *Lectur. in I Sent.*, d. XXXVIII, qu. 1 (*ibid.*, append. V, pp. 125-138).

ret, non cognosceret qua contingentes et futuri essent; sunt enim hae rationes repugnantes. Sic itaque cum Deus cognoscit Socratem peccaturum ut peccaturus est et respicit futurum, sic Deus cognoscit ipsum posse peccare et non
5 peccare; et huic cognitioni qua talis repugnat Deum scire determinatam partem contradictionis. (4) Cognoscit autem et Deus et in sua aeternitate actum peccati dum actu est; sed hoc non est qua aeternitas respicit futurum et actus peccandi est in potestate peccantis, sed ut iam est in actu.
10 Et secundum istam considerationem Deus determinate scit partem contradictionis, quoniam et iam pars contradictionis est determinata. (5) Et idem statuatur iudicium de praeterito.

(6) Unde sicuti nos futura contingentia cognoscimus indeterminate, sed tantum scimus posse esse |755| et non esse,
15 sic Deus cognoscens futura contingentia tantum scit quod possunt esse et non esse, neque plus potest scire. Amplius sicut dum res est vel postquam facta est possumus esse determinati de parte contradictionis quoniam iam in re est determinata, sic et Deus ut pars est determinata et ad actum
20 exivit certus est de parte. (7) Verum interest inter nos et Deum quoniam, quia nos mensuramur tempore et sumus infra tempus, non scimus determinatam partem nisi actu existente tempore, et actu determinata parte secundum rem. Quare si cras Socrates est disputaturus, nullus creatus in-
25 tellectus nunc certitudinaliter scire potest de actu disputationis, sed bene coniecturari ex causis nunc existentibus vel praecedentibus talem actum; certitudinaliter autem minime. Deus autem solus hoc certitudinaliter nunc scit, non quidem ratione futuri, quoniam iam dictum est quod ut
30 sic tantum scire potest quod contingenter disputabit, sed ratione temporis in quo erit actu disputatio et erit extra suas cau|756|sas et non amplius in potentia. (8) Nunc autem potest afferre Deus istud iudicium quoniam non clauditur a tempore neque ab aevo, sed tantum est in sua aeter-

2-3 cognoscit ω; cognoscat βd ed. — 5 Deum K; Deo *cett.* — 26 coniecturare γε δι ed. — 33-34 claudetur ed.

nitate, quae aeternitas continet omnem temporis differentiam et tota est simul, ut dicit Boetius in V *De Consolatione*. (9) Unde homo qui est ante disputationem Socratis, et erit in tempore disputationis actualis, et etiam permanebit post
5 disputationem actualem, aliquando tantum scit quod potest disputare et non disputare, aliquando sciet quod disputat, aliquando quod disputavit; quare aliquando certus, aliquando dubius erit secundum diversas partes temporis. (10) Sed si per possibile vel imaginabile in se et simul
10 haberet omnes istas tres temporis differentias, simul secundum rem haberet et cognosceret illas tres dispositiones; verum hoc in re temporali non est possibile, quoniam tempus habet partem extra partem, quare simul esse non possunt. Sed quoniam hoc est de natura aeternitatis quae simul
15 in se omnes differentias temporis concernit et continet, i|757|deo simul secundum rem omnia illa cognoscit, secundum tamen diversas rationes sumptas et consideratas in ipsa aeternitate.

(11) Unde cognoscit Deus Socratem peccaturum con-
20 tingenter ut sua aeternitas respicit futuri rationem; cognoscit vero determinate ipsum peccaturum ut continet illud tempus in quo actu peccabit, quoniam totum tempus continetur ab aeternitate; cognoscit etiam quod exivit extra suas causas, pro quanto continet aeternitas illud tempus.
25 Unde quae sunt separata in tempore sunt unita in aeternitate. (12) Verumtamen si diversa verificantur in aeternitate, hoc tamen est secundum diversas rationes et ut est respectus ad tempora diversa. In eodem enim instanti temporis dicimus quod homo cognoscit equum, exempli
30 gratia, determinate et indeterminate; sed non secundum idem, quoniam cognoscens equum qua animal indetermi-

4 remanebit γι. — 6 sciet: scit BHG (G *correx. in* sciet). — disputat: disputet ed; disputabit K. — 7 disputavit b γε (E (E *post correct.*); disputabit G δο ed (E *ante correct.*). — 10 omnes *om* ed. — simul *omm* EMδι ed. — 11 disputationes ed. — 15 cernit et ed; *om* ω.

2 *De Consol.*, v, prosa 6ª (Peiper, p. 139, 9-10). Cf. supra p. 149, 20.

nate cognoscit, qua autem animal hinnibile, determinate; quanto magis dici potest hoc in aeternitate! Quare et Deus in aeternitate scit futurum contin|758|genter ac indeterminate, et in eadem aeternitate determinate; verum non
5 secundum idem, neque secundum eundem respectum ad idem tempus praecise.

(13) Sic itaque patet qualiter Deus cognoscat actus priusquam sunt, et dum sunt, et postquam sunt. Cum igitur antequam sint non sint determinati, et determinatio actuum
10 humanorum sit a nobis proprie (quoniam tantum isti actus dicuntur nostri, caetera vero dicuntur naturae directae a Deo et solum naturaliter agentis; quare locum non habet difficultas in illis, quoniam Deus horum est causa, et merito haec Deo attribui possunt, quare et cognosci; verum
15 difficultas locum habet ubi actu producti sunt et determinati, et determinatio est nostra et non Dei, ut arguebatur), stat igitur difficultas: Quomodo hos Deus cognoscit cum Deus horum non sit causa, et tamen videtur necessarium, et ab omnibus fere dicitur, quod si Deus aliquod cognoscit extra
20 se, illius est causa?

(14) Ideo pro hoc mihi videtur dicendum quod omnium Deus est causa, scilicet et actuum nostrorum et non nostrorum; sed aliter et aliter. (15) Actus enim et uni|759|versaliter ens quod non subiicitur voluntati nostrae habet esse
25 a Deo, neque habet potestatem per se ad duo opposita, sed ut ei datum est a natura sic operatur, neque deducto impedimento potest aliter operari ut dicitur in IX *Metaphisicae*. Unde lapis est quoad esse a generante proximo et corporibus caelestibus quae intelligentiis subiiciuntur; quare deducta
30 voluntate sic quod non concurrat ad tales actus, inevitabiliter fiunt stante motu caeli, ut diximus in primo libro.

7 cognoscit αBγ (C^2 cognoscat). — 7-8 antequam γ. — 15 actus C^1 M ed. — 27 in *omm* M ed.

27 *Metaph.*, IX, 5. 1048a 16 sqq.; IX, 8. 1050b 6 sqq.; XII, 3. 1070a 1 sqq.; XII, 5. 1071a 14 sqq. — 31 Cf. I, 13, supra p. 108, 30; et p. 33, 18 sqq.

(16) Quare et motus provenientes ab ipsis inevitabiliter fiunt; unde ut etiam talia futura sunt, de eis apud Deum est determinatio, quoniam tota determinatio actuum suorum est a natura et non dependet ab ipsis; non enim est in potestate lapidis, si est sursum et dimittatur naturae suae, quod cadat deorsum, sed istud est inevitabile et necessarium stante communi cursu. Quare in talibus est determinata veritas ita antequam facta sunt sicut quando facta sunt, nisi quod hoc est futurum, illud vero factum; veluti dicimus de eclipsi futura quod |760| stante communi cursu naturae ita est determinatum quod erit in tali hora sicut postquam eclipsis facta fuerit erit determinatum quod fuit in tali hora. (17) Sed actus humani antequam fiant dissimiliter se habent. Nullus enim intellectus creatus veluti dictum est potest esse certus de hoc, sed tantum ipse Deus; neque ipse etiam qua futurum illud est, sed qua continet tempus in quo illud erit extra suas causas. Nulla autem res hoc continet nisi Deus ipse, qui solus aeternitate mensuratur. Unde si quis intellectus creatus futura certitudinaliter cognoscit, ista non dependent a voluntate et cognoscuntur per causas praesentes. (18) Unde certitudo est proprie de praesenti et est quasi esset praesens. Unde quod certitudinaliter sciam cras solem esse oriturum, hoc est non quoniam simul sum cum die crastina, sed quoniam simul sum cum causis ex quibus inevitabiliter stante communi cursu sequetur ortus solis die crastina. Ast Deus actus nostros humanos futuros cognoscit quoniam aeternitati suae est |761| praesens tempus in quo erit actus humanus. (19) Cadit igitur difficultas: Cum esse actus humani non habet esse nisi per actum voluntatis, cuius actus Deus non est dominus verum voluntas nostra est domina, quomodo igitur Deus talem actum

5 demittatur E; dimittitur M; dimittere ed. — 9 diximus B ed. — 12 erat determinata ω. — 16 *2m* qua: pro quo ω. — 18 aeternitate: in Trinitate ed. — 24-26 sed quoniam . . . die crastina *dittog.* in δι (*sed* I *linea subducta delev.*); *omm* EB (B *ante correct.*). — 27 aeternitatis ed.

cognoscit cum ipsius non sit causa et nihil extra se cognoscit nisi sit eius causa?

(20) Ideo salva veritate et me subiiciendo in hoc et in caeteris Romanae Ecclesiae, dico quod Deus et talium
5 actuum est causa et talium actuum quoquomodo non est causa; quare quoquomodo Deus dependet ab altero in hac cognitione, simpliciter tamen non dependet ab alio in hac cognitione.

(21) Dico igitur quod horum actuum voluntatis Deus
10 simpliciter est causa; quare hos Deus simpliciter scit. Nam actus humani vel sunt boni vel mali (pro nunc omittamus an aliqui sint indifferentes, quoniam propter hoc propositum non variatur); si sunt mali, horum Deus est causa quoniam omne malum fundatur in bono et est a bono
15 secundum naturam; unde peccatum est a voluntate et in volunta|762|te, quae voluntas, cum sit a Deo, bona est. Pro quanto igitur peccatum esse non potest absque voluntate, quae dependet a Deo et in fieri et in conservari (subtracta enim manu Dei nihil est voluntas), quare ut sic peccatum
20 est a Deo quantum ad bonum quod requirit peccatum. (22) Peccatum etiam deformitatem habet, cuius causa per se non potest esse Deus; tamen Deus dici potest huius peccati causa permissiva. Non enim voluntas peccaret nisi Deus permitteret, unde si voluntatem de medio subtra-
25 heret, non peccaret. Posset etiam movere voluntatem ad bonum et removere a malo, sed hoc non esset relinquendo voluntatem in sua natura. Quare Deus etiam quoad deformitatem potest dici causa deformitatis. (23) Unde et bonitatis et deformitatis Deus dicitur causa, licet aliter et
30 aliter; quoniam bonitatis per se, deformitatis quasi per accidens. Quare Deus ipsam deformitatem potest cognoscere et positivum in deformitate, cum horum utrorumque sit causa, et nihil aliud a Deo taliter peccati est causa.

4 dicam ed. — 6 quoquo modo: quod ed. — 27 etiam *om* ed.

11-12 Cf. Thom. Aquin., *Sum. Theol.*, I[a] II,[ae] qu. 18 art. 8 *et* 9 (Leon. VI, 1891, pp. 134-138).

(24) Tamen ultra hanc causalita|763|tem Dei, concurrit causalitas voluntatis immediate effectiva deformitatis et per se; quae tametsi dependeat a Deo secundum modos praedictos, quoniam omnis deformitas ab aliquo non deformi dependet, et non exit deformitas nisi permittente Deo, tamen quoniam permissio non est sufficiens causa effectus, ut manifestum est (non enim, si permitto te percutere me, erit percussio nisi tu moveas et percutias); quare, nisi voluntas peccet, non erit peccatum quanquam Deus permittat te peccare. (25) Quare hoc est ipsius voluntatis; et Deus non potest cognoscere te peccare nisi tu pecces, et prius secundum naturam est te peccare quam Deus cognoscat te peccare. (26) Et Deus secundum hoc dicitur dependere in hac cognitione a tuo peccato, non quidem simpliciter et absolute, sed secundum quid. Non enim simpliciter, quoniam totus iste ordo est datus a Deo, et ista dependentia non est nisi ex fine et ex suppositione; quae, ut manifestum est, non est dependentia simpliciter, veluti dicimus tibi necessa|764|riam esse navim, non simpliciter, sed si navigaturus es. (27). Neque ista dependentia tollit a Deo, neque arguit in Deo imperfectionem, quoniam non est simpliciter necessaria sed est secundum suam voluntatem et suam dispositionem. Si enim Deus vult te salvare, indiget te, non quidem simpliciter, sic enim esset imperfectus, sed pro hoc fine, quoniam salvare te non potest nisi ipse sis; unde: «Etsi fecit te sine te, non salvabit te sine te»; immo nedum non salvabit, immo nec poterit salvare, secundum hunc intellectum videlicet, quod oportet te esse. (28) Quare si Deus vult humanam voluntatem esse liberam, de necessitate oportet aliquam sibi dare actionem cuius ipse Deus

3 tamen etsi ed; tam *om* I; causa etsi C. — 5 dependet E; dependeat *cett.* — promittente Aδι. — 7 permissio ed. — 8 non erit *cunct. praeter* K. — 20 tollit *sic* EKH (H *in correct.*); tollitur *cett.* — 24 sic enim es imperfectus ed. — 26 potest salvare E. — 30 dari EC².

26 Augustin., *Sermo CLXX*, cap. XI (PL 38, 923): «Qui ergo fecit te sine te, non te justificat sine te».

secundum aliquem modum non sit causa, quamvis simpliciter et nullo modo esse possit quod illius actionis Deus non sit causa.

(29) Et pariter per omnia dicendum est in actu bono sive 5 in virtute, uno excepto: quod si voluntas ipsa sit effectiva mali et boni, neque, ut existimo, in hac actione Deus est movens tanquam principale et voluntas tanquam instrumen|765|tum veluti carpentator se habet ad securim dum movet eam. Quoniam, ut argumentatum est, actio 10 esset Dei; quare meritum et demeritum aut nullum esset, aut si esset, attribueretur Deo. Immo tota actio voluntatis est nostra quantum ad actum, quare nos meremur et demeremur. (30) Unde sicuti quando grave movet se deorsum motus gravis non est a caelo secundum actum, quoniam 15 si esset a caelo, oporteret quod, cum sit movens extrinsecum, caelum expelleret lapidem deorsum, quare et totum intermedium inter caelum et lapidem deorsum expelleretur; et cum non detur vacuum oporteret quod caelum descenderet, quod fatuum est dicere. Sed lapis immediate et ef- 20 fective movet se deorsum, neque lapis movetur a caelo quoniam non est fingere quomodo; sed si dicatur moveri lapis a caelo, est quoniam conservationem habet a caelo: subtracta enim actione caeli, lapis non moveretur deorsum, immo neque esset. (31) Sic dico quod voluntas in volitione et noli- 25 tione movet se et non movetur a Deo, quoniam Deus dedit ei ut moveat se; quare in ea consistit meritum et demeritum. Quod si dicatur moveri a Deo, hoc est quoniam vo-|766| luntatem Deus conservat, neque sine Deo eam conservante posset habere opus aliquod, quoniam neque esse, totumque 30 positivum quod est in actu voluntatis a Deo fovetur et conservatur, quanquam immediate a Deo non fiat sed tan-

5 Quod et si voluntas b (etiam si E). — 8 ad securim *om* δι. — 9 argumentum ed. — 13 quando *om* ed. — 16 repelleret M; depelleret K; moveret (*correx. in* expelleret) G. — 20-22 quoniam . . . habet a caelo *om* ed. — 25 Deus *om* ed. — 29 non posset bC² Gδo. — neque esset ed. — 31-2 quamquam . . . conservatur *om* ed.

15 sqq. Cf. *Physic.*, VIII, 4. 255b 29 sqq.; VIII, 10. 266b 27-227a 12.

tum ab ipsa voluntate, quae tamen a Deo facta est et a Deo conservatur.

(32) Redeundo ergo unde discessimus, dico per omnia esse similiter quoad hoc in actu virtutis et vitii, quoniam 5 uterque actus immediate fit a voluntate; et ut sic Deus voluntatem non movet, licet conservet in esse. Verum cum in vitio sit defectus, Deus non conservat defectum; quoniam defectus est privatio, quae non exigit Deum conservantem, sed habet tantummodo causam deficientem. Neque Deus 10 est causa finalis defectus, quoniam defectus non ordinatur in Deum; neque etiam Deus est causa exemplaris defectus. Quare ob istas rationes Deus non est causa peccati. (33) Verum Deus est causa actus virtuosi quoniam est finis eius et exemplar, et conservat actum virtuosum; quod, ut dictum 15 est, dici non potest de vitioso actu, saltem quantum ad defectum. Sed in utrisque actibus Deus voluntatem conservat et omne |767| positivum quod in actibus invenitur, quoniam omne positivum per se a Deo conservatur. (34) Quare concludentes dicimus quod quoquomodo utriusque 20 actus Deus non est causa, et simpliciter Deus est causa; et hoc sufficit ut Deus utrumque actum cognoscat. Si enim non simpliciter Deus esset causa, ad modum tamen a nobis expressum, Deus cognoscere non posset actum ipsum. (35) Neque quod Deus supponat actum voluntatis, si certitu-25 dinaliter eum Deus debet cognoscere, [non] derogat perfectioni suae infinitae et omnipotentiae; veluti non derogat suae potentiae et perfectioni si supponit Socratem esse, si eum debet salvare, et quod egerit Socrates actus meritorios, si debet ei dare gloriam secundum quod ordinavit. Istae 30 enim suppositiones non sunt simpliciter sed tantum conditionatae, quae non derogant maiestati divinae.

21 haec ed. — 25 eum βC; cum EM; eam *cett.* — non derogat *sic cunct.* — 30-31 conditionaliter ed.

24 m: « Quod Deus ut cognoscat actum voluntatis presupponit eum non est verum; ut det, presupponit eum cui dat; ut in se habeat, non presupponit. »

(36) Sed fortassis adhuc dicitur quod revera difficultas non evacuatur secundum ista dicta. Quoniam Deus, antequam actus voluntatis producatur, certitudinaliter non cognoscit actum quoniam |768| actus ut sic habet rationem
5 contingentis, cui repugnat ratio certitudinis et determinationis; producto autem actu, Deus est certus de parte contradictionis. Sed nihil est in Deo, actu producto, quod non sit etiam ante productionem eiusdem actus in eodem. Ergo si prius non fuit determinatus, neque post actum erit deter-
10 minatus; vel si post actum vel in actu est determinatus, ergo et ante actum. (37) Quod et firmatur: Quoniam si Deus debet esse certus de actu peccati, oportet quod peccatum sit reductum ad actum, ut concessum est. Vel igitur aliquid dedit Deus ipsi peccanti in actu peccati quod ante non
15 dedit, vel aliquid ex tali actu generatur in mente Dei quod ante non erat; nam alio modo non videtur posse intelligi cur Deus tunc certus sit et prius non erat certus. Verum nullum dari potest. Ergo etc. . . . (38) Assumptum probatur: Quoniam si aliquid daret quod ante non dedit, non vi-
20 detur esse aliud quam determinatio actus; sed per concessa hoc voluntas habet ex se; ergo Deus non dat aliud. Verum neque fingi potest quod |769| aliquod scilicet in Deo generetur; quoniam sic mutaretur, quod ratio non admittit. (39) Secundo ad idem: Ista cognitio qua Deus est certus
25 de actu peccati vel virtutis, aut est cognitio factiva, aut speculativa. Si factiva, igitur Deus est factor istius actus; si speculativa, ergo actus est causa huius cognitionis; in cognitione nanque speculativa obiectum est causa factiva scientiae, et sic actus generat scientiam in Deo, quod est ridicu-
30 lum dicere. Ergo non videtur esse bene dictum quod fuit dictum.

(40) Ad haec respondetur. Et ad primum dicitur quod si

1 revera *om* γ. — 3 non *om* ed. — 4 actum: ipsum γ. — 5 ratio: actus M ed. — 17 nunc E. — 18 ergo etc. *om* ed. — 21 a se E. — 26-27 si factiva . . . si speculativa *omm* M δη ed. — 27 iam *ante* causa add δo ed. — 28-29 scientiae factivae ed. — 32 dico E.

Deus non potest facere impossibilia et quae repugnantiam claudunt, non est ascribendum impotentiae vel defectui divino, sed sic dicere est stultum; impossibilia enim non continentur sub obiecto divinae potentiae. Quare cum dicitur:
5 Cur Deus ante actum non est determinatae partis, et post actum est? dicitur quod hoc est quoniam ratio formalis contingentis ipsius, et ut est in suis causis, et ut est ipsum contingens, est ut sit indeterminatum; et Deus non potest contra rationem formalem rei, veluti non posset facere ho-
10 mi|770|nem esse irrationalem, quare neque indeterminatum determinatum. Ratio autem determinationis contingentis est quod sit in actu vel fuerit in actu; quare ut est in suis causis, indeterminate cognoscitur, et ut est in actu, determinate cognoscitur. (41) Quod ergo dicitur: Quid plus est
15 in Deo dum determinate cognoscit quam quando indeterminate cognoscit? dicitur quod nihil est ex parte Dei sed bene est ex parte rei, quae ex hoc quod determinata est, terminat certitudinem scientiae Dei; nam talis certitudo relationem importat quae potest alicui advenire nulla mu-
20 tatione facta in eo cui advenit, ut dicitur in V *Phisicorum*. Existentia ergo actus et potentia eiusdem actus existendi nihil ponunt in essentia divina, sed sunt conditiones cognitionis scientiae divinae quae certitudinem et incertitudinem terminant. (42) Quod si dicitur: Quomodo igitur illum ter-
25 minum Deus potest cognoscere si illius non est causa? patet iam quod simpliciter Deus est illius causa et quoquomodo non est causa, quare et illud potest a Deo co-|771| gnosci; prioritas autem et posterioritas non est intelligenda secundum tempus, sed secundum instantiam aeternitatis.
30 (43) Unde et ad secundum sive ad confirmationem, cum dicebatur: In instanti productionis, immo et in tota men-

11 indeterminationis ed. — 16-17 sed bene ex parte rei *omm* Eδι. — 17 est *post* bene *omm* K ed. — 19 rationem ed. — 20 2m in *om* ed. — 21 existentis AM ed; existente E. — 24 terminat EBGδo ed. — 25-26 patet . . . illius causa *om* δ. — 26 illius *omm* ω ed. — 29 instantia AB. — 31 dicebamus ed.

20 *Physic.*, v, 2. 225b 10-11; *Metaph.*, XI, 12. 1068a 11 sqq.

sura esse producti, Deus est certus; ante illud instans, non erat certus. Aut igitur pro illa mensura certitudinis aliquid dat quod ante non dedit, aut aliquid recipit. Sed nullum horum potest dari, ut praeostensum est. Igitur dictum
5 non potest stare. (44) Huic dicitur quod quamvis concedi possit quod Deus aliquid det, quoniam conservat tunc et prius non conservabat, tamen ista non est causa certitudinis; quoniam conservatio natura subsequitur esse, esse autem illius actus est a voluntate et non immediate a Deo, sicuti
10 dictum est; quare dicitur quod divisio illa fuit insufficiens. Neque ideo pro illo instanti certificatur quoniam aliquid de novo det, neque quia aliquid de novo recipiat; sed quoniam pro illo instanti est terminatio certitudinis ubi prius non erat, veluti est et in caeteris relationibus. Socrates enim
15 nunc potest fieri simi|772|lis Platoni ubi prius non erat ei similis neque aliquid dando Platoni neque aliquid ab eo recipiendo, sed solum quoniam nunc est terminatio relationis ubi prius non erat. (45) Quod si dicatur: Quanquam ita sit ut dicitur, tamen relatio non potest terminari nisi
20 aliquod de novo fiat; quare cum ista relatio in Deo terminari non possit nisi ex aliqua factione, oportet igitur ibi esse novam factionem. Aut igitur Deus illius erit causa, aut non. Si primum, non igitur actus voluntatis est noster, sed Dei; si non est Deus causa, non poterit ergo a Deo intelligi;
25 quod intendebatur. (46) Sed iam multotiens dictum est quod Deus illius actus simpliciter est causa et secundum quid non est causa; quare qua Deus est causa simpliciter huius actus, iste actus a Deo cognoscitur, qua vero secundum quid Deus non est huius actus causa, non cognoscitur deter-
30 minate a Deo sed tantum sub conditione, ut est actus ille extra suas causas; veluti neque cognoscitur ut indeterminatus nisi quatenus actus ille est in potentia.

(47) Unde actus humani |773| absolute a Deo cognoscuntur quoniam Deus absolute eorum est causa, veluti dictum

1 Deus *post* instans *add* ω BC[1] (*eras.* C[2]). — 10 quare dicitur quod: quia ed. — 16 ab eo *om* ed. — 18 Et si dicatur ed. — 23 nostri ed.

est. Sed quoniam aliquando sunt determinati et aliquando indeterminati, ideo altera et altera ratio exiguntur; nam qua in potentia sunt, cognoscuntur ut indeterminati, quoniam qua in potentia sunt, et indeterminati sunt; et ut se habet ad
5 esse res, se habet ad cognosci; qua autem actu sunt, determinate cognoscuntur, quoniam et qua actu sunt, determinati sunt. (48) Cumque Deus contra rationem rei non operatur (quoniam non facit hominem sine anima, quoniam anima est de intrinseca ratione hominis), ideo non certi-
10 ficatur de actu nisi quatenus actus est extra suas causas; quoniam in materia contingenti non potest prius esse rei determinatio quam actu sit, nam quamdiu potentia est, ex intrinseca ratione indeterminatus est. Secus autem est in rebus inevitabilibus. Nam antequam sol oriatur, determinati
15 sumus de ortu solis, quoniam secundum communem cursum est in materia ne|774|cessaria. (49) Neque Deus secundum omnem modum potest esse causa actus voluntarii si vult actus esse nostros et liberos, quoniam aliter dicere est sermo inintelligibilis. (50) Considerando igitur naturam con-
20 tingentis, et unde habet indeterminationem et determinationem, et quod actus sint liberi et nostri, aliter videre meo dici non potest.

(51) Unde et ad secundum, cum dicebatur sive quaerebatur an talis scientia esset practica vel speculativa, dicitur
25 quod partim speculativa est et partim practica sive factiva; simpliciter tamen factiva est. Est enim secundum quid speculativa, quoniam secundum quid habet esse ab obiecto;

2 exiguuntur A; extinguntur M; exigitur ELγη. — quatenus M; quae B; cum δι. — 4 se *post* ut *omm cunct. praeter* γ. — 5 ita et ad cognosci γ. — 7-8 operetur γε ed. — 8 fecit EM; faciat ed. — 12 actus ed. — 12-13 ex intrinseca *sic* α; extrinseca *cett.* — 13 indeterminationis K. — 14-15 sumus certi γ; determinate scimus M. — 15 communem opinionem et communem cursum ed. — 17 voluntatis ed. — 19 intelligibilis Bδο; impossibilis K. — 21 et aliter ed. — 25 speculativa: practica ω. — est *omm* ω K ed. — et *om* ed. — practica sive factiva: speculativa ω. — 26 factiva est: practica est sive factiva ω K (*om* sive factiva K). — est *om* F. — Est enim *omm* ω ed. — 26-27 vero est *ante* speculativa *add* ω ed (E *om* est).

non quidem quod actus effective generet scientiam, quoniam nihil potest agere in Deum, sed quoniam terminat certitudinem, veluti dictum est; non enim est scientia certa nisi ut actus existit vel est extra suas causas. (52) Simpliciter
5 tamen haec scientia est factiva, quoniam actus est a Deo et effective dependet a Deo, quandoquidem Deus est causa voluntatis a qua fit actus, et positivum quod |775| est in actu conservatur a Deo et in Deum ordinatur, veluti unumquodque ens taliter a Deo dependet. (53) Immo quoquomodo
10 peccatum quantum ad deformitatem dicitur esse a Deo, non quod Deus faciat defectum, sed permittit defectum; positivum autem non tantum permittit, verum conservat et fovet, et in ipsum Deum ordinatur, quanquam immediate fiat a voluntate; quae quidem movet, non quod a Deo movea-
15 tur veluti securis a carpentatore, sed veluti virtus derelicta in semine a patre, et grave quando movetur deorsum dicitur a caelo moveri; quanquam ex toto non currat similitudo, quoniam magis positivum dependet a Deo quam grave a caelo in motu suo, ut manifestum est. (54) Et cum dicitur
20 quod scientia speculativa effective fit ab obiecto, quanquam ista universaliter non sit vera, quoniam de relationibus et secundis intentionibus apparet non verificari, dicitur tamen pro nunc quod supposito quod illud esset verum in nobis, non tamen |776| in Deo. (55) Quoniam ut aliqui et viri doc-
25 tissimi tenent, quanquam Deus de unoquoque ab eo facto habeat scientiam practicam, prius tamen speculativam; de quibus manifestum est quod talis scientia non est facta ab obiecto; quare si de his quae a Deo fiunt Deus potest habere scientiam speculativam, quare et non de his quae a voluntate
30 fiunt? (56) Unde, ut ego existimo, non est de ratione speculativi quod scientia fiat ab obiecto, sed quod non ordinetur talis scientia in opus; unde pro quanto Deus cognoscit ho-

2 in Deum bC[2] K; in Deo d ed. — 12 non solum E. — 19 modo ed. — 22 appareat ed. — 28 Deus *om* ed.

24-25 V. g. Occam. inter alios. Cf. R. Guelluy, *Philosophie et Théologie chez Guillaume d'Ockham*. Louvain 1947, pp. 306 sqq.

minem non ut factibilem ab ipso, consideratio haec dicitur
speculativa; ut vero ordinat in opus, dicitur esse practica:
nam intellectus extensione fit practicus, ut dicitur III *De
Anima*; quare omne practicum descendit a speculativo, et
5 consequenter est eo posterius.

(57) Verum et adhuc hoc non videtur satisfacere, quoniam
in omni vera cognitione debet esse adaequatio inter cognoscens et cognitum; quoniam veritas consistit in adaequatione
et debet esse assimilatio inter cognoscens et co|777|gnitum.
10 Quando igitur Deus intelligit sive scit actum humanum,
inter Deum at actum humanum cadit similatio; aut igitur
Deus assimilatur actui, quod non videtur esse verum quoniam magis creatura assimilatur creatori et effectus causae,
quam creator creaturae et causa effectui; si vero actus assi-
15 milatur Deo, Deus videtur esse causa huius actus et non
voluntas humana, quare actus non est voluntatis sed Dei;
quod intenditur. (58) Quod autem actus sit a Deo et non a
voluntate si assimilatur ei patet, quoniam erit effectus ipsius
Dei; nam effectus assimilatur causae et non causa effectui
20 (non enim imagini Mercurii debet assimilari Mercurius,

8-9 quoniam veritas . . . et cognitum *dittog. in* δο ed (I *linea subducta delev.*; ed *correx. in errata*). — 10 Quoniam ω; *om* K. — 11 similitudo γ. — 12 similatur ed. — 12-13 quoniam: quia ed. — 17 autem *om* ed. — 20 debet assimilari: assimilatur Eγ.

3-4 *De Anima*, III, 10. 433a 13-15. Cf. Thom. Aquin., *In Aristot. librum de Anima Commentarium*, III, lect. XV. Idem, *Sum. Theol.*, I^{a} pars, qu. 79 art. 11 (Leon. V, 278a): « Sed contra est quod dicitur in III *de Anima* quod intellectus speculativus per extensionem fit practicus »; *ibid.* (278b): « Nam intellectus speculativus est qui quod apprehendit non ordinat ad opus, sed ad solam veritatis considerationem: practicus vero intellectus dicitur qui hoc quod apprehendit ordinat ad opus. Et hoc est quod Philosophus dicit in III *de Anima* quod speculativus differt a practico, fine ». — 20 De imaginibus in similitudinem planetarum exsculptis, cf. L. Thorndike, *A History of Magic and Experimental Science*, II, N. Y. 1923, pp. 223 sqq.; et etiam in *Indice* (p. 994) *s. v.* Image. Id., *Traditional Medieval Tracts concerning engraved astrological Images*, in Mélanges Auguste Pelzer, Louvain 1947, pp. 217-274. — Vid. etiam Ps-Ptolem., *Centiloquium*, Verb. IX; J. J. Pontani, *Commentar. in Centum Ptolem. Sentent.*, lib. I. verb. IX (ed. Basileae 1538, pp. 20-22).

sed e contra; neque imago est causa Mercurii, sed Mercurius est causa imaginis). Quare si actus assimilatur Deo, actus est Dei et non voluntatis.

(59) Sed ad hoc dicitur quod vel in actu est deformitas vel non. Si non est deformitas, sic assimilatur Deo. Verum Deus |778| totaliter non est causa effectiva huius actus, sed voluntas est causa huius actus tanquam instrumentum, et Deus tanquam principale, loquendo de instrumento ut supra diximus. Et ultra hoc quod Deus est causa effectiva principalis, est et finalis et exemplaris. Quare dico actum assimilari Deo et non Deum actui, quoniam in triplici genere causae Deus est causa. Neque propter hoc excluditur quin actus sit voluntatis velut instrumenti. (60) Si vero actus habet in se deformitatem, dico quod quantum ad deformitatem non assimilatur Deo, quoniam nullo modo illius deformitatis Deus est causa nisi permissiva et per accidens; cui causae non debet effectus assimilari ut satis notum est. Cognoscit tamen Deus defectum illum quamquam non sit similitudo aliqua inter Deum et defectum, quoniam privativa non cognoscuntur per similitudinem inter ipsam privationem et cognoscentem quoniam impossibile est inter talia esse similitudinem; sed privationes cognoscuntur per habitus oppositos, quoniam rectus est iudex sui et obliqui. (61) Haec |779| quidem dicuntur insequendo opinionem veram religionis Christianae. Existimo tamen Aristotelem non sensisse privationes a Deo cognosci, quoniam existimavit ista cognosci ab intellectu existente in potentia, quod dici non potest secundum Aristotelem de aliquo intellectu in actu, quanto minus de Deo dici potest! Sed lex est fortior philosophia humana, cum sit a Deo.

6-7 sed voluntas est causa huius actus *omm* δι ed; est causa huius actus *om* K. — 9-10 principalis et finalis ed. — 17 defectum *sic* bC² ed; effectum d. — 21-22 dissimilitudinem ed. — 24 sequendo d ed. — 24-25 veritatem opinionis christianae C. — 28 obliquo ed.

25 sqq. *De Anima*, III, 6. 430b 24-26 (cf. supra p. 125, 10). *Metaph.*, XII, 10. 1075b 19-24.

(62) Verum quoniam et in eadem dubitatione satis apparenter argumentabatur quod totus actus voluntatis sive rectus sive obliquus esset a Deo et nullo modo ipsius voluntatis: tum quoniam Deus est causa adaequata voluntatis, ut suppo-
5 nitur, et voluntas est causa adaequata actus, quare videtur inferri quod Deus est causa adaequata actus; tum quoniam si Deus non esset causa adaequata actus volitionis, hoc esset quoniam determinatio voluntatis non est a Deo sed ab ipsa voluntate, sed ista determinatio nihil aliud videtur esse
10 quam ipsa voluntas cuius Deus conceditur esse causa, ergo Deus est causa volitionis; ideo propter haec dicen|780|dum in agente voluntario argumentum non tenere. Non enim si Deus est causa voluntatis et voluntas causa actus, sequitur quod Deus sit causa actus; sic enim Deus esset causa pec-
15 cati. (63) Et hoc totum provenit quoniam voluntas est causa adaequata duorum oppositorum; quod non est in rebus naturalibus. Unde etsi in rebus naturalibus, posita causa adaequata ponitur effectus, non tamen in voluntariis. Unde actus attribuitur voluntati, et non Deo nisi tanquam causae
20 universali, veluti dictum est.

(64) Ad secundum etiam, cum dicitur quod determinatio nihil aliud est quam ipsa voluntas, quare si Deus est causa voluntatis, est et causa determinationis, et consequenter actus ipsius; dicitur quod potestas determinativa est idem quod
25 voluntas, sed actu determinatio nihil aliud est quam actus ipse. Unde cum dicitur voluntatem se determinare, nihil aliud est quam voluntatem producere actum determinatum, non aliquod aliud ab ipsa voluntate vel ab actu. Quare cum dicitur Deum non determinare actum voluntatis, nihil
30 aliud intelligitur nisi Deum non producere actum |781| voluntatis sed voluntatem ipsam producere actum. Quare obiectio non procedit.

4 tum AλG ed (G *post correct.*); tamen E d. — actus *ante* voluntatis *add* Bδι (*delevv.* DB). — 11 hoc EMγ ed. — 17 et *om* ed. — 19-20 causae universali *sic* K; causa universalis *cett.* — est *omm* AβCδ. — 22 nisi ipsa K. — 25 actus determinationis M. — 32 producit β.

(65) Quantum autem ad secundam dubitationem in qua intendebatur probare quod Deus non cognoscit actus humanos quoniam quandoque sunt et quandoque non sunt, quoniam si Deus certitudinaliter sciret, aut in Deo esset falsitas,
5 aut mutaretur de una opinione in alteram; huic dicitur quod neutrum sequitur. (66) Si enim Socrates ubi Plato sedet credat Platonem sedere, et ubi Plato postea surgat Socrates videret Platonem surgere, utique in Socrate non esset falsa opinio. Cum autem Deus videat tempus in quo res est, et in
10 quo res non est, in Dei visione falsitas cadere non potest, quoniam non variatur res quin eius variatio a Deo videatur. (67) Verum cum infertur: Sicut Socrates, ubi videt Platonem sedere et postea non sedere, licet non decipiatur, cadit tamen et perit credulitas quod Plato sedeat quam prius
15 habebat, unde in Socrate desinit |782| esse assensus affirmativus et incipit esse dissensus; quare etsi in Deo nunquam sit falsitas veluti et in casu dato, nec est in Socrate; erit tamen alia credulitas et peribit prior, veluti etiam in Socrate manifestum est. (68) Huic dicitur negando similitudi-
20 nem. Quoniam Socrates subiicitur tempori et simul non est in praesenti et futuro vel praeterito; unde aliter se habet in praesenti et aliter in futuro. Ast Deo sua aeternitate omnia tempora sunt aequaliter praesentia, unde cognoscit praeteritum veluti et praesens, ut dicit Augustinus X *De Civitate*
25 *Dei* c. xii. In Socrate enim illud contingit scilicet quod credulitatem variat, quoniam et tempus in quo est variatur; ast in Deo non variatur opinio, quoniam aeternitas est tota simul.

(69) Dico igitur quod in aeternitate realiter nihil est prius
30 vel posterius, sed tantum secundum nostrum modum in-

4 si . . . certitudinaliter: sic . . . accidentaliter K. — 8 crederet (Platonem) K; credat M. — 9-10 et in quo res non est *om* ω. — 12 sicut *om* γι. — 15 assensus EMBG ed; ascensus *cett.* — 16 dissensus E ed; discursus M; descensus *cett.* — 21 praesenti tempore EMBC. — 22 praesenti tempore B. — 24 ut ait E. — x: 6 ed; *om* E. — 26 est et variatur ed.

24-25 *De Civ. Dei,* x, 12 (Dombart I, [374] 422); cf. infra p. 308, 15.

telligendi; quare realiter nunc ita videt et praesentialiter quae fuerunt sicut ea quae sunt. Unde deceptio est quoniam ita iudicamus de Deo veluti et de nobis; unde quo|783|niam in nobis est successio, credimus et eam esse in Deo. Existi-
5 mo tamen quod Aristoteles ista negaret, quanquam in libro *De Bona Fortuna* versus finem videatur dicere omnia et futura et praeterita esse sibi praesentia. (70) Verum haec dicta nostra magnam apparentiam falsitatis videntur continere. Quoniam si praesentia, praeterita et futura eodem modo se
10 habent in aeternitate, tunc simul erunt vera duo contradictoria. Nam cum nunc Socrates sedeat, videt praesentialiter ipsum sedere; cumque aliquando non sedeat, videt et ipsum non sedere; cumque cognitio ista est intuitiva, simul videt sedere et non sedere. (71) Et multa alia consimilia possent
15 adduci adversus hanc opinionem, quae ad alium locum dimittimus; consimiliter an Aristoteles hoc tenuerit et maxime propter locum adductum *De Bona Fortuna.* Sed pro nunc omittamus tantam difficultatem. Credo tamen quod secundum religionem Christianam sic sit dicendum.
20 (72) Quantum vero sit de tertia dubitatione, videlicet quod intellectus humanus non cognoscit sin|784|gularia ratione suae immaterialitatis, sunt diversae et contrariae opiniones. (73) Quidam tenent intellectum humanum primo cognoscere sin-

5 ista *om* ed. — 18 omittimus Aλ; obmittamus E. — 22 ac contrariae C; *om* et D.

6 *Ethic. Eudem.*, Θ, 2 [H 14]. 1248a 38. « Alii quidem propter experientiam. Hii autem propter consuetudinem in considerando uti Deo aut per se hoc et bene videt et futurum, et praesens, et quorum periit ratio » Paris, Bibl. Nation., ms. lat. 6320, fol. 32vb. (Comin. de Tr. III, 382r B: « sed aliis experimento, alii (*sic*) consuetudine, speculando utantur; item hi, quorum est ratio soluta »). Cf. supra p. 48, 12. — 20 sqq. Cf. Thom. Aquin., *Sum. Theol.*, I[a] pars, qu. 14 art. 11 (Leon. IV, pp. 183-184); *ibid.* I[a] pars, qu. 86 art. 1, ad 3[am]: « singulare non repugnat intelligibilitati inquantum est singulare, sed inquantum est materiale, quia nihil intelligitur nisi immaterialiter ». (Leon. V, p. 347). — 23 sqq. De intuitiva singularium cognitione apud J. D. Scotum, vid. E. Gilson, *Jean Duns Scot*, pp. 543-555; P. Minges, *Doctrina philosophica*, I, pp. 239 sqq.; pp. 246 sqq. Cajetan., *In Thom. Aquin. Sum. Theol.*, I[a] pars, qu. 86 art. 1 (Leon. V, p. 349b, n. X).

gularia, et sic ratio perit quantum sit ratione illius fundamenti, licet fortassis propter aliam causam negetur intellectum divinum cognoscere singularia, ut pote ratione variabilitatis, vel infinitatis, vel propter aliquam aliam causam. (74) Alii
5 autem negant intellectum humanum cognoscere singularia non propter immaterialitatem, quoniam sic Deus ea non cognosceret, sed adducunt alias causas; quare etiam secundum istos ratio non procedit, quoniam etiam secundum istos ratio assumit falsum, licet aliud sit hoc falsum assump-
10 tum quam illud quod dicebat prima opinio: prima enim volebat rationem peccare quoniam accipiebat intellectum nostrum non intelligere singularia; haec vero hoc concedit, sed negat immaterialitatem esse causam huius accidentis. (75) Quare secundum utrasque opiniones ratio non convin-
15 cit, quanquam alias assignent causas. Verum quoniam de his abunde dicitur ab autoribus, |785| neque existimo demonstrationem in hoc adduci posse, unusquisque eligat illam partem quae sibi videtur probabilior.

(76) Consimiliter dicitur ad quartam scilicet, quod Deus
20 non potest cognoscere singularia quoniam sunt infinita et infinitum cognosci non potest. Dicendum, ut dicunt communiter autores, infinitum cognosci non potest per partem post partem, sed uno intuitu potest cognosci. Verum de hoc ab autoribus videamus. (77) Puto tamen Aristotelem ista
25 nullo modo concessisse; sed veluti dictum est, Deus omnia cognoscit secundum speciem specialissimam, quae perfectam facit cognitionem. Quod si aliquae autoritates videantur sonare Deum omnia cognoscere, intelligitur secundum istum

2 per ed. — negetur bγε (negent?); neget Gδo ed. — 4 vel divinitatis ed. — 7 quare et ELKδι ed. — 8 quoniam et MLδι; et *om* ed. — 12 nostrum *om* E. — 17 adduci *sic* BC²K; adducere *cett.* — 19 quartam *sic* G ed; quartum *cett.* — 21-22 ut communiter dicitur ab authoribus E. — 24 ista: illata E. — 25 concessisset ALC² (C¹ concessisse). — 27 aliqua authoritas videatur E. — 28 cognoscere intelligitur: intelligere ω.

22 v.g. Thom. Aquin., *Summ. Theol.*, 1ª pars, qu. 14 art. 12, ad 1um et ad 2um (Leon. IV, p. 185). — 25 Supra II, 5; pp. 168 sqq.

modum. (78) Quare et illud adductum *De Bona Fortuna* sic est interpretandum, scilicet: intuitu et cognitione universali, et non particulari. Unde nulla harum rationum apud Aristotelem facit dubitationem. Verum sapientia divina vincit 5 et conculcat humanam. |786|

Caput tertiumdecimum in quo adversus dictas responsiones moventur aliquae dubitationes.

(1) Rursum et circa ea quae dicta sunt occurrunt et multae dubitationes quas existimavi non esse bonum omittere. 10 Prima itaque dubitatio est quoniam dictum est Deum cognoscere futura contingentia ut indeterminata si cognoscit qua futura sunt; si vero qua praesentialia sint et extra potentiam, determinate cognoscit. Ex isto sequitur quod aliter cognoscit futura quam praesentia. Hoc autem aperte repu- 15 gnat Augustino; capitulo nanque xii, X libri *De Civitate Dei* sic scribit: «Deus temporalia movens temporaliter non movetur, nec aliter novit facienda quam facta, nec aliter invocantes exaudit quam invocaturos videt.»

(2) Praeterea si Deus de futuro contingenti non plus scit 20 nisi quoniam erit vel non erit, vel quoniam poterit esse et poterit non esse, non maiorem de hoc Deus habebit certitudinem quam quicunque homo admodum vilis et pa|787|rum sciens. Quare Dei providentia erit similis *Vaticinio Thiresiae* in quo dicebatur: 'quicquid dicam, aut erit 25 aut non erit'; et haec videtur esse ratio Boetii adversus istam opinionem in prosa 3ª V libri *De Consolatione*.

1 est illud ω; et *om* ed. — 3 nullum ed; ulla E. — 5 consultat K; conclulcat EH; concultat ed (*correx. in errata*). — 6 has responsiones ed; dictam responsionem E. — 7 aliqua dubia E. — 9 non bonum esse eas omittere βγη δο ed (omittendas K; dimittere B). — 15 X *omm* AML. — 21 et: vel EL ed. — poterit *ante* non esse *omm* EK ed.

15 *De Civ. Dei*, x, 12 (Dombart I [374,22] 422); Augustin., *De Genesi ad litteram*, v, 18 (PL 34, col. 334). — 24 Cf. Boethii, *De Consol.*, v, prosa 3ª (Peiper, p. 128).

(3) Item videtur esse magna blasphemia dicere Deum de aliquo habere cognitionem indeterminatam; quoniam indeterminatum dicit potentiam et imperfectionem, quare si Deus habet cognitionem indeterminatam, cognitio Dei
5 est imperfecta et in potentia; quod absurdum est.

(4) Praeterea cum Deus futuri contingentis per concessa habet indeterminatam cognitionem, habebit etiam determinatam quoniam et nos aliquando habemus; verum hoc intelligi non potest absque Dei mutatione. Deus igitur muta-
10 bitur, quod est impossibile et ridiculum.

(5) Amplius quoniam, ut dicit Boetius in eodem V libro *De Consolatione*, non est necessarium cognoscens sequi naturam rei cognitae, ut per multas rationes ibidem contendit ostendere. Quanquam igitur contin|788|gens futurum in
15 sua natura sit indeterminatum, non oportet tamen quod apud cognoscentem sit indeterminatum; quare fallax assumptum est fundamentum.

(6) Dictum est etiam quod actus voluntatis non sunt a Deo determinante ipsam voluntatem, sed voluntas se ipsam
20 determinat; neque Deus habet cognitionem certam de actu voluntatis nisi ut est extra suas causas. Sed in his multiplex videtur esse error; primo quidem quoniam si voluntas determinat se ad actum et non Deus, tunc aliquis erit effectus cuius causa non est Deus, et sic non omne movens reducitur
25 in primum movens quod est post ipsum; quod adversatur nedum philosophis sed et theologis.

(7) Aliud etiam dictum stare non potest, scilicet quod Deus non est determinatus de actu humano nisi ubi actus humanus sit extra suas causas, quoniam sic Deus certitudinaliter
30 non cognosceret Antichristum futurum et determinate, quo-

1 Idem ed. — videtur esse: esset γ. — 3 impotentiam L d ed; potentiam ω BC^2 (L *reiicitur a* C^2). — 5 imperfectio K. — impotentia K; impotens ed. — 7-8 determinatum ed. — 10 et ridiculum *om* E. — 11 inquit EM. — libro *om* γι. — 12 cognitionem γι. — 13 et ut ed. — conatur (conatus est C^1) γ (contendit C^2).

12 *De Consol.*, v, prosa 4ª (Peiper, p. 133).

niam nondum est extra suas causas; et ita Deus nunc non videt an Antichristus sit futurus, nec erit certus |789| plus quam ego videam; quod est aperta haeresis.

(8) Amplius quoniam cognitio Dei est aeterna, esse Antichristi est temporale; igitur aeternum dependet a temporali. Et ulterius sequitur cognitionem Dei dependere ab aliquo quod est extra se, quare et Deus ab illo dependebit, quoniam scientia et esse Dei sunt omnino idem. Et hoc argumento utitur idem Boetius in eodem quinto citato.

(9) Dictum est etiam per nos providentiam Dei esse causam rerum; unde scire sive providere Dei est res praevisas producere. Verum huic dicto videtur adversari quod dicitur a Boetio in prosa ‹4ª V› libri *De Consolatione*; videtur enim dicere quod sicut videns aliquem moveri ad aliquem locum certus est de hac itione, nihil tamen facit neque patitur ab ipso eunte, ita Deus est certus de futuris quanquam non faciat illa futura neque patiatur ab eis. Cui sententiae et Alexander consentit in libro *De Fato*, capitulo xvi; sic enim scribit: «Aliud nanque est praenoscere, aliud facere».

(10) Ultimo dubitatur quoniam dictum est: Quod actus sive bonus sive ma|790|lus procedat a voluntate, illius voluntas est causa. Hoc dictum, etsi de actu malo et deformi videatur esse verum, non tamen de actu studioso et bono videtur posse substineri. Nam *Oseae* prophetae 13° capitulo dicitur ex persona Dei: «Perditio tua Israel ex te est, tantummodo ex me auxilium tuum». Quare omnia fere determinata ruunt.

1 ideo γ. — 3 video ω. — pura haeresis γ. — 9 utitur *omm* EGδι. — — eodem loco MK ed. — 11 providere: procedere ed. — 12 dicto *omm* δ ed. — 13 5ª quarti ωB d ed (EI *correx. ex* 4ª); 1ª quarti K; quinta quinti quarti L.

8-9 *De Consol.*, v, prosa 6ª (Peiper, pp. 144-145). — 13 *De Consol.*, v, prosa 4ª: «Plura etenim dum fiunt subiecta oculis intuemur, ut ea quae in quadrigis moderandis atque flectendis facere spectantur aurigae, atque ad hunc modum caetera. Num igitur quidquam illorum ita fieri necessitas ulla compellit? B. Minime.» (Peiper, p. 132). Cf. etiam pros. 6ª (Peiper p. 142; p. 144). — 18 Bagol., fol. D^{2}v.; cf. supra I, 15; p. 117, 31. — 25 *Oseae*, 13: 9.

Caput quartumdecimum et ultimum in quo respondetur ad dictas dubitationes.

(1) Ad primam igitur harum dubitationum dicitur quod verbum illud Augustini intelligendum est quantum ad poten-
5 tiam et actum, quoniam eadem potentia et eodem actu cognoscit contingentia et necessaria; non tamen quantum ad eandem rationem cognoscendi: si enim eadem esset ratio necessarii et contingentis, tunc idem esset necessarium et contingens. Unde cognitio Dei de futuris et praesentibus
10 re est una et eadem cognitio, ratione tamen |791| sunt diversa; ut intellectio et volitio sunt una et eadem res, alia tamen est ratio intelligendi et alia volendi; quare et mala intelligit, et tamen mala non vult.

(2) Ad secundam cum dicebatur quod si Deus de contin-
15 genti, qua contingens est, non plus scit nisi quod potest esse, et non determinate cognoscit quod erit, tantum sciet Deus quantum homo. (3) Ad hoc dicitur quod si Deus non cognoscit numerum determinatum infiniti, veluti etiam non cognoscit homo, non sequitur Deum esse ignorantem et
20 cognitionem hominis simpliciter aequari cognitioni Dei, licet quantum ad aliquid aequentur: Deus enim non potest scire quod impossibile est sciri, neque etiam homo; quare in hoc non est differentia. Verum omnia scibilia Deus scit quae tamen a nulla creatura pura sciri possunt. Quare cogni-
25 tio creatoris et creaturae non adaequantur. (4) Cumque dicitur vaticinium Thiresiae erit simile vaticinio Dei; ad hoc dicitur minime illud sequi: etsi Deus contingentia, qua contingentia sunt, scit ipsa esse |792| incerta, qua tamen sunt extra suas causas, in aeternitate sua cognoscit cognitione
30 certa, quae soli Deo debetur et nulli creaturae. (5) Dico etiam qua futura sunt etsi Deus cognoscit esse incerta veluti

12-13 multa intelligit δι. — 16 tamen sciet MGδι ed. — 20 cognitione Dei AB ed. — 22 simpliciter scire γ. — 22 sciri: scire ELGDH. — 25 equatur E. — 28 ipsa *sic* Bγη ed; ipse *cett.* — 30 soli *sic* BMK; sola *cett.* — 31 si *om* ed.

et intellectus creatus, ut sic tamen Deus magis propinquat certitudini quam intellectus creatus; veluti etsi prudentissimus de eventu futuro non certum potest afferre iudicium, tamen iudicium suum magis appropinquat certitudini quam iudicium imprudentis vel minus prudentis.

(6) Ad tertiam cum dicitur quod si Deus de contingenti habet cognitionem indeterminatam, tunc eius cognitio esset in potentia et imperfecta, quod blasphemia videtur esse. Ad hoc dicitur quod indeterminatio potest cadere supra obiectum, et sic propositio est vera; et sensus est quod Deus cognoscit ipsum contingens esse indeterminatum; quod si Deus aliter cognosceret, imperfecte cognosceret, immo false. (7) Potest et indeterminatio cadere supra cognitionem, sic quod sensus sit: Deus indeterminatam cognitionem habet de contingenti, et |793| hoc falsum est, immo Deus exactissimam et perfectissimam cognitionem habet de contingenti, quoniam cognoscendo quod quid est contingentis et quod natura sua est indeterminata, determinatissime et perfectissime cognoscit ipsum, veluti et consuevimus dicere quod sciens fortunam esse causam indeterminatam, determinatissime cognoscit fortunam. (8) Dicoque quod non proprie dicitur de Deo quod de contingenti futuro qua contingens est dubitet de determinata parte; quoniam dubitatio est motus titubationis, qui remotissimus est a Deo. Immo, posita illa parte contradictionis, firmus est in ea, scilicet quod possibilis est et non determinata. Sed dubitatio videtur significare quod credat unam partem esse determinate veram, nesciat tamen quae sit illa. Si tamen sumatur dubitare negative, i. e. non scire determinationem, sic concedendum est; sed hoc non est proprie accipere, verumtamen abutimur et sumuntur quandoque ut sinonyma. Unde nihil quod imper-

1 appropinquat γε. — 4 propinquat α. — 11 determinatum ed. — 15-16 et hoc falsum . . . contingenti *om* δι. — exactissimam: verissimam E. — 17 quod quid AMK; quid (*om* quod) E; quicquid *cett.* — 23 de *post* dubitet *om* D; dubitet de terminata I. — 24-25 praeposita ed; quod posita E. — 25 firmius ed. — 26 dubitio D. — 28 et nesciat ed. — 30 verum verumtamen ed.

fectionem includit Deo ascribendum est; si vero non includat, potest de eo af|794|firmari.

(9) Ad quartam dicitur quod ibi assumitur falsum. Non enim Deus quandoque cognoscit futurum esse indetermina-
5 tum et quandoque determinatum, si ly 'quandoque' refertur ad cognitionem; quoniam simul et semel cognoscit ipsum determinatum et indeterminatum, verum non secundum eandem rationem, quoniam qua contingens est, scit ipsum esse indeterminatum, et qua est extra suas causas scit ipsum
10 esse determinatum. Veluti cognoscens hominem esse animal rationale scit ipsum esse determinatum et indeterminatum; nam qua animal, indeterminatum est, qua rationale, determinatum. (10) Et quanquam tempus sit diversum in quo contingens est indeterminatum a tempore in quo illud est
15 determinatum, quoniam est continuum tempus, in quo de necessitate partes sunt incompossibiles, tamen apud aeternitatem quae supra tempus est, non est successio; quare simul omnia verificantur, licet non pro eadem mensura temporali. (11) Unde si Deus aeternitate non mensuraretur,
20 non simul sibi repraesentaretur determinatum |795| et indeterminatum, neque simul videret determinationem et indeterminationem. Quare in aliis a Deo hoc fieri non potest quoniam eorum mensura non est aeternitas, sed aevum vel tempus. Sic itaque Deus quando videt ipsum contingens
25 esse determinatum videt et esse indeterminatum, quoniam utrumque tempus est praesens aeternitati. (12) Unde nulla cadit in Deo mutatio; quicquid enim videt, aeternaliter videt. Quanquam secundum nostrum modum intelligendi concedi potest in Deo et in suis operationibus esse prioritatem et

1-2 claudat ed. — includit . . . si vero non *omm* Cδι ed. — 2 potest de eo ω; potest de Deo *cett.* — 5 si *om* C; sed G; si ly: simul M; ly quandoque: synonima ed. — 8 est *om* ed. — 12 nam *om* ed. — qua animal est ed. — 13 divisum MB. — 14 tempore tamen in quo ω. — 18 videlicet G; sed ed. — non pro *sic* EλC; *omm* non Aγι δο ed. — 24 quoniam videt EM ed.

28 sqq. De voluntate signi, cf. Thom. Aquin., *Sum. Theol.*, I[a] pars, qu. 19 art. 11 et 12 (Leon. IV, pp. 250-251); infra p. 410, 13-14.

posterioritatem; sicut dicimus Deum prius intelligere quam velle, et pro aliquo signo intelligere pro quo non est velle; sed hoc arguit novitatem ex parte modi nostri intelligendi, non autem ex parte rei.

5 (13) Ad quintam autem cum dicitur ex Boetii autoritate quod cognoscens non sequitur naturam cogniti, quare si cognitum est indeterminatum, non oportet cognitionem esse indeterminatam; huic dicitur ut supra dictum est: si determinatio se tenet ex parte cognitionis, sic verum est |796| 10 quod dicitur, sed nihil contra nos. Unde de obiecto ex natura sua indeterminato, cognoscendo ipsum esse indeterminatum, determinatissime cognoscitur et scitur ipsum quantum sciri potest secundum suam considerationem. (14) Si vero determinatio se teneat ex parte obiecti, sic sermo est 15 impossibilis et claudens contradictionem; sensus enim est quod de re quae natura sua est indeterminata, et indeterminatio est de sua intrinseca ratione, intelligatur sub opposito; et perinde est quod homo intelligatur cognitione vera irrationalis, nam veluti rationalitas est de intellectu hominis, 20 sic et indeterminatio de intellectu contingentis. Non enim intelligibile est quod in diffinitione contingentis cadat indeterminatio, et tamen determinate ipsum sciatur; si enim determinate scitur, determinatum est, aliter sciretur quod non est, et veritas non consisteret in adaequatione sed in 25 inadaequatione. Verum cognoscens insequitur naturam cogniti in adaequatione repraesentationis, quoniam cognitio est similitudo et adaequatio. (15) Non tamen oportet quod qualiscunque sit conditio cogniti sit et condi|797|tio cognitionis. Quoniam stat cognitum esse in materia et cognitionem 30 esse sine materia; cognitum esse aeternum, et tamen cognitionem secundum suum esse esse novam; et e contra cogni-

2 intelligere *omm* EM ed. — 4 ex parte Dei M. — 9 se habet E. — 12 cognoscit Bγ. — scitur *sic* ω; scit B d ed; sic L. — 17 intelligitur sub ed. — 19 veluti rationalis ed. — 22 tamen indeterminate ed. — 22 ipsum *ante* scitur *ad* ω. — 24-25 sed in inadaequatione *omm* HL[1]. — 24-26 sed . . . adaequatione *om* ed. — 25 adaequatione Mδ. — Verum ω; Unde βd.

tum secundum esse existere novum, et cognitionem de eo esse aeternam. (16) Sed quantum est ex parte similitudinis, oportet adaequationem esse inter cognitum et cognoscens. Quare si de natura contingentis est indeterminatio, non potest 5 cognosci sub determinatione quanquam talis cognitio sit maxime determinata; veluti si fortuna est causa indeterminata qua fortuna est, non potest intelligi sub determinatione; quanquam sic intelligendo determinatissima est cognitio fortunae. Si itaque intellectus Boetii fuit iste, conce10 ditur; si aliter, cum bona venia non admittitur.

(17) Ad sextam vero dicitur quod actus voluntatis immediate sunt a voluntate, neque tamen sequitur quod aliquis effectus sit qui non dependeat a Deo. In actu enim aut est defectus, aut non. Si non est defectus, etsi immediate hoc 15 sit a voluntate, tamen |798| cum voluntas sit a Deo neque esse neque operari possit voluntas ipsa nisi in virtute Dei et ut est instrumentum (non actualiter motum, sed quoniam ipsa voluntas est Dei effectus in triplici genere causae, ut alias dictum est), ideo iste actus reducitur in Deum, 20 sicut motus gravis deorsum reducitur in motum caelestem, quanquam corpus caeleste proprie non moveat grave deorsum. (18) Quantum autem ad defectum existentem in ipso actu, proprie non habet causam efficientem sed deficientem, cuius causa originalis est quoniam ex nihilo est; tamen ex 25 toto non subterfugit ista deformitas causam effectivam Dei, quoniam non esset iste defectus in tali actu nisi liberum arbitrium haberet a Deo, et permitteret talem effectum. (19) Adhuc quoniam deformitas fundatur in voluntate quae, ut ens est, bona est; et omnis bonitas a Deo est. (20) Potest 30 etiam dici iste defectus ordinari in bonum quoquomodo, pro quanto est occasio iustitiae et misericordiae Dei quae sunt valde bona. Quare nullus est effectus qui subterfugi-|799|

10 alter ABC[2]; alterum γ; aliter *cett.* — 11 vere dicitur Aδε ed. — 27 effectum *sic cunct.* — 30 istum defectum ed.

18-19 Cf. supra cap. 12, pp. 287-308, praesertim 303, 5-10.

at causalitatem Dei; si enim Deus non causaret, neque essent bona neque mala.

(21) Ad septimam dicitur quod re vera Deus non est certus de actu humano nisi ut est extra suas causas, quoniam actus humanus non est determinatus secundum esse vel fore nisi quatenus est extra suas causas. Unde ut est in suis causis necesse est esse indeterminatum, quare ut sic non potest intelligi esse determinatus; neque e converso potest intelligi esse determinatus nisi quatenus est extra suas causas. Verum cum dicitur: nunquam igitur Deus certitudinaliter scit nisi ubi actu sit vel actu fuerit, quare, ut suppono, cum non erit iste actus nisi in fine centum annorum, Deus igitur in istis centum annis non habet certitudinem de isto actu; quod falsum est et opinioni repugnans. (22) Huic dicitur quod ratione istorum centum annorum Deus non habet certitudidinem de isto actu, immo quantum est ratione istorum centum annorum Deus non scit nisi quod est contingens. Ratione vero temporis subsequentis Deus est certus de isto actu. Verum |800| quoniam aeternitas non habet successionem sed est tota simul, ideo dicitur quod etiam in istis centum primis annis Deus est certus de hoc actu, non ratione istorum centum annorum sed ratione temporis subsequentis. (23) Quod si dicatur: Quomodo aeternitati tempus futurum est et praesens? dicitur: Quoniam aeternitas est causa futuri et totum tempus continet. (24) Quod si iterum instetur: Quomodo aeternitas continet actum voluntatis cum ipsa non sit causa actus voluntatis, quoniam actus voluntatis esset Dei et non nostri? certe, ut dixi, mihi argumentum est difficillimum. Quare Stoici hanc difficultatem faciliter evadunt cum actus voluntatis sint a Deo; propter quod opinio

5 humanus *om* ed. — 7 determinatum ed. — 8 indeterminatus E ed; indeterminate AM. — 11 actus sit AMC^2 ed. — actus fuerit ed; actus *om* M. — 23 temporis ed. — 24 est et praesens B; est ei praesens *cett.* (*omm* ei C^1M; C^2 *correx.* est *in* ei, *ut omitteret* est). — 28 essent AGδη. — 29 veluti diximus *ante* Quare Stoici *add cunct. praeter* EK.

Stoica redditur valde probabilis. Dico tamen ut superius dixi (quoniam melius non habeo), scilicet quod etsi voluntas sit causa sui actus, non tamen simpliciter sed secundum quid; quare Deus simpliciter in sua aeternitate actum illum
5 continet, quanquam secundum quid actus ille sit voluntatis; quod quomodo intel|801|ligatur, satis abunde superius de hoc diximus. (25) Et si iterum instetur: Nunc Deus certe et determinate scit actum voluntatis qui erit in centesimo anno; et ista certitudo non potest esse nisi actus voluntatis
10 sit in actu; igitur nunc Deus non certe scit. Dico quod si nunc scit certe, scit ratione 'nunc' quod erit in centesimo anno, in quo 'nunc' actus erit in actu, ut supponitur; et quoniam omnia 'nunc' sunt praesentia aeternitati, ideo semper apud aeternitatem ille actus est in actu. Nam eadem diffi-
15 cultas cadit quomodo futurum et praeteritum sunt praesentia aeternitati; in aeternitate enim nihil potest esse fluxum, quoniam sic non esset aeternitas.

(26) Ad octavam consimiliter dicitur quod quamvis actus iste secundum existentiam temporis non sit aeternus, unde
20 tamen est praesens aeternitati est aeternus; ab aeterno enim Deus vidit me scribentem pro ista hora, et in aeternum videbit. Quare ut praesentatur aeternitati aeternus est, neque unquam fuit vel erit aliqua eius deficientia; licet ut est in tempore incipit et desinit esse. Quare non concluditur |802|
25 quod cognitio aeterna dependeat a cognitione temporali. (27) Immo, ut cognitum est a Deo, est aeternum et intransmutabile; veluti etiam aeternum potest cognosci ab eo quod incipit, quod quidem aeternum quanquam in se sit aeternum, ut tamen cognitum ab hoc novo est novum; repraesentatur
30 tamen intellectui novo ut aeternum, quoniam aliter non esset vera cognitio, sicuti aeternitati hoc novum repraesentatur ut novum, licet repraesentatio sit aeterna. (28) Et cum

1 stoicorum Mγι. — 6-7 de hoc *om* ed. — 7 dictum est ω ed. — interim ed. — 13 nunc *post* omnia *om* ed. — 15 quo ed; quoniam I. — 19 unde *sic* Aγ δι ed; ut EλFH. — 21 in ista ω. — 23 licet: sed ed. — 28 quandoquidem ed. — 30 aliter K; sic *cett.*

ulterius in eadem argumentatione inferebatur quod Dei scientia dependeret ab aliquo extra se, quoniam verificari non potest nisi aliquod sit extra se; huic dico, salva veritate, Dei scientiam a nullo absolute dependere, verum non incon-
5 venire eam dependere ab aliquo extrinseco ex suppositione finis, quae non est necessitas simpliciter. Unde Deus non dependet absolute a Socrate; si tamen vult Socratem salvum esse, dependet a Socrate. Unde supposito quod Deus velit numerum electorum oportet, [quod] si iste finis impleatur,
10 quod aliqui homines a|803|ctus meritorios habeant et faciant, nisi ipse Deus ex gratia vellet eos esse de numero electorum. (29) Neque bene infertur quod si Dei scientia est idem quod essentia, et Deus secundum scientiam aliquando dependet ab aliquo extrinseco, quod etiam essentia;
15 nam diversa significant scientia et essentia, quare non sequitur quod infertur.

(30) Quod si quis instaret quoniam secundum hanc responsionem verificaretur dictum Origenis *Super Epistolam Pauli ad Romanos* in quo loco dicit Origenes quod non quia
20 Deus praevidet sic erit, sed quoniam sic erit ideo praevidet, quasi igitur res sit causa praevidentiae et non praevidentia sit causa rei; nam nos confitemur in hac nostra responsione Dei scientiam dependere a re. Hoc autem dictum Origenis communiter damnatur a modernis Theologis et a Boetio in

2 extra se: extrinsece E. — 9 ista ed. — quod si iste *cunct.* — 12 neque etiam ω. — 13-14 aliquam bC; aliquando *cett.* — 18 Epistolam BK; Epistola *cett.* — 21 quasi βC²; *om* K; quare *cett.* — providentiae . . . providentia EB ed. — 22 nos: non ed.

18 Origen., *Comment. in Epistolam Sancti Pauli ad Romanos*, I, 3 (PG 14, 841-846); *ibid.*, VII, 8 (PG 14, 1126). Cf. supra p. 190, 9. — 21 Boethius, *De Consol.*, V, prosa 6ª distinguit inter 'praevidere' i. e. res videre antequam fiant, et 'providere' i. e. ab alto eminentiae loco omnia videre quasi in pictura quadam uno oculi ictu apprehendere. Quam distinctionem quoad temporis et aeternitatis differentias a Boethio factam sibi auctor Noster appropriare videtur, sed quasi causalitatis rationi illam aptando.

V *De Consolatione*. Immo et Averrois in commento 51 XII *Metaphisicae* dicit scientiam nostram differre ab ea quae Dei, quoniam nostra causatur a rebus, Dei vero scientia causat ipsas res. (31) Ad hoc mihi vide|804|tur dicendum
5 quod in rebus non dependentibus a voluntate humana (pro nunc omittamus intelligentiarum voluntatem) scientia sive Dei praevidentia est infallibiliter causa rerum, stanteque communi cursu, illa inevitabiliter evenient nisi Deus mutaret communem cursum. Unde de his ut futura sunt, apud
10 Deum est determinata cognitio, immo et apud intellectum aliquem creatum, saltem de multis. Unde cum talia moveantur ex natura, determinatae sunt ‹veritatis›, veluti et de eclipsi futura; quare ut sunt futura, etiam de his est determinata veritas; neque talis proprie dicitur esse contingentia ut

2 Metaphysicorum ed. — quae *om* δι. — 4 ipsas *om* γ. — Ad hoc nihil ed. — 7 providentia EBG ed. — 8 evenient γ; eveniunt ω; venient β δο ed. — 12 virtutis *cunct.*

1 *De Consol.*, V, prosa 3^a (Peiper p. 126-127); prosa 4^a (Peiper p. 131). Non tamen ibi nominatur Origenes sed 'quidam' tantum: « Neque enim illam probo rationem qua se quidam credunt hunc quaestionis nodum dissolvere » (Peiper p. 126). Cf. Eusebii, *Praepar. Evangelic.*, VI, 11 (PG 21, 492A); Hieronym., *In Ezech. Comment.*, I, 2 (PL 25, 33B). — Prosa vero 4^a Libri V videtur ipse Boethius prope ad opinionem Origenis accedere, i. e. quod res praevidentur quia sunt, sed praevidentia signum tantum est objecti cogniti, non autem causa (Peiper, p. 132). Vid. quae a Laurentio Valla obiiciuntur Boethio super hoc. « Non modo plus quam debuit sibi (*i. e. Boethio*) confisus et maior suis viribus aggressus est, sed nec eodem tendit, nec viam confecit quam inierat » (*De Libero Arbitrio*, ed. M. Anfossi 1934, vv. 733 sqq.). Vallam inter « modernos Theologos » hic a Pomponatio commemoratos certo adnumerare non possumus, de quo vid. D. Erasmi Roterodam, *De Libero Arbitrio Diatribe*: « Nam Laurentii Vallae, qui propemodum videtur cum his (*Manichaeeus et Wiclefus*) sentire, auctoritas non multum habet apud Theologos ponderis » (D. Erasm., *Oper. omn.*, 1703-1706, t. IX, col. 1218). Altera autem ex parte notabiliter his Pomponatii temporibus refloruit Origenis et Hieronymi auctoritas in Theologia; cf. H. Humbertclaude, *Erasme et Luther. Leur polémique sur le libre arbitre*, Paris 1909, pp. 14-16. — 2 *Metaph.*, XII, t. c. 51 (Comin. de Tr. VIII, 350v-351v). Vid. supra p. 171, 6. Cf. Ibn Rochd, *Dhamîma*, ed. Leon Gauthier, Alger, 3^a ed. 1948 (supra p. 169 n.). Cf. etiam M. Maimonidis, *Dux ... Perplexorum*, III, 20 (ed. S. Munk, *Le Guide des Egarés*, III, pp. 150-151).

opponitur inevitabilitati, sed est contingentia ut opponitur necessario, quoniam non semper sunt; de necessitate tamen sunt et erunt in determinatis temporibus. (32) Si autem sumamus praevidentiam sive praescientiam de actibus vo-
5 luntatis ut actus voluntatis sunt in suis causis et in vera contingentia, quae non tantum opponitur necessario sed inevitabili, dico quod Dei praevidentia non est totalis causa rerum sive actuum vo|805|luntatis. Unde si Deus scit Socratem peccaturum vel actu peccantem, si Dei scientia esset
10 causa quod Socrates peccaret, Deus esset causa peccati. Verum magis vertitur quod ex quo Socrates peccat, Deus scit ipsum peccare; non quidem quod quoniam peccat Socrates aliquid in Deo generatur, quoniam sic Deus mutaretur, sed quoniam actus peccandi Socratis terminat Dei
15 cognitionem, ad modum superius dictum videlicet, quoniam ad hoc quod Deus sit certus de peccato Socratis oportet quod actualiter in Socrate existat peccatum tanquam conditio requisita ad certitudinem Dei. (33) Unde in certitudine Dei duo requiruntur, scilicet ad hoc quod Deus sit certus
20 de Socratis peccato: absolutum, quod est Dei scientia, et respectivum, quod requiritur ex parte existentiae ipsius Socratis quae fundat talem conditionem. Et quanquam Deus secundum totum non sit causa talis actus, tamen simpliciter Deus est causa talis actus; quare potest a Deo cognosci.
25 (34) Dico igitur quod dictum Origenis in se est verum, loquen|806|do de actibus voluntatis. Nam sua scientia non est causa peccati neque meriti, sic enim actus non essent liberi. Neque totaliter illi actus sunt causa scientiae, quoniam generarent aliquid in Deo et non dependerent ab ipso Deo
30 neque essent voliti ab ipso Deo et ordinati; ast: «Oblatus est Christus quia ipse voluit, voluit nanque crucis subire

1 inevitabili B. — 3 in determinatis Mγη; indeterminatis *cett.* — 4, 7 providentiam EBH ed. — 6 tamen non ω ed. — 9 actum GD. — 12 quod *omm* M ed. — 16 certe ed. — 18 certa *ad ante* requisita ω. — certitudinem rei α. — 18-19 certitudine rei ω.

15 Cf. supra cap. 12, p. 299, 11 sqq. — 30 Cf. *Isaiae*, 53: 7.

tormentum». Quare quoquomodo subiacent voluntati divinae quanquam sint peccata. (35) Origenes ergo, ut existimo, per illa verba voluit habere hanc sententiam scilicet, quod intelligitur in actibus voluntatis quorum Deus voluit vo-
5 luntatem esse causam; in reliquis vero propositio non intelligitur. Neque tamen sequitur aliquod inconveniens scilicet quod Deus non est causa omnium, vel quod illi actus non essent cogniti a Deo, veluti per multa antedicta visum est superius; quanquam apud me nullum in ista materia sit
10 argumentum adeo difficile.

(36) Ad nonam autem et paenultimam dubitationem in qua dicebatur quod Boetius videtur dicere quod Dei scientia |807| neque sit causa rei, neque rei effectus; et Alexander huic sententiae videtur consentire. (37) Huic dicitur primo
15 quantum ad Alexandrum quod autoritas eius non est admittenda, immo neque intelligibilis. Quoniam quod Deus cognoscat alia a se, hoc non potest intelligi nisi quia causat illa, et cognoscendo se ipsum esse causam cognoscit effectus, quoniam in causa relucent effectus; aut quoniam
20 Deus est effectus rerum extra se, unde cognoscendo se cognoscit res, quoniam per effectus cognoscimus causam, quod excogitare de Deo nephas est; aut quoniam similitudinem rerum receperit a rebus ipsis vel ab aliquo alio, quod et non minus impossibile est; aut quod ipsemet sit rerum
25 similitudo, quod et fingi non potest, quoniam aut ipse esset imago rerum aut res imagines eius: si primum, est rerum effectus, si secundum, est causa rerum, et sic sequitur contra ipsum. Quare illud dictum Alexandri stare non potest. (38) Quod et firmatur: Quoniam cuiuscunque rei Deus est
30 causa quae non est ipse Deus; non autem est |808| causa nisi intelligendo et volendo, ut ostenditur in XII *Metaphisicae*; quare sua scientia est causa rerum. Praeterea Deus compara-

18-19 effectum E. — 19 relucet E. — 21 effectum E. — 26 imaginis ed. — 28 ipsam ed.

31 *Metaph.*, XII, 7. 1072a 25-30. — 32 sqq. Cf. M. Maimonidis, *Dux . . . Perplexorum*, III, 21 (ed. S. Munk, III, pp. 155-159). De Maimoni-

tur rebus veluti artifex ad artificiatum; sed artifex est factivus artificiati; ergo scientia Dei est causa rerum. Amplius providentia dicit actionem de re fienda; quomodo igitur non est causa rei?

5 (39) Quod autem adducitur de Boetio, certe Boetius per totum illum V videtur illud innuere: ponit enim exemplum de eo qui videt aliquos ire ad aliquem locum a quibus nihil videtur recipere neque in eos aliquid agere. Quod exemplum in pluribus non convenit, et est manifeste falsum: quoniam 10 videns dependet a visibili, et secundum ipsum scientia Dei non dependet a re quoniam, inquit ipse adversus Origenem, aeternum dependeret a temporali; amplius videns continue recipit speciem ab eo quod movetur, Deus autem nihil potest recipere a re; falsum est etiam quod Deus de ne- 15 cessitate dat rebus si debent operari. Unde dictum Boetii non videtur esse verum. Tamen Boe|809|tius non negat Deum aliquid rei facere, sed negat Deum necessitare hanc actionem. (40) Verum insurgit maior difficultas. Quoniam concedit Boetius rem contingenter agere, certum tamen esse 20 Deum de re ab ipso contingenter agente procedente; quod apud me implicat contradictionem. Quoniam impossibile est aliquid certe cognosci nisi ipsum sit certum; aliter enim

6 illud L ed. — 7 vidit ed. — 7-8 non videtur ω. — 13 a re quae videtur K. — 20 procedente C² ed; procedenti K; precedentem M; procedentem *cett.* — 21 apud me *om* E.

dis auctoritate inter doctores medii aevi, cf. L. G. Lévy, *Maimonide* (Paris 1911), 2e tirage 1932, pp. 268 sqq. Hebraicam philosophiae traditionem Pomponatium novisse locis haud paucis percipi potest si opus Maimonidis imprimis cum hoc Nostri conferatur. De caetero Pomponatium ab Elia Medico (Elia del Medigo † 1493) multa sumpsisse, quod accuratius investigandum foret, testatur ab adnotatore lectionum Pomponatii *Super VII Physic*: « Sed vide Heliam hebreum super annotationibus Jandoni, ubi habetur olfacisse istum modum praeceptoris. Licet ipse praeceptor protestatus fuerit hic se non delectari in videndo libros modernorum, ego opinor quod ibi hanc expositionem viderit quia ille tempore suo fuit doctus commentista . . . » Ms. Aretin. 389, fol. 116v. De his lectionibus, cf. B. Nardi, *Corsi inediti* . . ., n. XVI, p. 273. Cf. Julius Guttmann, *Elia del Medigos Verhältnis zu Averroes*, in Jewish Studies in memory of Israel Abrahams. N. Y. 1927, pp. 192-208.

et impossibilia sciri possent et res sciretur sub opposito suae rationis formalis. (41) Neque obstat quod ab aliquibus dicitur: Certe scio te esse quando te video non deceptus, tu tamen es quoddam contingens; certe haec est ridicula res, 5 scilicet quod tu nunc sis contingens: quoniam quanquam possis non esse in futurum, et antequam non esses potuisses non esse, per nullam tamen potentiam fieri potest quod non sis nunc de quo sum certus; non autem sum certus de futuro, sed tantum de praesenti; quare determinatissime es. Unde 10 alterum duorum est: Aut ego non intelligo quid sibi Boetius voluerit, aut est deceptus Boetius. |810| (42) Quare dico, quicquid dicant Boetius et Alexander, quod scientia Dei est causa rerum nullaque res est, sive bona sive mala, cuius Deus non sit causa; sed aliter boni, aliter mali. Quare tam 15 bona quam mala a Deo cognoscuntur, quoniam omnium secundum modum convenientem Deus est causa, ut dictum est.

(43) Ad ultimam vero dubitationem in qua dicebatur quod Deus non est causa volitionis malae sed tantum bonae, 20 propter autoritatem Oseae prophetae, huic dicitur ut dicit Aristoteles II et III *Ethicorum* quod dicere nos esse causam bonorum actuum et non malorum, vel malorum et non bonorum, est negare virtutes esse nostras vel vitia esse nostra; quare vel virtutibus non debentur laus et praemia, vel vitiis 25 non debentur poenae et vituperationes, quorum quodlibet est manifeste falsum. (44) Secundum opinionem igitur dico quod virtutes sunt a nobis et etiam malitiae, tamen malitiae sunt magis nostrae quam virtutes; primo quoniam virtutes assimilantur Deo qui est fons perfectionis, |811| malitiae 30 vero nobis qui quasi nihil sumus; item virtutes foventur et approbantur a Deo, malitiae nequaquam; virtutes habent

7-8 quod tu non sis α. — 9 praesente ed. — quoniam ed; quia M. — 12 quicquid: quid ed. — 14 et *post* boni *add* AM. — 23 esse nostras *om* γ. — 24 debentur b (debetur E); deberetur d ed (deberentur G). — 25 debentur b; deberentur d ed.

21 Cf. supra, p. 274, 26.

finem per se, malitiae vero per accidens. Amplius defectus magis attribuitur causae imperfectae et perfectio causae perfectae; nam si recte operamur, ut divini operamur, si male, ut non entia et imperfecti et homines. Sunt et aliae causae,
5 sed hae sufficiant. Quare dictum Oseae sic potest intelligi. (45) Dicere autem quod Deus in actione morali et studiosa est primus motor, qui se habet ad voluntatem sicut carpentator ad securim; in actu autem vitioso Deus derelinquit illum actum et non movet, veluti securis si esset ex se recta;
10 mihi ista videntur deliramenta, neque intelligo quomodo, si sic esset, virtutes et vitia essent nostra. Sed manifeste est ponere fatum. Unde sic dicentes, ut mihi videtur, contendentes destruere fatum, constituunt fatum. Et sic terminatur tertius liber. |812|

4 et *ante* homines *omm* Eγ ed. — 5 intelligi *hic* L² *ad in mg.* « hic deficit una particula ». — 7 sit primus ω; et primus L. — 10 mihi: nisi b ed. — deliramenta: determinata ω L (determinate E). — 14 Explicit Liber tertius *add* AMBL. — Finis tertii libri *ad* G.

INCIPIT LIBER QUARTUS

Caput primum in quo ponitur intentio, et adducuntur quaedam argumenta contendentia ostendere divinam providentiam et liberum arbitrium non posse
5 *simul stare.*

(1) In superiori volumine visum est de libero arbitrio et de Dei providentia secundum se et non conferendo unum ad alterum. In hoc vero intendimus videre an liberum arbitrium et providentia divina possint simul cohabitare. Ut
10 nanque dicit Boetius in V *De Consolatione*, haec est antiquissima dubitatio, quam etiam Cicero in libro *De Divinatione* movit. (2) Difficultas autem est quoniam cum scientia et opinio distinguuntur, quoniam ut dicitur I *Posteriorum* scientia est cum certitudine quod perfe|813|ctionem dicit, quare
15 a Deo semovenda non est, opinio autem est cum formidine, quod aperte sine imperfectione esse non potest, unde Deo nullo pacto attribui potest, quoniam sic Deus imperfectus esset; haec igitur praevidentia Dei debet esse cum certitudine, quod falli neque variari potest. Verum ex altera parte
20 liberum arbitrium est de contingenti et indeterminato. Qui igitur fieri potest ut liberum arbitrium, quod variabile et indeterminatum est, divinae providentiae subiiciatur, quae certissima et invariabilis est?

(3) Quare Stoici et Ciceroniani ista coire sive simul stare
25 non posse arbitrati sunt, quanquam aliter Stoici de partibus

1 Incipit Liber Quartus AMγ δι ed; et incipit quartus β; quartus liber de fato E; Petri Pomponatii De Fato Liber quartus ed; *omm tit* FH. — 2 ponitur: premittitur E. — 6-7 et Dei M ed. — 9 possunt β ed. — stare ω. — 12 cum *omm* αB ed. — 13 distinguantur L d. — 15 movenda ω ed. — 17 nullo modo γ. — tribui ed. — 18 praevidentia ALMd; providentia EB ed. — 19 neque falli ed.

10 *De Consol.*, V, prosa 4ª (Peiper p. 131): «Vetus, inquit, hac est de providentia querela». — 13 *Poster.*, I, 2. 72a 35 - b5 (Comin. de Tr. II, 12r C).

dixerunt quam Ciceroniani. Stoici nanque providentiam concedentes, negaverunt liberum arbitrium; Ciceroniani vero liberum arbitrium concedentes, divinam providentiam de actibus humanis de medio abstulerunt. Quorum quodlibet 5 veritati et religioni Christianae adversatur. (4) Amplius posteriores ad idem argumentantur: Quoniam si Deus nunc scit o|814|mnia quae ventura sunt et iam in millesimum scivit, cum igitur ad scientiam rei sequatur rem esse, quoniam non est scire quod non est, ut dicitur I *Posteriorum*, 10 sequitur igitur: si Deus scivit omnia quae erunt, illa erunt. Si igitur antecedens est necessarium, et consequens, ut ostenditur II libro *Priorum*. Ast antecedens simpliciter est necessarium, quoniam praeterita non possunt non esse praeterita, ut dicit Aristoteles VI *Ethicorum* approbans senten- 15 tiam Agathonis: «Hoc solo nanque privatur Deus quod genita non potest facere ingenita simpliciter». Ideo necessarium est ut omnia quae erunt, erunt quia non poterunt non esse. (5) Cum itaque actus humani erunt, et de necessitate, aufertur liberum arbitrium; nam necessitas et talis libertas 20 se excludunt: quod et 3° affirmant, quoniam omne scitum a Deo necesse est esse, aliter enim sua scientia non esset certa sed mutabilis, quod Dei perfectioni repugnat. Ast quaecumque ventura sunt a Deo sciuntur quoniam sunt sub eius providentia. Quare omnia fu|815|tura de necessitate 25 evenient. Sed actus humani evenient; non igitur a libero arbitrio evenient. Hae itaque sunt meliores rationes quae ut existimatur adduci possunt.

1 quam: aliter γ. — 6 argumentabantur δι ed. — 8 scientiam Dei E. — 10 illa erunt *om* ed. — 11 consequens est necessarium EM ed. — 12 libro *om* ω. — 13-14 non possunt esse praeterita δι. — 14 ut ait E. — in VI EM. — 15-16 ut genita b. — 16 possit ed. — ideo d ed; ergo E; igitur bC². — 20 Quod 3° ed. — affirmatur ed. — 25 evenient; non igitur *om* ed. — 26-27 quam ut existimo ed.

9 *Poster.*, I, 2. 71b 25. — 12 *Prior.*, II, passim. — 14 *Ethic.*, VI, 2. 1139b 9 (cf. supra, p. 72, 13).

Caput secundum in quo ponuntur communes responsiones, et dubitationes adversus easdem responsiones.

(1) Boetius itaque in dicto V libro *De Consolatione* subtiliter et ornate his dubitationibus intendens satisfacere, duas aut
5 tres dat responsiones parum, ut existimo, differentes.
(2) Prima itaque responsio, in qua multam contrahit moram, est quod nihil prohibet scientiam in se esse certam, quanquam illud de quo est scientia in sui natura est incertum; quoniam cognoscens non necessario sequitur naturam co-
10 gniti. Quod ostendit per sensum et sensibile, imaginationem et imaginatum, intelligens et intellectum in nobis; quanto magis igitur in divino intellectu! Quare nihil inconvenire dicit actus humanos in |816| sui natura incertos esse, apud tamen Deum certos esse. Unde fit ut certa providentia in
15 Deo non repugnet indeterminationi liberi arbitrii in se.
(3) Secunda autem responsio, a prima parum differens ut existimo, ab eodem in eodem libro ponitur, quae est: Nihil inconvenire aliquod relatum ad unum habere dispositionem oppositam ut ad alterum comparatur; quare non inconvenire
20 humanos actus ut relatos ad divinam scientiam esse necessarios, ut vero relatos ad se ipsos seu ad causas contingentes esse contingentes. (4) Et haec responsio ut in pluribus a modernis Theologis substinetur exemplificantibus de conclusione quae sequitur ex maiori de necessario et minori de
25 contingenti, quae tamen sequitur contingenter, ut dicitur I *Priorum*. Quare etsi iste effectus sit necessarius in ordine ad maiorem quoniam habet causam necessariam (ipsa nanque ponitur necessaria), in ordine tamen ad minorem est contingens; et quoniam effectus magis sequitur causam

6 multam: nullam ω L. — 19 oppositam *om* ω. — 23 exemplificantibus E; exemplificantes (exempli facientes M) *cett.* — 24 et: ex ed.

6 *De Consol.*, V, prosa 4ª (Peiper p. 133). — 17 *De Consol.*, V, prosa 6ª (Peiper p. 142-143), cf. supra, p. 176, 3 n. — 26 *Prior.*, I, 16. 35b 23 sqq.

proximam quam remotam, ideo abso|817|lute dicitur contingens, quanquam et quoquomodo dicatur esse necessarius. (5) Dant et exemplum de planta quae quanquam producatur a causa necessaria, ut puta sole, et contingenti, ut puta
5 semine, magis tamen dicitur effectus contingens quam necessarius. Quare quanquam scientia Dei sit necessaria, et in ordine ad eam actus humanus sit necessarius, in se tamen et ut a voluntate producitur est contingens; neque haec simul iuncta aliquam incompossibilitatem claudunt. (6) Tertia eius
10 Boetii responsio est quod nihil inconvenit aliquod absolute esse contingens quod tamen sub conditione est necessarium; veluti me habere navim est contingens, est tamen necessarium si transfretaturus sum. Quare actus humani simpliciter sunt contingentes; ut tamen stant sub divina providentia
15 sunt necessarii. Quare non inconvenire contingentiam et indeterminationem stare cum necessitate et determinatione, si non utrinque eodem modo sumantur, videlicet contingentiam simpliciter et necessitatem conditionatam, in|818|determinationem simpliciter et determinationem conditiona-
20 tam. Nam II *Elencorum*, contradictio est ad idem per idem et secundum idem.

(7) Ad secundam vero dubitationem non respondet Boetius, quoniam neque eam adducit; et similiter tertiam. Verum posteriores, ut divus Thomas in prima parte *Sum-*
25 *mae* [et] in articulo ‹13› XIIII[ae] quaestionis; et tandem reprobatis nonnullis responsionibus quas non est opus nunc recensere, sic respondet quod consequens est necessarium non absolute, quamvis antecedens sit simpliciter necessarium; quoniam in his quae subiiciuntur actui intellectus et volun-

4 pote b (*bis*). — 9 adiuncta ed. — eius: est L; *omm* E ed. — 10 Boetii *om* E. — 17 si vero AM ed. — utrumque . . . sumatur ed. — 18-19 et necessitatem . . . simpliciter *omm* Mδι. — 20 II *sic cunct.* — 23 neque similiter ed. — 24 et Divus MCδι ed. — 25 art. 3 d ed; *om* b. — XII qu. ed. — 25-26 eadem reprobatis ed.

9 *De Consol.*, V prosa 6[a] (Peiper, p. 143). — 20 *Soph. Elench.*, I, 15, 174a sqq. Cf. supra p. 140, 16. — 24 Thom. Aquin., *Summa Theol.*, I[a] pars, qu. 14 art. 13 ad 2[um] (Leon. IV, p. 187a).

tatis, tantum est in eis necessitas quantum subiiciuntur et ut subiiciuntur intellectui et voluntati. Quare futura non sunt necessaria nisi quatenus sunt a Deo praevisa. Unde hoc procul dubio conceditur, videlicet quod futura de necessitate
5 erunt non simpliciter, sed quatenus sunt a Deo praevisa.

(8) Ad tertiam idem Thomas respondet distinguendo propositionem: Omne scitum a Deo necesse est esse. Quoniam secundum sensum divisum, maior est falsa; secundum vero compositionem maior est vera. Sed non plus dicit an minor
10 sit vera vel falsa, vel an conclusio se|819|quatur; puto tamen ipsum intendere quod conclusio non sequitur, quoniam minor fortassis est contingens, et ex maiori de necessario et minori de contingenti non sequitur conclusio de necessario.

(9) Hae igitur sunt communiores responsiones quas, nisi
15 gravissimi viri eas invenissent vel approbassent, certe dicerem esse deliramenta et illusiones pueriles; verum virorum autoritas me terret. Tamen dicam quae mihi dubitationem ingerunt in his responsionibus.

(10) Prima nanque responsio Boetii nullo modo videtur
20 esse tolerabilis. Dicit enim: Quod ex natura sua est indeterminatum, apud tamen Deum est determinatum. Si enim

1 necessitatibus ed. — 3-5 Unde hoc . . . praevisa *omm* Cδι ed. — 6 Ad tertiam EM ed; Ad tertium *cett.* — 9-10 sed non plus . . . sit vera *om* ed. — 11 sequatur ed. — 12 maior ed. — 12-13 et minori . . . de necessario *omm* δι ed.

6 Thom. Aquin., *loc cit.*, ad 3um (Leon. IV, p. 187b). — 15 sqq. Cf. Cajetan., *In Thom. Aquin. Sum. Theol.*, 1a pars, qu. 14 art. 13: «Et quidem ratio (*Thomae*) est bona sufficiensque, sed non est sola: quare cave ne fallaris» (Leon. IV, p. 193b, n. XXXVIII). Ipse Cajetanus per longum processum (*ibid.*, pp. 187-193) conatur alias responsiones dare pro Thomae substentatione: «Ad has obiectiones respondendo, praemitto quod iste locus ab adversantibus judicatur plenus contradictionis et erroris: a sequentibus autem doctrinam S. Thomae reputatur adeo obscurus, ut neminem hactenus viderim, sive scripto, sive verbo, assertive tueri hoc dictum. Et me jam annis forte quindecim fateor latuisse. Sed nudiustertius, dum super commentatione huius articuli meditarer, illuxit (ut arbitror divi Thomae ope) veritas plana et in manifesto posita . . .» (Leon. IV, p. 188b, n. X).

hoc esse posset, nulla est ratio quare Deus impossibilia scire non posset, quod tamen est impossibile; nam quod scitur, est; quod est, esse potest; et sic impossibile esset possibile. (11) Patet autem illatio; quoniam ‹non› ex alio
5 impossibile a Deo sciri non potest nisi quoniam ex natura sua (si naturam impossibile habere potest! sed sumitur natura pro conceptu intrinseco) repugnat esse; quare cum de intellectu intrinseco futuri contingentis sit indetermina-|820|tio, quomodo determinate sciri potest? intelligitur enim sic
10 sub conditione repugnante principiis suis. (12) Praeterea si determinate scitur a Deo, intuitus divinus fertur super unam partem determinatam; et non tantum super illam determinate fertur, verum et illam cognoscit determinate esse veram et alteram determinate esse falsam. Si autem scit, exempli
15 gratia, A determinate esse verum, ergo A determinate est verum, ergo in natura est A determinatae veritatis; quod repugnat concesso. (13) Neque ratio qua ducitur Boetius est vera. Dicit enim quod cognoscens non sequitur naturam cogniti, quare stat cognoscens esse determinatum, cognito
20 existente indeterminato. Nam ut in praecedenti libro abunde diximus, quoad adaequationem et repraesentationem oportet esse similitudinem; aliter non esset vera cognitio neque veritas consisteret in adaequatione. Quare oportet ut in cognoscente repraesententur principia quae sunt in cognito;
25 quod si opposita repraesentantur, cognitio non est vera. Si igitur cogniti princi|821|pia sunt indeterminata, immo indeterminatio est de conceptu contingentis futuri, si in Deo repraesentantur determinata principia sic intelligendo

2 possit B ed. — 3 est *post* quod *omm* M ed. — possit ed. — esset possibile *om* ed. — 4 ‹non› *omm cunct.* — 6 natura ed. — habet impossibile ω L ed. — impossibilem ed. — 7 extrinseco cum repugnet ed. — 8 intrinseco *omm* Cδι. — 12 illam: illa parte ω; illam partem ed. 14 alteram determinatam ed. — 14-15 exempli gratia *omm* MGδι. — 15 determinate verum ed. — 23 consisteret *sic* ω; existeret β δο ed; existit γ. — 25 et si ed. — 26 Si vero ed.

20 Cap. 14; p. 314, 5: ad quintam.

quod determinatio sit de conceptu contingentis, falsa est cognitio. Scire autem hoc esse determinate verum, est scire indeterminatum esse determinatum; quod implicat contradictionem. (14) Verum tamen est quod non qualis est dispositio cogniti, talis est dispositio cognoscentis quoad reliqua quae non se tenent ex parte repraesentationis et adaequationis, ut pote quod sit causa vel effectus, et de his quae sunt extra naturam adaequationis et repraesentationis, ut manifestum est.

(15) Unde et secunda responsio quasi per eadem removetur. Dicit enim: Quod in natura sua est contingens, in natura autem scientiae divinae est necessarium; sive, relatum ad scientiam divinam est necessarium, relatum vero ad causam contingentem est contingens. (16) Si enim ut est in divina scientia est necessarium, cum universaliter scientia rei infert rem, si scientia est necessaria, res ipsa erit necessa|822|ria; quare in natura sua erit necessaria et non contingens; quod repugnat concesso. (17) Praeterea cum dicitur quod contingens ut est in scientia Dei est necessarium, aut intelligitur quod contingens de necessitate sequitur ad scientiam Dei, sic quod sequitur: Deus scit A, ergo A est, sic quod sit necessitas consequentiae et non consequentis, ut communiter dici solet; aut quod est necessario, quoniam repraesentatur in necessario, quoniam in Deo; aut quoniam est de obiecto necessario, quod est proprium scientiae necessariae: nam dicitur necessaria, quoniam quod scitur impossibile est aliter se habere. (18) Si detur primum, certe non magis contingens est necessarium ut scitur a Deo quam ut scitur a Socrate; sicuti enim recte infertur: Deus scit A, ergo A est, sic sequitur: Socrates scit A, ergo A est. (19) Si vero dicatur quod dicitur esse necessarium quoniam repraesentatur in necessario, sic et opinio et indeterminatio erunt

1 futuri *post* contingentis *ad* D *sed subducta lin. delev.* — 7 ut de his L d ed. (iis δo). — 10 eamdem M ed. — 15-16 scientia Dei FG. — 20 intelligere α δη ed. — 21 sicque ed. — 23 in necessario d ed.

necessaria, quoniam in necessario repraesentantur; et cum
hoc non est ad propositum (quoniam |823| contingens non
dicitur determinate sciri quoniam est in determinato: sic
enim dubia quae sunt in intellectu nostro essent determinata
5 quoniam sunt in determinato), restat igitur ut dicatur necessarium in scientia Dei, quoniam est de obiecto necessario
illa scientia, ut est proprius modus accipiendi necessariam
scientiam. (20) Scientia enim dicitur esse certa non quia ex
scientia sequatur absolute scitum, neque quoniam sit in
10 certo, sed quoniam certum et determinatum repraesentat.
Quare Aristoteles I *Posteriorum* dixit: « Quare cuius est scientia simpliciter, hoc impossibile est aliter se habere ». Et non
dixit: Illud de necessitate sequitur ex ea; neque ut repraesentatur: repraesentatur enim certo. Scientia enim dicitur
15 necessaria quoniam est de obiecto necessario; et pariter
certa. Unde et opinio dicitur incerta quoniam est de obiecto
incerto, et non ex alia causa proprie et secundum naturam.
Quoniam etsi de aliquo quod in se certum est opinamur,
hoc est ex nostro defectu; verum de incerto secundum se,
20 proprie est opinio. |824| (21) Quapropter si contingens certi-
tudinaliter scitur a Deo, cum certitudo sumat esse certitudinis ab obiecto et non a subiecto in quo est, neque quoniam
de necessitate aliquid repraesentat, si scientia Dei est certa,
obiectum est certum. Dicere ergo quod contingens in se est
25 incertum et ut scitur a Deo est certum, est dicere scientiam
certam esse de obiecto incerto, et scientiam immutabilem
de re mutabili. Quare Aristoteles somniasset cum dixit:
« Quare cuius est scientia, hoc impossibile est aliter se habere ». Universaliter enim certitudo et incertitudo cognitionis

1 cum *om* ed. — 3 in determinato αL δι (A *in correct.*); indeterminato C^2BH (B *in correct*); indeterminatio AMBH (AB *ante correct.*); indeterminatum γ ed. — 6 necessaria ed. — 11 Quare Deus est ed. — 14 repraesentatur *ante* enim *omm* EH. — repraesentatur in certo C. — certe E. — 17-20 proprie... opinio *om* b, sed L^2 *ad. in mg.* — 23 aliquod ALCδε. — 26 ab obiecto ω. — 28 scientia simpliciter E.

11 *Poster.*, I, 2. 71b 15 (Cf. infra p. 338, 3). — 19 Cf. L. M. Régis, *L'Opinion selon Aristote*, 1935, pp. 93-108.

est ex obiecto, ut est notum omnibus philosophis. Implicat ergo contradictionem dicere: ut est in scientia, est necessarium vel certum, in se tamen est contingens vel incertum.

(22) Quod autem dicebatur de exemplis: Quoniam maiori
5 existente necessaria et minori de contingenti non sequitur conclusio necessaria; et quod planta relata in corpus caeleste est necessaria, ad semen tamen est contingens. (23) Huic dicitur de primo quod conclusio illa con|825|tingens relata ad maiorem necessariam minime est necessaria, neque maior
10 infert conclusionem absolute sine minori, ut manifestum est. Quare si maior sine minori inferret conclusionem, procul dubio conclusio esset necessaria. Verum res scita a Deo infertur simpliciter a scientia Dei; nam si Deus scit esse vel fore vel fuisse, sic de necessitate sequitur. Falsum igitur
15 assumebatur fundamentum, quoniam conclusio relata ad maiorem non est necessaria neque maior infert conclusionem sine minori. (24) Quare et ad secundum exemplum falsum assumitur quod planta relata ad caelum sit necessaria; immo caelum sine particulari agente non potest producere plan-
20 tam. Unde falsum assumitur etiam quod aliquid ex natura intrinseca sit contingens et ut refertur ad alterum sit necessarium; quoniam necessarium et contingens sunt opposita, et principia intrinseca rei non possunt esse opposita, quoniam sic opposita essent simul, cum principia intrinseca
25 sint in re principiata; quanquam conditiones oppositae successive pos|826|sint esse in eodem tanquam in subiecto, et relationes oppositae vel diversae esse in eodem: veluti similitudo et dissimilitudo, magnum et parvum. (25) Idem enim est simile et dissimile, et magnum et parvum, in compa-
30 ratione ad diversa; sed idem non est homo et non homo, neque in se neque ad diversa. Quod si aliquis homo alteri comparatus aliquando dicitur homo, alteri vero comparatus dicatur bestia et non homo, non est quoad naturam et principia intrinseca, sed quoad accidentia et quamdam similitu-

11 Quia ed. — 17 et *om* ed. — 27 esse *om* ed. — 33 dicitur γ.

dinem et metaphoram; non autem secundum veritatem. (26) Quare quod natura est contingens nunquam fit necessarium, cuicunque comparetur, nisi similitudinarie; aliter enim una natura transmutaretur in alteram, et sic homo
5 posset fieri asinus, quod esset impossibile, quanquam ex homine veluti materia transeunte potest fieri asinus. (27) Neque propter hoc negamus quod contingens [non] possit semper esse, quoniam Deus ex sua potentia potest perpetuare corruptibile; sed non potest facere quod corruptibile
10 sit incorruptibile: corruptibilitas nanque et incorru|827|ptibilitas sunt de principiis intrinsecis vel consequentia principia intrinseca, quae Deus non potest variare. Unde non potest Deus facere quod sit homo sine materia, ad quam sequitur corruptibilitas; potest tamen, secundum fidem, suspendere
15 actum corruptionis, quanquam non secundum philosophos, quoniam Deus de necessitate agit secundum eos.

(28) Unde concludentes dicimus: Quod in se est contingens, Deo comparatum non est ex natura necessarium; quare si contingens certe et determinate sciretur, cum scientia
20 capit certitudinem ab obiecto, veluti necessitatem (dicitur enim scientia necessaria cognitio quoniam est de obiecto cognito necessario, sicuti dicitur scientia rationalis vel intentionalis ab obiecto et non a subiecto in quo est), quare si cognitio Dei est certa de aliquo, oportet illud esse certum.
25 Unde certe cognoscendo contingens et indeterminatum, oportet contingens esse certum et determinatum. (29) Neque propter hoc dico quod si cognitum est certum et determinatum, co|828|gnitio quae haberetur de eo est certa et determinata; quoniam opinio haberi potest de eo quod est certum
30 et determinatum in se. Sed plus requiritur ad hoc quod

2 naturae ed. — 3 comparatur ed. — 7 non possit *sic cunct.* — 17 concludendo ω. — 20 capiat G ed. — 22 sic dicitur ed. — 28 habetur ω L.

3-6 Cf. *Introductorium in astronomiam Albumasaris Abalachi.* E. Ratdolt. 1489, I, cap. 3um: «secunda (proprietas speciei) quod non resolvitur altera in alteram: ut homo nusquam fit asinus» (fol. a 7r).

cognitio sit certa et determinata; oportet enim quod cognitio sit per determinata principia. Unde est fallacia consequentis argumentari a certitudine obiecti ad certitudinem cognitionis. (30) Iterum probatur quod de re incerta in se
5 non potest haberi cognitio certa: Quoniam certa cognitio habetur de re habente causas et principia cum sumus certi habere illa, ut dicitur in principio *Phisicorum*; si igitur certa habetur cognitio, hoc est ratione certitudinis principiorum eius. Sed contingentis principia sunt incerta; hoc enim est
10 de ratione contingentis. Igitur de contingenti qua contingens est certitudo haberi non potest. (31) Quod et iterum firmatur: Nam certe cognoscere aliquod est quod aliter esse non possit ‹quam› ut cognoscitur: hoc enim est de conceptu certae cognitionis. Si igitur Deus certe cognoscit partem
15 contradictionis con|829|tingentis, aliter esse non potest quam ut ipse cognoscit. Ergo oppositum esse non potest. Sed in contingenti, utraque pars contradictionis esse potest. Ergo eadem pars simul esse potest et non potest esse. Quare relinquitur impossibile esse aliquod in sui natura esse con-
20 tingens, et tamen quod certe cognoscatur.

(32) Tertia etiam responsio Boetii non minus prioribus videtur esse invalida. Dicit enim quod actus humanus est simpliciter contingens, sed necessarius ex suppositione; nam pro quanto cadit sub scientia divina est necessarius, simpli-
25 citer tamen est contingens. (33) Imprimis enim non plus hoc dici potest de Deo quam de homine; nam quamvis te currere sit contingens, ut scio tamen te currere est necessarium; quare non plus difficultas locum habet de Deo quam de quocunque alio sciente. (34) Secundo: Quoniam
30 actus humanus futurus si est simpliciter contingens, aut intelligitur quod ideo est contingens quoniam non semper necesse est esse; et hoc non est ad propositum quanquam sit

2 per certa et determinata ed. — 3 argumenti ed; argumentando AM; arguendo E. — 7 primo Phisicorum ed. (p° E). — 9 necessaria ω. — 13 quam *omm cunct*; quam ut: quod ω (*cf. infra*, 337, 9). — 22 est *om* ed. — 29 de quolibet γ.

7 *Physic.*, I, 1. 184a 9 sqq.

verum, quoniam |830| loquitur hic de necessario, i. e. inevitabili, eo modo quo dicimus diem crastinam fore necessariam, non quidem quoniam semper erit, sed quoniam est inevitabile ipsam esse secundum communem cursum. Si vero
5 dicatur quod est contingens humanus actus quoniam potest nunquam esse, stante Dei scientia de eo quod erit, istud est impossibile, quoniam scientia est de eo, si certa est, quod aliter esse non potest; quomodo igitur si A, exempli gratia, est obiectum scientiae, aliter se haberi potest et potest sim-
10 pliciter nunquam esse? (35) Amplius, quoniam scientia quam habet Deus de parte contradictionis est intuitiva quae exigit rem praesentem; si autem res est praesens, quomodo pro praesenti instanti potest non esse? licet enim poterit non esse ut respicit futurum, non tamen pro praesenti: per
15 nullam enim potentiam hoc fieri potest. Quare non est tale contingens quod totaliter possit non esse.

(36) Responsio etiam divi Thomae ad secundam argumentationem non videtur posse stare. Primo quoniam conclusio non deberet sic inferri: Deus scivit te futurum, ergo tu
20 eris; sed sic: Ergo tu eris qua De|831|us scit te esse futurum; quod tamen est falsum, quoniam *Posteriorum* I dicit Aristoteles: « Verum quidem oportet esse, quoniam non est scire quod non est »; ubi absolute dicit 'verum', et non dicit 'qua scitur esse, verum oportet esse'. (37) Amplius impossi-
25 bile est in consequentia bona antecedens esse necessarium absolute et consequens cum conditione sive ex suppositione; quoniam dempta suppositione, consequens non erit, sed dempta suppositione, antecedens erit, quoniam absolute est verum. Non igitur consequentia fuit bona, quoniam stat
30 verificari antecedens non verificato consequente.

1 loquimur E. — i. e. *om* ω. — 8-9 esse . . . aliter *om* ed. — 9 habere ω B ed. — haberi non ed. — 13 poterit: ponatur ω. — 14 instanti potest non esse *post* praesenti *ad* F. — 20 quia Deus ωB (*cf. infra lin. 24*). — 28 consequens ω.

21 *Post.*, I, 2. 71b 24-26 (Comin. de Tr. II, fol. 7vF: « Vera quidem igitur oportet esse: quoniam non est non ens scire »).

(38) Responsio etiam ad tertiam videtur esse illusio et involutio, neque est vera in se. Negat enim omne quod est scitum a Deo necesse est esse in sensu divisionis. Ast ista est vera: Quoniam si A scitur a Deo et non necesse est esse A, ut
5 dicebatur contra tertiam responsionem Boetii, obiectum certissimae scientiae potest aliter se habere quam ut per scientiam habetur; quod est contra rationem obiecti scientiae. Si igitur A est |832| obiectum scientiae Dei, non potest aliter A se habere quam ut per Dei scientiam repraesentatur.
10 (39) Amplius quoniam talis scientia est intuitiva; quod intuetur, pro tempore vel mensura qua intuetur, non potest non esse; quare propositio assumpta verissima est. Sic itaque mihi videtur quod istae responsiones sint involutiones et ligationes maiores ipsis argumentationibus, salva tamen
15 veritate et modestia observata.

Caput tertium in quo ponuntur responsiones aliae ad primas dubitationes.

(1) Cum itaque communes responsiones mihi non satisfaciant, ideo alium modum respondendi imaginatus sum, qui
20 quanquam extraneus fortassis videbitur propter inusitationem, tamen ipsum scribere non desistam; quoniam si bonus erit, Deo gratias agamus a quo omnis veritas et bonitas procedit, si autem malus et falsus, existimo mihi monstrabitur falsitas; quare sic monstrantibus eis me debere confitebor.
25 (2) Dico igitur: omni|833|um quae fuerunt, quae sunt et quae erunt et etiam quae possunt esse, Deus perfectam et exactissimam cognitionem habet, non solum in specie specialissima, ut existimo peripateticos tenuisse, verum usque ad individua. Sciendum tamen est quod omnium futurorum

2 consequentia *post* neque *ad in mg.* E. — 4 quoniam *om* ed. — et ut Gδo ed. — 6-9 scientiam . . . ut per *om* L. — 9 A *ante* aliter γ; *post* aliter BFH; in δι ed; *om* ω. — 18 communes αβC² (nos C¹); omnes *cett.*

22 Cf. *Joan.*, 15: 26. — *Jac.*, 1: 17.

Deus scientiam habet, et ut futura cadunt sub Dei scientia, aliter esse non possunt; quoniam obiectum scientiae aliter se habere non potest, iuxta illud I *Posteriorum*: « Quare cuius est scientia simpliciter impossibile est aliter se habere. »
5 (3) Verumtamen est differentia inter futura. Quoniam aliqua futura, antequam sint, habent determinatas causas; unde non solum Deus, verum et intellectus creatus, immo et humanus intellectus, antequam sint in actu, talia futura determinate et certe scire possunt, quoniam suae causae sunt determina-
10 tae et certae. Unde bonus Astrologus scit puntaliter dicere de eclipsi futura quanquam eclipsis actualiter non sit. (4) Et ista verius dicuntur inevitabilia quam necessaria; vel si admittitur nomen necessitatis in his, dicenda |834| sunt necessaria pro tali tempore, non autem absolute; et talia puto
15 quaecunque non sunt in potestate voluntatis. Unde ut diximus in primo libro huius negocii, non video quin talia [non] sint determinata in se ratione suarum causarum, et inevitabilia. (5) Quaedam vero sunt futura quorum exitus est in potestate voluntatis, et non habent causas determinatas na-
20 turales, sed eorum determinatio est in voluntate et stat ad ipsam voluntatem. (6) Et loquendo de talibus, nullus intellectus creatus potest habere certam cognitionem de eis antequam actu sint, quanquam coniecturalem habere potest, secundum tamen magis et minus; veluti de eventu belli
25 prudentior homo magis firmum iudicium afferre potest

5 differentiam D. — 7 2m et *om* ed. — 9 scire E ed; sciri *cett* (M *haplog.*). — 9-10 scire ... et certae *om* M. — 10 puntaliter EMδο; punctualiter Aβγ ed (B *correx. ex* pontualiter). — 16 [non] *add cunct* — 17 sunt ed. — 23 sunt ed. — conclusionem ed; conaturalem E; ea naturaliter M. — 25 homo: non ed.

3 *Poster.*, I, 2 .71b 15. (Cf. supra, p. 332, 11; 28). Vid. etiam *Ethic.*, VI, 3. 1139 b18 (Comin. de Tr. III, 250v F): « Omnes enim id quod scimus non posse aliter sese habere existimamus ». — 16 Cap. 6; supra p. 28, 2 sqq. — 24 sqq. cf. Thom. Aquin., *Opusculum De Fato*, art. IV (ed. P. Mandonnet, *S. Thomae Aquin. Opuscula omnia*, V, 1927, p. 409). Ps.-Ptolom., *Centiloq.*, Verb, I, VII, VIII (Cf. supra p. 212, 6 sqq.).

quam minus prudens, quanquam neuter certum et firmum iudicium afferre potest. Cum vero sunt actu, quoniam determinata sunt, certe et determinate cognosci possunt ab intellectu creato. (7) Respectu autem Dei, loquendo de his
5 quando tales actus sunt in potentia et in suis causis, certe et determinate a Deo |835| cognosci non possent nisi ipsi Deo tempus in quo erunt illi actus esset praesens. Quo fit si in aeternitate, quae tota simul est ut patet ex diffinitione eius, Deus cognoscit quando sunt in potentia et in suis causis,
10 ideo cognoscit quoniam tempus, quod est exempli gratia primus annus futurus, ipsi aeternitati est praesens. Si autem in eadem aeternitate videt et cognoscit quod actu sunt, pro tanto videt et cognoscit pro quanto tempus in quo haec erunt determinata est etiam eidem aeternitati praesens.
15 (8) Quare si in aeternitate utramque partem contradictionis videt, non tamen secundum eandem temporis rationem; nam unam partem contradictionis videt quoniam tempus in quo verificatur illa pars est aeternitati praesens, aliam vero partem videt secundum quod tempus in quo verificatur altera
20 pars contradictionis aeternitati est praesens. Et quanquam tempora non simul sint in se, ut tamen sunt in aeternitate sunt simul; et ubi apud voluntatem sive cognitionem nostram exigitur diversitas realis temporis, in aeternitate sufficit diversitas rationis. (9) Neque hoc mi|836|rum et extraneum
25 videatur; nam quod diversae naturae faciunt in creaturis, una natura facit in creatore. Unde aliud calefacit, aliud infrigidat in istis inferioribus; veluti ignis calefacit et aqua infrigidat, quae sunt distincta. Unum autem corpus caeleste utrumque facit, non tamen secundum eandem partem vel
30 saltem secundum eandem dispositionem; nam aut per diversam stellam calefacit ab ea per quam infrigidat, aut secundum propinquitatem et remotionem. Deus autem utrunque per

7 praesens Deo *cunct praeter M.* — 10 ideo: non ed. — 12-13 quod actu. . . cognoscit *omm* B ed. — 17 nam: hanc ed. — 21 tempora: ipsa ed. — 30 secundum eamdem *post* saltem *omm* E ed. — nam aut: natura autem ed.

eandem rem facit, quoniam in Deo non cadit diversitas secundum rem, sed tantum secundum rationem. (10) Quare si humanus intellectus est incertus de futuro eventu et aliquando certus, non potest secundum idem tempus realiter esse certus et incertus; verum istae dispositiones diversae exigunt realiter diversa tempora. Deus autem ipse, qui tempore non mensuratur, in sua aeternitate, quae tota simul est et circuit omne tempus, utrunque simul videt; non tamen secundum eandem rationem sed secundum diversam, quemadmodum satis abunde dictum est.

(11) Un|837|de faciliter ad dubitationem et caetera quae adducta sunt respondetur. (12) Cum itaque dicitur: Si Deus cuncta videt et certitudinaliter videt effectum futurum, effectus ergo futurus non potest non esse; sed quod non potest non esse, necesse est esse; quod necesse est esse, non est contingens esse, ut dicit Aristoteles in II *Perihermeneias*; ergo quod est contingens esse omnino non est contingens esse, quod contradictoria claudit. Quare et tollitur liberum arbitrium; necessitas enim non stat cum libero arbitrio, ut hic loquimur de libero arbitrio. (13) Huic dicitur secundum ea quae dicta sunt quod Deus certitudinem non habet de tali eventu futuro qua futurum est et respicit tempus in quo effectus ille erit in suis causis, sed secundum istam rationem tantum scit et potest scire quod potest esse et potest non esse. (14) Quod si de tali eventu futuro certitudinem habet (quoniam revera habet), habet ut est extra suas causas et respicit tempus illud in quo erit extra suas causas et ut tale tempus est praesens aeternitati; quare qua de tali eventu certus est, non potest non esse |838|, quoniam res quae est extra suas causas aut actu est, aut actu fuit; et si fuit, non

5 et incertus *omm* d ed. — 9-10 diversam ω; diversa *cett.* — 16 ait E. — in *om* ed. — 17 omnino ideo Gδη; omnino *omm* ω B ed. — 18 tollitur totaliter Gδη ed. — 20 ut hic . . . arbitrio *omm* B ed. — 22 futurus E ed. — 26 vel habet ut ωB.

16 *De Interpret.*, 9. 18b 13-14; 13. 22a 14 sqq. (Comin. de Tr. I 54r-56r: de propositionibus modalibus.)

potest non fuisse, et si est, non potest non esse pro illa mensura qua est; quare tunc inevitabile est quin sit. Quocunque igitur modo Deus scit ipsam rem secundum illum sciendi modum, obiectum est impossibile aliter se habere
5 et inevitabile est. (15) Unde ut Deus est sciens eventum futurum qua futurum et in potentia, eventum illud potest esse et non esse, et indeterminatum est; quare de necessitate effectus ille poterit esse et non esse, quoniam ut sic respicit hunc Dei scientia. Ut vero Deus est sciens ipsum determi-
10 nate, quoniam ut sic est extra suas causas, ideo non potest ut sic aut non esse aut non fuisse. (16) Quare cum utraque scientia sit certissima, certissime et inevitabiliter infert suum obiectum, secundum tamen proportionem convenientem videlicet, cum cognoscit qua futurum et in potentia, certissime
15 cognoscit quod potest esse et non esse, et hoc sub tali cognitione est inevitabile aliter esse; cum vero cognoscit secundum quod est extra |839| suas causas, non potest ut est extra suas causas non esse aut non fuisse.

(17) Quare fatua est illa argumentatio quae communiter
20 in hac difficultate adduci solet. Consuevit enim sic argumentari: Si Deus de contingenti futuro est certus ut puta quod Socrates peccabit, aut igitur Socrates poterit non peccare aut non poterit; si non poterit, de necessitate peccabit, non posse enim non peccare convertitur cum necesse
25 peccare; si vero poterit non peccare, qui fieri potest ut Deus sit certus quod Socrates peccabit? (18) Huic ergo dicitur quod Deus non est certus neque potest esse certus, stante libertate Socratis, quod ipse peccabit, qua Socrates peccaturus est et respicit futurum qua futurum est, et tempus in
30 quo erit in potentia ad istud peccatum; sed tantum scit quod potest peccare et non peccare. Ut vero respicit tempus in

7 esse indeterminatum ed. — 9 hanc ed. — scientiam E ed. — 9-10 determinatum ed. — 14 futurum est et b (*cf. supra lin. 6a*). — 15 esse *post* potest *omm* AMBG d ed. — 22-23 poterit peccare ed. — 25 si non ed. — 26 igitur AL; autem B; *omm* ergo E ed. — Hinc βGδo. — 27 Deus *om* ed.

quo actu committit tale peccatum vel iam commisit, sic certus est et ut sic Socrates amplius non est in potentia ad tale quoniam iam consummata est, licet forte est in potentia ad aliud peccatum. |840| (19) Quare stante certitudine de 5 Socrate peccaturo, non est amplius in potentia ad illud; sed tantum dicitur esse in potentia quando est in suis causis peccatum, et ut sic Deus neque scit neque potest scire, stante libero arbitrio, determinationem partis. Quare nunquam certitudo potest falli neque aliter esse quam videt et co-10 gnoscit.

(20) Et per hoc ad secundam dubitationem. Cum dicebatur: Si Deus scivit Socratem peccaturum, Socrates peccabit; sed antecedens est simpliciter necessarium; ergo et consequens. (21) Huic dicitur quod illud antecedens: Deus 15 scivit Socratem peccaturum, in suo formali intellectu includit futurum; et ea quae futura sunt, ut sunt futura Deus non cognoscit nisi quod contingenter erunt. Unde si Deus scivit vel scit Socratem peccaturum qua peccaturus est, non cognoscit ipsum peccaturum nisi contingenter; quare Deus 20 cognoscit Socratem peccaturum contingenter. Sed ex isto antecedente non sequitur quod Socrates peccabit absolute sed contingenter; ex contingenti nanque et possibili |841| non sequitur esse in actu. Quare argumentum tamdiu evigilatum et tantas habens responsiones nullius est momenti, 25 neque oportet quantum ad hoc captivare mentem, quoniam satis apertum est nihil concludere. (22) Quod si dicatur:

16 et ut sunt futura ed. — 17 quod *omm* B ed.

25-26 Locutione « Captivare mentem in obsequium Christi » (*II Cor.*, 10: 5) Gregorius IX utitur in *Epistola ad Studii Parisiensis Magistros* data die 7ª iulii a. D. 1228 (Denifle-Châtel., *Chartular.*, I, p. 115) ad auctoritative significandum fidelem christiani philosophi submissionem erga revelatam doctrinam. A Stephano Tempier iterum adhibetur in propositionibus anno D. 1277 Parisiis damnatis eodemque in sensu (Denifle-Châtel., *Chartular.*, I, p. 544, art. 18): « Error, quia etiam philosophus debet captivare intellectum in obsequium Christi ». Cf. Cajetan., *In Thom. Aquin. Sum. Theol.*, 1ª pars, qu. 22 art. 4: « Ego tamen, non ut opponam me contra torrentem, nec asserendo, sed stante semper captivitate intellectus

Sumo Socratem peccaturum ut Deus cognoscit ipsum actum peccati esse extra suas causas et scitum certitudinaliter a Deo; patet quod ut sic infert Socratem actu peccare vel peccavisse, non autem peccaturum. Quare ut sic necessitatem
5 includit, ut dicitur II *Perihermeneias*; et sic etiam nihil adversus nos.

(23) Quare et ad tertiam dicitur quod omne quod scitur a Deo necesse est esse in quocunque sensu sive divisionis sive compositionis sumatur. Nam futurus eventus vel scitur
10 a Deo qua futurus est, et sic cum sciatur, scitur quod potest esse et non esse, ideo ut sic contingenter erit de necessitate; ut vero scitur a Deo qua erit extra suas causas, sic etiam non potest non esse aut non fuisse, quod convertitur cum necesse esse. Et sic in sensu diviso etiam est vera. De sensu
15 autem composito manifestum est. |842|

(24) Ex quibus patet quod illae illusiones sive involutiones sive intricationes quae in hac materia communiter dici solent, scilicet de sensu composito et diviso, et de necessitate consequentiae et non consequentis, non sunt necessariae

3 ut *om* ed. — 11 contingens E. — 14 esse *post* sic *ad* ed. — etiam *om* ed. — 17 adduci B.

in obsequium Christi, suspicor quod . . .» (Leon. IV, p. 270, n. VIII; cf. infra, p. 343, 18 n.). Talem intellectus captivitatem hic in casu argumenti cogentis tantummodo admittit Noster, quamquam et infra plus concedat (cf. infra p. 418, 2; 429, 4). Vid. Fr. de La Mothe le Vayer, *Dialogue sur la Divinité*: «Que si votre but a été, en m'instruisant des différentes et extravagantes pensées des pauvres humains sur ce thème divin, de me faire voir la faiblesse de notre ratiocination, quand elle entreprend si fort au delà de ses forces, et de me persuader par même moyen la captivité de notre intellect sous l'obéissance de la foi . . . » (ed. P. Tisserand, p. 146). — 5 *De Interpret.*, 10. 19b 5 sqq. — 18 sqq. Cf. Cajetan., *In Thom. Aquin. Sum. Theol.*, I[a] pars, qu. 22, art. 4 (Leon. IV, p. 270a, n. VIII-IX). Vid. Append. XVI. Cf. Fr. La Mothe le Vayer, *Dialogue sur la Divinité*: « Faisons donc hardiment profession de l'honorable ignorance de notre bien aimée Sceptique, puisque c'est elle seule qui nous peut préparer les voies aux connaissances relevées de la Divinité, et que toutes les autres sectes philosophiques ne font que nous en éloigner, nous entassant de leurs dogmes et nous embrouillant l'esprit de leurs maximes scientifiques, au lieu de nous éclaircir et purifier l'entendement» (ed. P. Tisserand, p. 150).

in hac materia neque liberant intellectum, sed potius sunt verba et furfura quam res et vera farina. Unde ego nunquam potui intelligere quid sibi vellent illa verba, et quomodo solveretur difficultas; immo mihi videtur quod illae intrica-
5 tiones ligant et perturbant intellectum, et homo in illis magis habet verba quam verborum intellectum.

Caput quartum in quo movetur quaedam dubitatio adversus ea quae dicta sunt, et solutio ad dictam dubitationem.

(1) Adversus autem ea quae dicta sunt insurgit dubitatio mihi
10 non facilis. Dictum est enim quod futura contingentia, qua futura sunt, Deus non determinate cognoscit, sed determinata |843| cognitio eorum tantum cadit super ea quatenus Deus inspicit tempus in quo aut erunt in actu, aut tempus in quo iam actum pertransiverunt. (2) Exempli gratia: So-
15 crates est in potentia ad peccandum A peccato in prima hora futura; in 2ª hora futura erit in actu peccati; post 2^{am} horam iam pertransivit peccatum. Secundum igitur responsionem datam, ut Deo est praesens prima hora et eam inspicit, non determinate cognoscit vel scit Socratem peccaturum;
20 ut vero respicit 2^{am} horam, scit ipsum peccare; ut caeterum vero tempus, scit ipsum peccavisse. Quare in duobus residuis temporibus determinatam et certam scientiam habet.
(3) Verum insurgit, ut mihi videtur, ardua difficultas. Quoniam, exempli gratia, cum Salvator noster dixit Petro
25 ante eius passionem: «Petre, antequem gallus cantet, ter me negabis», aut Salvator hoc dixit Petro ut inspexit tempus abnegationis, vel postquam negavit, aut inspexit tempus in quo erat Petrus in potentia ad negationem. (4) Si detur primum, tunc sequitur quod Petrus negando Christum non

4 illa quaestio seu difficultas ed. — 6 et perturbant intellectum *ad* E. — 9-10 mihi non facilis: ardua E. — 14 iam *om* ed. — 15 A peccato *omm* C ed. — 17 igitur iam ed. — 20 ut vero respicit . . . peccare *om* ed. — certum M ed.

25 *Matt.*, 26: 34. *Luc.*, 22: 61 (priusquam).

peccaverit. Quoniam ex |844| quo Salvator sic inspiciendo secundum dicta determinate scivit et, ut diximus, inevitabiliter, quoniam praesentia et praeterita inevitabilia sunt, ubi est inevitabilitas non est peccatum neque virtus, non
5 ergo peccavit Petrus. Quod tamen contradicit veritati Evangelicae: «Respexit enim Dominus ad Petrum, et egressus foras flevit amare», quare eum paenituit de peccato perpetrato; unde propter paenitentiam et dolorem et mentis amaritudinem meruit veniam. Et omnes Doctores concordes
10 ponunt Petrum peccasse, quanquam videatur discordia inter Augustinum et Hieronymum an fuerit mortale vel veniale tantum; de qua discordia non est praesens intentio. (5) Amplius sequitur quod libertas non peccandi per verbum Salvatoris fuerit ablata ipsi Petro, et quod Deus sic dicens fuerit
15 causa peccandi Petro; quod tamen impossibile est et contradicens sanctis Doctoribus. Impossibile quidem, quoniam Deus neque potest peccare neque esse causa peccati. Adversatur etiam sanctis Doctoribus, quoniam Orige|845|nes et Crisostomus et reliqui dicunt non ideo Petrum peccasse
20 quoniam Salvator sibi praedixerat peccaturum, sed quoniam Petrus peccaturus erat ideo Salvatorem praedixisse. Quare videtur quod nullo modo Salvator hoc dixerit ut inspexit illa tempora determinata. (6) Si vero ponatur quod Salvator dixerit Petro illud qua respexit tempus in quo Petrus erat in
25 potentia et tantum Deus cognovit quod contingenter erat peccaturus, non minora certe videntur sequi inconvenientia. Primo quidem quoniam non plus hoc Salvator potuit dicere Ioanni vel cuicunque alteri quam Petro; sicuti enim erat in potestate Petri Salvatorem negare, ita erat et in potestate
30 cuiuscunque alterius discipuli veluti manifestum est. Praeterea sic praedicere non arguit aliquam divinitatem neque admirabilitatem in Salvatore, quoniam et purus homo po-

6 Deus γH. — 22 videtur *omm* δι ed. — 29 potentia ed.

6 *Matt.*, 26: 75. *Luc.*, 22: 62. *Marc.*, 14: 72. — 12-13 m: «Non quidem de hoc peccati condemnant hi, sed de simulatione, ut patet ad Galat.» — 18 Cf. supra p. 190, 10.

tuisset sic praedicere. Praeterea discipuli si ei non credidissent non fuissent exprobrandi de infidelitate; ast hoc non videtur verum, quoniam videtur quod non credentes verbo Sal|846|vatoris, non credidissent eum filium Dei et sic non
5 credentes, dicta sua contempsissent. Amplius expresse hoc contradicit veritati Evangelicae; nam Matthaeus et reliqui apponunt verbo Salvatoris: Amen, quod certum significat; dicit enim Matthaeus: «Amen dico tibi, priusquam gallus cantet ter me negabis». Quare illa cognitio fuit certa se-
10 cundum dicta, et per consequens infallibilis et inevitabilis. Quare omniquaque angustiae et inextricabiles difficultates.

(7) Ad hanc autem dubitationem non temere neque pertinaciter adhaerendo, sed veritati et sanctae Romanae Ecclesiae me subiiciendo, dico ut mihi videtur quod Deus illud
15 dixit ut respexit tempus in quo Petrus non peccavit, sed tantum erat in potentia ad peccandum; neque fuit conveniens ut Salvator aliter diceret sive aliter intelligeret, immo quod neque potuit aliter intelligere ad manifestandum illud Petro. (8) Si enim respexisset tempus in quo Petrus peccavit
20 actu vel in quo iam peccaverat, tunc sic est inevitabile et amplius non esset in potentia Petri. |847| Quare cum Salvator illud Petro dixerit dum iam non exiverat in peccatum, immo firmiter credebat Petrus oppositum, quod patet per verba quae sequuntur; «Et si oportuerit me mori tecum
25 non te negabo», illud non posset esse verum nisi coacte Petrus peccasset et Deus fuisset causa peccati; quorum quodlibet est impossibile, nam neque peccatum potest esse coactum, neque Deus potest esse causa peccati. (9) Quod et firmatur, videlicet quod Deus illud Petro dixerit ut contin-
30 genter futurum. Nam taliter dixit Petro ut etiam dixit Iudae se traditurum; sed illud dixit ut admoneret ipsum et prae-

7 opponunt Lδι. — 8 antequam M. — 11 undique E. — 14 ut mihi videtur *om* γ. — 15 respiciendo ut respexit (*sic*) L. — 29-30 contingens ed. — 30 Non taliter ω.

8 *Matt.*, 26: 34 (antequam). *Matt.*, 26: 75. *Luc.*, 22: 61 (priusquam). — 24 *Matt.*, 26: 35.

caveret a proditione. Quod patet, quoniam ubi Salvator dixit: «Unus vestrum me traditurus est», subiunxit ad terrorem: «Bonum esset si natus non fuisset homo ille». Modo minae non respiciunt inevitabile, volebatque Salvator
5 Iudam a peccato praecavere. (10) Quod etiam per aliud patet. Nam multotiens iteravit consimilem sententiam. In lotione enim pedum dixit: «Vos estis mundi, sed non omnes»; et iterum cum dixit: «Quod facis |848| cito fac». Per quae omnia evidenter apparet Salvatorem illa omnia dixisse
10 admonitorie, neque conveniret ut Salvator aliter dixisset, quoniam sermo suus non fuisset ad salutem sed ad perditionem, et sic non omnis Christi actio esset nostra instructio, quod falsum manifeste apparet. (11) Unde consequenter concluditur quod aliquis viator de suo statu futuro, relicto
15 sibi libero arbitrio et potestate peccandi, non potest esse certus; ista enim mihi videntur implicare contradictionem, quae non cadunt sub divina providentia. Si enim certus est de statu futuro, impossibile est aliter se habere. (12) Et hoc loquendo ut certitudo non tantum se tenet ex parte
20 credentis, quoniam nullo modo dubitat; sed ex parte etiam obiecti sic quod aliter esse non possit. Loquendo enim primo modo de certitudine, sic etiam qui damnabuntur possunt esse certi de eorum salute, quoniam aliqui qui damnabuntur sine aliqua dubitatione credunt se fore salvandos; verum ista
25 non est vera certitudo. Unde loquendo de vera certitu-|849| dine, illud de quo certitudo habetur aliter esse non potest; sed si relicta est sibi potestas peccandi, aliter esse potest; quare opposita claudit illa propositio. (13) Deus autem qui

7 lavatione M. — praedixit L; ait E; dicit ed. — et vos AλC². — 8 dicit ed. — 10 conveniet ed. — 13 manifeste *sic* EMC ed; manifestum *cett.* — 16-17 ista enim . . . providentia *om* L. — 17 quae non: quomodo E. — 17 providentia AGC²F ed; potentia EM (G *ad in mg.*); po[a] B; p[a] C¹; providentia aliter potentia δη. — 27 aliter esse non potest d ed.

2 *Matt.*, 26: 31: «unus vestrum me traditurus est»; *Marc.*, 14: 18: «unus ex vobis tradet me». *Matt.*, 26: 24: «bonum erat ei si natus non fuisset». — 7 *Joann.*, 13: 10. — 8 *Joann.*, 13: 27: «Quod facis, fac citius».

est supra tempus, neque sua actio tempore mensuratur, de eo quod futurum est certus est, sed non qua futurum est neque ratione temporis in quo contingens est in potentia, sed ut contingens exiverit ad actum, quod est praesens Deo
5 ratione aeternitatis omnia conspicientis. Sed nulla creatura potest habere hoc ut sit in aeternitate et sua actio mensuretur aeternitate. Quare quod Dei est proprium, non potest aliter convenire.

(14) Sic igitur redeundo ad propositum, dico quod cum
10 Salvator dixit Petro vel cuicunque alteri de futuro dependente a voluntate quae possit in utramque partem, ut cum dixit: «Unus vestrum me traditurus est», «Necesse est ut veniant scandala», «Me flagellabunt et crucifigent», et universaliter de talibus, licet aeternitati ista erant certa et
15 inevitabilia quatenus erant facta, tamen ut Salvator hominibus ea dixit et discipu|850|lis tradidit vel prophetis vel quomodocunque fuerit, dixit et tradidit ut respiciebat contingens et incertum; neque aliter hominibus in tempore existentibus tradi potuit, servata libertate peccandi et non
20 peccandi, veluti dictum est.

(15) Pro responsione autem ad obiecta, scire oportet quod quamvis actus voluntatis non necessitentur ab alio, veluti in tertio huius operis volumine abunde dictum est, tamen actus intellectus de necessitate praecedit actum voluntatis,
25 quoniam impossibile est velle vel nolle incognitum, ut dicitur III *Ethicorum*. (16) Et taliter potest se habere intellectio ad voluntatem quod quamvis voluntas non necessitetur per talem actum, tamen vix in una vice de mille millibus vo-

7 alteri ωC; altero B; aliter LG δo ed. — 9 propositum: proprium ed. — 10-11 dependenti ω ed. — 11 utraque parte ω. — 15 facta: futura ed. — 17 cuicumque M; quomodo ed. — 22 voluntatis *om* ed. — necessitatur ed; necessitetur G.

12 «Necesse est ut veniant scandala» *Matt.*, 18: 7. «Me flagellabunt et crucifigent» *Matt.*, 20: 19; *Luc.*, 18: 32. — 23 Passim; praesertim capp. 6-10, pp. 249-280: de causalitate intellectus ad voluntatem; capp. 11-14, pp. 280-324: de causalitate divinae Providentiae supra voluntatem. — 26 *Ethic.*, III, 1. Cf. supra p. 225, 23.

luntas non sequitur operationem intellectus vel imaginationis, quomodocunque sit. (17) Unde dictum est quod stante opinione de universali et de particulari, statim sequitur actio nisi proveniat impedimentum; unde si opinemur omne dulce
5 gustandum, et hoc esse dulce, statim gustamus, ut dicitur VII *Ethicorum* et in libro *De Motibus Ani*|851|*malium*, nisi proveniat impedimentum, non ‹tantum› ratione extrinseci, ut pote quoniam aliquis aufert vinum a potestate voluntatis vel ex aliquo impedimento extrinseco, quod mihi
10 videtur Aristoteles ibi voluisse, verum etiam quoad actum elicitum voluntatis, quoniam voluntas potest suspendere volitionem, ut diximus in 3° volumine. (18) Similiter ubi intellectus non consideret actu: Nullum adulterium esse committendum (quanquam propositionem illam habitu ha-
15 beat), et sit vehemens passio de hac muliere, non est necesse quod voluntas eliciat actum adulterii. (19) Verum, et in primo casu, et in hoc, rarissime hoc contingit, scilicet quod stantibus illis circumstantiis actus non eliciatur. Quare sapientis viri est se non committere tanto periculo; nam
20 quod rarissime contingit habetur quasi impossibile, et quod vix in mille millibus in uno fallit, habetur quasi necessarium. (20) Unde Scipio Africanus magis commendatur quod mu-

1 operatione ω H. — 5 esse gustandum ω. — 7 ‹tantum› : enim E; tamen *cett.* — 10 Aristotelem M ed. — 16 et *om* ed.

6 *Ethic.*, VII, 4 (*olim* 3). *De Motibus Animalium*, 7. 701a 10. Cf. supra p. 260, 6. — 12 Cf. supra Lib. III, cap. 8; pp. 262 sqq. — 22 Cf. Plutarchus, *Vitae Parallelae*: *Alexander*, cap. 21 (ed. Lindskog, Ziegler; Bibl. Teubner., II fasc. 2, pp. 205-207). — Plutarch., *Apophtegm.*, s. v. *Scipio Iunior* (ed. *Oper. omn.*, Paris 1624, II, p. 196B): « Scipio iunior cum vi expugnaret Carthaginem ac milites quidam captam virginem eleganti forma ipsi adducerent atque offerrent: perlibenter, inquit, accepissem, si privatus, neque cum ipso imperio essem » (ed. Bibl. Teubner., *Moralia*, II, 1935. *Reg. et imp. apophtegmata*, s. v. Σχιπιων ὁ πρεσβυτερος, n. 2. p. 74. Cf. tamen Plutarchi., *De Curiositate* cap. 13 (ed. *Oper. Omn.*, Paris 1624, II, p. 522): « Darii uxorem, quia formosissima dicebatur, noluit (Alexander) in suum venire conspectum: sed ad matrem eius avum accedens videre iuvenem et pulchram non sustinuit » (*Moralia*, Bibl. Teubner., III, 1929; p. 329).

lieres pulchras videre noluit de urbe capta quam Alexander Macedo qui filias Darii voluit inspicere |852| quanquam ab eis abstinuerit. Bestialis enim habitus est Alexander quod se tanto exposuerit periculo, quod minime Scipio facere voluit.
5 (21) Sic itaque ea quae antecedunt actum voluntatis multum disponunt, immo quasi necessitant actum voluntatis. Quae autem actum voluntatis antecedunt naturalia sunt, de quibus, ut sunt in suis causis, certa notitia potest haberi, veluti etiam de futura eclipsi. (22) Salvator itaque videbat ea quae
10 disponebant Petrum ad negationem eius; quae quanquam non necessitabant Petrum negare, maxime tamen quasi impellebant Petrum ad negationem, quoniam erat timor de morte vel captura vel aliquo alio supplicio inflicturo Petro; non tamen Petrus de necessitate ex illo negavit, po-
15 terat enim eligere mortem potius quam peccare veluti ante Salvatori promiserat. Haec autem, ut diximus, videbat Salvator in suis causis, quoniam non subiiciuntur actui voluntatis quam solam voluit esse liberam.

(23) Ad primum ergo dicitur quod tantum Petro illud
20 dixit quoniam sciebat quod alii discipuli non e|853|rant venturi in illud discrimen; quare praemonuit Petrum in hoc et non alios, quanquam et omnes praemonuerit cum dixit: « Omnes vos scandalum patiemini in me in hac nocte ». (24) Cumque dicitur quod sic praedicere non arguit aliquam
25 divinitatem neque admirabilitatem, huic dicitur quod immo: Nam si per somnia, per visiones et prophetias haec praevidentur, praevidentur ut immittuntur a Deo; nam quanquam de actibus humanis ab hominibus possit afferri iudicium, non tamen tanta certitudine, quoniam intellectiones et cogi-
30 tationes hominum non sunt eis apertae sicut Deo, neque tam bene sciunt hominum naturas, motus caelestes, inclinationes et universaliter promoventia ad peccata vel virtutes

5 actus ed. — 15 mortem potius quam peccare *omm* δη ed. — 16 dixi G δο ed. — 23 et in me Lδ. — 24 sic dicere α. — 27 praevidentur *semel tantum* ω. — 32 premoventia M; permoventia ed.

23 *Matt.*, 26: 31.

sicut scit ipse Deus. Quare per ista fiunt somnia, prophetiae et universaliter divinationes, quae omnia non necessitatem imponunt, sed inclinationem et propinquissimam dispositionem, et vix evitabilem a voluntate humana. (25) Cumque
5 postea dicebatur quod si discipuli non credidissent verbo Salvatoris |854| non fuissent exprobrandi, ad hoc dicitur quod utrunque vitio ascribitur, scilicet plus credere quam oporteat et minus credere quam oporteat. Si discipuli credidissent quod inevitabiliter unus ipsorum Salvatorem pro-
10 deret, tunc peccassent, fuissentque non adhaerentes eius sententiae; habebant enim a Salvatore quod peccata essent nostra, nam aliter admonitiones Salvatoris fuissent vanae. Si etiam non credidissent instare magnum periculum, sprevissent eum. (26) Cumque etiam addebatur hoc adversari
15 veritati Evangelicae quoniam dixit: «Amen», quod significat certe; et absolute dixit: «Me negabis» sine aliqua appositione, dixitque Evangelista: «Sciebat enim quisnam traditurus esset eum»; et: «Sciens omnia quae ventura erant supra ipsum» et sic de innumeris talibus. Dicitur ad haec
20 quod, veluti diximus, illud quod quasi nunquam deficit et vix oppositum reperitur, absolute pronuntiari solet, et quod parum deest tanquam ad nihil deesse videtur, ut dicitur II *Phisicorum*. (27) Cum itaque stantibus tantis circumstantiis ra|855|rissimum est quod homo non peccet, quare
25 Salvator videns naturam Petri, capturam ipsiusmet Salvatoris relictumque ab omnibus, ministros Iudeorum insolentes et gaudentes, interrogationesque eorum superbas, magnum terrorem, absolute dixit: «Petre, tu me negabis», non quod non possit non negare, sed quasi cum periculo inevi-
30 tabili. Unde dixit sic absolute ut magis admoneret Petrum

6 exprobandi ωγ FI. — 10 fuissentque E; peccassent ad sanctas M; essentque *cett.* — 14 etiam hoc ed. — 18 eum cH; tamen δ ed; quisnam: quis eum G (*om* tamen). — 20 quod illud quod cδ; illud quod *om* E. — 23 talibus M.

17 *Joann.*, 13: 11: «sciebat quisnam esset qui traderet eum». *Joann.*, 13: 1: «sciens Jesus quia venit hora eius, ut transeat . . . *etc.*». — 23 *Physic.*, II, 5. 197a 29-30.

ne peccaret et fieret attentior ne laberetur. (28) Sic etenim consuevimus dicere, quando aliquem quem maxime amamus volumus removere et avertere ab aliquo lapsu, ut pronuntiemus ei sine determinatione ut maior timor ei inferatur, quanquam sciamus illud posse evitari; nam aliter vana esset admonitio. Cumque videmus aliquem prope lapsurum, dicimus: Tu laberis; intelligitur enim conditionaliter: Nisi advertas; quanquam absolute pronuntiamus ut maiorem advertentiam habeat. Quare etsi Salvator dixerit Petro: «Amen» sive certe, «dico tibi Petre, non cantabit gallus donec ter me abneges», intelligitur: |856| «Nisi quam diligentissime advertas, certe in mei negationem laberis, quoniam tot et tantas circumstantias video quod vix effugere poteris, nisi cautissimus incedas.» (29) Haec itaque dicta sint non pertinaciter, verum salva semper meliori intelligentia et determinatione Ecclesiae.

Caput quintum in quo respondetur ad quatuor obiecta adducta in capitulo sexto secundi voluminis adversus hanc opinionem.

(1) In sexto capitulo secundi voluminis huius libri adducta sunt quatuor argumenta adversus hanc opinionem, quae fortassis aliquibus aliquam facerent difficultatem: quare ad ea nunc intendimus respondere.

(2) Primum itaque argumentum tale erat: Dictum est Deum futura contingentia qua futura sunt non determinate cognoscere, scilicet quae pars determinate sit vera. Unde adversus hoc dubitatur: Quoniam aut illa determinatio est ab ipso Deo, aut ab ipsa voluntate; si a Deo, tunc actus volunta|857|tis sunt Dei et non nostri. Quare fatuum est

3-4 pronuntiamus α; praenuntiemus C. — 4 eis sine AMGδη. — timor eis G; ei *om* B. — 8 pronunciemus ed. — 11 negabis AB; neges E. — 14 certissimus ed; cautissime B. — 15 et intelligentia α. — 22 faceret MBδι; facient ed.

10 *Luc.*, 22: 34. — 20 sqq. Cf. supra pp. 186, 5 sqq.

dicere quod determinate nesciat quandoquidem determinatio sit ab ipso Deo: sic enim nesciret quid ipse esset facturus, quod est ridiculum. Si vero determinatio est a voluntate, tunc sequitur quod aliquis sit effectus cuius Deus non est
5 causa, et sic Deus non omnium erit causa. Amplius quoniam iste effectus non cognoscitur a Deo quoniam nihil extra se cognoscit Deus nisi illius sit causa, ut communiter ponitur.

(3) Quanquam ad hanc dubitationem multa in superiori-
10 bus dicta sunt, brevibus tamen et perstringendo iterum dicemus non quidem ratione necessitatis, sed ut ordinem observemus. (4) Dico igitur quod Deus absolute et totaliter non est causa illius determinationis; neque sequitur aliquid esse cuius Deus non sit causa absolute, sed tantum se-
15 cundum quid; quod non est inconveniens. Deus nanque non dicitur esse proprie causa peccati, non tamen peccatum ex toto fugit causalitatem Dei; Salvator nanque noster, cum Pilatus ei dixisset: «Nescis quia potesta|858|tem habeo crucifigere te et potestatem habeo dimittere te?», dixit:
20 «Non haberes in me potestatem ullam, nisi datum tibi esset desuper»; cum tamen in crucifigendo Salvatorem Pilatus non caruit culpa. Et sic Deus est secundum modum convenientem causa peccati, quanto magis virtutis et boni! Et illud sufficit ad hoc quod a Deo cognoscatur, quoniam
25 cadit sub causalitate Dei. (5) Verum acrius instabatur: Quoniam sic, etiam quando cognoscit futurum quando futurum est, determinate cognosceret; sic enim et tunc Deus dicitur esse causa, veluti et quando actu producitur volitio. Dictum est superius quod ille actus volitionis vel nolitionis
30 debet esse in actu, non quia Deus pro tunc magis faciat illum actum quam ante quoniam ille fit a voluntate, neque quoniam Deus aliquid recipiat; sed requiritur tanquam

7 esset ed. — 10 sint AMLC². — 20 adversus me bC² (adversum Aβ). — tibi *om* b. — 24 Et *om* ed. — 28 causa peccati α.

9-10 Cf. Lib. III, capp. 12-14; supra pp. 287-324. — 18 *Joann.*, 13: 1. 13: 11.

terminans certitudinem Dei, et quoniam ante non [de]terminabat ideo neque ante Deus erat certus de tali actu. (6) Quod si dicitur: Ergo ab aeterno Deus non fuit certus |859| de tali actu, quoniam talis actus non fuit ab aeterno;
5 dictum est quod ab aeterno talis actus fuit praesens Deo, ‹ut› tempus in quo fit talis actus est in aeternitate praesens Deo; quare ut sic est aeternus. Sed quoniam de hoc plus quam satis dictum est, ideo supersedeo, quanquam argumentum hoc apud me est magnae difficultatis.
10 (7) Secundum autem argumentum fuit: Quoniam, ut dicitur in praeceptis Salvatoris, si quis viderit aliquem errantem et possit ipsum eruere ab errore et non eruit, homicida est. Cum igitur Deus omnia cognoscat et unumquemque errantem possit ab illo errore eruere, cur igitur
15 non prohibet tales peccare? et cur in homine hoc est peccatum, in Deo vero non est peccatum, cum quanto aliquis plus scit et plus potest, tanto magis tenetur errantes dirigere? (8) Ad quod dicitur in primis longe disparem esse comparationem. Quoniam creatura subditur legi Creatoris, Creator
20 autem nulli subditur; unde quod creaturae ascribitur non convenit Creatori ascribere. (9) Secundo dicitur quod homo tenetur corrigere proximum et eum removere a peccato non ei auferendo libe|860|rum arbitrium (quoniam neque potest), sed exhortando, consulendo, et per opera quae non
25 sunt in potestate peccantis, si ipsi corrigenti est potestas talia faciendi: veluti si esset pater vel magister vel princeps vel aliquod huiusmodi. (10) Deus autem quantum ad hoc nihil relinquit: inprimis dedit sibi rationem et consilium

1-2 determinabat *cunct.* — 2 tali actu quoniam talis actus non fuit ab aeterno. (*ut in lin. 4a*) ed. — 6 et tempus *cunct.* (*cf. supra p. 185, 12*). — 12 eruerit L. — 14 ipsum eruere ab errore α. — 15 hoc est: est tale ed. — 17 errantem ed. — 27 aliquid EB ed.

10 Cf. supra, p. 187, 21. — 11 *Matt.*, 18: 15. *Levit.*, 19: 17. *Eccli.*, 19: 13. *Luc.*, 17: 3. *I Joann.*, 3: 15: «homicida est». Cf. Thom. Aquin., *Sum. Theol.*, IIª IIae, qu. 33 «De correctione fraterna» (Leon. VIII, 262-273).

quibus potest malum a bono discernere, misit Prophetas et dedit legem Moysi, ultimo misit Unigenitum Filium suum, sanctos Apostolos, Martyres, Confessores; neque desunt sacerdotes, praedicatores, monitores, et reliqua huius-
5 modi generis, quae inducere possunt voluntatem ad bonam electionem; quare Deus in nullo deficit. Sicut etiam praecepit homini ut alium corrigeret, salvo tamen libero arbitrio, ita et Deus facit. (11) Quod si Deus totaliter removeret hominem a peccato, non servaret naturam liberi arbitrii;
10 quare magis esset corruptor naturae quam conservator. Deus itaque removet hominem ab erroribus sicut et homines tenentur, et magis; verum ut homines non coarctant liberum |861| arbitrium, ita neque Deus. Tantum igitur Deus facit in removendo quantum convenit, dummodo ser-
15 vetur libertas voluntatis.

(12) Tertia vero difficultas erat: Quoniam Deus non solum delinquentes non removet ab errore, verum omne inducens ad errandum ante oculos ponit; dedit enim voluntatem peccabilem et intellectum caliginatum, peccata fecit delecta-
20 bilia, virtutes cum tristitia et labore, difficile est autem voluptates profugere, tristitias amplecti; peccantibus ut plurimum bona temporalia dedit, abstinentibus et probis quasi semper nullum bonum est datum, sed indigentiae, labores, persecutiones, crux, trucidatio et reliqua huiusmodi. Quasi
25 Deus moleste ferat homines insequi virtutes veluti hominibus non convenientes sed Diis, et quasi velit eos vitia consequi tanquam hominibus propria; unde homines virtutes prosequentes videntur fures et latrones quasi ea quae Deorum sunt usurpent, prosequentes autem vitia videntur esse
30 iusti quoniam sua sectantur. (13) Ad hanc dico quod si

4-5 et reliqua huiusmodi generis *om* E. — 10 quod magis ed. — 16 vero *omm* cHF. — 17 non *omm* b (M² *correx.*) δι ed. (*cf. supra p. 188, 2*). — 21 profugere E; profugare *cett.* — 24 trucidatio: insidiatio E.

1 *Hebr.*, 1: 1. *Joann.*, 3: 16. *I Joann.*, 4: 9. *Matt.*, 23: 34. *Eph.*, 4: 11. — 6 *Matt.*, 18: 17 « . . . dic ecclesiae ». (De correctione fraterna). — 16 Supra, p. 188, 1.

Deus omnia haec |862| numerata dedisset homini ut eum induceret ad peccata et eum removeret sive retraheret a virtutibus, argumentum esset insolubile. Verum longe aliter est; quoniam si voluntatem peccabilem dedit, non dedit ut
5 peccet sed dedit ut cum possit peccare, non peccans magis mereatur; quare de viro iusto canit Ecclesia: «Qui cum potuit transgredi non est transgressus». (14) Quod vero dederit intellectum caliginatum, hoc est quoniam sic exigit intellectus humanus, cum sit infimus intellectuum; quod si
10 illustrior naturaliter fuisset, non staret humanus intellectus, sed esset Intelligentia. Sed quanquam sic caliginosus sit, non tamen taliter caliginosus est quin discernere possit bonum a malo, deditque cuncta requisita ut recte posset operari. (15) Quod autem Deus fecerit vitia cum delectatione
15 et virtutes cum tristitia, non fecit Deus ut vitia superarent nos et delectationes, verum nos ea superaremus ut maiores voluptates haberemus; nam quanto animus est nobilior corpore et aeterna nobiliora sunt temporalibus, tan|863|to voluptates virtutum sunt meliores voluptatibus corporalibus
20 et temporalibus. (16) Unde virtutes non expoliavit a voluptatibus, immo maxime eas virtutes excellentissimis voluptatibus decoravit. Quare si virtutes acquirantur tristitiis et laboribus, eis tamen fruimur gaudiis et quietibus; si vero vitia voluptate et quiete acquiruntur, tristitia et labore fi-
25 niuntur. Quare cum a fine res sumat denominationem et non ab initio, longe melior est conditio virtutum quam vitiorum. (17) Cumque bonum attrahat et malum retrahat, et longe melius sit bonum virtutis quam bonum apparens in vitio, non ergo Deus voluit retrahere homines a virtutibus
30 et inducere eos ad vitia, cum longe maius sit bonum virtutis quam bonum vitii. (18) Neque Deus invidet prosequentibus virtutes et amat prosequentes iniquitates, quoniam Deus

6 probo cantat M. — cum *om* E. — 7 transgredi et EM. — 9 infirmus EL[1] M ed. — 30 melius γ.

6 *Eccli.*, 31: 10; Officium SS. Confessorum.

«dilexit iustitiam» et reliquas virtutes, et «odio habuit iniquitatem», et iniquitates impunitas non relinquit, neque virtutes irremuneratas. (19) Quod si mala tam faciliter acquiruntur et bona tam difficulter, |864| hoc est ad maius bonum virtutum et hoc exigente natura virtutis, quoniam consistit circa difficilia, vitium vero circa facilia, quod maxime vitiorum vilitatem demonstrat; nanque quae cito fiunt cito pereunt, quae cum difficultate fiunt magis perdurant, ut patet in plantis, animalibus et reliquis huiusmodi. (20) Quod etiam addebatur: Vitia esse propria hominibus et virtutes extraneas, totum hoc est in oppositum. Quoniam homo qua homo intellectivus et rationalis est; ratio autem est ad optima et ad virtutes; qua autem homo vitia prosequitur et voluptates, bestia est et est tantum animal quia aliena sequitur quoniam bestialia: «Fecit enim Deus hominem ad imaginem et similitudinem suam» i. e. secundum intellectum et voluntatem, quare voluit homines esse studiosos et rationales deditque figuram ‹et complexionem convenientem› rationi et non bestiae, ut dicebat argumentum. (21) Neque quod in calce illius argumentationis adducebatur concludit, videlicet in vanum poni daemones tanquam tenta|865|tores. Quoniam quanquam fortassis ratione naturali daemones esse probari non possit, ut diximus in nostro opusculo *De Incantationibus*, tamen quoniam Ecclesia tenet, admittendi sunt, eorumque tentatio a Deo admittitur ad nostram maiorem victoriam; cum hoc quod Deus multa per Unigenitum suum dederit adminicula ad resistendum et vincendum eorum insidias.

1-2 iniquitatem et iniquitates: iniquitates et eas γ. — 2 reliquit E γ. — 4 difficiliter λδο. — 6 virtus consistit b. — 7 neque C^1; nam MC^2I. — cito (pereunt) *omm* MC^1δο. — 8 fiunt *ante* magis *om* ed. — 12 opposita I ed (I *correx. in* optima). — 16 ad similitudinem ed. — 18 convenientem et complexionem *cunct.* — 27 vincendum: minuendum E.

1, 2 *Ps.*, 44: 8. *Hebr.*, 1: 9. *Ps.*, 118: 163. — *Ethic.*, II, 2. 1105 a 1 sqq. — 15 *Gen.*, 1: 26-27. *Gen.*, 9: 6. *Sap.*, 2: 23. *Eccli.*, 17: 1. — 23 P. Pomponatii, *De Incantationibus*, cap. 13, 2^a conclusio (ed. 1556 p. 322; ed. 1567 p. 301). —

(22) Quarta autem difficultas erat quoniam iste ordo quem perspicimus in universo, ut dicebatur, aut est melior quam si omnes homines essent studiosi vel saltem maxima pars, aut peior. Si melior, est intentus a Deo et volitus ab eo;
5 cum autem iste ordo esse non possit nisi sint tot peccata, videtur quod velit peccata, quare cum «Quaecunque [quae] Deus voluit fecit», Deus igitur est causa peccati. Si autem iste ordo est peior, tunc et sunt difficultates: quoniam si iste ordo est peior, est nolitus a Deo; sed sicut quaecunque
10 voluit fecit, ita quaecunque noluit non facta sunt; amplius: cum iste secundus ordo est possibilis (quoniam est volitus a Deo: |866| Deus enim «vult omnes homines salvos fieri» ut dicit Apostolus; quare si non esset possibilis, non esset volitus a Deo), Deus autem et natura de possibilibus faciunt
15 quod melius est, ergo Deus debet hunc ordinem pervertere qui nunc est, et alium inducere. (23) Praeterea: Virtutes quae praesupponunt peccatum veluti indulgentia, misericordia et huiusmodi, aut sunt per se intenta a Deo, aut per accidens. Non videtur secundum, cum sint nobilissimae virtutes et
20 Deus maxime commendatur in misericordia; ergo primum, scilicet per se intenduntur. Sed finis non potest intendi nisi et ordinata in finem intendantur. Ergo peccata intenduntur a Deo, et per consequens Deus est causa peccati. (24) Amplius instabatur: Quoniam secundum hoc, Deus ideo futura
25 cognosceret quoniam sunt futura, et non essent futura quoniam ipse futura cognosceret; quod est error Origenis damnatus a Boetio et communiter ab aliis. Hoc volui repetere ut clarior appareat responsio.

(25) Ad quam dubitationem una cum suis confirmatio-|867|
30 nibus respondetur sine praeiudicio veritatis.

(26) Ad primam igitur, ut existimo, dico quod absolute

2 prospicimus M ed. — 16 Propterea L; Propter Md (C^2 Praeterea). — 17 indulgentiam . . . misericordiam ed. — 20 commendetur ed. — 26 qui est ed.

1 Supra, p. 188, 23. — 6 *Ps.*, 113: 3. — 12 *I Timoth.*, 2: 4. — 26 Cf. supra, III, 14, p. 319, 1 n.

melius esset omnes homines esse bonos vel etiam plures, quam non omnes esse bonos vel plures esse malos, caeteris tamen existentibus paribus. (27) Et cum dicitur: Si melius est et est possibile sic esse, cur Deus non facit hoc cum
5 Deus et natura de possibilibus faciunt quod melius est? huic dicitur quod ordo universi (sumendo universum non solum pro substantiis quae in eo sunt, sed ut etiam in se includit omnes operationes, ut actus humanos et reliquos) dependet a duobus, videlicet a Deo et a voluntatibus hu-
10 manis. Quantum igitur ad ea quae dependent a Deo, optime disposita sunt omnia, unde si variarentur, destrueretur harmonia; veluti contingit in melodiis unde omnes cordae non debent esse unius soni, et si aliter situarentur non servaretur symphonia. Quantum vero ad actus humanos quorum
15 Deus voluit voluntates humanas esse dominas, est dispositio opposita; nam voluntas |868| humana ut in pluribus facit quod deterius est. (28) Quod si dicatur: Nonne Deus posset facere quod voluntas humana semper melius vellet et deterius nollet? Dico quod non, stante libertate arbitrii; cum autem
20 ordo universi exigat hunc gradum perfectionis, si Deus vult ipsum esse, oportet voluntatem relinquere liberam; quare Deus movendo ipsam semper ad bonum, non servaretur eius libertas, quanquam semper Deus ex lumine rationis inclinet ad bonum voluntatem ipsam. (29) Quod si iterum
25 quaeratur: Utrum voluntas humana possit semper velle bonum? credo ego quod sic, licet cum maxima difficultate. Et si quaeratur: Cur igitur non semper facit sic?

9 dependet G; dependent *cett.* — 13-14 servarentur D. — 17 quod: quid ed.

10-14 Cf. Thom. Aquin., *Summa Theol.*, I pars, qu. 25 art. 6: « Utrum Deus possit meliora facere ea quae facit » (Leon. IV, 298-300); ad 3um (p. 299): « Universum, suppositis istis rebus, non potest esse melius, propter decentissimum ordinem his rebus attributum a Deo, in quo bonum universi consistit. Quorum si unum aliquod esset melius, corrumperetur proportio ordinis: sicut si una chorda plus debito intenderetur, corrumperetur citharae melodia. Posset tamen Deus alias res facere vel alias addere istis rebus factis: et sic esset illud universum melius. »

huic dicitur: Quoniam non vult, neque aliam puto esse causam assignandam. Quod si iterum quaeratur: An Deus possit facere quod voluntas non peccet, quanquam sit in potestate voluntatis peccare? huic dicitur quod non, proprie
5 loquendo; nam actus voluntatis est voluntatis et non Dei; si autem Deus faceret ipsam non peccare, actus esset Dei et non vo|869|luntatis. Potest tamen inducere ipsam inclinando, stante etiam voluntate libera ad opposita. (30) Cumque dicitur: Si vult omnes homines salvos fieri et nullos
10 esse damnatos, fit igitur quod non vult et non fit quod vult fieri; huic dicitur quod Deus magis vult omnes homines salvos fieri quam aliquos esse damnatos, tamen magis vult omnes homines esse liberos quam omnes homines salvos fieri non remanente eorum libertate; unde si vult omnes
15 homines salvos fieri, hoc vult eorum libertate remanente, qua remanente, cum ad deterius labuntur, non vult eos universaliter salvos fieri. (31) Quare cum ista voluntas sit conditionata et illa absoluta, absoluta adimpletur et non conditionata. Unde quod vult et non vult Deus absolute et
20 determinata voluntate fit et non fit; quod conditionate et non determinate, absolute non fit; unde vult Iudam salvum fieri si recte operatur, quare non vult absolute Iudam salvum fieri et determinate, unde et absolute non salvatur. (32) Cum itaque dicitur: Deus vult omnes homines salvos
25 fieri, |870| ergo omnes homines erunt salvi; antecedens vult

6 ipsam γ; ipsum *cett.* — 7 tamen *om* ed. — ipsam Eγ ed; ipsum *cett.* — 16 cum *om* ed.

8 sqq. Cf. Thom. Aquin., *Sum. Theol.*, Iª pars, qu. 19 art. 6 (Leon. IV, 240): « Utrum voluntas Dei semper impleatur ». Ad Ium: « Et sic patet quod quicquid Deus simpliciter vult, fit; licet illud quod antecedenter vult, non fit ». Cf. J. Duns Scot. *Reportata Paris.*, IV, dist. I, qu. V n. 2; dist. XLVI, qu. IV n. 8 (P. Vignaux, *Justification et prédestination*, p. 9 n. 3; P. Minges, *J. D. Scoti Doctrina Philosophica* . . . II, p. 186.). Occam., *Quodl. VI*, qu. I, circa Ium; qu. II, circa Ium (P. Vignaux, p. 98 n. 1). Petr. Aureol., *I Sent.*, dist. XLIV, art. 5 (P. Vignaux, p. 59 n. 1 et 2). De potentiae absolutae et ordinatae dialecticis principiis, vid. P. Vignaux, art. *Nominalisme*, in Dictionnaire de Théologie Catholique, t. XI, col. 763-766.

Deus cum conditione, scilicet: si recte operentur. (33) Similiter si dicitur: Non vult istum ordinem qui est, quoniam multi sunt peccatores; ergo non est iste ordo, quoniam scilicet non fit quod non vult fieri. Dicitur quod non vult istum ordinem, non quod absolute et determinate nolit istum ordinem esse, quoniam nihil fit contra suam voluntatem; sed non vult istum ordinem quoniam non approbat, immo displicet sibi iste ordo; permittit tamen hunc ordinem esse, quoniam determinate vult voluntatem esse liberam; ideo voluntas est libera.

(34) Cum autem et ulterius dicebatur: An virtutes quae praesupponunt peccata dicantur esse principaliter et de prima intentione intentae a Deo? mihi videtur quod non, propter rationem ibi assignatam, quae mihi fidem facit. Unde Deus artifex prudentissimus fecit voluntatem liberam, et vidit quod aliquando eliget bonum, et aliquando eliget malum; et licet melior sit bona electio quam mala electio, permisit tamen malam electionem quoniam per |871| accidens ex ea sequitur bonum. (35) Unde quanquam voluntas Dei non cadat de directo supra malam electionem, quoniam tamen ex ea sequitur magnum bonum, ideo eam permisit fieri. Unde si Deus vult indulgentiam, vult qua in ea includitur bonum, non qua praesupponit peccatum; quare etsi non vult peccatum approbando, vult tamen permittendo; ex malo enim Deus elicit bonum, cum nihil nisi bonum ab eo procedere possit. (36) Et cum dicebatur: Videtur quod tales virtutes sint primo intentae cum sint maximae virtutes: nam martyrium videtur praeclarissima virtus. Huic dicitur quod apud me non repugnat, immo de facto est ita, quod aliquis non martyr secundum actum sit perfectior et habeat maiorem caritatem quam martyr in actu; unde cum perfectio attendatur penes caritatem, dico quod virtus illa quae est martyrium non deficeret in universo. Nam quanquam

7 immo: sed α. — 13 intenta EBCδo. — 16 aliquando *sic* BM; *omm cett.* — et . . . eliget: eligit M; vero B. — 20 super EMB ed. — 25 elicit B (*in correct.*) d ed; eligit bC^{1}.

actu non esset martyrium, propter hoc non deesset virtus
martyrii, quoniam virtus principaliter consistit in electione;
unde omnes Christiani debent esse pa|872|rati mori pro
Christo et omnia facere ne peccent. (37) Et fortassis esto
5 quod si omnes essent boni, virtutes non essent ita perfectae
intensive; extensive tamen supplerent vel superarent ubi
est defectus ex parte intentionis. (38) Cumque dicitur:
Tunc Deus non esset misericors neque indulgens, nam ubi
non est peccatum non est indulgentia. Dico primo quod ubi
10 nullus peccaret, non propter hoc auferretur misericordia
Deo; quoniam nos ex nihilo fecit et sine sua misericordia
non praecaveremus a peccatis, et sic de reliquis beneficiis
quae omnia consequimur ex Dei misericordia. Quod vero
dicitur de indulgentia verum est, sed hoc non arguit defec-
15 tum in Deo; quoniam quod Deus non indulgeat beatae
et gloriosissimae Virgini non est defectus in Deo neque in
beata Virgine, immo est laus beatae Virginis. Si vero voluntas labatur in peccatum et Deus eius misereatur et indulgeat, bene arguit perfectionem in Deo, quanquam et si non
20 misereretur, non argueret imperfectionem. Quod ergo non
sit indulgentia ubi non |873| est peccatum nihil imperfectum
ponit, immo magis perfectum; sed quod ubi est peccatum
sit indulgentia perfectionem arguit.

(39) Quod etiam in parte illa ultimo inferebatur: Si Deus
25 non est causa virtutis et peccati sed voluntas, tunc voluntas
esset causa scientiae Dei; de hoc multos habuimus sermones
superius: hoc non inconvenire quod aliquo modo dependet
et aliquo modo non dependet. Et quomodo intelligatur
dictum Origenis, immo et Crisostomi (de quo non dubitatur

1 deest H; esset ed. — 6 et extensive ed; sive extensive E. — 11 a Deo Lγ ed. — 12 sic *omm* Mδι ed. — 16 neque: et I; *omm* D ed. — 20 misereret AL; miseretur EH ed. — 27 hoc tamen inconvenire b.

2 Cf. Cajetan., *In Thom. Aquin. Sum. Theol.*, 1^a pars, qu. 22 art. 2: «invenirentur (*virtutes*) secundum praeparationem animi». (Leon. IV, 265 n. VI). Cf. infra, p. 370, 1 n. — 26 Cf. Lib. III, cap. 12; supra, pp. 293, 3 sqq.

ipsum fuisse sanctum), quoniam illud dictum bene intellectum veritatem continet.

Caput sextum in quo respondetur ad quaedam incidentaliter adducta adversus hanc opinionem in capite septimo
5 *secundi voluminis huius operis.*

(1) Quoniam et in septimo capitulo eiusdem secundi voluminis, in defendendo opinionem Stoicorum, incidentaliter adducta sunt multa motiva adversus hanc quintam opinionem, immo |874| veritatem, ideo volumus in praesenti capitulo
10 sigillatim ad unumquodque illorum respondere.

I

(1) Et quoniam ibi in confirmando Stoicorum opinionem contendebatur ostendere dictam Stoicorum opinionem omnibus aliis anteponendam esse, in volendo eam opinionem
15 praeferre huic quintae opinioni dicebatur primo: Quoniam aut ista opinio sibi implicat, aut quanto magis contendit fatum destruere tanto magis fatum construit. Ad hoc dicitur neutrum istorum esse verum.

(2) Et cum intendebatur primam partem probare dice-
20 batur: Quoniam haec opinio asserit cuncta quae ventura sunt certitudinaliter esse a Deo cognita, et tamen nos esse dominos nostrorum actuum. Amplius omnia agentia praeter primum agens esse primi agentis instrumenta, neque moveri nisi a primo mota, et secundum modum quo primum
25 movens ea dirigit, eo modo moventur et tamen nostrum esse sic movere et non movere. Praeterea futura contingentia ex natura intrinseca sunt indeterminata, et tamen Deus cognoscit ea determi|875|nate; quod, ut dicebatur, intellectus

1 non fuisse γ ed. — 3 accidentaliter ed. — 8 nostram opinionem M. — 10 singulatim ed. — 23-24 moveri *sic cunct.* — 24 mota: motu I; moti G²; movente C¹; moto B. — modum: motum ed. — 25 movetur LG. — 26 sic moveri M. — 26-27 et natura ed.

7 Supra, pp. 190 sqq. — 15 Scil. quinta; supra, p. 191, 19 sqq.

non capit. Item dicebatur quod necesse est Socratem peccare si Deus scit ipsum peccare, quare Socratem esse peccaturum est necessarium necessitate consequentiae et non consequentis, et tamen Deus certitudinaliter scit Socratem 5 peccaturum et absolute. Quare opponens inferebat haec omnia invicem esse pugnantia et esse illusiones et involutiones.

(3) Ad quae respondendo, dicitur quod in superioribus visum est qualiter haec dicta non repugnant, neque sunt illu- 10 siones, neque involutiones; quanquam aliqua istorum non approbamus, ut pote de necessitate consequentiae et non consequentis, neque insequuti sumus modum respondendi aliorum. Quod quomodo sit, non oportet repetere; quare ad superiora recurrendum est.

15 (4) Et quoniam in respondendo ad primam dubitationem motam adversus Stoicos, magnus erat conatus in respondendo secundum opinionem Christianorum quod etiam sequebatur: aut quod Deus esset per se causa peccati, aut quod ex parte rei non |876| erat peccatum, sed tantum se- 20 cundum existimationem. (5) Et fiebat argumentum de inaequalitate existente in toto universo, cum duae non possint esse species aequalis perfectionis essentialiter, et inter ea quae sunt eiusdem speciei tanta apparet inaequalitas et maxime in specie humana, quare unum individuum necessa- 25 rio deficit ab altero individuo, et una species ab altera specie; unde haec non arguunt defectum in universo neque in Deo, verum magis Dei et universi perfectionem; quod si hic est defectus secundum Stoicos, etiam erit in Deo et universo defectus secundum Christianos. (6) Quare ex hoc ulterius

2 ipsum Socratem ed. — 4 Deus *om* ed. — 6 repugnantia γ. — 10 aliquam DH. — istorum Bγ; istarum *cett.* — 12-13 neque insequuti . . . repetere *om* α. — 13 quomodo MBGF; quoquomodo *cett.* — 14 revertendum E. — 15 responsione γ; respiciendo E. — 23 appareat ed. — 25 differt ab alio B (*om* individuo).

8 Cap. 5; pp. 352-362. — 11 Cf. supra p. 343, 16 - 344, 6. — 12 Supra, cap. 3; pp. 337-344. — 15 sqq., cf. supra II, cap. 7; pp. 193, 3 - 203, 5. — 20 pp. 193, 13 - 196, 8. — 29 pp. 196, 9 - 198, 9.

arguens volebat habere quod et si in genere humano reperiantur studiosi et vitiosi et horum omnium Deus sit causa, aut igitur hoc non arguit defectum in Deo, aut si arguit apud Stoicos, arguit et apud Christianos; quoniam par est de
5 omnibus et de toto universo. Quod universum sic disponi a Deo, videlicet quod tanta sit diversitas, non ambigitur ab ipsis Christianis; unde sicut apud Christia|877|nos non est peccatum quod ovis devoretur a lupo, ita non est peccatum quod pauper conculcetur a divite, quoniam sicut ovem
10 devorari a lupo est ex perfectione universi, sic et de universi perfectione est pauperem conculcari a divite, nam universum et civitas non bene stant sine divitibus, sicut universum non bene stat sine lupis; sed sicut lupus non potest esse sine devoratione ovis vel alterius animalis innocentis, ita dives non
15 potest esse nisi rapiat bona pauperum; quare aut utrunque est peccatum apud Deum, aut nullum est peccatum.

(7) Ad quod dicitur similitudinem non currere, ut bene ibi dictum est; nam unum est malum moris, aliud est malum naturae. Malum naturae non arguit defectum in Deo, neque
20 in universo; sed malum moris, quod procedit non a Deo sed a voluntate, arguit defectum in causa efficiente et in universo. Quare Deus non potest esse causa illius, licet sit causa mali naturae.

II

25 (1) Sed quoniam adversus hanc responsionem innumera fiebant argumenta, ad quae ex iis quae in priori capi-|878| tulo dicta sunt responsio apparere potest, ideo non multum insistam ad singula respondendo sed tantum per modum epilogi respondebimus.

5 de toto αLC; *omm* de BMGδo ed. — sic disponi: est dispositum ed. — 10 et *omm* Cδι ed. — 12 est civitas et ed. — stat G ed; staret E. — 13 lupo b. — potest stare E. — 14 avis ed. — 16 *2m* est peccatum *om* E. — 18 aliud vero malum ed. — 25 opinionem α.

17 Supra, p. 198, 9. — 25-26 Supra, pp. 198, 12 - 201, 24. — 26 Supra, pp. 352 sqq.

(2) Prima itaque argumentatio adversus hanc responsionem est quoniam voluntas est merum instrumentum Dei et se habet ad Deum veluti securis ad carpentarium, quare tota actio erit Dei et non voluntatis. (3) Secunda quoniam 5 Deus bonis dat omnia quae conducunt ad bonum, malis vero e contra, ut complexiones et occasiones; nam ex tanto videtur Deus hoc facere, ut magna sit diversitas in ipsis hominibus; quare Deus videtur similis aucupi qui diversis utitur retibus ad capiendas diversas aves et plures. (4) Quod 10 etiam discurrenti per ipsos homines apparet; aliquos enim a natura fecit venereos, aliquos temperatos, aliquos mites, aliquos rudes, aliquos benevolos et amatores, aliquos iniquos et odiosos, et sic discurrendo de reliquis virtutibus et vitiis oppositis. Dedit etiam occasiones extrinsecas, ut 15 pote venereis quod conversentur cum formosis intempe-|879| ratis in aulis principum, et sic de reliquis. Fecit etiam eos natura peccabiles, quare si non peccassent, vana esset illa potentia; cum autem Deus et natura nihil frustra faciunt, naturaliter igitur peccant. (5) Arguebatur et tertio de virtu- 20 tibus quae peccata praesupponunt, cum sint maxime intentae a Deo, ergo et peccata; et quod tales virtutes non sunt intentae a Deo veluti sextus digitus in natura, quoniam sunt longe perfectiores aliis virtutibus; unde non sunt veluti monstra, quoniam monstrum non est perfectius non 25 monstro. (6) Quod et firmabatur, quoniam aut melius est non esse istas virtutes quam esse, aut e contra. Si primum, cur Deus dimisit eas esse cum de possibilibus faciat quod melius est? quod si impossibile est ipsas non esse, neque possibile erit peccata non esse. Si detur secundum, vult 30 igitur Deus esse peccata, quoniam quod melius est vult, si illud est possibile. (7) Quarto dicebatur quod si dicatur Deum dedisse potentiam peccandi hominibus non ut peccarent, sed ut vitia superarent et excellentior |880| esset virtus,

5 et malis α. — 6 vero *omm* ωLγFH. — 14 intrinsecas ω. — 14-15 ut conversentur α. — 32 Deum αI ed; Deus λγδη.

mirum et crudele esset quod, cum Deus sciret ipsos peccaturos et a vitiis superandos et in aeternum damnandos, tales eos fecerit et tot insidias posuerit; videbaturque similis Deus patri qui dedisset filium comitandum a latronibus et sicariis, quod vel insipientiam vel crudelitatem arguit. (8) Quinto adducebatur quod Stoici melius evitent inconvenientia quam Christiani, quoniam secundum Stoicos Deus si videatur male operari assimilatur claudicanti ex natura, qui claudicans aliter facere non potest; secundum vero Christianos Deus assimilatur claudicanti ex voluntate, nam Deus potest prohibere mala et non prohibet, cum tamen omnia sciat, secundum opinionem. Unde aut par peccatum, aut maius videtur non prohibere peccatum cum prohibere possit, et facere ipsum peccatum, maxime cum qui non prohibet dicat id maxime amare, et qui peccatum facit dicat aperte se illud velle facere; primum nanque magis dolosum est.

Haec adversus Christianos ad|881|ducebantur. Ad quae respondetur.

(9) Ad primum, cum dicebatur quod voluntas est instrumentum Dei, et motum ut securis movetur a carpentario, negatum est hoc in priori capitulo, declaratumque est quomodo voluntas movetur a Deo; quare ibi videas.

(10) Ad secundum, dicitur verum esse in hominibus esse diversas dispositiones et ad virtutes et ad vitia; non, ut vitia essent et homines ea prosequerentur. Quoniam eis dedit et potentiam superandi vitia, quoniam voluntatem et rationem dirigentem ipsam voluntatem, et legem datam Moysi, et ultimo misit Unigenitum suum. (11) Unde quod sint tot et ‹tam› diversae dispositiones in ipsis homini-

1 crudele esse ALGδo. — 4 Deus *om* ed. — comitandum latronibus MC^{1} ed. — 6 evitant ωCF. — 12 propter peccatum ed; fiet peccatum M. — 15 dicatur C. — id C; eum *cett.* — 19 primam ALG. — 25 prosequerentur AL γ; persequerentur EMBδo ed. — 28 filium *ad post* suum ed. — 29 tantae dispositiones (*omm* diversae) BMδι; tantae diversae dispositiones (tantae dispositiones diversae γ) αLγFH ed.

21 Supra, pp. 354,18 - 355,15; 359,6 - 360,8. Vid. etiam III, 6; pp. 249, 20 sqq.

bus, hoc est non ut sint vitia sed virtutes; unde aliquos ex natura fecit venereos non ut venerei sint, sed ut sint casti et abstinentes; quod si dedit stimulum carnis, dedit ut maior esset virtus, quoniam «virtus in infirmitate perficitur» et consistit circa difficilia. Et veluti dictum est de hac virtute, sic suo modo intelligatur et de caeteris virtutibus. Quare fal|882|sum habebat fundamentum argumentum; nam ista diversitas ordinatur a Deo in bonum, non in malum. (12) Neque sequitur quod inferebatur: quod talia peccata naturaliter fiant. Peccata nanque de quibus est sermo non fiunt a natura, sed fiunt a voluntate; et quanquam natura inclinat, non tamen necessitat. (13) Neque datae sunt tales inclinationes a Deo et a natura ut voluntas superetur ab ipsis, sed ut ipsae a voluntate; quoniam voluntas habet potentius dirigens ipsam quam dispositio inclinet voluntatem, dispositio nanque corporea et materialis est, ast ratio immaterialis et aeterna.

(14) Ad tertium etiam dictum est qualiter virtutes quae esse non possunt sine praecedentibus peccatis sint a Deo intentae: dictum est enim quod non sunt de principali intentione. (15) Non enim Deus absolute vult hominem paenitere de suis peccatis, noluit enim Matrem suam de peccatis paenitere; sed vult hominem peccantem paenitere de peccatis. Neque vult Deus absolute indulgere homini, quoniam et sic indulsisset Matri suae et Unigenito suo Salvatori |883| nostro; sed voluit indulgere paenitenti, quae paenitentia peccatum praesupponit. (16) Neque paenitere absolute est melius quam non paenitere, sic enim Salvatorem et Matrem eius paenituisset, quod est falsum; sed paenitere apud peccantem est melius quam apud ipsum peccantem non paenitere. Neque absolute melius est quod Deus indulgeat quam non indulgeat, quoniam sic Salvatori et eius Matri indulsisset: sed melius est quod Deus indulgeat pec-

5 et *ante* veluti *om* ed. — 17 aeterna est ed. — 25 unigenito filio L; suo filio ed. — 27 indulgentia α ed.

4 *II Cor.*, 12: 9. *Ethic.*, II, 2. 1105 a 1sqq.

catori paenitenti quam non indulgeat. (17) Similiter melius est quod relevat a peccato cadentem quam ipsum cadentem non relevet, sibi tamen servata potestate relevandi et non relevandi; melius tamen absolute est ut non relevet
5 quam quod relevet, quoniam relevare praesupponit peccatum, non relevare non praesupponit. (18) Haec itaque non simpliciter sunt intenta, sed secundum occasionem et praesuppositionem intentam. Misericordia autem non respicit absolute peccatum quoniam Deus ex misericordia sua ea quae
10 nullum peccatum habuerunt creavit et conservavit; et sic de reliquis conse|884|quentibus.

(19) Cum autem dicitur quod istae sunt maximae et perfectissimae virtutes, et quod perfectissimum est non potest esse secundo intentum, et posterius intentum eo
15 quod est minus perfectum, veluti non monstruosum et perfectum non potest esse a natura posterius intentum monstruoso. (20) Huic dicitur quod quamvis monstruosum non sit primo intentum, nihil tamen obstat quin in monstruoso magis appareat claritas et excellentia naturae quam in non
20 monstruoso; veluti videmus in artificibus: quod enim aliquis artifex ex bona materia faciat pulchrum et perfectum opus, non est ita admirabile veluti si ex mala materia construat pulchrum et perfectum opus, licet non tam pulchrum et perfectum sicut in bona materia, caeteris existentibus paribus.
25 Quare admirabilitas Dei magis apparet si ex malis elicit bona quam si ex bonis bona eliciat, licet absolute melius sit elicere bona ex bonis quam bona ex malis. (21) Dicuntur igitur hae esse praeclarissimae virtutes, non quia sint meliores, sed quoniam maior videtur esse admiratio in eis;
30 nam ex malis eliciunt bona, quod magnam admira-|885|tionem facit.

3 non relevare ed. — libertate E. — 4 et non relevandi *om* ed. — 7-8 praesuppositum E. — 8 intenta EB. — 14 secundum δι ed. — 21 facit MLδ ed. — 22 constituat α. — 24 partibus ed. — 27 quam mala ed. — 30 eliciuntur ed.

(22) Existimo etiam ubi nullum esset peccatum, istas virtutes et perfectiones non deesse in universo, neque ex parte hominum, neque ex parte Dei, quoniam virtus principaliter in electione consistit, et non in opere extrinseco 5 nisi manifestative. (23) Unde paenitentia secundum actum praesupponit peccatum; verum quanquam aliquem non paeniteat secundum actum de peccatis commissis vel omissis, iste tamen tenetur esse huiusmodi intentionis quod ubi peccatum committeret, doleret et paeniteret; et quantum 10 ad hoc spectat, potest habere virtutem paenitentiae. Similiter quamvis non indulgeat ei qui eum offenderit, quoniam a nullo passus est offensam, est tamen firmi propositi quod ubi contingeret, indulgeret; immo, puto quod aliquis actu non indulgens quoniam non passus est offensam potest 15 magis mereri secundum indulgentiam quam ille qui actu indulsit et passus est offensam; quoniam potest cum maiori charitate elicere actum indulgentiae quam ille qui offensam passus est. (24) Unde mul|886|ti qui actualiter non sunt passi martyrium potuerunt habere vel fortassis habuerunt 20 maius meritum de martyrio quam illi qui passi sunt actualiter martyrium, quoniam sua voluntas de martyrio fuit cum maiori charitate quam illi qui passi sunt; veluti in *Evangelio* dicitur de vetula, quae in gazophilacium non posuit nisi denarium, magis meruit quam alii qui magna po-25 suerunt. Et quanquam nobis sit magis manifestum de iis qui actu martyrizantur, Deo tamen non est sic; et hoc provenit quoniam soli Deo voluntates sunt notae, creatura vero

1 ubi malum esset ed. — 3 virtus: Christus ed. — 8 tamen EMLCFH; non ABGδι ed. — 12 offensionem α. — 14 potest tamen α. — 24 quam *om* L; quam alii: aliis BC² (C¹ quam alii).

1 sqq. Cf. Cajetan., *In Thom. Aquin. Sum. Theol.*, Iª pars, qu. 22 art. 2 (Leon. IV, pp. 265-266, nn. VI-VII) ubi virtutes occasionatae ex malo culpae exiguntur ad integritatem universi, non tantum «secundum praeparationem animi», sed etiam» «in actu secundo». «Potentia namque peccandi ab universo subtrahi non potuit sine illius maxima iactura in amissione omnium creaturarum intellectualium» (*Ibid.*, p. 267b). Cf. Alexand. Aphrod., *De Fato*, cap. 5; supra, p. 18, 15-16. — 23 *Marc.*, 12: 43. *Luc.*, 21: 1 (vidua *l.* vetula).

iudicat de manifestis. (25) Nulla ergo virtus homini deesset quaecunque sit si peccatum nullum esset, ubi homo vellet eam habere; consimiliter Deus, esto quod nulli indulgeret de peccato, non tamen indulgentia ei deesset, quoniam est 5 talis ac tantae bonitatis quod si quis peccaret et eum paeniteret, ei indulgeret; mavultque Deus homines non peccare, et si peccarent habere intentionem paenitendi firmissimam, quam quod peccent et paeniteant. (26) Virtutes igitur tales |887| secundum actum, i. e. ut actu paeniteant de per- 10 petratis, non sunt de prima intentione; sed cum proposito paenitendi si illud contingeret, sunt de prima intentione, et unusquisque Christianus debet habere hoc; et consimiliter de martyrio et reliquis huiusmodi generis. (27) Unde antequam Deus crearet mundum, Deus omnes habebat 15 virtutes quas nunc habet, licet actu extrinseco nullam demonstraret. Quare non sequitur universum esse imperfectum si non sunt peccata; immo si non essent peccata, universum esset perfectius, neque aliqua deesset virtus; et si non essent aliquae earum secundum modum qui nunc est, essent se- 20 cundum modum perfectiorem. Nam veluti diximus longe perfectior est virtus si non paenitet de peccatis perpetratis, cum intentione tamen paenitendi si contingeret, quam si peccata perpetrasset et paeniteret, longeque magis placet Deo quod inimicis non indulgeas quoniam non habes, cum 25 firma intentione tamen, si contingeret, indulgere, quam quod inimicos habeas et eis indulgeas.

|888| (28) Ad quartum autem dicitur quod Deus neque crudelis neque insipiens est, quoniam si Deus dedit homini potentiam peccandi et multa quae eum incitent ad peccan- 30 dum, non dedit ut peccaret sed ut ea superando mereatur; quare ex amore et non odio vel dolo illud fecit. Neque posuit hominem sine adminiculis ad talia superanda, quoniam

5-6 cum poeniteret ed. — 7 haberent ed. — 19 essent (secundum) *sic* EMC² ed; *om* I; esset *cett.* — 22 contigerit ed (*item linea 25a*). — 24 quam non habes ed. — 25 indulgeres L d ed (C² indulgere). — 30 moereatur ed. — 32 admiraculis ed.

dedit rationem, legem, sacramenta, et reliqua quibus illa superare potest. Quare non insipientis opus, verum prudentissimi conditoris operatus est. (29) Pater autem qui filium associat cum latronibus et sicariis, aut scienter facit
5 hoc, aut ignoranter; si ignoranter, non potest excusari ab imprudentia; si scienter, aut vult perditionem filii, aut non; si vult, crudelis est, si non vult, insipiens est. (30) Quae de Deo dici non possunt; nam non vult hominis perditionem sed beatitudinem, neque insipienter facit quoniam optime
10 munivit hominem ut superaret adversa. Ast filius relictus in manibus latronum, ab eis se defendere non potest.

(31) Quod si dicatur: Sapientis est non se exponere periculis neque |889| alium exponere; unde prudens pater removet filium a periculis quantum potest; videtur ergo quod Deus
15 non deberet ponere talia incitamenta quoniam valde periculosum est ne ab illis illecebris vincatur. (32) Huic dicitur quod Deus nihil impossibile, nihil inordinatum vult in universo. Si quis videt se impotentem resistere, dedit fugam; si quidem se potentem, dedit bellum et victoriam;
20 quapropter veluti pater filium impotentem removet a periculis, ita Deus dedit ei rationem per quam a periculis se potest praecavere. (33) Quod si dicatur: Vana igitur est patris admonitio quando habet eam quae Dei; huic dicitur quod non sequitur: primo quoniam vel filius nondum est adultus,
25 quare non bene utitur ratione; secundo quoniam pater tenetur ad hoc ex praecepto Dei, quare admonitio patris est et Dei admonitio unde dedit legem parentibus ut curam gerant de filiis; quare pater peccat filios non corrigens dupliciter: et quoniam non amat filios, et quoniam non oboedit
30 legi divinae.

(34) Ad quintum vero dicitur |890| quod si Deus secundum Stoicos est sicuti claudicans naturaliter, in Deo est defectus et sic non est Deus; quare opinio Stoicorum est fatua. Se-

11 ab eis defendi ed. — 19 si quis G; *om* quidem C[1]; si vero (*om* se) B. — 21-22 se praecaveret ed. — 23 quoniam habet Mγ. — 27 etiam Dei ed.

cundum vero Christianos neque Deus claudicat naturaliter, neque voluntarie; quapropter omnino a defectu absolutus est. (35) Cumque dicitur: Non solum est peccatum commissionis, verum et omissionis; huic dicitur quod sic, verum 5 nullus horum modorum reperitur in Deo. Quod non commissionis manifestum est; quod non etiam omissionis patere potest. Nam qui simpliciter aliquid omittit, non propterea dicitur peccare; sic enim qui omittit, tyrannum innocentem occidere, peccaret; quod manifeste falsum est. Sed qui omit- 10 tit facere quod tenetur facere, peccat. Deus autem, si permittit aliquem peccare, non tenetur eum removere a peccato; ast proximus proximum suum tenetur removere a peccato quantum potest; sed sufficit Deo quod dederit potestatem et multa adminicula cavendi a peccato. Unde ad aliud te- 15 netur subditus et ad aliud rex. (36) Quod si quaeratur: Cur aliquos praeservat ne cadant, quan|891|quam sint in periculo, et si cadunt relevat eos, aliquos vero neque praeservat, et si cadunt relinquit eos? Certe istud est ininvestigabile; credo tamen quod ultimate nulla est assignanda causa 20 nisi ex divina voluntate. Quanquam enim ex aliquo gravi peccato perpetrato Deus sinat ipsum peccantem in maius peccatum cadere, et non relevat ipsum pro poena primi peccati, Deus tamen aliquando ex maiori commisso in aliquo alio relevat eum; neque ut mihi videtur in aliud referri 25 potest quam in divinam voluntatem: «Iudicia tamen Dei abyssus multa». (37) Unde, ut existimo, hoc displicuit Stoicis; quare voluerunt hoc ex natura fieri quoniam sic exigit universi perfectio, et non ex libera Dei voluntate. Nam apud ipsos hoc videtur esse magis impium quam si hoc 30 naturaliter fiat, veluti minor videtur defectus si quis claudicat naturaliter quam voluntarie. Hoc autem fecerunt non

6 etiam *om* ed. — 12 ast . . . a peccato *om* ed. — 18-19 investigabile ωLC[1]I. — 20 aliquo *om* ed. — 21 sinat *sic cuncti.* — 22 relevat *sic cuncti.* — 23 aliquando *om* α. — ab aliquo γ. — 25 Iudicia enim ed. — 26 multa E ed; mundi *cett.* — 28 Dei *om* ed. — 29 *1m* hoc *om* ed.

25 *Ps.*, 35: 7: «Iudicia tua abyssus multa».

attendentes Deum non teneri ad hoc, veluti creatura tenetur ex Dei praecepto.

III

(1) Post haec in eadem responsione adducitur argumenta-
5 tio adversus Ari|892|stotelem quod peccata sunt necessaria et naturalia. (2) Primo quoniam secundum Aristotelem necesse est esse virtutes praeclaras, quae esse non possunt absque peccatis; ergo necesse est esse peccata. (3) Secundo quoniam potentia peccandi et non peccandi sunt a natura;
10 ergo et actus, quoniam cuius est potentia, eius est actus. Quod firmatur: Quoniam si homo nunquam peccaret, frustra esset potentia peccandi, et sic in natura aliquid esset frustra. Quod iterum firmatur: Quoniam nullus est homo qui ‹non aliquando peccet et aliquando non peccet›, si sit in conve-
15 nienti aetate et habeat usum rationis; ergo naturale est homini peccare et non peccare, et necesse est ut aliquando peccet. (4) Tertio quoniam omne corruptibile de necessitate corrumpitur; ergo omne quod potest peccare aliquando peccat et de necessitate. Probatur consequentia: Quoniam
20 sicut se habet materia ad corruptionem, sic se habet non ens ad peccatum; causa enim corruptionis est materia, et causa peccandi est ex nihilo esse. |893| Quare si materia necessitat corruptionem, et non ens peccatum.

(5) Ad quae respondetur, non ut Aristotelem defendamus,
25 sed quoniam et contra hanc opinionem haec facere videntur.

(6) Ad primum itaque dico quod si Aristoteles videatur tenere has virtutes esse necessarias prout actu praesupponunt peccata, in hac parte ei non adhaeremus; et mihi videtur quod sic tenuerit Aristoteles. Concedimus tamen eas

4 hoc α ed. — 4-5 argumentum ed. — 10 potentia peccandi ed. — eius est et ed. — 13-14 non peccet aliquando M; aliquando non peccet *cett.* — 14 aliquando non peccet *sic* F; aliquando peccet *cett.* — 20 sic: ita ω. — 26 Ad primum M; ad primam *cett.* — dico quod α ed (A *delev.*); *omm* quod *cett.* — 28 peccatum ed. — 29 si tenuerit MLδ.

5 Cf. supra, II cap. 7; p. 203, 6.

posse esse ut non includunt actu peccata; quod quomodo possit esse, superius declaravimus.

(7) Ad ‹secundum› dicitur quod peccare est naturale ut distinguitur contra violentum, quoniam est voluntarium;
5 non tamen peccare est intentum a natura neque est ipsius naturae sed voluntatis. Cumque dicitur: Cuius est actus, eius est potentia, dicitur quod illud quod potest facere aliquod est illud quod facit, et e converso; non tamen oportet quod si potentia est a natura, actus etiam sit a natura.
10 Nam voluntas quae est potentia non est in potestate nostra, et tamen velle est in potestate nostra; unde si id quod vult est id quod po|894|test velle, non tamen si potentia volendi, ut dicit essentiam potentiae, est a natura, velle est a natura. (8) Ad confirmationem: quoniam si homo nunquam pec-
15 caret, frustra esset potentia peccandi; mihi videtur secundum principia Aristotelis hoc esse concedendum quoniam nihil frustra in natura; unde et monstra sunt necessaria secundum ipsum, quoniam nisi natura deficeret aliquando, frustra dedisset ut posset deficere; quare apposuit impedimenta ne
20 natura esset vana, ut dicit Commentator commento 48 II *Phisicorum*. (9) Sed quidquid sit de Aristotele, dico quod non sequitur apud nos, quoniam si Deus fecisset voluntatem peccabilem ut peccaret, argumentum concluderet; sed non fecit peccabilem ut peccaret, sed fecit peccabilem ut cum
25 posset peccare non peccaret, ad maiorem perfectionem sui, ut dicitur de viro iusto «qui cum potuit transgredi non est transgressus». (10) Et cum iterum firmabatur: quoniam quilibet peccat; huic dicitur quod non, saltem mortaliter; peccata autem venialia non sunt in potestate nostra neque pro-
30 prie fiunt |895| secundum electionem; neque quilibet homo

1 includant B ed. — 3 Ad secundam *sic cunct.* — 7 est et potentia ed. — 7-8 aliquid MBγ. — 8 e contra EMγ. — 13 essentia ECδ ed. — 17 a natura α. — 18 si natura non ω. — 19 opposuit ed. — 23-24 sed non fecit . . . ut peccaret *om* ed. — 25 non peccaret potestate ed. — 27 quoniam: quod EC[1] ed.

2 Supra, p. 370, 1 sqq. — 20 Cf. supra, p. 39, 14 sqq. — 26-27 *Eccli.*, 31: 10. — 27-28 Cf. Thom. Aquin., *Sum. Theol.*, I[a] II[ae], qu. 88-89.

aliquando secundum electionem recte operatur, quoniam si aliquando videatur recte operari, magis facit ex natura vel ex aliqua ‹alia› circumstantia quam ex electione recta.

(11) Ad tertium, negatur similitudo: sicut corruptibile de necessitate corrumpitur, sic quod est peccabile de necessitate peccat; quoniam corruptio non est in potestate nostra sed naturae, peccare autem est in nostra potestate; unde corruptio subditur motui caelesti, non autem peccare. (12) Cum vero dicitur quod sicut materia est causa corruptionis, ita voluntas quoniam est ex nihilo et intellectualis est causa peccabilitatis; huic dicitur quod verum est. Tamen quod habens materiam corrumpatur, hoc est ex motu caelesti et agentium contrariorum ad invicem; unde si materia non haberet agens, non expoliaretur illa forma. Ast actu peccare est a voluntate quae libera est, quae quanquam potest peccare, potest et non peccare; sed caelum et agentia contraria, stante ordine universi, non possunt non corrum- |896|pere. Deus tamen potest hunc ordinem pervertere, quare et potest facere quod corruptibile nunquam corrumpatur. (13) Quod si dicatur: Natura dedit potentiam peccandi; potentia refertur ad actum; ordinavit igitur istam potentiam ad actum; si ergo non exibit ad actum, frustra igitur est ista potentia, et sic vanum est opus naturae. Mihi videtur hoc argumentum habere aliquam evidentiam secundum Aristotelem, secundum vero nos nullam. (14) Potentia peccandi respicit non actum peccandi ut est ordinata a Deo et a natura, sed respicit actum tentationis et pugnae; exempli gratia: dedit colerico potentiam irascendi non ut irasceretur, sed ut faciliter incitaretur ad iram et quoquomodo commoveretur, citra tamen peccatum; non tamen ut exiret in peccatum. Unde si quis non incitatus non irascitur, non est

1 recta α. — 3 mala circumstantia *cunct.* (B: malia *loco* vel alia?). — 15 a *om* ed. — quamquam: que ed. — 18 posset ω; *om* ed. — perverteret ed. — 19 quare: igitur ed. — 21 et potentia ed. — potentiam: sententiam peccandi ed. — 24-25 Aristotelem: Arrium ed. — 29 incitaretur bC² ed; citaretur d.

virtus; sed cum incitatur et se abstinet. Potentia ergo peccandi non ordinatur in peccatum, sed in actum citra peccatum, ut virtus eliciatur quae consistit circa difficile.

IV

5 (1) In responsione autem ad tertiam dubitationem tangit argumentum quod velle |897| non est nostrum, quoniam aliquando volumus nos velle aliquid quod non possumus velle, et vellemus nolle quod non possumus nolle. (2) Ad quod dicitur quod illa non simul coniunguntur neque sunt
10 in eodem tempore. Exempli gratia: Aliquis est lusor et consuetus in ludo, et substinet detrimentum in substantia et honore ex ludo; certe, considerans damnum et verecundiam maxime ubi pecunias amisit, dolet quod sibi placeat ludus, neque ludus pro illo tempore pro quo dolet sibi placet,
15 immo detestatur quod secundum habitum ludus sibi placeat; quando autem ludit, non credit damnum reportare ex ludo, et tunc sibi placet; quare sub diversis apparentiis et in diversis temporibus habet voluntates oppositas. Nemini tamen debet esse dubium quod si vellet, posset abstinere, licet
20 assueto sit valde difficile; unde hoc arguit difficultatem, non autem impossibilitatem.

(3) In responsione ad quartam dubitationem tangitur difficultas quod voluntas subiiciatur corporibus caelestibus ex eo quod a|898|strologi sciunt iudicare de actibus pertinenti-
25 bus ad intellectum et voluntatem; et quod lauri arbores de quibus mentionem facit Suetonius in *Vita Galbae* quae simul nascebantur cum Caesaribus descendentibus ab Aenea et simul interibant, sive interirent fato proprio, sive alieno ut Caius Caligula et Nero, quod esse non potest nisi quia
30 etiam voluntates humanae subiiciuntur fato; et de experimento phalangii, quoniam morsus tantum durat quantum phalangius, sive ab alio interficiatur sive ex se moriatur.

2 circa ed. — 7 aliquid Mγ.

5 Supra, p. 207, 4 sqq. — 22 Supra, p. 208, 16 sqq. — 24 Supra, p. 210, 20 sqq. — 25 Supra, p. 215, 23 sqq. — 30-31 Supra, p. 216, 5 sqq.

(4) Ad haec et consimilia dicitur Christianos non negare voluntates subiici corporibus caelestibus indirecte et per accidens, sed tantum directe et per se. Cum enim voluntas praesupponat intellectum, et intellectus ut est coniunctus 5 corpori sensum praesupponit, ideo ut sic voluntas subiicitur corporibus caelestibus; quare corpora caelestia et complexiones multum faciunt ad inclinationem voluntatis, verum non necessitant. (5) Sed quoniam pugnare vitiis est arduum et insequi vitia est facile et dele|899|ctabile, hinc 10 est quod corpora caelestia videntur habere dominium supra voluntates nostras, quoniam ut in pluribus homines insequuntur sensum et complexiones quae per se subiiciuntur corporibus caelestibus; quare astrologi de actibus voluntatis multotiens vera pronuntiant. (6) Et non est impossibile 15 neque contra rationem quod lauri simul interemptae sint cum illis Caesaribus, quoniam quantum erat ex influxibus, lauri habebant eandem periodum cum Caesaribus. Sed «sapientia astris dominatur». Quod igitur simul perierint, hoc est quoniam Caligula et Nero viri bestiales et sensuales 20 insequuti sunt sensum qui per se subiicitur corporibus caelestibus; quod si in eis ratio fuisset dominans, oppositum contigisset. (7) Quod autem dicitur de phalangio, si illud veritatem continet, habet eandem responsionem, quoniam

2 et *ante* per accidens *om* ed. — 3 tantum: non ed. — 8 necessitatur ed. — 15 similiter ed; semel E; *vacat* B. — 20 sunt *omm* Gδo ed. — 21 dominata ed.

1 Cf. Thom. Aquin., *De occultis operationibus naturae ad quemdam militem seu de impressione corporum caelestium* (*Opuscula omnia*, ed. P. Mandonnet, I, pp. 1-8). Id., *Sum. contra Gent.*, III, cap. 85 (ed. Romae 1894, p. 414, supra p. 212, 17 n.). Id., *Sum. Theol.*, Iª pars, qu. 115 art. 4 et loca parallela ibi signata ut v. g. IIª II^{ae}, qu. 95 art. 5 *etc.* — 11-12 Cf. Thom. Aquin., *Sum. Theol.*, Iª pars, qu. 115 art. 3 ad 3um (Leon. V, p. 544b). — 18 Ps.-Ptolem., *Centiloquium*, Verbum V; Verbum VII; cf. J. J. Pontani, *Comment. in Centum Ptol. Sentent.*, Lib I (*J. J. Pontani librorum omnium . . . tomus tertius*. Basileae 1538, pp. 11-13; pp. 16-19). Thom. Aquin., *Sum. Theol.*, Iª pars, qu. 115 art. 4 ad 3um. Id., *De sortibus*, cap. 4 (*Opuscula omnia . . .* ed P. Mandonnet, I, pp. 144-162, praesertim p. 154).

illorum voluntas insequitur motus caelestes et magis ducuntur quam ducant.

(8) Ultimo in eodem capite adducebatur testimonium super haec Stoicorum placita: Quoniam diversae plagae universi |900| dant diversos mores in hominibus et diversas virtutes et vitia diversa. (9) Et quod multi quibus ex sideribus datum est felicitari vel infelicitari nullo ingenio fatum effugere valent. (10) Et addebatur quod aetates secundum numerum quaternarium vicissitudinarie variantur secundum diversitatem siderum, adeo ut ver, aestas, autumnus et hyems ordinate succedunt secundum tempus infinitum; sic aurea, argentea, aerea et ferrea continue succedunt, secundum quarum dispositiones homines variantur in virtutibus et vitiis, et non ex virtutibus et vitiis sydera variantur; quare haec omnia testantur omnia fato gubernari. (11) Iniungebatur etiam quod apud Aristotelem ex natura et syderum dispositione omnia sublunaria variantur, ut ubi nunc arida ibi aliquando mare; et regna pereunt et aliqua de novo fiunt; sublimia humiliantur et humilia sublevantur; et opiniones pereunt et opiniones nascuntur et continue redeunt per infinitum circuitum; sic quod nihil est quod non fuerit, nihil fuit quod non erit, ni|901|hil erit quod non fuerit. Quare haec omnia habent causam per se et immutabilem. Unde et videtur necessarium quod omnia fato fiant.

(12) Ad haec dicitur quod multotiens ea quae ex nostra causa et defectu procedunt attribuimus fato et sideribus, quod minime verum est. Unde multae regiones habent aerem temperatum, cibos temperatos et tamen magis peccant quam aliae habentes dispositiones oppositas; et causa est mala voluntas hominum et mala consuetudo, et praecipue principes civitatum; unde ut in pluribus et quasi semper malitia

7 felicitari vel infelicitari *sic* C ed; felicitatem vel infelicitatem B; felicitare vel infelicitare *cett.* — 10 varietatem γ. — 11 succedant G ed. — 16 adiungebatur ed. — 24 necessario ωL. — 26 procedit ed. — 29 alii ed.

3 Supra, p. 219, 7, sqq. — 16 Supra, p. 221, 5.

civium provenit ex malitia principum. Quare assumptum non est universaliter verum. (13) Non tamen negamus quod aspectus [non] multum operentur; verum aut aspectus syderum aufert ab eis usum rationis, aut non aufert: si aufert, 5 neque virtus neque vitium, quoniam sublata ratione voluntas non est libera; si vero non aufert, voluntas suorum actuum est domina, quoniam sidera non cogunt quanquam disponant et inclinent. Verum talis dispositio est ad maius meritum |902|, unde Aristoteles II *Economicae* dicit quod 10 si Alceste et Penelope tot adversa passae non fuissent, non tantum virtutes earum clarescerent. Quare sidera non dant vitia, immo intendunt virtutes et optimum.

(14) Unde cum dicebatur quod multi ‹quibus ex syderibus› datum est felicitari vel infelicitari, quicquid ege- 15 rint prosequuntur sydera; huic dicitur quod ut in pluribus ita est, quoniam homines insequuntur partem sensitivam et complexionem, quae per se subiiciuntur corporibus caelestibus; quare fatum insequuti sunt; aliqui tamen, quanquam rari, sidera superaverunt. (15) Et si aliquando conati 20 sunt fatum praenuntiatum evitare, non potuerunt; hoc fortassis contingit quoniam iusto iudicio puniuntur in poenam peccati praecedentis, vel quoniam incurrere in tale fatum melius est ei‹s› quam non incurrere. Unde melius fuit Socrati quod violenta morte moreretur, ut sibi multotiens 25 praenuntiatum erat, quam quod proprio fato periret; tanta enim eius non esset celebritas neque tantam virtutem acquisivisset, |903| quanquam simpliciter evitare potuisset fatum illud, ut patet in vita eius.

3 non multum *sic cunct.* — operatur ed. — 4 rationis *omm* δι ed. — 11 dant *om* ed. — 13-14 ex syderibus quibus *cunct.* (*cf. supra, p. 379, 6-7*). — 14 felicitari vel infelicitari C; felicitare vel infelicitare *cett.* — 14-15 egerit E; egerunt Lδ ed. — 21 ponuntur α ed. — 23 ei *cunct.* — 25 quam qui ed; quod *om* M. — 26 eius *om* ed.

9 *Oeconomic.*, II (Comin. de Tr. III, 475v F). [*Fragmenta Aristotelis* coll. Æ. Heitz; ed. Firmin-Didot, 1869: *De Matrimonio*, p. 154a; *Aristotelis qui ferebantur librorum fragmenta*, coll. V. Rose, Teubner, 1886, fr. 184, p. 142, 7-9].

(16) Cumque tertio dicebatur quod naturaliter currunt quatuor aetates in quibus homines diversificantur quoad virtutes et vitia, et non aetates ex vitiis et virtutibus; huic dicitur quod fortassis quod assumitur est falsum; immo,
5 magis aetates diversificantur ex moribus hominum quam mores ex aetatibus. Dicitur enim communiter tunc fuisse auream aetatem quoniam homines erant velut aurum, comparando homines bonos ad malos veluti aurum ad alia metalla; causa autem talis bonitatis fuit hominum bona voluntas et
10 praecipue bonorum principum a quibus dependet regimen civitatum. (17) Et dicimus ulterius quod non solum ex hominum bonitate vel malitia aetates nuncupantur bonae vel malae, verum et variantur secundum ubertatem et fertilitatem, temperiem et intemperiem. Unde Deus quoniam videt
15 bonos vel malos, agit praeter ordinem caelestium, ut legimus in *Lege Veteri* et *Nova*; neque in hoc con|904|sentiendum est impietati peripateticae, scilicet quod Deus hunc ordinem variare non possit. (18) Dicimus et ultra quod tametsi sydera et motus corporum caelestium diversas inducunt
20 dispositiones ad mores humanos, nihil tamen est quod eis in peccatis attribuatur. Nam aut auferunt usum rationis aut non; si auferunt, non est virtus neque peccatum; si non auferunt, homo potest studiose operari et illa inclinatio ordinata est in bonum et non in malum. (19) Quod autem
25 hoc veritatem contineat manifestum esse potest, quoniam nulla fuit aetas tam aurea in qua scelerati non reperti sint, neque aliqua tam ferrea in qua boni non reperiantur. Nam post Adam fuit Chaim qui fratrem innocentem interfecit, unde Augustinus dixit: «Fraterno primi maduerunt san-

2 quoad: quantum ed; quo E. — 7 quando ed. — 14 vidit ed. — 17 imperati ed. — 19 inducant α. — 21 peccatis *sic* B; peccatum *cett.* 26 reperti sint: reperti essent α. — 27 reperiantur: reperti sint α. — 29 induerunt ed.

17 Cf. *De Caelo*, I, 8-9, praesertim 277b 26; 278b 5-6. — 28-1 *De Civ. Dei*, XV, 5 (Dombart II [54, 26], 64): «Nam et illic sicut ipsum facinus quidam poeta commemoravit illorum: "Fraterno primi maduerunt sanguine muri" (Lucan., *Pharsal.*, I, 95)».

guine vepres». Et in hac nostra aetate quae ferrea nuncupatur, reperiuntur et aliqui boni. Quod in aliam causam ascribi non potest nisi ex bona vel mala voluntate.

(20) Cum etiam ulterius addebatur de vicissitudine plagarum universi, quoniam ubi primo arida po|905|stea humida, et quod primo sublime postea humile; huic dicitur hoc verum esse secundum communem cursum naturalem. Nam et haec vere ab astrologis pronuntiari possunt, salva tamen semper voluntate divina quae potest variare hunc ordinem quem in universo videmus et aliquando variavit; quare iste ordo et ista vicissitudo habet causam per se, quae est corporum caelestium. (21) Verum cum infertur quod etiam corpora caelestia sunt causa actuum humanorum, negatur illatum; quoniam actus humani dependent a voluntate, quae per se corporibus caelestibus non subiicitur, sed tantum per accidens, ut dictum est.

(22) Cumque ulterius quaerebatur cur semper mala? cur semper virtutes? cur eadem in humanis actibus renovantur? cur philosophia totiens renovata? et sic de reliquis. Ad haec dicitur: Quoniam semper fuit voluntas libera, semper erit libera donec stet universum; et si libera, non necessitata. (23) Quod si dicitur: Nunquid voluntas omnis posset non peccare? dicitur quod sic; et si dicitur: Cur igitur |906| peccat? respondetur: Quoniam sibi placet. (24) Quod si ulterius quaeratur: Quare ad minus non peccat ut in paucioribus? huic dicitur: Quoniam delectabilius est peccare quam non peccare, et facilius sequi sensum quam intellectum. Verum ista non est causa essentialis, sed occasionaria; quare essentialis est: quoniam sic sibi placet. (25) Et si iterum quaeratur: Quare sibi hoc placet? dicitur quod hoc non habet causam ulteriorem. Sic igitur quod opiniones reiterentur, peccata et virtutes renoventur, immediate non est ex corporibus caele-

5 prima D ed. — 8 praenuntiari M. — 18 removeantur α. — 21 stat ed. — 22 possit ωBC². — 23-24 non peccat βd ed; non *omm* ωC². — 24 Quoniam: Quod sibi ω L. — 26 Quod delectabilius E. — 32 removentur EI; removeantur ed.

stibus; sed immediate hoc est ex voluntate, neque alia causa quaerenda est. (26) Non tamen negamus haec non fieri posse absque corporibus caelestibus ab ipsis hominibus; sed dicimus haec non immediate fieri a corporibus caelesti-
5 bus sic quod corpora caelestia ad haec impellant, veluti est in rebus non subiectis voluntati. Diximus enim multotiens quod stante ordine universi, quicquid evenit, inevitabiliter evenit exceptis actibus voluntatis et iis quae eius imperio subiiciuntur.

10 (27) Quod |907| si iterum dicatur: Quae semper sunt, necessaria sunt; peccata et virtutes semper sunt; ergo sunt necessaria; sed hoc repugnat rationi virtutis et vitii, quoniam haec sunt nostra et in nostra potestate; ergo positio claudit opposita. (28) Maior probatur: Quoniam omne quod
15 est, aut necessarium est, aut contingens. Contingens dividitur in contingens ut in pluribus, ut in paucioribus, aut aequale; sed nullum istorum semper est. Nullum igitur contingens semper est; ergo nullum quod semper est, contingens est. Sed quod non est contingens, est necessarium;
20 ergo omne semper ens est necessarium. Quod igitur semper est, necessarium est; et sic maior patet.

(29) Ad hoc mihi videtur dicendum, licet sit valde difficile, quod illa divisio data de contingenti in pluribus, in paucioribus et aequaliter intelligitur de contingenti naturali; quo-
25 niam possibile naturale oportet quod in aliqua parte deducatur ad actum quoniam natura ociose non operatur. (30) Si quod vero potest esse et non esse quod dependeat a voluntate, non |908| oportet quod illud deducatur ad actum. Quod sic ostenditur: Quoniam vel oportet reduci ad actum
30 a nostra voluntate, vel ab alio; non ab alio quoniam hoc est contra concessum, quoniam dicimus de illo quod dependeat a nostra voluntate; si vero ponatur quod de necessitate

7 immutabiliter ed. — 10 quod semper ed. — 11 sunt *post* necessaria *om* ed. — 16 pluribus et ut ω ed. — 22 valde *om* α. — 24 equale α; aequali ed. (*cf. supra l. 17*). — contingente β δε. — 27 non potest Gδο.

reducatur ad actum a nostra voluntate, sic voluntas non erit libera. Contingens ergo quod dependet a nostra voluntate non est necessarium quod aliquando deficiat vel quod aliquando fiat; immo si ipsa voluntas libera ponitur, potest
5 semper se determinare ad unam partem contradictionis. (31) Unde Deus dedit potentiam peccandi et non peccandi ut esset in sua libertate, licet de principali intento dedit ut non peccaret, dimittendo tamen voluntatem liberam. (32) Neque si nunquam peccabit, potentia peccandi erit frustra;
10 quoniam non dedit ut uteretur ad peccandum, sed ut potens peccare, non peccaret, pro maiori merito et perfectione virtutis. (33) Et si semper peccabit, neque ex toto erit frustra potentia non peccandi, quoniam |909| sequetur iustitia, ad quam ordinatur peccatum, non ex intentione peccantis quo-
15 niam peccator odit iusitiam, sed ex intentione Dei punientis. Neque etiam totaliter erit frustra potentia non peccandi, quoniam Deus dedit eam ut uteretur secundum suum beneplacitum, et sic usus est peccator. Quare nulla erit frustra, quicquid sequatur.

20 (34) Unde in sequendo principia fidei mihi videtur sic esse dicendum. Ista tamen non vidi ab Aristotele, neque memini me ab aliquo autore ista vidisse; quare credo quod ista repugnant dictis Aristotelis. Et dico, ut prius dixi, quod aut Aristoteles tenuit fatum ut Stoici, aut sibi contra-
25 dixit; quoniam si tenemus voluntatem liberam, stat quod aliquod semper erit quod tamen non est necessarium; quod contradicit ipsi in I *De Caelo*. (35) Unde quod virtutes et vitia sint necessaria esse et tamen sint in potestate nostra, non video compossibilitatem; neque video repugnantiam
30 aliquam quod nullus homo peccet, quoniam Deus vellet

7 libertate c; potestate δo ed. — 10 ad peccatum b. — sed potens ed. — 11 et pro Mδι ed. — minori ed. — 13 sequitur EMC[1] ed; semper B. — 19 sequitur ed. — 20 principium ed; principio M. — 22 me *omm* AM ed. — 23 repugnent M ed. — 26 aliquid B. — 27 contradicit EC[2]; contradixit *cett.* — De caelo et mundo d ed; *om* et mundo b. — virtutes *om* ed.

23 Supra, p. 182, 19; p. 274, 19 *etc.* — 27 *De Caelo*, 1, 12. 281b 20 sqq.

impossibile cum vult omnes homines sal|910|vos fieri; sicuti nulla est repugnantia quod omnis homo peccet.

(36) Dicebatur et in eodem capitulo quod operatio mundanorum videtur esse quidam ludus: si quis enim inspiceret omnia sublunaria, aut rideret, aut fleret. (37) Huic dicitur quod ludus videtur secundum omnes alias opiniones praeterquam secundum opinionem Christianorum. Nam mundus et habet principium et habet finem, et tota ista operatio facta est propter hominem, saltem secundario, ut beatitudine fruatur; omnia enim corporalia Deus ordinavit in hominem ut eis bene uteretur, ex quorum bono usu postea frueretur Trinitate in aeternum; unde nihil pulchrius, nihil utilius excogitari potest. (38) Ast quicquid dicant alii, ludus videtur. Unde Stoici et Peripatetici, qui dicunt Deum de necessitate agere, habent dicere hoc exigere Dei bonitatem ut suum esse communicet quantum est communicabile; et quoniam communicabilis est secundum tot gradus quot videmus in universo et tot modos, ideo communicat. Generabilia autem et corruptibi|911|lia in ordine ad aeterna videntur fumus et nihil; quare videntur parvae existimationis, et videtur quidam ludus in comparatione ad illa suprema. (39) Verum quanquam corruptibilia talia sint, aliquam tamen perfectionem includunt; quare cum esse melius sit quam non esse, quodcunque esse sit, et Deus de possibilibus facit quod melius est, hinc est quod Deus talia facit et conservat. (40) Licet igitur vita humana in ordine ad aeterna quasi nihil sit, est tamen multum in ordine ad alia generabilia; et unumquodque generabile per comparationem ad non ens. Quare cum melius sit vivere per unum annum quam nunquam vivere, non igitur vita unius anni spernenda est, cum semper appetitus feratur in bonum, et in maius bonum.

8 *1m* et *om* E. — *2m* habet *om* E. — 9 facta est *omm* δι ed. — 10 corruptibilia C[1]E. — 20-21 et nihil . . . suprema *om* E. — 22-23 tamen *om* ed. — 24 quodcumque esse sit *om* E. — 26 vitia Aβ; entia M; *om* E. — aeternam Gδη. — 27 quasi nihil: nihil fere E. — 28 in comparatione E. — 31 et magis bonum E.

3 Supra, p. 195, 15 sqq..

(41) Non itaque ludus debet existimari si sit tanta variatio in universo; quoniam hoc exigit natura universi. Et sic de isto capitulo.

(42) Multa etiam dicta sunt in primo libro in defensionem 5 Stoicorum quae huic opi|912|nioni adversari videntur; nam multa hinc inde colligi possent quae adduci possent adversus opinionem religionis Christianae. Verum, ut existimo, ex his quae in quarto hoc volumine dicta sunt, si bene et attente perspecta sint, ad ea facilis et aperta apparebit solutio; 10 quare ab eo negocio me abstinebo. Et hic terminatur quartus liber de fato.

2 in universo *om* b. — 4-5 Multa etiam . . . videntur; nam *om* E. — 10 terminabitur Mδ ed. — 11 *add* Finit quartus liber de fato: et incipit quintus Aβ. — *ad* Finis quarti libri G.

INCIPIT LIBER QUINTUS

|913| *Caput primum quinti et ultimi libri de fato in quo ponitur libri intentio.*

(1) Quoniam considerationi de fato etsi apud philosophos
5 non sit annexa consideratio de praedestinatione (minime
enim apud philosophos ponenda est, quandoquidem non
ponant Deos aliquos elegisse et aliquos reprobasse; nam aut
posuerunt animos esse mortales, et sic neque eliguntur neque
reprobantur; aut si eos immortales esse posuerunt, alium
10 habent modum ut vel quod iterato reuniantur et iterato
separentur per infinitos circuitus, ut Pithagoras videtur existimare, vel secundum aliquem alium modum, de quo non
est nobis in praesentiarum curae); tamen quoniam apud
Christianos non bene intelli|914|gitur materia de fato nisi
15 et ea quae de praedestinatione est intelligatur, magnam etenim inter se hae duae considerationes connexionem habent
adeo ut una sine altera perfecte intelligi nequeat; ideo in hoc
ultimo huius nostri operis volumine volumus secundum vires
nostras et de hac consideratione sermonem facere. (2) Et
20 quoniam considerationi de fato et de praedestinatione necessaria videtur esse consideratio an Deus contingenter agat,
ideo ab hoc initium sumemus.

1 Incipit liber quintus Eδη; Incipit quintus liber M; Liber quintus de fato γ. (et incipit quintus Aβ); *tit. om* F. — Petri Pomponatii De Fato Liber quintus ed. — 6 quandoquidem tamen α. — 7 reprobasse *sic* C ed; approbasse *cett.* — 8 animas M. — 9 eas M. 10 reiterato CL. — reuniuntur E; remittuntur AM. — et: vel ed. — 12 aliquem *om* ed. — 15 est *om* δι. — 16 duae considerationes: duo E. — 17 unum sine altero E. — perfecte *omm* δι ed. — ideoque in hoc δι ed. — 18 huius *om* α. — 19 materia E. — habere ed. — 20 quoniam consideratio E.

11 Cf. H. Diels, *Fragmente der Vorsokratiker*, Berlin 1903, p. 26. (Herodot., II, 123; IV, 95).

Caput secundum in quo quaeritur an Deus contingenter agat; et si agit, quomodo causat.

(1) Quaeritur ergo an secundum hanc opinionem concedendum sit Deum contingenter agere. Et loquimur hic tantum
5 de actione ad extra secundum quam ‹mundum produxit et›
gubernat; nam de productione divinarum personarum nulla
hic fit mentio, quoniam nostro non deservit proposito. Et
arguitur quod non.

(2) ‹Primo› : Quoniam contingens ipsum ex natura sua
10 est indetermi|915|natum; si igitur Deus contingenter age-
ret, indeterminate ageret. Sed indeterminate agere dicit
imperfectionem agentis, ut de se notum videtur. Ergo
Deus non contingenter agit si sic agere dicit imperfectionem;
est enim omnis imperfectio a Deo releganda. (3) Maior au-
15 tem videtur esse per se nota (videlicet: si contingens est
indeterminatum, et contingenter agere erit indeterminate
agere) a simili: si necessarium est quod non potest non esse,
ergo necessario agere est non posse non agere; ergo et contingenter agere est indeterminate agere, siquidem contingens
20 est quod indeterminatum est.

(4) Secundo: Aut Deus omnium quae fuerunt et quae
sunt et erunt ab aeterno ‹habuit determinationem›, aut
non, sic intelligendo quod Deus ab aeterno determinavit
quaecunque fecit, facit et faciet, aut non. Non est dare se-
25 cundum quoniam sic aliquid esset, foret, vel fuisset quod
tamen non esset factum secundum suam voluntatem et
determinationem. Quod non videtur posse esse, quoniam
vel illud est cognitum a Deo vel incognitum; non incogni-

1 in quo quaeritur *om* E. — 2 si agit *om* E. — questio causatur E. — 3 quaeritur: quare E. — igitur ω L. — 5-6 secundum quam produxit et mundum gubernat *cunct.* — 9 primo ed; primum *codd.* 12-14 agentis . . . est enim *om* E. — 14 Omnis autem E. — 18 non *ante* agere *om* δι. — igitur E. — 18-20 et contingenter . . . indeterminatum est *om* E. — 21-22 fiunt, fuerunt et erunt E. — 22 habuit determinationem: fuit determinatus *cunct.* (*cf. p. 396,25*). — 28 aliud ed. — 28-1 non incognitum *omm* Gδo ed.

tum, nihil enim Deum latet quandoquidem omnia sunt aperta ei; si igitur cognitum et de eo habu|916|it scientiam practicam sive factivam (nam aliter non esset in rerum natura), fuit igitur a Deo volitum et per consequens determi-
5 natum, quoniam voluntas determinat actum. Oportet igitur de necessitate dicere quod Deus ab aeterno omnia determinavit.

(5) Modo quaeritur: Aut igitur quae futura sunt et a Deo determinata aliter poterunt esse quam erunt, aut non aliter
10 poterunt esse quam erunt. Si detur secundum, omnia igitur quae erunt inevitabiliter erunt, et sic stabit Stoicorum opinio; quare auferetur liberum arbitrium. Si vero detur quod ventura aliter poterunt esse quam erunt, cum minime modo illo esse potuerint nisi etiam secundum modum illum a Deo
15 determinentur, cum autem ex supposito iam Deus determinavit oppositum, oportet igitur quod alia fiat in Deo determinatio quam nunc sit si illud fieri debet. Igitur in Deo potest cadere mutatio, quod est omnino impossibile, si quidem potest aliter fieri quam erit. (6) Hoc etiam sic
20 manifestatur. Nam bene sequitur: aliter |917| erit, ergo Deus aliter determinabit; ergo si potest aliter esse, potest aliter determinare; quoniam ab esse ad posse tenet consequentia. Similiter si Socrates currit et non curret, Socrates secundum cursum variabitur; ergo si currit et poterit non
25 currere, poterit igitur variari ab illo modo quo nunc est. Quare si Deus ab aeterno determinavit sic fore et possibile est non sic fore, et non est possibile non sic fore nisi etiam Deus sic determinet non fore, ergo Deus potest suam determinationem mutare. Quod si hoc est impossibile, sicuti

1-2 nuda et aperta sunt oculis eius E. — 2 habuerit BCδ; habebit ed. — 3 non *om* ed. — 5 determinavit ed. — 10 poterunt esse quam erunt *om* E. — 12 auferretur Aδ; aufertur E ed. — 12-13 futura E. — 14 poterint AMLC[2]; poterunt E. — 18 potest cadere: caderet E. — 19 siquidem ... quam erit *om* E. — 22 ad: et ed. — 23 et non currit ed. — 24 et *om* ed. — 27 et non est possibile non sic fore *omm* δι ed.

1 *Hebr.*, 4: 13.

ergo determinatio Dei non potest immutari, ita et per ipsum determinatum immutari non potest.

(7) Quare quodcunque erit, inevitabiliter erit; quod si quodcunque erit inevitabiliter erit, et inevitabiliter erit quo-
5 niam sic determinavit esse (sua enim scientia est causa rei et non res causa scientiae), et non potest esse quin sic determinaverit, neque aliter determinare potest, ergo Deus non contingenter agit. Si enim determinatissime agit et sua determinatio variari non possit, inintelligibile est quod con-
10 tingenter agat; si nanque aliquod contingenter agit, potest agere et potest non agere. (8) Si ta|918|le autem agens est voluntarium, alia determinatio voluntatis concurrit ad productionem partis affirmativae et altera partis negativae, ut de se notum est. Igitur vel nondum determinavit se ad ali-
15 quam partium, vel se determinavit; si nondum se determinavit sed determinabit quoniam unum producet, ergo mutatio est in eo, nam de indeterminato factum est determinatum; si vero determinavit se et potest in alterum, potest igitur variare determinationem quam habet. (9) Si igitur
20 Deus contingenter agit, potest agere et potest non agere; si ergo unum illorum aget, aut igitur nunc est determinatus, aut non. Si non, et determinabitur, ergo mutabitur ex non determinato in determinatum; si vero nunc est determinatus ad unum, et potest etiam agere alterum, non potest autem
25 illud agere nisi se determinet ad illud, ergo potest ad illud alterum se determinare; et iam actu est determinatus ad unum, et una determinatio non stat cum altera, quoniam actus sunt incompossibiles; ergo potest amittere hanc de|919|terminationem et aliam acquirere, ergo potest variari.
30 Sed hoc est impossibile; ergo impossibile est Deum contingenter agere.

1 potest mutari E ed. — per se ipsum Aδι ed. — 2 determinatum mutari ω. — 3-4 quod si . . . erit (quoniam *etc.*) *omm* α ed. — 6 res est ed. — 8 determinatissime: determinatus est α. — 10 aliquid γ ed. — 11 potest *om* ed. — 12-13 ad determinationem γ. — 13 et altera: alia vero E. — 16 sed: se ed; et E. — 22 mutabiliter ed. — 28 actu est impossibile E.

In oppositum arguitur:

(10) Si Deus non contingenter agit, igitur necessario agit; cumque movet caelum, necessario movet caelum. Non potest igitur non movere caelum. Non igitur caeli cessabunt a
5 suo motu; et sicut de necessitate movet caelum, ita de necessitate movit; non igitur motus incepit esse neque motus desinet esse, per prius probata, et sic iste ordo universi non variabitur. Hoc autem est contra articulos fidei; ergo antecedens falsum est. (11) Idem apparet per commune dictum
10 Theologorum dicentium Deum de necessitate producere divinas personas, contingenter autem universum. Ergo Deus contingenter agit ad extra, quod intendebatur.

(12) Ad hanc quaestionem mihi videtur dicendum quod Deum contingenter agere duobus modis intelligi potest:
15 uno modo quod pro uno tempore potest producere immediate unum oppositum et pro alio tempore immedia|920|te potest producere alterum oppositum; alio modo quod pro eodem tempore potest utrunque divisive producere, licet pro eodem tempore non simul.

20 (13) Si primo modo loquamur, sic dico quod quanquam Aristoteles negaret illud, nos tamen Christiani illud indubitanter concedimus. (14) Quod autem Aristoteles illud neget apparet quoniam sic motus potuisset incipere esse, et motus posset in universum desinere esse; quod manifeste repugnat
25 eius intentioni. Quod illud sequatur manifestum est, quoniam non videtur maior ratio de uno quam de altero: nam tota causa apud ipsum quod motus non inceperit est quod primum motum praecessisset motus; et cum ante universum non erat nisi Deus, si ipse est factor totius, mutatio ergo
30 fuisset in Deo. (15) Modo ista ratio in unoquoque alio quod immediate fieret a Deo militat, ut manifestum est. Notanter autem dicitur immediate, quoniam Deus nunc generat Socratem et aliquando non generabit; sed hoc non est nisi

7-8 iste ordo ... hoc autem: erit invariabilis ordo quod E. — 8 Haec ed. — 11-12 Deus contingenter ... intendebatur *om* E. — 14 possit ω. — 17 quod *om* ed. — 23 esse et motus: etiam E. — 24 universo ed. — 29 totius universi α.

mediantibus corporibus caelestibus, quare causa no|921|vitatis reducetur in praecedentem motum. (16) Quod si quaeratur: Cur voluntas nostra potest hoc facere apud Aristotelem, non autem Deus; dico, ut supra dixi, quod si voluntas
5 nostra potest, a fortiori et Deus. Quare aut Aristoteles sibi contradixit, aut tenuit quod omnia fato fiunt.

(17) Unde si Deus de necessitate agit, omnia inevitabiliter fiunt et nulla vere est contingentia. Quod sic deducitur: Quoniam si Deus de necessitate agit, voluntas non est libera
10 neque aliud a voluntate est liberum, ut in prioribus libris ostensum est; ergo omnia inevitabiliter fiunt. (18) Probo primam: Si Deus de necessitate agit, voluntas nostra non est libera. Quoniam quaero: Utrum voluntas possit in utranque partem, divisive tamen, sine aliquo determinante alio,
15 ‹an› non potest? Si non potest, ergo libera non est; si potest, a fortiori et Deus. Potest ergo Deus de novo agere motum vel mundum absque motu praecedente. (19) Sed nulla alia causa movetur Aristoteles ad ponendum Deum de necessitate agere nisi quoniam de novo non potest in-
20 cipere move|922|re nisi motus praecederet. Cum itaque hoc fundamentum est falsum stante libertate voluntatis, ergo si voluntas est libera, Deus non de necessitate agit. Ergo bene sequebatur: Deus de necessitate agit, ergo voluntas non est libera, neque aliud a voluntate. Quicquid ergo evenit, inevi-
25 tabiliter evenit si Deus de necessitate agit. (20) Et quanquam ante nos doctissimus et subtilissimus Ioannes Scotus hoc

5 potest *bis* b ed. — autem Lδ. — 6 fiant E ed; fierent G. — 8-9 et nulla . . . Quoniam: probo primam E. — 9 voluntas nostra E (*cf. infra lin. 12 et 23*). — 10 pluribus ed. — 12 primum quod E. — 14 alio *omm* αC[I] ed. — 15 an: aut α C ed; autem *cett.* — 17 vel mundum *sic cunct.* (*forsan scribae coniectatio*). — 18 movet Aristotelem B ed. — 24-25 inevitabiliter: de necessitate ω.

5-6 Supra p. 183, 1; 274, 22; 384, 24. — 25-26 Joann. D. Scot., *I Sent.*, d. II, qu. I; d. VIII, qu. V; d. XXXIX, qu. I, contra 3[am] positionem (vid. E. Gilson, *Jean Duns Scot*, pp. 313 sqq.; P. Minges, *J. D. S. Doctrina philosophica* . . ., II, pp. 169 sqq.). Cf. Cajetan., *In Thom. Aquin. Sum. Theol.*, I[a] pars, qu. 19 art. 8 (Leon. IV, p. 244-246, n. XI). H. Schwamm, *Die Lehre des Duns Scotus und seiner ersten Anhän-*

concesserit, videlicet quod si Deus de necessitate agit, omnia inevitabiliter eveniunt, non tamen hac ratione ductus fuit, ut patet videnti eum. Mihi autem videtur nostra deductio esse manifesta. (21) Redeundo ergo ad propositum, Aristo-
5 teles non concedit quod Deus immediate pro diversis temporibus potest facere opposita sic quod aliud non praesupponat; nos vero tenemus oppositum de facto, quoniam mundum initiavit, et mundum finiet, quantum ad hunc ordinem. Neque ratio Aristotelis ulla est; quoniam voluntas
10 nostra potest, quanto magis Deus.

(22) Si vero loquamur secundo modo, scilicet quod pro eodem |923| tempore potest Deus divisive utrunque oppositorum producere, quanquam voluntas nostra hoc possit ut manifestum videtur, tamen non praeiudicando veritati et me
15 subiiciendo determinationi sanctae Romanae Ecclesiae dico

1-2 videlicet quod . . . eveniunt *om* E. — 3 videtur haec deductio E. — 8-9 mundum initiavit . . . ad ordinem: mundus principium habuit etiam finiet E. — 12 Deus *omm* Bδ ed. — 14-15 et me subjiciendo . . . Ecclesiae *om* E.

ger über das göttliche Vorherwissen (Philosophie und Grenzwissenschaften, Bd. v, Heft. 1-4, Innsbruck, 1934), pp. 16-23. J. Verweyen, *Das Problem der Willensfreiheit in der Scholastik*, 1909, pp. 170-197. P. Minges, O. F. M., *Der Gottesbegriff des Duns Scotus auf seinen angeblich excessiven Indeterminismus*, Wien 1906 (in Theolog. Stud. der Leo-Gesellschaft, Heft 16; P. Vignaux, *Justification et Prédestination au XIVe siècle.* 1934, pp. 14-15). Cf. supra, p. 92, 18 sqq. — Quoad Scoti discipulos quosdam, vid. H. Schwamm, *Die Lehre*..., passim. Idem, *Magistri Johannis de Ripa O. F. M. doctrina de praescientia divina* (Analecta Gregoriana 1, Roma, 1930). Idem, *Cowton, Robert O. F. M. über das göttliche Vorherwissen* (Philosophie und Grenzwissenschaften, Bd. III, Heft 5. Innsbruck 1931). — 2 V. g. *I Sent.*, d. XXXIX: «Nulla contingentia potest esse in causatione alicuius causae respectu sui effectus nisi prima causa contingenter se habeat ad causam proximam sibi vel ad suum effectum . . . tota ergo ordinatio causarum usque ad ultimum effectum necessario produceret, si habitudo primae causae ad sibi proximam sit necessaria» (*Opus Oxon.*; ed. Venetiis 1521, fol. 134rb. H. Schwamm, *Die Lehre des Duns Scotus* . . ., p. 22). Observat Cajetan. (*In Thom. Aquin. Sum. Theol.*, 1a pars, qu. 19 art. 8; Leon. IV, p. 246) quod Scotus Aristotelem de contradictione arguit quod eodem tractu contingentiam atque necessitatem in actione Dei concesserit. Vid. etiam E. Gilson, *Jean Duns Scot*, p. 153. — 4-10 Cf. infra, p. 402, 13-18.

quod non potest hoc Deus facere. (23) Cuius ratio mihi invincibilis videtur ea quae argumentando tacta est: quoniam si potest Deus pro A tempore producere Socratem exempli gratia, et pro eodem A tempore potest non producere
5 Socratem, sic quod ipse sit utriusque causa adaequata nullo alio concurrente, vel igitur iam est determinatus ad unum illorum oppositorum, aut non. (24) Si detur quod non, cum in A tempore de necessitate una pars erit illorum oppositorum, et non erit nisi sit Dei determinatio, ergo Deus
10 mutabitur de indeterminato ad determinatum. (25) Si vero iam est determinatus et potest aliter esse, hoc esse non potest nisi sit alia determinatio; cum autem illa non sit compossibilis huic quae est, ista desinet esse et illa incipiet; quare in Deo erit mutatio, quod non est admittendum.

15 (26) Quod si dicatur |924| quod veluti sedens potest currere in sensu divisionis, non tamen potest esse quod sedens currat in sensu compositionis (ut utar nugis sophistarum dicentium quod una est in sensu diviso, alia vero in sensu composito), ita Deus de una determinatione potest mutari
20 in aliam, sive determinationem quam habet potest non habere in sensu divisionis; non tamen possibile est quod

2 inconvincibilis C[1]; inevitabilis ed. — 9 determinato ed. — 10 indeterminatio ed. — 15 dicatur veluti α. — 16-21 non tamen potest . . . sensu divisionis *om* ed. — 18-19 dicentium . . . composito *om* E. — 21-1 possibile est . . . non habeat *om* E.

15 sqq. Cf. Joann. D. Scot., *I Sent.*, d. XXXIX, qu. 1: « Voluntas volens A potest non velle A . . .: falsa in sensu composito, vera in sensu divisionis . . . Voluntas non volens aliquid pro A potest velle illud pro A (instanti). » (*Op. Oxon.*; ed. Venetiis 1521, fol. 135ra; H. Schwamm, *Die Lehre des Duns Scotus* . . . , pp. 18-19; E. Gilson, *Jean Duns Scot*, p. 588). Robert Cowton O. F. M., *I Sent.* d. XXXVIII: « Si dices quod est necessarium ipsum esse cursurum et aliquando esse currentem necessitate consequentiae et non necessitate consequentis . . . Contra: In omni conditionali vera, si antecedens est necessarium absolute, et consequens est necessarium absolute, quia ad antecedens semper requiritur consequens, et ad necessarium nunquam sequitur nisi necessarium, sicut ad verum nunquam sequitur nisi verum » (H. Schwamm, *Robert Cowton* . . . , p. 6, lin. 10 sqq.). Obiectiones tales reperiuntur in Thom. Aquin., *I Sent.*, d. XXXVIII, qu. 1 art. 5 (ed. Mandonnet, I 1929, pp. 907 sqq.) ut notat Schwamm (*ibid.*, p. 23).

determinationem quam habet non habeat in sensu compositionis. (27) Certe iste est ludus consistens in puris nugis. Quoniam si sedens potest currere sic quod actualiter sedeat, hoc tamen in sensu divisionis verificari non potest nisi amit-
5 tendo sessionem et acquirendo cursum, sic quod cursus sequatur sessionem; quare de necessitate mutabitur, si quod sedet curret; et si non curret sed poterit currere, non poterit currere nisi poterit amittere sessionem et per consequens variari. Quare si Deus actu habet unam determinationem et
10 aliam habebit, certe mutabitur; et si aliam non habebit sed habere poterit, poterit mutari. (28) Quod autem dicitur quod non est possibile sedentem currere in sensu compositionis, huic dicitur quod si referatur ad idem tempus, sic verum est quod dicitur, quoniam sensus est quod simul currat
15 et sedeat, quod est impossibile; si tamen referatur ad diversa tempora sic quod sensus sit: Possibile est |925| quod nunc sedet in alio tempore currat, ista est verissima si illa de sensu diviso est vera, et impossibile est unam verificari sine alia. (29) Quare si in sensu compositionis impossibile est Deum
20 habere determinationes oppositas, hoc est ut cadunt supra idem tempus; si vero cadunt supra diversa tempora, si illa de sensu diviso est vera, et illa de sensu composito; et e contra. Quare cum illa de sensu composito est impossibilis, et illa de sensu diviso est impossibilis. Unde si Deus deter-
25 minavit absolute te fore pro A instanti, impossibile est ut non sis pro eodem A instanti.

(30) Et quoniam diximus quod voluntas humana potest in A tempore facere unum, et pro eodem A facere oppositum, divisive tamen, Deus autem non potest, ideo fortassis
30 quaeritur de causa diversitatis. Immo videtur hoc esse irrationabile: sic enim videtur quod nostra voluntas esset efficacior et potentior voluntate divina. (31) Huic dicitur primo

4-5 ammittendo M; obmittendo E; omittendo *cett.* (*cf. infra, l. 8a*). — 8 amittere: admittere L[1], dimittere L[2]. — 9 actum D. — 16 qui nunc B. — 17 sedeat A (*correx. in* sedet) ed. — certissima E. — 18 aliam MBD. — 19-26 si in sensu . . . pro eodem A instanti. Et *om* E.

quod ratio diversitatis est quoniam voluntas humana est variabilis; quare non existens determinata potest deter-|926| minari, et determinata ad unum potest ad alterum determinari; hoc autem impossibile est in voluntate divina. Cumque
5 talis contingentia includat mutabilitatem, ideo a Deo releganda est, non autem ab homine. (32) Quod autem additur quod voluntas humana potentior esset voluntate divina, illud minime sequitur; immo magis oppositum, quoniam quod sic potest voluntas humana arguit imperfectionem si-
10 cuti posse peccare arguit imperfectionem, et non posse mutari et non posse peccare arguit perfectionem. Immo solus Deus non potest peccare inter naturas intellectuales; nam Angeli ante confirmationem poterant peccare. Et sic patet de secundo dicto.

15 (33) Unde per haec ad argumenta respondetur. Ad primum dicitur quod Deus non contingenter agit sic quod pro eodem tempore possit agere et non agere, sed bene secundum diversa tempora; verum secundum illa tempora pro quibus aget et non aget, inevitabiliter aget; quare determinatissime
20 aget. Unde veluti sol faciet diem et noctem in diversis temporibus, inevitabiliter tamen, supposito isto ordine universi, ita |927| et Deus; cum tali enim contingentia stat inevitabilitas ut manifestum est. (34) Ad secundum autem, cum quaerebatur: An Deus omnium factorum et fiendorum ab aeterno
25 habuit determinationem, huic dicitur quod sic, neque aliter esse potuit neque aliter esse poterit quam ipse ab aeterno determinavit. (35) Cumque ulterius dicebatur: Omnia igitur quae ventura erunt, inevitabiliter erunt quoniam sunt a

10-11 et non posse . . . perfectionem *om* ed. — 11 arguunt ALM. — 12 actuales ed. — 11-13 Immo solus Deus . . . peccare *om* E. — 16 Deus *om* α. — pro *om* α. — 17 bene: tantum ed. — 20 agit ed. — 23 autem *om* ed. — dicitur *post* autem *add omnes praeter* E. — 25 habuit cF; habuerit δγη ed. — dico quod certe habuit E. — 25-26 neque aliter esse: vel E. — 26 ipsa ELDH.

15 Supra, p. 388, 9 sqq. — 20-23 De actionis divinae inevitabilitate, vid. Cajetan., *In Thom. Aquin. Sum. Theol.*, 1ª pars, qu. 22 art. 4. (Leon. V, 269-270, nn. III-IX). Cf. supra, p. 343, 18 n. — 23 Supra, p. 388, 21 sqq. — 27 Supra, p. 389, 8 sqq.

Deo ab aeterno determinata; huic dicitur quod omnia quae ventura sunt vel erunt, de quo non sit vis, de necessitate erunt ut sunt ab eo determinata. Quoniam substantia rei et eius accidentia sunt per totum secundum determinationem divinam; et quoniam Deus ab aeterno determinavit ut aliqua inevitabiliter eveniant, ideo ipsa inevitabiliter evenient; ab aeterno etiam Deus determinavit ut aliqua evitabiliter eveniant, ideo ipsa evitabiliter evenient. Ideo aliqua inevitabiliter et de necessitate, et aliqua contingenter et evitabiliter evenient.

(36) Quod si iterum dicatur: Nonne ab aeterno Deus ordinavit et determinavit Socratem futurum in anno futuro proximo? scit itaque quod erit in anno proximo. Huic dicitur veluti in superiori volumine |928| dictum est, quod ista propositio est de futuro et respicit futurum. Quare Deus de Socrate futuro in anno futuro non ordinavit neque determinavit nisi quod contingenter erit in tali tempore, et absolute non determinavit quod erit; quare si erit in tali anno, in tali anno contingenter erit.

(37) Et si iterum dicatur: Deus igitur est incertus an Socrates erit in anno futuro; huic dicitur: Si incertitudo dicat puram negationem, concedendum est, quoniam non est certus neque potest esse, stante contingentia; si vero dicat positivum, ut pote dubitationem, negatur; in Deo enim non cadit dubitatio scitque de Socrate futuro quicquid sciri potest, non autem quod sciri non potest. (38) Unde si quod scitur ut possibile est ipsum sciri, sic de illo nullo modo potest cadere dubitatio; sicut non dubitamus neque de necessariis, neque de impossibilibus, si scimus illa esse

2 sunt vel *om* E. — de quo non sit vis *om* E. — 3 a Deo γ. — 4 eius: ei α L; rei B. — 5-8 ut aliqua . . . evenient *sic solus* C^2. — 6-7 inevitabiliter eveniant . . . ut aliqua *om* A; *iterum* 8: ideo ipsa evitabiliter evenient *om* A. — 6-8 ipsa . . . evenient. Ideo *omm* E d ed. — 7-8 aliqua evitabiliter . . . evenient. Ideo *omm* BM. — 7-8 eveniant ideo ipsa evitabiliter *om* L. — 11 nonne: non Bδo ed. — 13 scit α; sic BC; sit *cett.* — 19 in tali contingenter erit ed.

14 Lib. IV, cap. 4; supra, p. 344 sqq.

necessaria vel impossibilia. Scit enim Deus quod potest esse et potest non esse, et quod non est determinatum suum esse neque non esse.

(39) Quod si ulterius dicatur: Deo igi|929|tur futura non
5 sunt certa; respondetur quod qua futura sunt, non sunt certa; et qua certa, non futura. Quod si Deo futura sunt certa, sunt quatenus ei sunt praesentia et extra suas causas. Verum ut sic, sunt necessaria et sunt inevitabilia; quare ut sic aliter esse non possunt. Et in hoc Creator est supra
10 creaturam ratione suae aeternitatis omnia ambientis; nullum vero aliud mensuratur ab aeternitate, quoniam futura non sunt eis praesentia. (40) Unde ad illud cum dicebatur: Si Deus potest agere et non agere, aut est determinatus aut non determinatus; patet per antedicta quod non potest pro
15 eodem instanti sive tempore sed pro diversis, ubi ipse Deus sit causa totalis; quod dicitur propter actus voluntatis humanae sive creatae: nam voluntas humana pro A instanti potest producere B effectum et eius oppositum, quoniam de non determinata potest fieri determinata, et de una deter-
20 minatione variari in alteram determinationem; quod minime de voluntate divina dici potest. (41) Quare Deus ad actum |930| voluntatis humanae potest concurrere tanquam causa et ad eius oppositum pro eodem instanti, verum determinatio talis actus non est ex Deo sed ex humana voluntate quam
25 voluit esse liberam. Unde variatio est ex parte voluntatis humanae et non ex parte Dei, sicuti et determinatio; non enim Deus determinat sed voluntas. Si enim Socrates peccabit in A tempore, non ideo peccabit quoniam Deus sic determinavit, sed ideo peccabit quoniam voluntas Socratis sic de-
30 terminabit. (42) Sermo autem noster est de iis quorum Deus est immediata causa vel est causa determinationis, sic quod illa agentia non determinentur ex se sed ex natura, veluti

5 quae futura ed. — 6 et quae certa ed. — 7 et *om* ed. — 12 ei EG. — 16 per actus ed. — 19 potest de una E. — 20 potest variari ed. — 30-31 est *post* Deus *om* ed.

sunt actus non provenientes a voluntate. Et sic argumentum non procedit.

(43) Verum quoniam diximus quod Deus ratione suae determinationis inevitabiliter et de necessitate agit ut deter-
5 minavit, et argumentum factum ad oppositum videtur procedere contra hoc, ideo ad ipsum respondetur. (44) Inferebatur enim quod si Deus sic inevitabiliter ageret, |931| tunc mundum non inchoasset. Huic dicitur negando illationem. Nam Deus inevitabiliter et de necessitate inchoavit mundum,
10 quoniam ab aeterno determinavit inchoare mundum pro tali instanti. Unde sequitur oppositum et non propositum; quoniam ex quo sic determinavit, stante ista determinatione, non potuit ab aeterno producere mundum. (45) Unde etsi stante determinatione necessarium fuit produci mundum pro
15 tali instanti, non tamen pro quocunque tempore; nam quanquam ab aeterno determinavit producere mundum, non tamen pro aeterno, sed de novo et pro novo. Non igitur Deus absolute de necessitate egit, agit, vel aget, sed de necessitate egit, agit et aget pro tempore pro quo determinavit ab ae-
20 terno agere. Quare argumentum non procedit.

Caput tertium in quo moventur dubitationes adversus ea quae dicta sunt in priori capitulo.

(1) Adversus autem haec quae dicta sunt insurgunt mihi arduae quaestiones sive dubitationes. Quoniam diximus
25 De|932|um de necessitate produxisse mundum pro A instanti, quoniam ab aeterno sic determinavit producere. (2) Sed istud non videtur verum, quoniam sic Deus de necessitate ageret ad extra; hoc autem est contra commune

1 arguitur E. — 2 non procedit *om* α. — 5-6 non procedit E. — 6 ad ipsum *om* E. — 8 similitudinem E. — 13 non producere γ. — 18-19 vel aget . . . agit *omm* B ed. — 19 egit, agit et aget *om* E. — 21 dubia E. — 22 in priori capitulo *om* E. — 23 haec quae dicta sunt: proxime dicta E. — mihi *om* ed. — 24 quaestiones sive *om* E.; sive dubitationes *om* B. — 28 ageret *om* ed. — 28-1 communem sententiam E.

5 Supra, p. 391, 1 sqq.

dictum Theologorum qui dicunt processionem divinarum personarum quae est ad intra esse necessariam, processionem autem universi quae est ad extra esse contingentem.

(3) Sed huic forte dicitur quod processio universi dicitur 5 esse contingens et non necessaria, quoniam absolute non procedit a natura ut distinguitur a voluntate, verum procedit ex voluntatis divinae determinatione et secundum quod voluntas divina determinavit ab aeterno; quare universum procedere de necessitate est prout est determinatum per 10 voluntatem divinam. Unde stante illa determinatione necessarium est universum procedere; non autem simpliciter. (4) Verum istud non videtur satisfacere. Quoniam illa determinatio voluntatis divinae aut est simpliciter necessaria, aut non. Si detur quod illa determi|933|natio sit simpliciter 15 necessaria, cum ad illam determinationem de necessitate sequitur universi productio per concessa, ergo absolute universi productio est necessaria; nam in conditionali bona, si antecedens est simpliciter necessarium, et consequens est simpliciter necessarium; et sic universi productio est sim- 20 pliciter necessaria, quod est contra responsionem. (5) Si vero detur quod talis determinatio in Deo est contingens, non minora sequuntur incommoda: Quoniam determinatio quae est in Deo potest non esse in Deo, siquidem illa est contingens; quod autem de facto est in aliquo et potest non 25 esse, hoc fieri nequit absque variatione sui; Deus igitur erit subiectum variationis, quod omnino impossibile est.

(6) Si vero dicatur quod re vera postquam in Deo facta est determinatio, non potest amplius non esse illa determinatio; verum priusquam esset, poterat non esse, et fieri altera 30 determinatio. Quare non sequitur variationem fieri posse in

6 distinguitur contra voluntatem EC. — 8 divinae D. — 16 sequatur EC. — 18-19 est simpliciter necessarium *post* consequens *om* E. — 22 nec (haec M) minora ω.

1 sqq. Vid.: Petr. Lombard., *I Sent.*, dist. VI (PL 192, 539-540), et omnes commentatores super eodem, v. g. Thom. Aq., I *Sent.*, d. VI, qu I, art. I. De libera a Deo creaturarum processione, vid. Th. Aquin., *Summ Theol.*, Iª pars. qu. XIX, art. 3-4 (Leon. IV, pp. 234-239).

Deo; dicitur enim fieri variationem quando habet unum et postea illud non habet, |934| sed habita una determinatione apud Deum, semper illa remanet.

(7) Sed istud videtur ex toto falsum. (8) Primo quidem
5 quia in aeternitate nihil prius, nihil posterius, ut patet per diffinitionem datam a Boetio in V *De Consolatione*; ponitur enim quod sit tota simul; responsio autem asserit quod ante determinationem potuit aliam habere determinationem. (9) Amplius quoniam si Deus prius potuit determinare quam
10 determinavit, ergo in Deo in illo priori erat indeterminatio; sed indeterminatio imperfectionem includit; ergo in Deo caderet imperfectio et sic non esset Deus. (10) Praeterea quanquam Deus, per responsionem, habita una determinatione eam non possit relinquere, prius tamen quam habet
15 illam determinationem potest habere illam et oppositam; verum hoc non videtur posse intelligi absque variatione; si enim possum sedere et non sedere, videtur quod in natura mea non sit determinatio, et per consequens varietas. (11) Quod et confirmatur: Quoniam si |935| Deus prius
20 potuit aliter determinare quam determinaverit, aut igitur erat in illo priori determinatus quam determinationem vellet, aut non; si erat determinatus, ut puta ad A determinationem, non potuit determinari ad oppositum nisi mutasset priorem determinationem, quod est impossibile; si vero in
25 illo priori erat indeterminatus et postea se determinavit, ex indeterminato factus est determinatus, quod etiam videtur impossibile.

(12) Iuxta hoc consequenter quaeritur: An Deus potest aliqua facere quae tamen non faciet? Et communiter Theo-

1 variationem in Deo α. — 14 posset ed. — habeat EM. — 19 prius *om* ed. — 22 erat determinatus *post* aut non *add* AM ed.

6 *De Consol.*, V, prosa 6ª (Peiper, p. 139,9-10), cf. supra, p. 290, 2. — 29-1 Cf. Petr. Lombard., *I Sent.*, d. XLIII (PL 192, col. 637). Thom. Aquin., *Sum. Theol.*, Iª pars, qu. 19 art. 3 (Leon. IV, p. 234); qu. 25 art. 5 (Leon. IV, p. 296). De J. D. Scot., G. Occam., Pet. Aureol. sententiis vid. P. Vignaux, *Justification*, p. 9 n. 3; p. 58-59 nn.; p. 98 n. Vid. infra, p. 410, 29 n.

logi tenent quod sic; immo et Marsilius Ficinus hoc ascribit Platoni. (13) Verum hoc non videtur esse possibile. Quoniam si Deus nihil facit quod non determinet facere, nihil etiam potest facere nisi possit et illud determinate facere; aliter
5 enim aliquid fieret a Deo de quo Deus non haberet determinationem, quandoquidem potest fieri aliquod ex datis sine determinatione. (14) Si igitur potest habere determinationem |936| quam non habet, Deus non est actus purissimus, quoniam non habet quicquid potest habere. Quod autem
10 illam non habeat, patet; quoniam per data hoc nunquam fiet, ergo Deus non determinavit hoc fieri; ex opposito enim sequitur oppositum: si enim determinasset, fieret. Non igitur Deus habet illam determinationem. (15) Unde, ut mihi videtur, Aristoteles fortassis videns istas rationes absolute
15 dixit: in Deo non differt esse a posse, neque quantum ad essentiam, neque quantum ad posse facere. Quare quod facit potest, et quod potest facit; aliter enim in Deo caderet imperfectio, quemadmodum deductum est.

1 Pretinus B. — ascripsit EM. — 4 determinare D (*ante correct.*) FL. — 10 non *om* ed. — 10 pro data DF. — 15 differre M γ. — 17 enim *omm* B ed.

1 *Theolog. Platonic.*, II, 4 (*Opera*, Basileae 2ª ed. 1576, pp. 98-99). *Ibidem*, II, 10 (*Opera*. pp. 104-105). — 15 *Phys.*, III, 4. 203b 30. Cf. *Metaph.*, XII, 6. 1071b 22 sqq. 7. 1072b 10 sqq. De quibusdam circa Dei potentiam infinitam vel finitam controversiis, vid. B. Nardi, *Sigieri di Brabante nel pensiero del Rinascimento Italiano*, Romae 1945, pp. 49 sqq. Cf. P. Pomponatii, *Lect. super primos tres libros Physic.* (a. D. 1519; cf. B. Nardi, *Corsi inediti*, n. XI, p. 268 circa finem). Vid. Append. XVII. Indubitanter inde provenit ista confusio ex littera Aristotelis (*Phys.*, III, 4. 203b 30: «ἐνδέχεσθαι γὰρ ἢ εἶναι οὐδὲν διαφέρει ἐν τοῖς ἀϊδίοις») quam incongrue vertebant latini interpretes ac si esset 'nihil differt posse ab esse in aeternis'. v. g. Comin. de Tr. IV, 81r C: «contingere enim ab esse nihil differt in perpetuis» quae commentando dicit Averroes, t. c. 32 (*ibid*, 8 v D): «Et possibile in rebus aeternis, quas non continet tempus, est necessarium».

Caput quartum in quo respondetur ad obiecta.

(1) Arduae quidem mihi ac perdifficiles videntur esse dubitationes adductae; quare non miror si Aristoteles et Stoici Deum de necessitate agere ad extra posuerunt. (2) Dico
5 autem ad extra, non quidem quoniam ipsi ponant actionem |937| ad intra personarum realiter differentium; hoc enim minime intellexerunt, quandoquidem illa ineffabilis Trinitas ‹non› nisi ex divina gratia et revelatione intelligi possit, qua Aristotelem et Stoicos caruisse manifestum est.
10 (3) Ponunt tamen aliquid in Deo quasi tribus personis proportionale, scilicet potentiam attributam Patri, sapientiam Filio et amorem Spiritui Sancto. (4) Verum haec trinitas scilicet potentia, sapientia et amor est longe alia ab ea quae est divinarum personarum, cum illa tria scilicet poten-
15 tia, sapientia et amor sola ratione distinguuntur, ut inquit Commentator 39 commento XII *Metaphisicae*; illa autem scilicet Pater, Filius et Spiritus Sanctus realiter distinguuntur, ut aperte dicitur in *Symbolo Athanasii*. (5) Quare impius Averrois in eodem commento dicit: «Est igitur unus
20 Deus potens, sapiens et amans; quam trinitatem cum inspexissent fatui Christiani posuerunt trinitatem rerum realiter differentium in Deo»; quare sequitur Deum esse compositum et omne compositum est novum; et sic |938| Deus non esset Deus cum haberet aliquod ante se. (6) Redeundo
25 autem ad id unde discessimus, non ideo diximus ad extra quoniam Aristoteles et ‹Stoici› ponant actionem ad intra;

2 atque b. — difficiles ω G. — esse *om* ed. — 6 haec ed. — 8 non nisi *sic* ed; nisi enim (*ex* non enim) E; *omm* non *cett.* — 13-15 longe alia . . . et amor *omm* AB. — 14 quoniam illa ed. — 26 Stoici: peripatetici *cunct.* (*cf. tamen supra, ll. 3 et 9*).

16-18 *Metaph.*, XII, t. c. 39: «Est igitur unus Deus sapiens, et hoc putaverunt antiqui (*sic*) trinitatem esse in Deo in substantia, et voluerunt evadere per hoc et dicere quia fuit (fecit *ed*) trinus et unus Deus, et nesciverunt evadere . . .» (Comin. de Tr. VIII, 340r). 'Fatui christiani' non comperimus in textu Averrois nec Venetiis apud Juntas ed. 1550, nec apud Comin. de Tr.

sed ut uteremur verbis Christianorum, et quod aperte philosophi dissenserunt a Christianis in hoc, quanquam multi etiam alii philosophi posuerunt mundum incepisse. De illa autem actione ad intra nunquam cogitaverunt quoniam in
5 mentem hominum ex puris naturalibus cadere non potest. (7) Unde apud philosophos convertuntur Deum agere ad extra et Deum agere, loquendo tamen de actione in qua producens et productum sunt realiter distincta. Nam intelligere et velle sunt in Deo, quae actiones immanentes sunt;
10 sed intelligens et intellectum sunt unum et idem. Sic itaque nulla est apud eos differentia inter vere agere et ad extra agere, quandoquidem illa actio ad intra ab eis nunquam fuit imaginata.

(8) Quare ut ad propositum redeamus, dico quod satis
15 apparens causa videtur quod ista actio sit Deo necessa-|939| ria et non possit Deus non agere neque unquam incepisse agere; quoniam sic Deus contingenter ageret, contingentia autem indeterminationem dicit, quod videtur Deo et summe perfecto repugnare. (9) Amplius quoniam si de novo agit
20 Deus ad extra, ut Christiani dicunt, non igitur agere insequitur eius naturam essentialiter; nam quae naturam sic sequuntur simul sunt cum natura. Aut igitur Deus non semper fuit, quod est impossibile; aut si semper fuit et non egit, ista actio extrinseca esset accidens per accidens ipsi Deo,
25 quandoquidem aliquando ageret et aliquando non ageret; quod non videtur rationabile. (10) Praeterea si actio ista nova non insequitur naturam Dei sed eius voluntatem, et voluntas Dei possit in utrunque oppositorum (quoniam si tantum posset in unum oppositorum semper idem faceret,
30 et ita aut semper moveret, aut nunquam moveret), sicuti igitur potuit velle et nolle movere, ita cum sit eadem potentia et a nullo necessitata, postquam movit potest non

2 discesserunt ELIγ; discenserunt B. — 5 mente A d. — 9 remanentes ω. — 14 ut *om* ed. — 20-21 consequitur ed. — 21 *2m* naturam MC ed; natura *cett.* — 23 quod apertissime est ed. — 24 non esset accidens ed. — 25 et aliquando non ageret: aliquando vero non E.

move|940|re, et postquam voluit movere pro A tempore, potest non velle sic movere, quoniam sicut ante potuit nolle, sic et postea potest nolle. (11) Amplius si potest Deus velle et nolle respectu eiusdem, aut igitur nunc habet unum
5 illorum actuum oppositorum, aut nullum; si nullum et potest unum habere, est igitur in potentia ad habendum unum illorum: quod non videtur possibile; si vero unum habet et potest alterum habere, idem et peius sequitur: nam et quod habet potest amittere et quod non habet potest
10 habere.

(12) Unde mihi longe efficacior videtur ista ratio ad probandum aeternitatem motus quam ea quam ponit Aristoteles in VIII *Phisicorum*; innititur enim illi quod a causa eodem modo se habente non possunt produci effectus oppositi.
15 (13) Et si illa est vera universaliter, voluntas humana non est libera; quo dato, aut Aristoteles sibi contradixit in VIII *Phisicorum* et in libris *Ethicorum*, aut tenuit omnia fato evenire, veluti Cicero in libro *De Fato* ipsi Aristoteli ascribit, et multi eum imitati |941| sunt. (14) At ista ratio videtur
20 mihi efficacior et difficilis solutionis: Quoniam si movere

2 potuit non velle ed. — 3 postea potest velle E. — 9 nam: videlicet ω; *om* L. — 9-10 et quod habet... habere: quod potest amittere quod habet et habere quod non habet E. — 12 posuit ed. — 13 illi α ed; illa *cett*; *om* G. — 16 in *om* ed. — 19 imitati sunt: secuti E. — Ast b.

13 Cf. supra, Lib. I, cap. 9; p. 54, 7 sqq. — 18 Cf. supra, p. 182, 20 not.; 274, 19 n. — 20-1 Cf. Thom. Aquin., *Sum. Theol.*, I^a^ pars, qu. 19 art. 3 ad 3um: « velle in Deo est naturale et necessarium » (Leon. IV, p. 235). Cf. etiam *I Sent.*, d. XXXVIII, qu. 1 art. 5; *Sum. Theol.*, I^a^ pars, qu. 14 art. 13 (Leon. IV, p. 185). Contra hoc ostendit Johann. D. Scot. velle in Deo esse contingens (*I Sent.*, d. XXXIX, qu. 1) et etiam sine dependentia ab intellectu divino qui agit naturaliter. Vid. Append. XVIII. Vid. E. Gilson, *Jean Duns Scot*, pp. 317-320. Talis contingentia in productione creaturarum a Deo etiam maiori conatu ostenditur a Petro Aureolo, *I Sent.*, d. XXXIX, art. 2 (P. Vignaux, p. 73 n. 1; p. 74 n. 3); d. XLVII, art. 1 (P. Vignaux, p. 76 n. 1; p. 77 nn. 2-3). Suum Thomam insequens vult Cajetanus contingentiam in creaturis comprehendi sub universali efficacia actionis divinae quae efficacia melius a divina essentia fluit quam istae determinationes vel 'decreta praedeterminantia' Scoti *In Thom. Aquin. Sum. Theol.*, I, qu. 19 art. 8; Leon IV, pp. 245-246). De de-

vel mundum producere esset novum, cum Deus sit aeternus, ista operatio non insequeretur naturam Dei, sed esset adventitia et redigeretur ad voluntatem divinam quae posset in utrunque oppositorum. Quod autem potest in utrunque, ut 5 sic indeterminatum est et determinari potest, et habens unum oppositorum potest et alterum oppositum habere, veluti deductum est; haec autem repugnant divinae perfectioni, sive sit finita sive infinita. Quare videtur quod Deus non potuit de novo mundum producere, quoniam esset 10 voluntas mutabilis; quod deductum est. (15) Et cum hoc bene stat quod voluntas humana sit domina suorum actuum; nam non ideo Deus non potest mundum producere de novo quoniam a causa eodem modo se habente non possint produci opposita, sed quoniam illa actio non esset 15 Deo naturalis, sed oporteret quod proveniret a voluntate quae posset velle et nolle et esset indeterminata, et per |942| consequens mutabilis; quod Deo repugnat.

(16) Quod si quis diceret hanc fuisse rationem Aristotelis in VIII *Phisicorum*, patet textum inspicienti quod minime 20 hoc verum sit; quoniam sic non probaret quod ante primum motum esset motus, sed tantum quod voluntas Dei esset mutabilis. (17) Amplius veluti prius dictum est, manifeste universaliter probat illud de quocunque agente, sive naturali sive voluntario, sive divino sive non divino, ut patet 25 per verba textus ubi exemplificat de hominibus. Et Commentator in commentis 8 et 15 VIII *Phisicorum*, et Themistius ibi concordes dicunt quod voluntas nostra eodem modo se

6 oppositum *omm* Eγ. — 18 dicat Eγ. — 24 sive *ante* voluntario *om* ed.

cretis pradeterminantibus vide H. Schwamm, *Die Lehre des Duns Scotus* . . ., pp. 1-2; Id., *Cowton, Robert O. F. M. über das göttliche Vorherwissen*, pp. 43 sqq., pp. 62 sqq.: « So wird die ganze Tendenz der *Quaestion* des Jacobus (*de Aesculo*) erklärlich: einerseits die Verteidigung der Argumente des Scotus gegen die Lehre des hl. Thomas von der *aeternitas*, andrerseits die Feststellung dass das scotistische Lehrgut von der *determinatio voluntatis divinae* nichts mit dem hl. Thomas zu tun habe » (H. Schwamm, p. 63). — 18 Cf. Johann. Buridan. (supra Lib. I, cap. 9; pp. 54, 24). — 22 Lib. I, cap. 9; supra, p. 55, 23. — 26 Cf. supra, p. 54.

habens non potest in opposita. (18) Praeterea si Aristoteles voluisset voluntatem liberam esse, quomodo posset dicere quod virtutes et vitia sint necessaria et quod opiniones de necessitate reiterantur et mores? Quare aut tenuit fatum, aut
5 sibi ipsi contradixit.

(19) Verumtamen quanquam, ut diximus, videatur difficile posse opinionem fidei substentare a contradictio|943|ne, conabor tamen pro viribus ad opposita respondere. Quod si responsiones non satisfacient, propter hoc tamen non est a
10 fide dissentiendum; noster enim intellectus non potest in tam ardua penetrare, quare sufficiat Revelatio et Scriptura Canonica quae errare non potest. (20) Et fortassis quod alii dant vel dabunt responsiones meliores quae penitus satisfacient; ego enim aliqua vidi quae fortassis sunt pro respon-
15 sione harum dubitationum (nam formaliter haec argumenta non vidi alicubi); verum quoniam talia mihi non satisfaciunt et sunt mihi admodum obscura, ideo non curavi neque referre neque refellere.

(21) Accedamus igitur ad responsiones; et dico primo
20 quod nihil imperfectum Deo debet attribui, neque aliqua perfectio a Deo removeri debet; quoniam quovis istorum dato Deus non esset summe perfectus. Si nanque aliquid imperfecti Deo attribueretur, non esset summe perfectus; nam summum non permittit secum remissionem et contra-
25 rium. Si etiam aliqua perfectio deesset, non omnem perfectionem haberet, ut de se notum est. |944| (22) Deum autem habere voluntatem indeterminatam et posse habere aliquod velle quod non habet vel aliquod perdere quod habet, est

4 factum ed; falsum E. — 10 dissentiendum ed; discendendum E. — 12 canonica *om* E. — 13-14 sufficient ed. — 19 responsionem ed; rationes E. — 22 Deus *om* ed. — 22-26 Si namque . . . de se notum est *om* E. — 27-28 aliquod velle: vel velle aliquid E. — 28 vel aliquod perdere quod habet: vel vult E.

4 Cf. supra, p. 205, 27; p. 221, 5. — 6 sqq. Cf. J. Buridan., *Quaestiones in X lib. Ethic. Aristot.*, III, I (supra, p. 56, 17 n.). Vide etiam P. Pomponatii, *Lect. super primos tres libros Physic.*, Paris, Biblioth. Nation. ms. lat. 6533, fol. 146v (supra, p. 402, 15 n).

Deum ponere non summe perfectum et negare ipsum Deum esse. Nam quod aliquis sit indeterminatus de aliquo fiendo, hoc intelligi non potest nisi ex aliquo defectu; ut puta quod non bene consuluerit, vel non bene intelligat fiendum, vel 5 expectet aliquid, vel aliud huiusmodi; quod Deo repugnat. Similiter quod illud quod habet possit amittere, vel quod non habet acquirere, non est absque potentialitate et carentia, quae imperfectionem dicunt. Quare apud me impossibile est Deum habere voluntatem indeterminatam. (23) Unde Deus 10 ab aeterno omnia determinavit, neque possibile est quod Deus ab aeterno omnia non determinaverit; unde omnia determinare consequitur necessario naturam Dei sicut sapientia, bonitas et sic de singulis consequuntur Dei naturam.

(24) Dico tamen quod quamvis necessarium sit Deum ab 15 aeterno omnia determinasse et omnia de|945|terminata consequi naturam suam, sic tamen determinasse non est necessarium, neque naturam suam consequitur. (25) Quod sic declaratur: Quoniam proprie determinatio non respicit actionem ad intra (non enim illa est voluntaria), sed ad extra tan-20 tum. Nihil autem quod est ad extra facit ad perfectionem divinam. Quare sive universum sit sive non sit, nihil ad divinam perfectionem; unde neque addit neque minuit divinae perfectioni. Unde pro perfectione divina non est necessarium universum esse, neque si sit universum divi-25 nae perfectioni additur, neque si auferatur universum, eius perfectio tollitur. Quare indifferens est universum ad perfec-

1 ponere ipsum Deum E. — summe imperfectum ed. — 3 hoc intelligi non potest nisi ex: non potest intelligi absque E. — 4 consulat E. — non bene *post* vel *om* E. — 5 expectet aliquod vel aliud: aliquid E. — aliquod vel aliquid A. — 6-9 Similiter... indeterminatam *om* E. — 6 istud ed; aliud H. — 10 determinaverit ed. — 10-11 neque possibile . . . non determinaverit: neque aliter possibile est E. — 12 sequitur E. — 13 et sic de . . . naturam *om* E. — 15-16 sequi E. — 17 sequitur E. — 18-19 rationem ad intra bFH (F *ante correct.*). — 25 auferatur BM ed; aufert L; aufertur *cett.* — 25-26 tollitur perfectio divina E. — 26-2 est universum . . . voluntati divinae *om* E.

20 sqq. Cf. P. Pomponatii, *Lect. super primos tres libros Physic.* (a. D. 1519; vid. supra, p. 402, 15 n). Vid. Append. XIX.

tionem divinam, neque bonum neque malum est nisi ut subiacet voluntati divinae. (26) Unde quanquam necessarium sit universum esse vel non esse, nulla tamen pars de per se est necessaria; quo fit cum nihil sit vel non sit nisi ex
5 determinatione divina, necesse est Deum determinasse unam illarum partium, sed non fuit necessarium ad istam vel ad illam determinasse nisi secundum su|946|um beneplacitum. Neque quaerenda est aliqua ratio cur magis istam quam illam determinaverit nisi quoniam sic suae voluntati placuit,
10 sicut etiam in multis actibus voluntatis humanae est videre.

(27) Istis igitur sic acceptis, ad obiecta respondetur. Cum quaeritur an Deus de necessitate agit ad extra, huic dicitur quod non absolute, ut patet per antedicta, sed tantum ex
15 praesuppositione, quoniam sic determinavit et stante determinatione, sic necessarium est agere. (28) Et cum ulterius arguebatur an ista determinatio sit necessaria, huic dicitur quod non. (29) Et cum postea inferebatur: Est igitur contingens, quare indeterminata; huic dicitur quod ista deter-
20 minatio non ideo dicitur contingens quoniam possit non esse vel quoniam potuit non esse, nam aeternaliter fuit, aeternaliter est, et aeternaliter erit, quare neque potest, neque potuit, neque poterit non esse; sed pro tanto dicitur contingens quoniam non repugnat opposito talis determinationis
25 esse; unde si determinas|947|set mundum nunquam fore, nullum est inconveniens. (30) Secus autem est de sapientia, bonitate et sic de reliquis; si enim Deus non esset sapiens, neque bonus, neque intelligens, non esset Deus neque aggregaret omnem perfectionem. Ast si non esset universum,
30 non minus esset Deus veluti etiam fuit antequam universum

5 Deum *om* ed. — 14 ut patet per antedicta *om* E. — 15 suppositione EC. — 21-23 nam aeternaliter . . . poterit non esse *om* E. — 21 fuit et ed. — 23 pro tanto: tantum E. — 24 opposito ωB; opposita L; oppositum γ; oppositioni δ; oppositionem H; oppositio ed. — 25 nunquam *om* ed. — 26 conveniens ed. — 27 et sic de reliquis: etc. E.

13 In cap. 3 facta; supra, p. 399 sqq.

crearet; ante tamen quam universum crearet erat sapiens, bonus et huiusmodi.

(31) Fortassis autem et non inconveniret quod ex quo determinatio intelligitur procedere a voluntate divina, in-
5 telligitur ergo ut causa determinationis ipsa voluntas; causa autem intellectu praecedit causatum; unde pro illo priori naturae non inconvenit Deum intelligere ut habentem voluntatem indeterminatam. Sed quoniam ex parte rei voluntas Dei nunquam potest esse indeterminata, et ipse a nullo acci-
10 pit istam determinationem sed a se (quod de nullo agente creato dici potest, quoniam tota essentia rei creatae in esse et in operari dependet a Creatore), ideo hoc nullam arguit imperfectionem |948| in Deo; sic enim dicimus intellectum praecedere voluntatem in Deo et sapientiam amorem.
15 (32) Si autem dicatur: Etiam nunc Deus, secundum istam responsionem, posset habere unum velle quod nunquam habuit; quoniam veluti in illo priori est indeterminatus et postea fit determinatus, quare igitur nunc et non potest esse indeterminatus et postea determinatus? (33) Huic dicitur
20 quod istud est impossibile, et primum est verum; quoniam si de novo vellet, cum ab aeterno istud non habuit, realiter mutaretur et non solum secundum nostrum intelligere. Non sic autem est in primo; nunquam enim Deus est indeterminatus secundum rem. Nam veluti homo pro aliquo priori
25 intelligitur ut animal et non ut rationale, secundum rem tamen non potest esse animal et non rationale, ita et Deus potest intelligi ut in aliquo indeterminatus, non tamen secundum rem potest esse indeterminatus.

(34) Unde et per haec ad secundam dubitationem re-

1-2 ante tamen ... huiusmodi *om* E. — ante tamen ... crearet *om* H. — 9 Dei EγFH; *omm* Aλδι ed. — 11 creatae *om* ed. — 12 conservari γ. — 14 sapientiam et ed. — 18 et *ante* non *omm* αC[1]; etiam M. — 25 intelligere Gδη. — 26 tantum δι.

13-14 Cf. supra, p. 313, 28, n. — 29 Supra, p. 401, 28. Cf. P. Pomponatii, *Lect. Super primos tres libros Physic.* (a. D. 1519): « Non tamen hoc verum est secundum nostram fidem bonam et sanctam, quod anima sit mortalis, et quod absolute ex eternis sequatur effec-

spondetur. Cum quaeritur: An Deus possit aliquid facere quod ab ae|949|terno non determinavit facere? dico quod non. Et cum dicitur: Theologi communiter dicunt oppositum; dico quod dictum verorum Theologorum bene in-
5 tellectum est verum: intelligitur enim quantum est ex potentia Dei non cointellecta determinatione, et hoc nos concedimus. (35) Nihil enim repugnat divinae potentiae si duos alios faceret mundos vel plures, quod communiter dicitur de potentia absoluta; sed cointellecta determinatione nequa-
10 quam, quod communiter dici solet de potentia ordinaria quae vera et realis est potentia. Illa autem absoluta potentia est quaedam non repugnantia, ut dictum est.

(36) Unde et per haec patere potest ad ea quae adducebantur per Aristotelem quod Deus non potuit incipere
15 mundum. Ad primum enim dicitur quod Deus contingenter agit, i. e. non repugnat ipsum non agere; tamen de necessitate agit ex praesupposita determinatione. An vero determinatio sit contingens vel necessaria, dictum est supra. (37) Ad secundum conceditur quod factio mundi est ad-
20 ventitia |950| Deo, neque aliquid relevat Deo sicut non factio aliquid diminuit a perfectione Dei; immo dicere oppositum est insania, scilicet quod necessario procedat a Deo; sic enim Deus non posset esse ex se perfectus. (38) Quod si dicatur: Tunc Deus non esset bonus in actu quoniam actu
25 non communicaret suam bonitatem, bonum enim in actu

1 respondetur: dicitur E. — aliquid EBγ ed; aliquod *cett.* — 5 intelligere MGδη ed. — 6 haec ed. — 7 si deus E ed. — 15 enim *om* ed. — 20 relevat: addit EC. — sicut: sic δι. — 21 aliquid: nihil E. — 24 quoniam in ed. — 25-1 bonum enim in actu est communicativum in actu *om* E.

tus, ut dictum, licet bene hoc verum sit secundum Aristotelem. Unde non possum multotiens non mirari de istis nostris doctoribus, et praesertim de divo Thoma, qui vult substinere istam propositionem, scil. non differt esse a posse in eternis, secundum fidem, et multas ei dat glosas ut Aristotelem christianum faciat, qui nunquam Christum confessus est», Paris. Biblioth. Nation., ms. lat. 6533, fol. 147r. Cf. B. Nardi, *Corsi inediti*, n. XI, p. 267-268. — 12 Supra, p. 401, 29. — 13-14 Supra, p. 404, 14 sqq.

est communicativum in actu. Dico quod bonum creatum non est actu bonum nisi actu communicet extra se, quoniam tenetur ad hoc et alio indiget; bonum autem increatum nullo indiget et nemini tenetur; quare sufficit communicatio tribus
5 personis. (39) Ad alia vero quae adducebantur, videlicet si potest velle et nolle esset indeterminatus, et si cum habet velle potest nolle, mutaretur et esset in potentia; dico quod Deus non dicitur aliquid posse velle et nolle quia de facto sit indeterminatus, neque quia habens velle potest habere
10 nolle, neque Deus potest aliquid de novo velle. (40) Sed pro tanto apud me sic intelligitur quod, quacunque parte contradictionis data, absolu|951|te non repugnat voluntati divinae et de potentia absoluta, sed repugnat de potentia ordinaria; unde secundum rem Deus nihil potest velle vel
15 nolle de novo. (41) Scio aliquos viros doctissimos tenere oppositum, mihi tamen videtur impossibile aliter dicere. Unde illae distinctiones de sensu composito et diviso mihi videntur involutiones et ludi puerorum. Nihil tamen temere affirmo.

20 *Caput quintum in quo ponitur communis opinio de praedestinatione quid sit, propter quid sit, et quomodo sit.*

(1) Viso an Deus agat contingenter, et si agit, quomodo agit, restat modo videre secundum propositum de praedestinatione. Nam quanquam veluti dictum est apud alios nulla prorsus
25 fiat mentio de praedestinatione, tamen secundum Christia-

1 communicare ed. — 6 sic cum ed. — 6-7 si cum habet . . . et esset: causat E. — 8 non dicitur *om* δι. — posset δι. — fato βGδε, fatto I. — 16 aliter esse ed. — 21 propter quid sit *om* α. — 24-1 quanquam . . . tamen *om* E *qui exhibet* ut diximus *pro toto; deinde scribit* secundum Christianos *post* consideratio de praedestinatione.

15-16 V. g. Cajetanus confirmans dicta Aquinatis, scilicet quod: « licet iste cursus rerum sit determinatus istis rebus quae nunc sunt, non tamen ad hunc cursum limitatur divina sapientia et potestas . . . » *In Thom. Aqu. Sum. Theol.*, 1ª pars, qu. 25 art. 5 ad 3um (Leon. IV, p. 297b).

nos consideratio de praedestinatione coniuncta est considerationi de fato. (2) Nam, ut videbitur, praedestinatio non est sine Dei providentia; providentia autem ponitur in diffinitione fati; |952| quare consideratio de praedestinatione
5 considerationi de fato annexa est.

(3) Ut igitur intelligatur quid sit praedestinatio, scire oportet ut communiter dicitur a Theologis, et praecipue a divo Thoma in prima parte *Summae*, in questione XXIII per multos articulos, quod etiam innumeris aliis locis repetitur
10 ab eo, videlicet quod Deus volens ostendere sive manifestare suam perfectionem, cum creatura aequari non possit Creatori neque una creatura potest monstrare Creatoris perfectionem, ideo Deus diversas creaturas creavit ut magis sua perfectio monstraretur. (4) Quare multa fecit incorrupti-
15 bilia, ut angelos et corpora caelestia; et multa corruptibilia, ut quae sunt sublunaria. Inter autem ista corruptibilia praecipuum est homo in quem omnia corporalia ordinavit; homini autem duos dedit fines, unum naturalem, alium vero supra naturam. Naturalis autem finis hominis est Dei in-
20 tellectio, quae per naturalia haberi potest; supernaturalis autem est eiusdem Dei intellectio, sed longe excellentior prima, ad quam pervenire non |953| potest nisi per supernaturalia et per Dei gratiam secundum particularem influxum. (5) Quemadmodum autem in universo non debet esse tan-
25 tum una creatura quae perfectionem Dei manifestet, sed

4 fati: de fato ed. — 4-5 quare consideratio . . . annexa est *om* E. — 6 intelligatur: sciamus E. — 8-10 per multos articulos . . . ab eo videlicet: et in multis aliis locis E. — 15 corruptibilia ut: corpora et E. — 16 corpora E. — 17 corruptibilia EC[1]. — 18 deus duos ed. — 18-19 alium non naturalem E. — 19 supranaturalem ed. — 22 pervenire bC[2]; perveniri d ed. — 23 particulare MLδo.

8 Thom. Aquin., *Sum. Theol.*, 1[a] pars, qu. 23 (Leon. IV, pp. 271-285). Quoad Theologos saeculi XIV, vide P. Vignaux, *Justification et Prédestination au XIVème siècle*, passim. — 10 Art. 5 ad 3[um] (Leon. IV, p. 277); *I Sent.*, dist. XLI, art. 3. — 17-19 Thom. Aquin., *ibid.*, art. 1 (p. 272). — 25 sqq. Huic iam contradixit quasi inepte dicto J. D. Scotus, *Op. Oxon.*, I, dist. XLI n. 4 sqq. (P. Minges, *J. D. S. Doctrina philosophica . . .*, II, 414).

multae debent esse creaturae, ita in natura humana non tantum debet esse unus modus manifestandi Dei perfectionem. Unde secundum aliqua reperta in hominibus manifestatur misericordia eius, secundum aliqua iustitia; ut puta
5 cum miseretur peccatoris paenitentis manifestatur misericordia, cum punit peccatorem non paenitentem manifestatur eius iustitia. (6) Quo fit quod cum aliquibus det gloriam, aliquibus vero miseriam, quae omnia ostentant eius bonitatem, aliquos igitur tollit et destinat in gloriam eis gratiam
10 conferendo; ex se nanque ad gloriam moveri non possunt, cum finis ille excedat vires naturae. Nam veluti sagitta ex se non potest ire in terminum praesignatum a sagittante, ideo dirigitur a sagittante et mittitur in praefixum terminum; sic pariter et homo cum ex se non possit tendere in bea-|954|
15 titudinem supernaturalem, ideo si ad illam tendere debet oportet ab aliquo mitti. (7) Quare nihil aliud est praedestinatio nisi missio aeternae voluntatis humanae creaturae ad ipsam beatitudinem. Et in hoc monstratur perfecta Dei virtus et dilectio ad hominem. (8) Quoniam autem habet
20 et iustitiam secundum quam delinquentes puniuntur, non punitur autem qui non peccat, ideo Deus relinquit multos peccare ut in eis sua reluceat iustitia. Sicuti igitur praedestinatio est missio creaturae ut ei det gloriam, ita reprobatio est dimissio et derelictio creaturae ut ex eius peccato
25 eam puniat et divina iustitia appareat. (9) Quod totum videtur dici per Apostolum *ad Romanos* IX dicentem: « Volens Deus ostendere iram et vindictam iustitiae, et notam facere potentiam suam, substinuit in multa patientia vasa

1 multae debent esse creaturae: multa E. — 3 aliquam δo ed. — 4 iustitiam MLδ ed. — 4-7 ut puta ... eius iustitia *om* E. — 7 cum *om* M. — 8 misericordiam ωC. — ostendant ed. — 10 movere AML. — possit ed. — 14 et *om* ed. — 17 humanae *om* E. — 21 qui: quod ed. — 22 in *om* ed. — 25 eum GI ed; cum E.

11 *Ibid.*, art. 1; art. 3. — 26 *Rom.*, 9: 13. Cf. Thom. Aquin., *loc. cit.*, art. 3 ad 3um (p. 277). — 27 « et vindictam iustitiae » non exhibet textus *Vulgatae* sed bene littera Thom. Aquin. quam hic auctor reproducit sicut et in sequenti citatione ex *Epistola ad Timotheum*.

irae apta in interitum, ut ostenderet divitias gloriae suae in vasa misericordiae quae praeparavit in gloriam»; et II *Tim.* 2: «In magna domo non solum sunt vasa aurea et argentea, sed etiam lignea et fictilia, et quaedam quidem in honorem,
5 quae|955|dam in contumeliam».

(10) Dicit et idem divus Thomas quod praedestinatio activa est in Deo, passiva autem, quae nihil aliud est quam executio activae praedestinationis, est in praedestinato. (11) Addit et tertio: Cum Deus iuxta dicta aliquos praede-
10 stinet, aliquos vero reprobet, hoc autem esse non potest absque electione et renuitione, ideo praedestinatio praesupponit electionem. Verum cum bonum eligitur et malum renuitur, voluntas autem Dei causat bonum, renuitio vero malum, ideo primo Deus praedestinatum amat et postea
15 eligit, reprobatum vero non vult et postea renuit. Quod e contrario accidit in nobis, nam prius eligimus et postea diligimus, quoniam voluntas nostra non causat bonum; quare bonum electioni praesupponitur, et electio dilectioni. (12) Dicit et quarto quod causa praedestinationis in uni-
20 versali quoad effectum nulla potest esse ex parte nostra, sed ut sic praedestinationis causa est divina bonitas. In particulari tamen, quoad effectum, dicere possumus quod prior est causa po|956|sterioris in genere causae materialis, et posterior causa prioris in genere causae finalis; veluti
25 dicimus quod Deus praeordinavit se daturum alicui gloriam ex meritis, et praeordinavit se alicui daturum gratiam ut mereretur gloriam. (13) Dicit et quinto praedestinationem certissimam et infallibilem esse, non tamen praedestinatio-

1 in *ante* vasa *om* ed. — 2 Th AβGδo; Thi E (*correx. ex* Tho); Tho CM (d. Tho. M); Tit. ed. — 4 quidem *omm* d ed. — 7 quae: quod ABGδε. — 8 est *ante* in *omm* F ed. — 9 additur ed. — iusta E; intra ed. — dictam ed. — 17 deligimus Gδυ ed. — 18 delectio ed. — electioni I ed. — 25 dicamus ed. — 26-27 ut mereretur:et E. — 28 certissimam . . . praedestinationem *omm* δι ed. — ineffabilem EMLH.

2 *II Timoth.*, 2: 20. Cf. Thom. Aquin., *loc. cit.*, art. 3 ad 3um. — 6 *Loc. cit.*, art. 2 (p. 272). — 9 *Loc. cit.*, art. 4 (p. 275). — 19 *Loc. cit.*, art. 5 (p. 276). — 27 *Loc. cit.*, art. 6 (p. 281).

nem necessitatem imponere ut effectus infallibiliter sive de necessitate eveniat. (14) Ex quo sextum inferri potest, quod numerus praedestinatorum non tantum est certus formaliter verum et materialiter, sic quod supposito, exempli gratia, quod salvi erunt mille, Deus certe scit et infallibiliter quod non erunt neque plures neque pauciores; et non tantum quod erunt mille determinate, sed quod erunt Socrates, Plato et sic de reliquis usque ad mille, quanquam nos in via secundum veriorem sententiam nesciamus istum numerum, neque qui sunt vel futuri sunt determinate. (15) Septimo et ultimo dicit quod in ipsa praedestinatione duo sunt consideranda, scilicet ipsa praeordinatio divina, et effectus. Et quantum ad primum, ipsa praeordinatio divina precibus sanctorum iuvari non potest; effectus autem divinae praeordinationis san|957|ctorum precibus iuvari potest et aliis bonis operibus, quoniam providentia eius cuius praedestinatio est pars non subtrahit causas secundas, sed sic providet effectus ut etiam ordo causarum secundarum subiaceat providentiae: «Sicut igitur nunc providentur naturales effectus ut etiam causae naturales ad illos naturales effectus ordinentur sine quibus illi effectus non provenirent, ita praedestinatur a Deo salus alicuius ut etiam sub ordine praedestinationis cadat quicquid hominem promovet ad salutem, vel orationes propriae vel aliorum, vel alia bona, vel quicquid huiusmodi, sine quibus aliquis salutem non consequitur. Unde praedestinatis conandum est ad bene operandum et orandum, quia per huiusmodi praedestina-

1 necessitatem: de necessitate ed. — ineffabiliter ed. — 1-2 sive de necessitate: et necessario E. — 2 veniat ed. — 8 sic de reliquis *om* E. — 9 meliorem E. — 12 praeordinatio: praedestinatio EI ed. — divina *om* ed. — 13 praeordinatio: praedestinatio E. — 18 subiacet M; subiiciat AC; subiiciatur EG ed. — 19 providentiae *om* ed. — 21 ordinantur ed. — 23 homines ed. — 23-24 (in salutem: *Thom. Aqu.*). — 26 bonum ed. — 27 vel orandum δι ed. — quoniam EC^{1}; et ed.

2 *Loc. cit.*, art. 7 (p. 282). — 10-11 *Loc. cit.*, art. 8 (p. 284). — 19 *Ibid.* (p. 285b).

tionis effectus certitudinaliter impletur. Propter quod dicitur II *Petri*, primo: 'Satagite ut per bona opera, certam vestram vocationem et electionem faciatis'.»

(16) Haec sunt quae sub compendio de praedestinatione
5 dicuntur a divo Thoma; |958| immo quasi communiter ab omnibus sic tenetur. Quare quoniam ipse est aliis clarior et communior, ideo eius sententiam apponere volui; fortassis enim si uniuscuiusque dicta vellem recensere fastidium generaretur et non proficuum.

10 *Caput sextum in quo moventur quaedam dubitationes adversus dictam opinionem.*

(1) Percelebre divulgatumque est, praecipue apud fratres divi Dominici, divum Thomam habuisse a Redemptore nostro, multis veraciter audientibus et non phantastice, [quod]
15 omnia quae per eum Thomam scripta sunt quae attinent ad Theologiam verissima esse et recte declarata. (2) Quod si verum est, nihil est quod in dictis his de praedestinatione dubitem; nam quanquam mihi falsa et impossibilia esse videantur, immo deceptiones et illusiones potius quam eno-
20 dationes, tamen, ut inquit Plato, impossibile est Diis et

2 ut pro δο. — 2-3 vestram *om* et. — 3 et electionem *om* E. — 4 de praedestinatione *om* E. — 6 ipse: specie ed. — 7 et communior *om* E. — 7-9 fortassis enim ... proficuum *om* E. — 9 et non proficuum *om* ed. — 12 homines ed. — 13 nostro *om* ed. — 14 multis veraciter: noviter E. — quod *om* ed. — 15 Thomam *omm* γB. — 16 verissima esse: verissime E. — 19-1 immo deceptiones ... videantur *om* B. — 20 impium ed.

2 *II Pet.*, 1: 10. — 12 Cf. D. Erasmi Roterod., *Epistol.* 477 (ed. Lugd. Batav. 1703, t. III, col. 515), die 1ª Novemb. 1519 [Allen, D. Erasmi, *Opus Epistolarum*, IV, 1922, Epistola 1033, ll. 146-147, p. 103, ad Albertum Brandenburgensem, die 19 oct. 1519]: «Ausus est (Lutherus) Thomae decreta contemnere, sed quae Dominicani (Praedicatores: *Allen*) pene praeferunt Evangelicis (Evangeliis: *Allen*). H. Humbertclaude, *Erasme et Luther* ..., p. 56 n. — 20 *Tim.*, 40 E. Cf. P. Pomponatii, *De Incantationibus*, cap. 13 (ed. 1556, p. 343; ed. 1567, p. 320): «quoniam, ut inquit Plato in *Timaeo*, impossibile

eorum filiis non credere, et si impossibilia videantur dicere; et iuxta Apostoli |959| sententiam: «Oportet captivare mentem nostram in obsequium Christi». (3) Verum sive hoc quod de eo fertur verum sit aut non verum, adducam tamen
5 in medium nonnulla quae mihi in his dictis a Thoma magnam dubitationem ingerunt; speroque multos eius doctrinae imitatores fore (nam innumeri fere sunt viri clarissimi in ea secta) qui mihi has dubitationes enodabunt mentemque meam ab omni ignorantia purgabunt; nam intellectus
10 morbi sunt ignorantia et error.

(4) Prima itaque dubitatio est de illo in quo et ab ipso et communiter ab aliis dicitur: In universo oportere esse diversa et praecipue in genere humano, ut magis Dei virtus manifestetur; nam si tantum essent boni et nullum esset
15 peccatum in hominibus, non fulgerent misericordia et iustitia in Deo. Quaeritur igitur: Nunquid universitas creaturarum adaequetur virtuti et potentiae divinae, sic quod creaturae manifestent totam potentiam Dei, aut non manifestent?

(5) Primum secundum positionem non videtur dici posse,
20 quoniam creaturarum universitas finita est, Dei autem potentia et perfectio infinitae sunt. |960| Quid igitur opus est misericordia et iustitia, quandoquidem propter eius additionem non completur manifestatio divinae potentiae? minus enim est quam si toti universo adderetur granum sinapis.
25 Quare sicut his existentibus quae nunc existunt non per-

7 fore I; ferem D. — 8-10 mentemque . . . et error *om* E. — 9 ab *om* ed. — 12 communiter *om* α. — 17 adaequatur BFH ed. — 21 Quod ed.

est deorum filiis non credere, quamquam incredibilia dicere videantur». Augustinum, *De Civ. Dei*, XVI, 32 citat Pomponatius ibidem sed quem non potuimus probare. Vid. *Lect. Super primos tres libros Physic.* (a. D. 1519), Paris, Biblioth. Nation., ms. lat. 6533, fol. 149r, supra, p. 408, 20 n. — 2-3 *II Cor.*, 10: 5. Cf. supra, p. 342, 25 n. — 7 sqq. Quod de facto fecerunt v. g. fr. Chrysostomus Iavellus O. P.: *Quaestio perpulchra* . . . etc., atque fr. Ambrosius Flandinus O. M.: *Apologia* . . . etc.; de quibus vid. *Prolegom.*, p. x. Cf. etiam supra, p. 276, 21 n.

fecte manifestatur divina potentia, ita etiam si non essent misericordia et iustitia neque plus neque minus manifestaretur complete divina potentia. (6) Quod et confirmatur: Quoniam mirum est, cum Deus sit infinitae perfectionis et
5 infinite perfectiorem effectum et intensive et extensive Deus potest facere quam sit totum universum, saltem sinchategorematice intelligendo infinitum, quod Deus tam infimam perfectionem ad sui manifestationem fecerit.

(7) Quod si dicatur quod ex his quae Deus fecit ostenditur
10 eius infinita perfectio, ut de mundi creatione dicitur ab ipso Thoma, quoniam creatio non potest esse nisi a potentia infinita, et impii iustificatio, et de multis aliis quae longum esset enarrare; quare sic operando manifestatur eius infinita potentia. |961| (8) Certe haec responsio se ipsam videtur
15 interimere, quoniam sic dicendo non oporteret tantum multiplicare creaturas et perfectiones quoniam sola creatio sufficeret; illa enim ostentat infinitam perfectionem Dei, infinito autem non datur maius, quare non plus manifestatur Dei potentia in creando pulicem quam in creando totum
20 universum, siquidem in creando pulicem ostenditur infinitas Dei.

(9) Unde ut existimo peripateticis non placuit ponere Deum esse infiniti vigoris, quoniam non esset ratio quare praeter hoc universum non essent infinita alia universa; et
25 non esset assignare perfectissimam creaturam; et multa alia quae philosophiae peripateticae repugnant. (10) Unde plus quam voluntarie videtur esse dictum, si ultra hoc universum in infinitum perfectius potest Deus facere, quod tamen pro sui manifestatione fecit hoc universum; nam veluti deductum
30 est, et si fecisset unum universum in duplo perfectius, magis

5 perfectionis C[1] ed; perfectum G. — 10 infinita potentia γ (*cf. infra* *450, 27*). — 18 non minus ed. — 24 universum *om* α. — 25 posset ed. — 30 fuisset ed.

11 Thom. Aquin., *Sum. Theol.*, I pars, qu. 45, art. 5 ad 3um: « Quamvis igitur creare aliquem effectum finitum non demonstret potentiam infinitam, tamen creare ipsum ex nihilo demonstrat potentiam infinitam » (Leon. IV, p. 470b). Cf. infra, p. 450, 24 sqq.

manifestasset, et sic ulterius ascendendo. Et si hoc universum sufficit ad ma|962|nifestandum eius infinitatem, suffecisset etiam et creatio unius pulicis, et iustificatio impii et sic de reliquis.

5 (11) Secunda dubitatio est quoniam dicitur: Cum Deus voluerit suam iustitiam et misericordiam manifestare, fuit necesse permittere peccata multa fieri et tot sacrilegia et scelera qualia conspicimus.

(12) Verum istud dictum non minorem impietatem vi-
10 detur sapere dictis Stoicorum qui ponunt peccata esse per Dei impulsionem; immo longe deterior videtur esse ista positio Stoicorum opinione. Si nanque Deus vult misericordiam et iustitiam, cum ista fieri non possint absque peccato (nam sunt media essentialia ipsa peccata ad iustitiam et
15 misericordiam, ut dicebatur) volensque finem de necessitate vult ea quae sunt ad finem si finis ille intelligatur non posse esse absque illis mediis, quo fit ut procul dubio Deus velit peccata esse. Sed volens peccatum peccat, quare Deus peccabit; et sic argumentum magnificatum adversus Stoicos erit
20 contra suum autorem.

(13) Amplius delinquentes sunt ab |963| aeterno reprobati a Deo; stante reprobatione, impossibile est eos non peccare; peccatum igitur est de necessitate, et inevitabile; et sic Deus puniet de eo quod evitari non potuit. Et sic volens facere
25 Deum iustum facit iniustissimum, et faciens misericordem facit crudelem. (14) Quod si dicitur: Praedestinatio et repro-

1 Et sic Mδo ed. — universum *om* γ. — 2 manifestandam A. — 11 esse *omm* γδι ed. — 11-12 videtur...opinione *om* E. — 14-15 et ad misericordiam MBC². — 19 magnificatum *omm* d ed. — 19-20 erit contra: et ed. — 23 inevitabili Lδη. — 25 fecit M d ed. — 26 fecit GI. — Et si ed.

5 sqq. Similia adversus positionem thomisticam obiiciebant Henricus de Gandavo atque Petrus Aureolus, teste Cajetano (*In Thom. Aquin. Sum. Theol.*, I^a pars, qu. 23 art. 5; Leon. IV, pp. 279-280, nn. VIII-IX) qui et ipse Thomam defendit: « Et consequenter si universum perfecte, infra latitudinem tamen creaturae, debet illam (*divinam bonitatem*) repraesentare, oportet ex omnibus constare gradibus, ab imo usque ad summum. Et si haec debent conservari, multa oportet mala permittere » (p. 279).

batio non ponunt necessitatem praedestinatis et reprobatis. Sed proh Deus immortalis! quae est haec involutio sive delusio! Si enim reprobatus non necessario peccabit, potest igitur nunquam peccare, et praedestinatus potest peccare; 5 si itaque reprobatus potest non peccare, non peccando non est manifestatio misericordiae et iustitiae Dei; potest igitur reprobatus frustrare Deum a suo fine intento, videlicet a misericordia et a iustitia, quod est impossibile; et sic praedestinatus potest frustrare Deum a manifestatione gloriae.

10 (15) Sed forte dicitur quod reprobatus in sensu diviso potest non peccare, et praedestinatus peccare; non tamen in sensu composito. Sed certe, omni passione semota, nonne istae videntur esse illusiones et aperte pueriles nugae? |964| (16) Nam veluti dictum est in parte praecedenti, si ab 15 aeterno iste, ut puta Socrates, fuit reprobatus, iam actu est reprobatio. Si autem Socrates potest non peccare, ut non peccat non est reprobatus pro tempore pro quo non peccat; non tamen potest esse quin nunc et in aeternum fuerit reprobatus, aliter enim futurum posset in praeteritum 20 et in praesens et sic possibile esset quod ea quae fuerunt non fuerint, et quae nunc sunt non sint, quod est inintelligibile: ut nanque dicitur in fine I *De Caelo et Mundo*, potentia non respicit praeteritum neque praesens, sed tantum futurum. (17) Unde quod dicitur de sensu compositionis et 25 divisionis magis est ad oppositum quam ad propositum; quoniam si id quod sedet potest in futurum currere et non possit simul currere et sedere, id tamen quod sedet nunc, quanquam in futurum possit currere, non potest tamen esse quin nunc actu sedeat; et si curret, mutatio erit de sessione

2-3 sive delusio *om* E. — 4 et *om* ed. — 7 a *ante* iustitia *omm* ωBGI ed. — 8 impossibile: impium ed. — sic: eodem modo E. — 9 potest . . . gloriae *om* E. — 11 tamen *om* ed. — 13 aperte pueriles *om* E. — 14 praecedenti EBγ; praecedente AMLδo ed. — 15 iam: ipsa ed. — 19 non fuerit αL d ed. (*omm* non BM). — 21 non fuerint M; non fuerunt *cett.* — non sunt γ ed. — 22 et mundo *om* E. — 29 sedeat *sic* E; non sedeat *cett.* — currit ed.

14-15 Cap. 4; supra, p. 406; 408, 9 sqq. — 22 *De Caelo*, I, 12. 283b 12.

ad cursum. Quare si Deus ab aeterno reprobavit Socratem, et nunc actu reprob‹a›t, si |965| Socrates potest non peccare, non potest tamen facere quod ab aeterno non reprobaverit et nunc non reprobet; et si non peccabit Socrates, Deus ex reprobante fiet non reprobans: quare Deus mutabitur, quod est impossibile. Idem per totum dicatur de praedestinato, si praedestinatus potest peccare.

(18) Praeterea inevitabile est, secundum istum modum dicendi, quod Deus non dederit peccatoribus potentiam peccandi et tot inducentia ipsos ad peccata nisi ut cadant in peccata. (19) Quod longe iniquius est positione Stoicorum. Nam Stoici dicunt hoc ideo Deum facere quoniam sic exigunt necessitas et natura fati. At secundum hanc opinionem, est ex malitia Dei, et posset aliter facere sed non vult; at secundum Stoicos non potest aliter facere. Unde opinio ista longe videtur deterior opinione Stoicorum.

(20) Quod etiam dicitur de praedestinatis quod primo amat, secundo eligit; reprobati autem primum odio habentur, deinde renuuntur: certe istud est ponere homines in extremam desperationem et provocare |966| omnes homines, sive praedestinatos sive non praedestinatos, ad vitia et ad flagitia; unde hoc est magnum patrocinium flagitiosorum hominum. (21) Si nanque Deus peccatores ab aeterno odit et renuit, impossibile est ipsum eos non odisse et renuisse; ipsis autem sic odio habitis et reiectis, impossibile est eos non peccare et affici extremo supplicio. Quid ergo relinquitur nisi maxima crudelitas et iniustitia in Deo, et quod ipsi iuste Deum blasphement et odiant? Praedestinati vero salvabuntur omnino, nisi praeteritum possit non esse praeteritum, et quod praedestinatus non fuerit praedestinatus.

2 reprobat *sic* ed; reprobet *codd.* — 13 fati. At: ideo natura fati ed. — 14 sed: et E ed. — 15 facere *sic* αBC; fieri *cett.* — 15-16 unde opinio . . . Stoicorum *om* E. — 18 primo odio αBG. — 21-22 et ad flagitia *om* E. — ad *ante* flagitia *omm* ALC ed. — 22 flagitiosiorum D. — 24 ipsum *om* ed. — 27-28 quod ipsi . . . et oderint *om* E. — 28 iuste *om* ed. — oderint *sic* ed; odiant *codd.* — praedestinati vero: quare destinati non δι ed.

(22) Quod et ulterius dicit positio quod praedestinationis quoad effectum in universali nulla sit causa, sed quod in particulari, quoniam meretur, ideo dat gloriam, et ut mereatur dat gratiam: quid est aliud dicere nisi quod quoniam pecca-
5 vit afficit ultimo supplicio, ideo autem peccavit quoniam derelictus est a Deo, derelictus autem est a Deo quoniam Deus eum odio habuit, eum autem Deus odio habuit quoniam sic voluit, quare ultimo affectus est supplicio quoniam voluit sic? (23) Ex voluntate enim Dei |967| sequitur tota
10 illa ordinatio, sicut ex voluntate Dei sequitur quod alicui dat gloriam. Nostrum igitur non est bene sive recte operari et non recte. Intricationes autem de sensu composito et diviso, et de necessitate consequentiae et consequentis non enodant vel solvunt, verum involvunt et ligant hominum
15 mentes, ut magis autoritate vel metu vel quovis alio eis quiescant quam mentes illustrentur.

(24) Quod et ulterius dicunt praedestinationem et reprobationem esse certissimas, esse tamen in potestate praedestinati et reprobati peccare et non peccare, nescio certe quid
20 inintelligibilius dici aut excogitari potest. Aut enim salvari et damnari sunt naturae contingentis, aut necessariae. Si necessariae, quomodo igitur est in potestate praedestinati vel reprobati salvari vel damnari? nam III *Ethicorum* et

3 moereatur ed (*bis*). — 5 affecit ed. — 6 derelictus autem est a Deo *omm* δι ed. — 7 eum autem Deus odio habuit: odio autem habuit E. — 7-8 eum autem . . . quoniam sic voluit *om* ed. — 11 bene sive *om* E. — 12 inconveniens igitur E. — 13-16 et de necessitate . . . illustrentur: et non enodatur E. — 13 de *om* ed. — 15 metu: mente ed. — eis: eiusmodi ed; *om* M. — 17 dicebatur E. — 19 certe: autem ed; *om* E. — 20 posset ed. — 21 aut: sive ed.

12 sqq. Cf. D. Erasmi Roterod., *De Libero Arbitrio*: « In his, qui rem Scolastica subtilitate discutiunt, recipiunt necessitatem consequentiae, consequentis necessitatem reiiciunt . . . Sed non est huius instituti hoc genus argutias persequi . . . » (*Opera omnia*, Lugdun. Batav. 1703-1706, t. IX, col. 1232; H. Humbertclaude, *Erasme et Luther* . . ., pp. 78-79). Cf. infra, p. 438, 3. — 23 *Ethic.*, III, 4-6 (*olim* 2-3). 1111b 4 sqq. et VI, 5. 1140a 24 sqq.

VI, et I *Rhetoricae*, impossibilia et necessaria non sunt in potestate nostra. Si vero sunt naturae contingentis, quomodo possunt cadere sub certitudine et inevitabilitate? inevitabile enim est quod non potest aliter esse, contingens vero quod
5 potest aliter esse. |968| Sic enim et impossibilia sciri possent a Deo. (25) Quod autem per eum et Boetium dici consuevit in V *De Consolatione* quod relata in Deum sunt necessaria, relata ad nos sunt contingentia; veluti caecum illuminari relatum in naturam est impossibile, relatum in Deum est
10 possibile (hoc enim quanquam ab ipsis non dicatur, fortassis in manifestationem illius videtur convenire); certe istud est inintelligibile. (26) Quoniam si ad salutem Socratis concurrit Dei scientia tanquam causa iam necessaria, immo Dei praedestinatio, quod addit velle ad scientiam, concurrit
15 et voluntas contingens Socratis. Aut istae causae cum sint contrariae sunt aeque potentes, aut inaeque potentes; si aeque potentes, effectus non producetur, immo neque produci potest, quoniam sic aliquis effectus esset qui neque esset necessarius neque contingens, quod est impossibile; si inae-
20 que potentes, tunc una vincet alteram. Aut igitur vere erit contingens, et sic non poterit ut sic esse determinatus; aut vere necessarius, et sic causa contingens non poterit attingere illum ef|969|fectum contingenter. (27) Quod et confirmatur: Aut igitur causa necessaria et certa agit sine contin-
25 genti causa ad hunc effectum, aut contingens sine necessaria, aut neutra sine alia. Si detur aliquod primorum membrorum, aut igitur erit simpliciter necessarius, aut simpliciter contingens; si detur tertium, oportet unam modificare alteram;

1 VI et I Rhetoricae: 8 Metha ed. — 3 inevitabile: in evitabilitate δ. — 3-5 inevitabile ... aliter esse *om* E. — 6 per Boetium AMB. — dici consuevit: dicitur E. — 10-11 hoc enim ... convenire *om* E. — 13 iam δo; tam ed; *om* c. — 16 inique ed. — inaeque potentes: non E. — 19-20 si non aeque ed; si neque L. — inaeque ... tunc: vero non sunt aeque potentes E. — 20 una ergo E.

1 *Rhetor.*, I, 3. 1359a 10-15. — 6 Thom. Aquin., *Sum. Theol.*, I[a] pars, qu. XIV art. 13. Boetii, *De Consol.*, V, prosa 6[a] (Peiper, p. 142); cf. supra, p. 176, 3; 327, 5; 329, 20.

aut igitur necessaria modificat contingentem et sic erit effectus necessarius, aut contingens necessariam et sic erit effectus contingens. Quod autem illae causae sint contrariae vel habeant diversum et oppositum modum agendi
5 patet, quoniam una certe et inevitabiliter agit, alia vero modo opposito. (28) Quod autem dicitur quod in ordine ad naturam impossibile est caecum illuminari, in ordine vero ad Deum est possibile, huic dicitur quod verum est quod dicitur, sed non est ad propositum; quoniam caecum illumi-
10 nari absolute non habet repugnantiam ex terminis, si enim haberet, Deus non posset illuminare ipsum, ut notum est. Ast contingens esse inevitabile et certum ha|970|bet repugnantiam ex terminis. (29) Amplius quando Deus illuminat caecum, oboedit natura et agit Deus, et nihil contraresistit
15 operationi Dei; ast quod Deus vult istum esse salvum et tamen iste potest contraoperari huic voluntati, est repugnantia respectu eiusdem; quare erunt voluntates oppositae. Quod si recurratur ad confugium de sensu composito et diviso, satis ostensum est illud esse ridiculum et invalidum;
20 non enim illud esse potest nisi sit potentia ad praeteritum, et quod in Deo cadat novitas et mutatio.

(30) Quod etiam ulterius dicebatur de illa certitudine quoad numerum et quoad supposita illi numero, sic quod tot erunt et neque plures neque pauciores esse poterunt, neque
25 alii quoad supposita ab illis quos Deus praedestinavit; necesse est igitur tantum illos fore salvos, impossibile est igitur alios salvari; reprobati igitur salvari non poterunt. Causa autem reprobationis est ipse Deus, per concessa, quoniam Deus odio illos habuit sicut dicitur de Esau; iniuste
30 igitur illos Deus puniet, quandoquidem |971| non peccabunt ex libero arbitrio sed ex necessitate. (31) Omne autem

2 aut contingens necessariam: e contra E. — 4 habeant E; habent *cett.* — et oppositum *om* E. — 16 cooperari E. — 18 refugium (*item 426, 1*) E. — 19 et invalidum *om* α. — 20-21 non enim illud . . . mutatio *om* E. — 24 *1m* neque EMC² ed; *omm* ABL d.

29 *Rom.*, 9: 13. *Mal.*, 1: 3.

confugium est ad illusionem de sensu composito et diviso; quod quantum valeat satis visum est.

(32) Quod etiam ultimo addebatur an praedestinatus precibus sanctorum adiuvetur et similiter reprobatus, scilicet
5 quod preces sanctorum quoad praedestinationem secundum se nihil prosunt, sed tantum secundum effectum pro quanto Deus ordinavit istum adepturum gloriam talibus precibus vel bonis operibus vel quovis alio. (33) Certe sic dicere est dare viam solvendi ad omnes rationes quas Thomas et
10 caeteri faciunt adversus Stoicos; immo quas facit ipse Aristoteles in fine I *Perihermeneias*. Dicit enim quod consultationes essent vanae, quod nihil fieret ad utrumlibet, nihil esset a casu; verum admisso isto modo respondendi, omnes rationes Aristotelis solvuntur quas tamen Thomas ipse ubi-
15 que magnificavit. Argumentatur enim sic Aristoteles: Si omnia fato fiunt, consultatio est vana, quoniam sive consultet sive non consultet, non |972| minus fiet. (34) Dicam negando consequentiam, quoniam Deus ordinavit quod istud fiat mediante consultatione; et non minus consultatio cadit sub
20 fato quam effectus consultationis, quoniam et ipse Thomas respondet quod preces sanctorum vel aliorum sunt necessariae quoniam cadunt sub praedestinatione veluti et salus cadit sub praedestinatione. (35) Et sicut dictum est de hoc, ita et de reliquis ibi adductis per ipsum Aristotelem. Nam
25 et Thomas hic dicit quod sicut caelum producit Socratem mediante homine, et ignis calefacit mediante caliditate et sic ordinavit Deus, sic etiam Deus ordinat ut iste salvetur mediantibus istis precibus. (36) Unde in primo libro in sal-

3 praedestinatus et reprobatus precibus E. — 4 et similiter reprobatus *om* E. — 6 possunt ed. — pro quanto: per quam te ed. — 11 fine I: primo E. — 12 fieret: facient ed. — ad utilitatem utrumlibet (utramlibet A) A ed. — 15 Nam sic arguit E. — 16 de necessitate *post* fato *ad* γ. — 17 dico ed. — 21 respondit ed. — 21-23 quod preces . . . praedestinatione *om* E. — 22-23 praedestinationem (*bis*) ed. — 25 sic dicit ωC ed. — 28 istis: istum ed.

11 *De Interpret.*, 9. 18b 30 sqq. (*I Perihermeneias* VI; Comin. de Tr. I, 46v 15). — 20 Thom. Aquin., *Sum. Theol.*, I[a] pars, qu. 23 art. 8 (Leon. IV, p. 284-285). — 28-1 Cap. 8; supra, p. 49, 20 sqq.

vando Stoicos dedimus consimiles responsiones; quo fit, cum Christiani consimiliter respondeant, si istae sunt verae responsiones, nihil plus faciunt nisi quod cum maxime nituntur destruere Stoicorum opinionem, maxime eam cor-
5 roborant et construunt, et manifestant illam opinionem esse veram, et quod aliter dici non potest si teneamus Deum |973| inferiorum habere providentiam. (37) Immo, quod magis est, videtur quod longe sit melior Stoicorum opinio Christianorum opinione: primo quoniam expeditior est et non habet
10 involutiones et illusiones quae ponuntur in opinione Christianorum, ut de sensu composito et diviso, de necessitate consequentiae et consequentis, et quod Deus potest mutari, et multa alia superius adducta; secundo quod secundum Christianos stantibus responsionibus datis, Deus voluntarie facit
15 malum; at Stoici ponunt quod ex necessitate naturae.

(38) Unde certe hic non me pigebit ponere unum exemplum quod intellexi quondam in adolescentia mea a viro doctrina et moribus clarissimo Petro Rocchabonella Veneto, meo praeceptore in medicina. Hic vir certe fide dignus refe-
20 rebat se Venetiis vidisse quod cum quidam praedicator Ve-

2 cum: ut ed. — 2-3 et iste sint verae oppiniones E. — 3-4 nihil plus . . . destruere *om* E. — 4 opinionem maxime eam *om* E. — 4-6 corroborant . . . non potest: constituunt atque corroborant, neque aliter te fieri posse ostendant E. — 5 construant LC² (C¹ construunt). — 8 quod *om* E. — sit *om* E. — 8-9 quam Christianorum E. — 10 et intricationes *post* involutiones *ad* γ. — 10-11 et illusiones . . . Christianorum *om* E. — 15 ast ωBγ. — ponunt unum exemplum α. — materiae E. — 16-15 Unde certe . . . quam possum: simileque exemplum audivi in adolescentia mea a Petro Rochabonella preceptore meo fide digno qui referebat se Venetiis vidisse quod dum quidam praedicaret de hac materia scilicet de pradestinatione rationesque ac responsiones diceret, quidam frater ordinis jhesuatorum qui pluribus profecerat amicis (annis?) his auditis que dixerat coram omnibus habitum abiecit ac pedibus conculcavit, atque religionem reliquit inscius ancepsque an Deus eum dilexerit odiove habuerit. Quare dico . . . ». E. — 16 unum *om* γ. — 17 intellexi quondam *post* praeceptore *linea 19a* γ. — quondam *om* ed. — 18 praeclarissimo C. — Veneto *om* ed. — Rochabonella Lγ; Rochabonello B; Roccabonella M ed. — 19 in medicina *om* γ.

netiis praedicaret de hac materia, videlicet de praedestinatione, et inter plurimos auditores esset unus frater ordinis Ihesuatorum qui per multos annos profecerat in religione, cumque auditis argumentis intellexis|974|set has responsiones quae communiter dari solent, statim abiecit habitum suum et pedibus conculcavit et religionem reliquit. Interrogatus autem de novitate dixit: «Quid ego scio an Deus me dilexerit vel odio me habuerit ab aeterno? neque scio quod per Petrum dicitur, videlicet: 'Satagite ut per bona opera certam vestram vocationem et electionem faciatis'; nam nescio an me vocaverit vel non vocaverit. Quare cum tot ieiunia fecerim totque mala perpessus sim nescioque quid Deus de me decreverit, malo bonum certum quam malum vel bonum incertum; unde volo vivere melius quam possum». (39) Quare dico quod si istae responsiones communes sunt verae, certe est ponere homines in extremam desperationem et patrocinium virorum malorum, et pigritare homines et ipsos facere inertes et multum suspensos.

Caput septimum in quo ponitur alius modus praedestinationis.

|975| (1) Adductis igitur huiusmodi dubitationibus quae mihi magnam inferunt difficultatem adversus ea quae communiter de praedestinatione dicuntur, volo ponere hic nostrum modum conformem prioribus dictis; cui tamen firmiter non adhaereo donec per Theologos approbatos declaratum sit an hic modus stare possit et conveniens sit dictis Ecclesiae. (2) Si nanque declarabitur quod modus iste repugnet reli-

3 Jhesuatorum αLδυ; Jesuastrorum M; Thesnatorum B; hiesuatorum C; yhesuatorum G; Jesuatorum HI ed. — 9 bona *om* G. — vestra opera γ ed. — 15 quod *om* ed. — 18 incertos I ed; inertes et multum suspensos: merentes E; multos tum (*duplex lectio*) A; multos tamen M. — 25 probatos theologos aprobatus E. — 26-9 an hic modus . . . dubitationes *om* E. — (B *in mgne ead. man.*: «Hinc ad finem usque non sunt apostolice dicta»).

9-10 *II Petr.*, 1: 10. Cf. supra, p. 417, 2.

gioni Christianae, eum ex toto abiicio, et sive solutiones quae dabuntur nostris dubitationibus satisfacient mihi sive non satisfacient, non minus determinatis per Ecclesiam adhaerebo: « Oportet enim redigere mentes nostras in captivitatem
5 in obsequium Christi », secundum Apostoli sententiam. (3) Si vero determinabitur quod modus iste non repugnet Ecclesiae et conveniat dictis eius, indubitanter isti modo assentio, quoniam non video quomodo aliter possit satisfieri ad dictas dubitationes.
10 (4) Dico igitur quod Deus ab aeterno voluit producere hoc universum quod videmus, non tamen pro |976| aeterno sed pro novo, veluti Ecclesia determinat. (5) Sicuti autem de ratione hominis est esse animal rationale et de integritate eius est habere omnia membra requisita ad hominem de
15 quibus philosophi determinant, sic de ratione universi est habere propriam formam et propriam materiam et omnia quae in eo reperiuntur, saltem quoad substantiam et per se accidentia ipsarum substantiarum. Unde si deesset materia vel forma vel ambo, non esset universum, veluti si homo non
20 haberet formam vel suam materiam vel neutrum, non esset homo. Et si in universo non essent omnes species substantiarum cum suis per se accidentibus, non esset universum completum et perfectum; veluti si esset homo sine manu vel pede, quanquam esset substantialiter homo, non esset tamen
25 perfectus et completus homo, sed esset homo mancus. Quare si universo deesset aliqua specierum substantialium non esset completum universum.

(6) Deus igitur ab aeterno volens facere universum integrum, fecit ipsum cum sua forma et sua materia et omnibus
30 partibus integrantibus |977| ipsum; quare in universo sunt et perfectissima creatura secundum actum, et imperfectissima,

3 mihi *ante* non minus *ad* ed. — 3-4 adhaerebo bC²; *om* E; adhaereo d ed. — 5 in *ante* obsequium *om* ed. — 12 Ecclesia: scientia E. — 13-14 esse animal . . . eius est *om* ed. — 21 in *om* ed. — 25 esset homo *om* E. — 25-27 Quare si . . . universum *om* E.

4-5 *II Cor.*, 10: 5. cf. supra, pp. 342, 25; 418, 2.

et media; sunt et necessarium et contingens; sunt liberum et non liberum. Unde ex natura perfectionis universi est ut aliqua non sint domini suorum actuum, aliqua vero sint quae suorum actuum habeant dominium; nisi enim essent hae duae naturae in universo, aut certe non esset universum, aut si esset, esset mancum et truncatum. (7) Quare cum Dei opera sint perfecta, conveniens est aut necessarium quod in universo sit natura libera; et quanquam libertas universaliter videatur convenire cuique naturae intellectuali, tamen non intendimus in proposito nisi de libertate voluntatis humanae quae potest peccare et non peccare. Deus enim est relegatus a tali libertate, cum dicat defectum; Angeli autem sui, secundum catholicam sententiam, aut sunt confirmati in bono, aut sunt confirmati in malo; quare soli homini secundum actum est datum posse in utrunque, videlicet in peccatum et in virtutem. (8) Constituit ergo Deus homi|978|nem natura peccabilem et posse etiam a peccato se cavere; quare cum homo sit medium inter deos et bestias, habet potestatem fieri similis Deo per virtutes, et fieri similis bestiis per vitia, immo et plantis et ipsis inanimatis, veluti alias diximus in nostris tractatibus *De Immortalitate Animae* et *De Incantationibus*.

(9) Dicimus et ulterius quod quanquam Deus talem condiderit hominem ut posset peccare et non peccare, fieri deum et fieri bestiam, nullo tamen modo concedimus Deum ho-

3 domini *sic cunct. praeter* C^{1}: domina (C^{2} domini). — aliqua vero: aliquando ed; et aliqua A. — 3-4 quae suorum... dominium *om* E. 6 natura *ante* mancum *ad* ed. — 12 voluntate E. — impotentiam et defectum E. — 13 sententiam: fidem E. — 14 sunt confirmati *ante* in malo *om* E. — 17 posse: potentem E. — 18 et habeat ed. — 19 *2m* fieri *om* E. — 20-22 immo et plantis . . . de incantationibus *om* E. — 23 talem *omm* δι ed. — 24 possit d ed. — 24-25 fieri Deum et fieri bestiam *om* E.

21 P. Pomponatii, *De Immortalitate Animae*, cap. 1: « (*animae*) sic in medio existenti data est potestas utram velit naturam induat » (ed. G. Gentile, 1925, p. 6-7). *De Incantationibus*, cap. 3 (ed. 1556, p. 28; ed. 1567, p. 25-26). Cf. Marsil. Ficin., *Theol. Platon.*, IX, 6: « anima convenit partim cum divinis, partim vero cum brutis ». (*Opera omnia*, I, 2ª ed., Basileae 1576, p. 218-219).

mini dedisse potentiam peccandi ut peccaret, neque potentiam effici bestia ut fieret bestia; sic enim dicendo non mihi videtur posse vitari quod Deus [non] velit mala et sit autor malorum, et quod nullo pacto mala sint in potestate nostra, 5 sed sunt naturalia et inevitabilia. Sed Deus dedit potentiam peccandi, ut non peccando et pugnando adversus peccata homo fieret studiosior et ut virtutes acquireret, quae non consistunt nisi circa difficilia, ut dicitur II *Ethicorum*.

(10) Dicimus et tertio quod Deus primo et per se condi-10 dit naturam humanam |979| ut omnis homo esset bonus et beatus quantum possibile sit secundum suam naturam, relicta tamen et servata libertate voluntatis; unde quanquam non quilibet homo erit beatus, tamen Deus dedit cuilibet homini ut posset esse beatus; quod si non quilibet homo 15 beatificabitur, hoc imputetur ipsi homini et non Deo; qui cum potuisset ex Dei liberalitate effici beatus, ipse noluit. (11) Dico tamen quod cum Deus hominem creaverit ut posset peccare et non peccare, veluti sapientissimus, prudentissimus et optimus vidit quod potest accedere ad utran-20 que partem, videlicet ad peccatum et eius oppositum, statuitque ut non peccanti detur beatitudo, peccanti vero supplicium et poena, quae quanquam mala sint peccatori, sunt tamen bona universo, unde iustitia maxime fulget. Quare Deus etsi non induxit ipsum ad peccandum, permisit tamen 25 ipsum peccare, neque aliter ipsum permissiset peccare nisi ex malo elicuisset bonum tanquam sapientissimus et optimus. (12) Unde etsi iustitia secundum actum puniendi sit praeclarissima virtus, ut dicitur in V *Ethicorum*, non tamen sic

1-2 neque potentiam effici bestia ut fieret bestia *om* E. — 3 [non] *redundat in cunct.* — 7 ut *sic* Bδo ed; *omm* ωLγ. — 9 Dicimus *om* ed. — 12 voluntatis: libertatis ed. — 13-14 erit beatus . . . quilibet homo *omm* Eδι ed. — 15 imputatur ed. — 18-19 et prudentissimus ed. — 19 accedere BH; accidere *cett.* — 20 opposita ed. — 22 poenam MD. — 23-24 si Deus ed. — 26 elicuisset B ed; elicisset *cett.*

8 *Ethic.*, II, 2 (*olim* 3). 1105 a 1 sqq. (Comin. de Tr. III, 197v E). — 28 *Ethic.*, V, 3 (*olim* 1). 1129b 25 (Comin. de Tr. III, 234v E).

secundum actum est pri|980|mo intenta a viro probo et sapienti, quanto minus a Deo; sed est de secundaria intentione. Unde praeses in civitate simpliciter iustitiam secundum actum non debet amare, quoniam ista non fit nisi
5 iniuria praecesserit, quae debet esse relegata a voluntate praesidis; sed tantum ubi fiat iniuria, quam tamen praetor nollet, amat iustitiam et punitionem; quanto magis igitur Deo hoc convenit!

(13) Dicimus adhuc quod cum humana natura est veluti
10 quoddam universum (nam et a sapientibus huius saeculi dictus est homo minor mundus), ideo multae debent esse diversitates in humana natura pro speciei suae perfectione. Quare non omnes homines Deus voluit aequaliter esse perfectos, sed aliquos magis, aliquos minus. Unde etsi vult
15 omnes homines esse beatos, non tamen vult aequaliter esse beatos; quare diversificavit eos in complexione et in regionibus et in adminiculis ducentibus ad beatitudinem, quanquam procul dubio nullum voluit esse peccatorem et miserum.

(14) His adiungimus quod quanquam sic |981| sit quod
20 Deus voluerit ab aeterno omnes homines esse beatos, intelligendum tamen est de beatitudine quae debetur homini ex puris naturalibus ad quam per pura naturalia pervenire possunt; quam beatitudinem multos ex gentilibus existimo habuisse qui vixerunt secundum regulam naturae. (15) Prae-
25 ter autem hanc beatitudinem, Deus dedit et ordinavit aliquibus hominibus aliam beatitudinem longe excellentiorem ad quam homo ex puris naturalibus pervenire non potest,

3 specialiter ed. — 6 praeses E. — 7 amat . . . punitionem *om* E. — 11 parvus E. — 14 magis et ed. — 15 tamen *omm* Bδ ed. — vult *om* γ. — 23 gentibus ωB ed. — 23-24 habuisse puto E. — 26 beatitudinem *om* E.

12 sqq. Cf. Gregor. Arimin., *I Sent.*, dist. XLI: « (Deus) non vult omnes homines salvos fieri . . . sed . . . de quolibet genere et statu hominum vult aliquos salvos fieri ». (P. Vignaux, *Justification*, p. 172: « Grégoire de Rimini nous arrête devant une action singulière inexpliquée . . . »). — 19 sqq. De beatitudine naturali disputabant non pauci doctores medii aevi. Cf. B. Nardi, *Sigieri di Brabante* . . . 1945, pp. 24-29; 34-38; 78-87; 144-152 *etc.*

sed ad illam pervenit ex speciali gratia data a Deo quam solus Deus conferre potest. (16) Et talis gratia non omnibus est concessa a Deo sed tantum aliquibus; omnibus vero aliis est denegata. Et quibus Deus dat talem gratiam dici possunt
5 electi, nam et Hebraei in Veteri Lege dicti sunt populus electus; quibus vero non est collata talis gratia isti dici possunt non electi. (17) Neque aliqua potest assignari ratio ex parte electorum vel non electorum nisi voluntas divina; unde quod hos elegerit, illos vero non elegerit, non est ex
10 meritis vel demeritis |982| praecedentibus, sed totum attribuitur voluntati divinae, quae plus dilexit hos quam illos. (18) Non tamen quod illos quos non tantum dilexerit odio habuerit, quoniam 'factor suum factum non odit', immo amat; quare utrosque electos et non electos Deus amavit
15 et amat, sed non tantum hos quantum illos. Neque eis non electis non contulit Deus gratiam quoniam intenderet eos peccare, neque ut peccarent; immo voluit Deus eos fieri beatos, sed beatitudine tantum naturali, non autem supernaturali. (19) Quare Deus ex non electis delinquentes mitius
20 punit quam ex electis delinquentes, quoniam abusi sunt gratia eis collata; veluti per oppositum, qui recte usi sunt

1 spirituali ed. — 3 a Deo *om* E. — 7 alia α. — 14 utrosque et ed. — 15 quantum d ed; sicut b; vel sicut C² *ad in mg.* — 16 intenderet Deus eos α ed. — 17 Deus *om* α. — illos ed. — effici γ. — 18 non autem: et non α. — 19 minus E.

7-8 Cf. Thom. Aquin., *Sum. Theol.*, I pars, qu. 23 art. 5, ad 3um: « Sed quare hos elegit in gloriam et illos reprobavit, non habet rationem nisi divinam voluntatem » (Leon. IV, p. 277). Cajetan., *ibid.*, n. V (p. 275a): « Si quaeras fundamentum illius praemissae (*i. e. reprobatus a Deo derelictus*), scito quod est suavis dispositio rerum provisarum . . . ». Guil. Occam., *I Sent.*, dist. XLI, qu. I F: « Causa autem quare istos praedestinat sine omni ratione et alios propter rationem, non est nisi divina voluntas » (P. Vignaux, *Justification . . .*, p. 137 n. 3). Gregor. Arimin., *I Sent.*, qu. XLI, 1: « Et tunc restat quaerere cur unum et non alium sic convertit cum aeque sic faciliter posset si vellet . . . Et ideo non potest aliter responderi nisi quia sibi non placet, et iuxta Apostolum: cuius vult miseretur et quem vult indurat (*Rom.*, 9: 18) » (P. Vignaux, p. 170 n. 1). Petr. Aureol. (P. Vignaux, pp. 80-81; 85-87). — 13 Cf. *Sap.*, 11: 25: « . . . et nihil odisti eorum quae fecisti ».

Dei gratia ex electis, longe maiori praemio praemiantur quam non electi qui vixerunt secundum regulam naturae tantum.

(20) Ulterius dicimus quod quanquam omnibus electis
5 a Deo conferatur gratia, non tamen omnibus aequaliter sed aliquibus magis, aliquibus minus; et talis diversitas primo et principaliter non potest referri nisi in Dei voluntatem et non |983| ex parte meritorum praecedentium. Nam Paulus Apostolus fuit vas electionis et non ex meritis praecedentibus;
10 immo praecesserunt demerita antequam actualiter Deus eum vocaret, cum esset blasphemus, et acriter ecclesiam insequeretur. Quare ex pura voluntate Dei talis maior gratiae collatio procedit. (21) Ad haec adiungimus quod quanquam prima gratiae collatio ex Dei mera voluntate procedat, sive
15 gratia illa sit magna sive sit parva, Deus tamen ex sua immensa benignitate et largitate statuit et ordinavit ut qui tali gratia bene uteretur, et bene dispensaret thesaurum datum a suo Domino, cuius dispensationem thesauri Deus dedit in potestate dispensantis, statuit inquam ut iste a Deo beati-
20 ficaretur et glorificaretur; qui vero legem sive mandatum tale praevaricaverint et gratia sibi data abusi fuerint, voluit ut acerrime puniantur et «in tenebras exteriores extrudantur, ubi est fletus et stridor dentium». Et dicimus quod primi dicuntur praedestinati, alii vero dicuntur reprobati.

25 (22) Verum secundum nos scire oportet quod praedestinatio duo importat et |984| duo respicit, quorum unum est cum certitudine, alterum vero sine certitudine. (23) Unde praedestinatio primo respicit futurum et ut Deus confert

7 voluntate AMBδo. — 8 et non: non tamen E. — 9 ut patet *post* praecedentibus *ad* E. — 10-13 immo praecesserunt . . . procedit *om* E. — 13 praecedit AM ed. — addimus huic E. — 14 primae GF; *om* M. — gratiae collatio . . . procedat sive *om* ed. — 16 bonitate E. — statuit et *om* E. — 17 uteretur EML; uterentur *cett.* — dispensaret EM; dispensarent *cett.* — 21 sibi: sua ed. — 22-23 et in tenebras . . . dentium *om* E. — 25 sciri ed.

9 *Act.*, 9: 15. — 17 *Matt.*, 25. — 22-23 *Matt.*, 8: 12. 22: 13. 25: 30. *Luc.*, 13: 28.

alicui, ut puta Petro, gratiam nullo merito praecedente. Sic praedestinatio quoad hoc est certissima; certissimus est enim Deus cui conferet gratiam, et cui non conferet. (24) Alio modo potest considerari cui conferet gloriam, quam non 5 confert nisi ex meritis praecedentibus, ex lege ab ipso statuta; et sic dico quod ut sic Deus non habet certitudinem ut respicit futurum et contingens, quoniam hoc repugnat naturae contingentis; nam contingens indeterminatum est sui ratione intrinseca, quare de hoc ut sic certitudo haberi 10 non potest. Unde posito quod ut sic Deus esset certus de gloria danda Petro, Petro non esset relicta potestas peccandi; cuius oppositum supponitur. (25) Verum quanquam ut sic praedestinatio non habeat certitudinem, Deus tamen est certissimus de salute vel damnatione Petri, non quidem qua 15 respicit futurum qua futurum est, et ut effectus |985| est in potentia in suis causis, quoniam sic incertus est; sed qua Deus respicit futurum ut praesens, et effectus est extra suas causas neque amplius restat potentia committere tale peccatum et non committere; quoniam potentia secundum veram 20 acceptionem potentiae non respicit praeteritum neque praesens.

(26) Quare praedestinatus secundum istum modum non potest aliquo modo peccare, quoniam non est complete praedestinatus nisi ut intelligitur esse extra potentiam et 25 iam in actu; quanquam large sumendo nomen praedestinationis ut solum se extendit ad puram collationem gratiae, praedestinatus potest peccare, immo maxima pars praedestinatorum peccabit: «Multi enim» secundum Salvatoris sententiam, «sunt vocati, pauci vero electi». Neque aliquam 30 repugnantiam habet quod ille cui iam gratia collata est abu-

3 conferret EβC² δη (B D *ante correct.*); confert M. — conferret (*ante* Alio) EβCDH (B D *ante correct.*); confert M. — 4 conferet *post* cui GF; conferret αβCδη; confert M ed. — 5 conferret αLCH; conferet G. — 8-10 nam contingens . . . non potest *om* E. — 20 exceptionem ed. — 24 intelligatur ed. — 28-29 secundum Salvatoris sententiam *om* E.

28 *Matt.*, 20: 16. 22: 14.

tatur gratia et per consequens non salvetur. (27) Sed ista larga est acceptio praedestinationis. Propria autem praedestinationis acceptio est gratiae collatio ut recte habens eam ipsa utatur, et ubi |986| sic recte gratia usus fuerit, glorifi-
5 cetur. Modo impossibile est quod praeteritum et quod actu est, non sit certum et determinatum. Unde in praedestinatione incertitudo se tenet ex parte futuri et contingentis, certitudo vero ex parte praesentis vel praeteriti et determinati quod amplius, ut manifestum est, non est in potentia.
10 Respicit igitur praedestinatio futuram gratiam et actualem gloriam, quam ex Dei determinatione praecedunt merita.

(28) Consimiliter secundum suum modum dicatur de reprobatione. Unde illi proprie dicuntur reprobati, apud me, quibus data est gratia et abusi sunt ipsa, et ex eorum abu-
15 sione iam miseri facti sunt. Neque, ut existimo, illi quibus Deus nunquam contulit gratiam vel nunquam conferet dicendi sunt reprobati proprie, sed debent dici non electi.

(29) Et dico quod proportionabiliter reprobatio duo includit, sicuti et praedestinatio. (30) Scilicet futurum, ut puta
20 gratiam a Deo collatam qua quanquam non recte utetur, poterit tamen recte uti. Et sic reprobatus potest salvari, non quidem quod il|987|le qui est actu reprobatus possit salvari, quoniam hoc est impossibile stante lege Dei; sed pro tanto reprobatus potest salvari quoniam ille qui vere erit
25 reprobatus potest salvari veluti ille qui cras curret poterit non cras currere; quoniam haec potentia non respicit praeteritum neque praesens, sed tantum futurum, quod bene est in potentia. Unde sicuti Socrates qui cras interficietur potest vivere adhuc per annum et amplius, quoniam potest se
30 praecavere a tali interfectione, Socrates tamen, si nunc est actu interemptus, non potest vivere per unum annum quo-

8-9 praesentis vel . . . determinati: praeteriti et praesentis E. — vel: et ed. — 9 ut manifestum est *om* E. — 10 gloriam ed. — 14-15 et ex eorum abusione: quod E. — 18 proportionaliter GF ed. — 19 sicuti et praedestinatio *om* E. — 20 qua EC² ed; quam *cett.* — 24-25 quoniam ille qui vere erit reprobatus potest salvari *omm* ELδι ed.

niam iam cessit; unde et sic reprobatus potest salvari. Verum ut diximus de praedestinato, ista non est completa acceptio reprobationis. (31) Sed ultra futurum et quod est in potentia, respicit praesens et actum; quare ut sic reprobatio
5 certissima est, neque reprobatus potest salvari: nam ut sic subtracta est ei omnis potentia ad recte operandum, quandoquidem ad praesens et ad praeteritum non est potentia. Et quanquam nunc Socrates, qui erit usque in millesimum, non sit in rerum natura, Deus tamen certissimus est de sua
10 |988| salute et reprobatione quatenus sua aeternitate respicit praesentialiter illud tempus in quo suum cursum consummaverit et amplius non erit in potentia ad merendum vel demerendum; quanquam ut Deus respicit futurum, non scit nisi quoniam Socrates ipse potest salvari et non salvari.
15 (32) Et sic puto, loquendo de certitudine et incertitudine, possunt intelligi omnes autoritates canonicae quae loquuntur de certitudine vel incertitudine. Sic etiam salvantur autoritates quarum aliquae sonant quod ex meritis praedestinavit salvandos, et aliquae sonant quod ex libera voluntate et ex
20 nullo merito praecedente. (33) Neque ducemur in desperationem vel pigri efficiemur; immo erimus nos optimae spei et efficiemur impigri et solliciti. Nam cum Deus nobis, maxime electis, dedit gratiam, ut puta Baptismum, Chrisma et caetera sacramenta, si bene utemur gratia sumus certi de
25 nostra vocatione; nam certe nobis contulit gratiam. Gloriam autem non absolute promisit sed conditionate, quam conditionem ex libertate voluntatis nos |989| possumus adimplere. (34) Quare non dubitandum est an simus vocati; nam ut respicit futurum, tam certum est nobis sicuti Deo.
30 Nisi quis vellet intelligere de possibilitate magis propinqua (sicut unus prudens magis propinque veritati enuntiat de

5 nam *om* ed. — sic *omm* Eδι ed. — 10 quantum ed. — 18 sonant *om* δι. — 19 aliquae LMC; aliqua quae Bδο; aliquae quae ELG ed. — 21 nos *omm* M ed. — 22 et efficiemur impigri et solliciti *om* E. — 23-24 baptismum . . . sacramenta: baptisma E. — 24 uteremur G; utamur ed. — 29 tam: iam ed; *om* B.

bello futuro quam imprudens, tamen certe non potest enuntiare), nostrum est posse recte operari et non recte, cum Deus nulli hoc deneget. (35) Involutiones etiam de sensu composito et diviso, necessitas consequentiae et consequentis
5 et talia puerilia non habent involvere mentes nostras. Verum expeditissime omnia solvimus; quare etc. . . .

Caput octavum in quo moventur nonnullae dubitationes adversus et circa ea quae dicta sunt.

(1) Ut autem melius haec nostra positio intelligatur, mo-
10 veo circa eam nonnullas dubitationes.

(2) Prima haec est: Dictum est quod Deus vult omnes homines esse beatos, saltem beatitudine naturali. Hoc non videtur verum, quo|990|niam beatitudo est Eupraxia, i. e. bona operatio secundum intellectum, ut dicitur I et X *Ethi-*
15 *corum*. Sed fere infinita multitudo hominum non habuit, non habet, neque habebit potestatem ratiocinandi neque eligendi, ut patet de aborsibus et de iis qui decedunt ante usum rationis; consimiliter de mente captis et de iis quibus repugnat ex complexione vel compositione uti
20 ratione. Non igitur Deus vult omnes homines sic beatificari, loquendo etiam de beatitudine naturali; impossibile est enim tales sic beatificari. Deus autem non vult impossibile aliquod.

(3) Secunda dubitatio est: Quoniam dictum est quod Deus ex prima intentione non vult misericordiam vel iustitiam
25 quae praesupponunt peccatum in actu. (4) Istud non videtur esse verum et repugnat alteri a nobis dicto, quoniam maximae virtutes non debent removeri a Deo; modo ubi non essent peccata, neque Deus esset misericors, neque iustus. Non etiam tales virtutes debent removeri a perfectione

1-2 enuntiare *om* ed; enunciari E. — 2 posse *om* ed. — 5-6 Verum . . . quare etc. *om* E. — 6 expedissime ed. — quare etc. *om* ed. — 8 adversus et *omm* bC. — circa: contra E. — 10 illam ed. — 19 vel: et E ed. — 26 repugnans AβC². — 29 non: neque ed.

3 Cf. supra, p. 423, 12 n. — 14 Cf. supra, p. 161, 15.

universi et a natura humana; quoniam di|991|ctum est
quod si homini deesset parvus digitus in pede, iste homo
non esset perfectus quoniam non haberet omnes partes
integrantes eius corpus; quanto magis igitur, si homines non
5 essent misericordes et iusti, species humana non esset perfecta! (5) Quod et confirmatur: Quoniam homo maxime est
perfectus secundum virtutes morales; vel si extrema perfectio non consistit in virtutibus moralibus, sunt tamen maxime necessariae ad felicitatem humanam. Verum virtutes
10 morales sunt connexae; unde una non habetur sine altera,
ut communiter dicitur. Ergo homo non potest beatificari
absque misericordia et iustitia. Sed haec fieri non possunt
absque peccato actuali; ergo de necessitate sunt peccata.
Non igitur Deus vult hominem universaliter non peccare.
15 (6) Quod iterum firmatur: Nihil dicitur possibile proprie et
naturaliter nisi quandoque deveniat ad actum; diffinitio
nanque possibilis, ut dicit Commentator in I *Coeli* est ut
aliquando deveniat ad actum. Si igitur esset possibile universaliter hominem non peccare, in aliquo igitur tempore esset
20 quod nullus homo peccaret; oppositum autem patet de
praesenti |992| et de praeterito per omnes historias et per
omnia annalia; et de futuris possumus iudicare per praeterita,
videlicet quod nullo tempore omnes homines qui pro tunc
reperientur universaliter erunt boni. (7) Amplius si Deus
25 vult omnes homines esse bonos et studiosos et sic essent,

9 vitam E. — 10 humane E. — 15-19 quod iterum ... peccare *om* L. — 14 universaliter ed. — 16-18 diffinitio ... actum *omm* d ed. — 19 tempore *om* ed. — 20 homo *om* ed. — 22 animalia G ed. — 23-24 videlicet ... erunt boni *om* E. — 23 nunc M ed. — 25 et si sic γ. — 25-1 sic essent, tunc non haberent: si essent, nunc non essent E.

9 Cf. Thom. Aquin., *Sum. Theol.*, I^{a} II^{ae}, qu. 65 art. 1. Diogen. Laert. *De clarorum philosophorum vitis* ... VII: *Zeno*, 1, 125 (ed. Firmin-Didot, p. 186). Vid. O. Lottin, *Problèmes de psychologie et de Morale aux XIIe et XIIIe siècles*, t. III (1949) pp. 195-252. Negat J. D. Scotus virtutes morales connexas. Vid. P. Minges, *J. D. S. Doctrina philosophica* ..., I, 472 sqq. — 15 *De Caelo*, I, 12. 281a 26 sqq. (Comin. de Tr. V, 74v E). Averr., *De Caelo*, I, t. c. 108 (Comin. de Tr. V, 77v); t. c. 124 (Comin. de Tr. V, 88r E).

tunc non haberent virtutes quoniam virtus est rara iuxta proverbium: 'Omne rarum praeciosum, et omne praeciosum rarum', et etiam docet experientia. Quare sermo iste videtur repugnantiam includere.

5 (8) Tertia dubitatio est: Quoniam dictum est Deum aliquos eligere ad beatitudinem supernaturalem, et aliquos non sed tantum vult eis beatitudinem naturalem. (9) Istud non videtur Deo convenire cui summa attribuitur iustitia, sed haec videtur esse iniustitia. Quoniam si ex sola Dei voluntate 10 hoc provenit, omnes homines secundum hoc sunt aequales; verum inaequalia aequalibus distribuere videtur esse contra rationem iustitiae, ut dicitur in V *Ethicorum.* (10) Idem arguitur quod aliquibus det maiorem gratiam, aliquibus vero minorem; et non minus de his qui tantum ordinantur ad 15 beatitudinem na|993|turalem.

(11) Quarta dubitatio est: Quoniam dictum est Deum homines glorificare propter merita praecedentia, non quidem absolute quoniam non sunt sufficientia ad gloriam, sed ex divino statuto, quoniam proposuit non dare gloriam nisi 20 merita per Deum ordinata praecesserint. (12) Istud non videtur verum, quoniam Deus multos glorificavit et nulla eorum merita praecesserunt, ut patet de Sanctis Innocentibus; non enim ab Ecclesia celebrarentur nisi certitudo esset de eorum gloria, aliter Ecclesia Romana posset errare. Et sicuti 25 dictum est de Sanctis Innocentibus, ita credendum est de aliis multis. Non igitur dictum illud universaliter est verum.

(13) Quinta dubitatio est: Quoniam dictum est quod Deus

1 haberent: erunt ed. — virtus est rara *om* E. — 3 ut etiam E ed. — 4 repugnantia BGFHI. — 6-7 supernaturalem . . . beatitudinem *om* ed. — 6 aliquos vero non E. — 13 vero non δι ed. — 15 beatitudinem supernaturalem, sed etiam et de illis qui ordinantur ad naturalem *ad* C². — 23-25 non enim ab Ecclesia . . . innocentibus *om* ed. — 26 dictum *om* ed.

12 *Ethic.*, v, 6 (*olim* 3). 1131 a 20 sqq. (Comin. de Tr. III, 237v D: « Inde enim pugnae et criminationes oriri consueverunt cum aut aequales non aequalia, aut non aequales aequalia habent et potiuntur ».) Cf. Thom. Aquin., *Sum. Theol.*, Iª pars. qu. 23, art. 5 ad 3um (Leon. IV, pp. 276-278).

ut respicit futurum contingens non habet neque habere potest ut sic certitudinem de parte contradictionis. (14) Contra istud sunt argumenta prius in alio libro adducta, ut puta quod Deus esset indeterminatus, non maiorem certitudinem 5 haberet quam homo, et sic de aliis connumeratis in illo libro. Verum quoniam de his satis abunde superius diximus, ne fiat repetitio, ab his nunc abstinebimus sed aliud quaeremus. (15) Dubitatur igitur utrum Deus, ut respicit futurum, sciat numerum determina|994|tum praedestinatorum 10 et quoad formam et quoad materiam, videlicet exempli gratia quod sunt mille salvandi et quod determinate erunt Socrates, Plato et Cicero et sic determinate usque ad mille: Aut scit numerum formaliter sed non materialiter, aut materialiter et non formaliter, aut neque materialiter neque 15 formaliter; de necessitate oportet esse aliquem istorum modorum. (16) Dici non potest quod materialiter et formaliter sciat, quoniam sic esset inevitabile quin illi de necessitate salvarentur, veluti deductum est superius contra divum Thomam. (17) Neque quod sciat materialiter et non forma- 20 liter, ut puta quod determinate scit qui sint sed nesciat quot sint. Quoniam istud est fatuum dicere in homine, quanto magis in Deo! et etiam illi determinate et inevitabiliter salvarentur, quod repugnat nostrae positioni. (18) Neque etiam dici potest quod neutro modo sciat, videlicet neque numerum 25 formaliter neque materialiter. Quoniam, in primis, est contra communem sententiam sanctorum: dicitur enim quod mundus cessabit ab isto ordine qui nunc apparet quando erit completus numerus praedestinatorum; deinde, Deus non ageret cum determinatio|995|ne rei fiendae, quod non vide- 30 tur rationabile in creatura, quanto magis in Creatore! (19) Reliquum igitur est, si modus aliquis est dabilis, ut cognoscat

4 non *om* δι. — 7 ne fiat . . . abstinebimus: etc. *pro toto* E. — abstinemus B δη ed; *om* E. — 12 et Plato ed. — Cicero et sic determinate *om* E. — 24-25 videlicet . . . materialiter *om* E.

3 Lib. III, cap. 13; supra, pp. 308 sqq. — 18 Cap. 6; supra, p. 425. — 26 sqq. Cf. *Gen.*, 11: 6; *Apoc.*, 6: 11.

numerum formaliter et non materialiter. Sed istud etiam non videtur posse stare. Quoniam ex quo desunt aliqui ad complendum numerum praedestinatorum quoniam mundus non cessat (si enim esset completus, cessaret), cum igitur omnes qui venturi sunt possunt peccare, et mundus non cessat nisi compleatur numerus praedestinatorum, posset ergo in infinitum mundus durare. (20) Quo posito, multa sequuntur inconvenientia. Primo quod Deus tunc faceret infinitum in actu, quoniam unusquisque homo propriam habet animam et immortalem ut ponit positio; quare si mundus in aeternum duraret, infinitae essent animae. Amplius ‹quoad numerum› reprobatorum, adhuc esset in potestate hominum differre mundum usque in infinitum. Hoc autem manifeste sequitur, quoniam non finit mundus nisi perfecto numero praedestinatorum; sed in potestate hominum est semper peccare; semper peccando nullus salvatur; ergo homines possunt differre sive prorogare mundum in infinitum.

|996| (21) Sexta dubitatio est quoniam Deus multorum peccatorum miseretur relevando eos per gratiam, et aliquorum sic delinquentium non miseretur. Immo, legimus in vitis Patrum quod aliqui fuerunt boni et in magnis abstinentiis usque in finem, et in fine peccaverunt et Deus eos non relevavit per gratiam; aliqui autem perseveraverunt in malitia usque in finem, et in fine Deus eorum misertus est et relevavit a peccato, et salvati sunt. Modo ista videntur esse maxima iniustitia et impietas.

(22) Septima dubitatio est; Cum Deus alicui dat gratiam ‹ex› precibus sanctorum vel alicuius alterius, et ille cui ex precibus sanctorum dat gratiam fuit peccator antequam ei daret Deus gratiam; numquid igitur Deus antequam daret

10 et *om* ed. — 12 ‹quoad numerum› : quoniam numerus *cunct.* — 14 finitur ed. — 17 prolungare bC². — 23 finem perseverarunt C. 25-26 miseretur . . . relevat . . . salvantur b. — 26 nam illa videtur E. — videntur LMδη; videtur *cett.* — 27 et impietas *om* E. — 28 dat B ed; det *cett.* — 29 ex *omm cunct.* — ex precibus sanctorum *om* E. — 31-1 numquid . . . gratiam (sciebat) *omm* δι ed.

ei gratiam sciebat determinate dare ei gratiam aut non?
(23) Si detur primum, cum non ‹dat› ei gratiam et sibi
non parcit de peccato perpetrato nisi ex talibus precibus,
ergo determinate scivit illum peccaturum antequam pecca-
5 vit; et sic aut necesse esset ipsum peccare, aut de contingenti
posset esse certitudo, quorum quodlibet nostrae adversatur
opinioni. |997| (24) Si vero ponatur quod determinate Deus
non sciebat ‹ex› precibus talibus illi peccatori daturum
gratiam et ei parcere, quomodo igitur ordinavit ut preces
10 valeant, quandoquidem ponitur ut Deus nesciat ipsum peccaturum? (25) Amplius Deus aliquando preces exaudit, aliquando vero preces non exaudit; unde igitur hoc provenit?
numquid igitur ab aeterno ordinavit quorum preces debet
exaudire et quorum non exaudire, aut solum determinat
15 post factum? Si primum, de necessitate sequitur quod contingens futurum sit determinatum, quod est contra nos; si
detur secundum, istud videtur irrationabile, quoniam sic
videtur indeterminatio in Deo et quod ex indeterminato
fiat determinatus et aliud praesupponat pro sui determina-
20 tione; quod non videtur Deum decere.

(26) Octava et ultima dubitatio est quae superius fuit
tacta, videlicet cum Deus sit infinitae perfectionis, cur tantum
ostenderit suam perfectionem per hoc universum, cum infi-
nite perfectius universum Deus posset facere? et cur tan-|998|
25 ta est diversitas in universo, cum creando unum angelum
manifestet se esse infinitae perfectionis, immo creando pulicem, si quidem verum sit quod creare aliquid arguit infinitam perfectionem?

1-2 sciebat . . . non dat ei gratiam *om* L. — 1 aut *sic cunct.* — 2 ‹dat› : det *cunct.* — 3 parcit *cunct. sic* — 4-5 peccaret αγ. — 7 positioni E. — 8 ex *omm cunct.* — 9 determinavit et ordinavit ed. — 10 ut *sic cunct.* — 12 vero *omm* Eγ. — preces *omm* αγ. — exaudit *om* α. — 14 2^{m} exaudire *om* E. — aut *sic cunct.* — 19 fiet ed. — 19-20 pro sui . . . decere *om* E. — 20 Deum A; de deo ed; deo *cett.* — dicere H ed. — 21 et ultima *sic* α; *omm cett.* — 23-24 infinitae perfectionis ed. — 27 si quidem . . . aliquid: quandoquidem creatio E.

21 Cap. 6; supra, p. 419, 4 sqq.

Caput nonum in quo respondetur ad ea quae obiecta sunt.

Quanquam difficile atque arduum mihi videatur ad plenum posse satisfacere ad ea quae ad oppositum adducta sunt, pro viribus tamen tentabo aliquid ad ea respondere.
5 (1) Ad primam itaque dubitationem dico quod quicunque non possunt uti ratione, sive sint aborsi, sive infantes, sive dementes, sive quomodocunque sit, isti sunt feliciores quocunque peccatore quisquis sit ille, esto quod esset Iulius Caesar vel Magnus Alexander in imperio, vel Plato vel Ari-
10 stoteles in scientia, dummodo isti essent peccatores. (2) Et quanquam pro hoc saeculo isti non vivant nisi vita bestiali (et fortassis aliqui aborsi non vivant nisi vita plantae) secundum quam ut sic non |999| potest esse felicitas humana, tamen dum vivunt sunt longe nobiliores quocunque
15 inter mortalia quod non sit homo. (3) Cuius argumentum est quod capitale est secundum leges naturae si quis aliquem ipsorum interemerit; immo crudelius videtur aliquem talem interimere quam virum fortem interimere, veluti turpius est feminam et puerum interimere quam virum, ut dicit
20 Aristoteles xxix particula *Problematum*, problemate XI. (4) In saeculo tamen futuro beatificantur a Deo beatitudine naturali sibi competente; unde et intelligunt et volunt et suo statu contentantur. (5) At peccatores, cum hoc quod in hoc mundo sunt miseri propter peccatum, infeliciores sunt
25 et in alio saeculo, cum ibi secundum delicta sua puniantur. Videant igitur tyranni et viri scelerati qualis sit eorum conditio, cum longe infeliciores sint aborsibus et dementibus!
(6) Ad secundam dubitationem dicitur quod Deus nullo

2 atque arduum *om* E. — 3 in oppositum γ. — 5 igitur γ. — 6 aborsi *sic cunct.* (*cf. supra p. 438, 17*: aborsibus *et infra lin. 12a*: aborsus b). — 7 sive quomodocumque sit *om* E. — 9 Camillus aut Alexander E. — 11 pro isto γ — 12 aborsi d ed; aborsus b. — aliquis EM. — 16 legem ed. — 17 talium E. — 19 et: vel B ed. — 20 prolematum ed. — problemate *om* E. — XI γ; X δ ed; *omm* bH. — 22-23 ut suo ed. — 23 contineantur ed.

20 *Problem.*, XXIX, 11. 951a 11-14.

pacto intendit peccata, aliter enim esset peccator. Et cum dicitur: Tunc Deus non esset misericors neque iu|1000|stus, utrunque negatur; nam esto quod nullum esset peccatum, Deus misericors esset, quoniam si homo non peccat, ‹non› nisi ex divino auxilio non peccat; et ex infinitis miseriis nos eruit. (7) Et quanquam non peccamus, neque sequitur Deum non esse iustum si nullam facit punitionem. Nam praetor qui haberet subditos bonos et non delinquentes, si eos non punit non sequitur quod sit iniustus; verum dando unicuique quod convenit, esto quod nullum puniat quoniam nullus peccat iustus dicitur esse. Quare si nullum esset peccatum, cum Deus det et unicuique retribuat ut convenit, iustus est. Dictum est enim quod esto quod omnes essent boni, non tamen aequaliter boni, quare non aequaliter beati. (8) Est etiam Deus iustus iustitia punitiva, quanquam nullum actu puniat; quoniam est talis naturae et talis voluntatis quod delinquentes, si adessent, puniret. Unde est satis possibile quod praetor qui nunquam punivit aliquem, quoniam nullum habuit delinquentem, sit magis iustus iustitia punitiva quam praetor cuius iussu mille et iuste interem|1001|pti sunt; quoniam fortassis ille qui nullum punivit maiorem charitatem et zelum iustitiae habuit quam iste qui tot punivit. Nam fortassis iste fecit ex inani gloria, vel ex metu sindicatus, vel ex metu divini iudicii. Quare cum Deus sit tota charitas, summe iustus est; et ridiculum est dicere quod si non sunt opera extrinseca, Deus evacuatur a suis perfectionibus. (9) Unde et per simile dicitur de hominibus quod esto quod nulli homines peccarent, essent misericordia et iustitia et reliquae virtutes; in statu nanque innocentiae non fuissent peccata, neque defuissent virtutes. Nam sine peccato actuali potest esse misericordia et iustitia subveniendo ege-

1 modo γ. — 4 misericors esset C; est *cett.* — ‹non› *omm cunct.* — 12 det et *om* E. — tribuat Eγ. — 13-14 non tamen aequaliter boni *om* ed. — 15 actum δι. — 16 puniet ABC² (C¹ puniat). — 17-4 Unde est satis . . . ad ipsum punire *om* E. — 23-24 sindicatus cH; sindacatus δ; syndicatus ed.

nis, dando unicuique quod suum est, et cum firmissimo proposito et intensa charitate dimittere offensam si quis offenderet, punire delinquentes si quis delinqueret dummodo pertineret ad ipsum punire. (10) Quare falsum est
5 quod mundus evacuaretur a virtutibus et a perfectionibus; immo mundus esset perfectior et pulchrior et nulla virtus deesset. Unde nullus est tam fa|1002|tuus qui diceret civitatem in qua rex et subditi non peccant esse minus beatam civitate in qua subditi sunt sceleratissimi, quanquam suus rex
10 maxime eos puniret; immo videtur infelicitatem dare regi.

(11) Unde patet ad primam confirmationem, quoniam supponit falsum. Nam omnes virtutes esse possunt nullo existente peccato; sicuti homo potest esse temperatus circa gustum et tactum, esto quod nunquam peccaverit.

15 (12) Ad secundam autem confirmationem, cum dicebatur: Nihil est possibile nisi aliquando deveniat ad actum; huic dicitur quod propositio est falsa, neque illa est diffinitio possibilis, sed: 'quo posito in esse, nullum sequitur incommodum'. Unde si ponatur quod nullus homo peccet, non
20 sequitur impossibile: si enim Adam perstitisset in innocentia, nullus peccasset; possibile est autem ipsum perstitisse tunc, licet cum praeteritum sit, non amplius est potentia. (13) Quod si dicatur: In vanum ergo Deus et natura dederunt homini potentiam peccandi cum nunquam peccaret;
25 ad hoc di|1003|citur quod si Deus homini dedisset potentiam peccandi ut peccaret, veluti dedit arbori potentiam frondescendi ut frondesceret, fortassis argumentum haberet evidentiam; verum cum Deus dedit homini potentiam peccandi ut potens peccare non peccaret et mereretur, non
30 sequitur esse vanum. (14) Quod si ulterius dicatur: Cur aliquando in uno saeculo non reperiuntur homines non peccantes? huic dicitur quod hoc provenit ex ipsis et suis

1 cum *om* ed. — 2 intenta ed. — 7-10 unde nullus . . . dare Regi *om* E. — 8 rex est ed. — 9 civitatem ABLδι ed. — 14 esto: et ed. — 18-19 inconveniens γ. — 23 dicatur Aδο ed (H *post correct.*); dicitur Eλγ.

malis voluntatibus, quoniam voluntas est causa peccati; possent enim si vellent. Ast in rebus naturalibus secus est, quoniam reguntur a natura, quae a Deo dirigitur.

(15) Ad tertiam dubitationem in qua dicebatur quod si
5 Deus aliquos eligit et aliquos non eligit, et inter electos et non electos aliquibus plus det, aliquibus minus, inaequalia aequalibus tribuit; huic dicitur concedendo hoc. Verum negatur quod sit haec iniustitia, quoniam dare aequalibus inaequalia est iniustitia si tenetur eis dare; verum Deus
10 non tenetur. (16) Unde, ut dicit Salvator, non est iniustum si laboranti in vinea per totam |1004| diem et laboranti per unam horam solum, det tantum uni quantum alteri, dummodo observet promissum utrique; sed si laborans per totam diem doleat de consocio suo quod tantum habuerit ut ipse
15 habuit, hoc est ex invidia et malo animo. Quare non fit alicui iniuria, sed hoc magis arguit bonitatem dantis; Deus enim facit hanc diversitatem ex universi perfectione. (17) Quod si dicatur: Ubi igitur cum bonis essent et peccatores, ista diversitas decoraret universum; quare Deus deberet eam
20 facere et esse causam tantae pulchritudinis. Dico ad hoc, ut mihi videtur, quod nisi esset pulchrum et decorum esse in universo peccatores, Deus non permitteret eos peccare, quoniam nihil nisi bonum potest a Deo procedere, seu positive agendo seu permittendo. (18) Tamen non mihi videtur
25 quod universum sit perfectius et pulchrius si cum peccatoribus sint boni quam si omnes essent boni, veluti dictum est

1 pravis E. — 2 enim E; *omm cett.* — 5 elegit (*bis*) E ed. — et . . . eligit: aliquos vero non E. — 6 vero minus EC. — 6-7 inaequalia aequalibus C[2]; aequalia inaequalibus C[1] *et cett.* (*cf. Thom. Aquin. cit. et infra linea 8a*). — 10 unde ut dicit Salvator: et sic E. — iniustus E. — 11-16 si laboranti . . . alicui iniuria: ut patet per Salvatorem in parabola de laborantibus in vinea E. — 11 totum G ed. — 14 socio d; consortio L. — qui M ed. — tantum habuit ed. — quantum G[1] B ed; et C. — 16 magis E; *omm cett.* — 20 causa B ed. — 23-24 seu: sed ed; sive permissive agendo seu positive E. — 25 si una cum C. — 26 veluti: ut supra E.

6 Cf. Thom. Aquin., *Sum. Theol.*, 1[a] pars, qu. 23, art. 5 ad 3[um]: «aequalibus inaequalia». (Leon. IV, p. 277). — 10 *Matt.*, 20: 1 sqq.

de comparatione facta inter duas civitates quarum una esset totaliter bona et altera permixta ex malis et bonis. (19) Qua-|1005|re cum dicebatur: Deus deberet facere homines peccare ut decoraret universum, dicitur quod Deus istud facere non potest, quoniam peccatum est remotum ab eo. Et esto per impossibile quod faceret, dedecoraret; quoniam melius est universum totum esse bonum quam mixtum ex bono et malo, quanquam in libro *De Mundo* videatur dici oppositum; verum sapientia mundi et Dei non conveniunt. (20) Quod si iterum dicatur: Si omnes homines essent aequaliter perfecti sic quod homo minime perfectus esset ita perfectus sicut perfectissimus, numquid mundus melius staret? Fortassis quod sic. (21) Quod si dicatur: Quare Deus non sic fecit? Huic dicitur quod non placuit dare unicuique tantam mensuram sicut alteri; veluti Deus potuisset facere universum aliud melius isto, noluit tamen. (22) Et fortassis non est melius, quoniam Deus noluit; unde voluntas Dei est causa boni: in tantum enim res est bona in quantum Deus vult eam. (23) Et fortassis quod repugnat rationi universae speciei omnes homines esse ae|1006|qualiter perfectos, veluti non omnia membra in homine possunt esse aequaliter perfecta; sic enim non esset homo.

(24) Ad quartam dubitationem cum dicebatur: Non universaliter esse verum Deum aliquem glorificare propter merita praecedentia; huic dicitur quod illud quod dicitur est verum, sed propositio intelligitur tantum de iis quos voluit glorificare mediantibus meritis antecedentibus.

(25) Ad quintam dubitationem dicitur quod Deus ut re-

1-2 de comparatione . . . et bonis *om* E. — 3 dicebatur quod α. — 4 decoret ed. — 6 per impossibile *om* E. — dedecoraret *sic* αβ; ut decoraret Gδo ed (G *ante correct.*); et decoraret C; decoraret M G (*post correct.*). — 8 videbatur ed. — 12 perfectus ut α. — 14 huic dicitur: respondetur E. — 15 Deus *om* E. — 19 illam ed. — quod non L ed. — 20-21 perfectis ed. — 21-22 veluti non omnia . . . perfecta *om* ed. — 22 sic enim non esset homo *om* E. — 26 intelligit ω. 28 dubitationem *sic* α; *omm cett.*

8 Ps.-Aristot., *De Mundo*, 5. 396a 32 sqq. — 9 Cf. *Prov.*, 30: 2. *Rom.*, 8: 7. *I Cor.*, 3: 19. 1: 20.

spicit futurum qua futurum est non potest cognoscere numerum praedestinatorum materialiter certa et inevitabili cognitione, quoniam sic illis et aliis auferretur libertas; si enim Socrates certitudinaliter sciretur salvari et Plato damnari, non contingenter ille salvaretur et alius damnaretur. (26) Si autem concedatur quod Deus sciat numerum salvandorum formaliter, aut igitur praestituit terminum quoad tempus, aut non. Si praestituit, illud non potest esse tempus finitum, quoniam de necessitate tot salvarentur et tot damnarentur, et sic non minus auferretur libertas; nam si, exempli gratia, mille sunt salvandi, de necessi|1007|tate reliqui damnabuntur, aut excederent numerum a Deo praedestinatum; neque illud potest esse tempus infinitum propter eandem causam, quoniam aut auferretur libertas, aut excederetur numerus praedestinatus. (27) Si vero ponatur quod nullum tempus praestituit, hoc videre meo concedi potest; verum cum hoc toto stat quod mundus nunquam cessabit, quoniam est in potestate hominum salvari et non salvari; quare stante Dei determinatione quod tantus debeat esse numerus, est in potestate hominum quod mundus nunquam finiatur et quod cito finiatur. Neque implicat quod infinitas animas Deus producet, ‹quandoquidem› nunquam erit ita quod infinitae sint animae. Neque Deus indeterminate agit, quandoquidem agit sicut praefixit agere. (28) His tamen non obstantibus, dicimus quod ut respicit rem et praedestinatos ut sunt extra suas causas, scit numerum formaliter et materialiter, et scit determinate quando caeli cessabunt.

(29) Ad sextam autem dicitur concedendo illud ad quod deducitur, videlicet |1008| quod Deus miseretur aliquando et relevat magis peccantem, et dimittit minus peccantem;

2 naturaliter ed. — certa et inevitabili *om* E. — 12-13 determinatum E. — 15 excederetur *sic* M ed; exceditur EB; excedetur AL d. — 16 sententia mea E. — 18 hominis γ. — 20 mundus *omm* Eγ. — 21 nunquam finiat E. — et quod cito finiatur *omm* E ed. — 22 producat E ed. — ‹quandoquidem› : quamquam *cunct.* — 27 quoniam Lγ ed.

sed negatur quod Deus inferat illi iniuriam. (30) Si enim essent duo debitores alicui et unus illorum deberet dare illi creditori mille et alter unum tantum, si creditor dimitteret illi gratis qui sibi debet mille, illi autem qui sibi debet
5 unum tantum non dimitteret et conveniret eum coram iudice, iudex sententiaret ut ille suo creditori daret quod deberet, quanquam intelligeret illi alteri condonasse mille. Unde nulla hic fit iniustitia.

(31) Ad septimam dubitationem dicitur ut ad quintam,
10 quod Deus nulli parcit neque preces determinate alicuius exaudit, vel determinate proponit se parcere vel preces alicuius exaudire quatenus respicit futurum contingens et ut hoc stat in potestate voluntatis; si enim sic determinaret, inevitabiliter esset. Quare non esset in potestate voluntatis
15 peccare et non peccare, illum orare pro alio et non orare. (32) Sed tantum se determinat ut respicit factum et prae-|1009|supponit determinationem voluntatis nostrae; et quod alicui parcat et alicui non parcat, hoc est ex libera eius voluntate, neque alicui fit iniuria.

20 (33) Ad octavam et ultimam dubitationem mihi videtur dicendum quod Deus potuisset facere universum maius et pulchrius quam hoc sit et multo perfectiorem effectum producere; quod autem non fecerit est quoniam noluit. (34) Et similiter dicitur quod quanquam in creatione unius
25 angeli manifestaretur eius infinitas si creatio est tantum potentiae infinitae, tamen quantum ad rem creatam non arguitur infinita perfectio quoniam omne creatum est finitae perfectionis; quare ultra illum gradum, innumeros fere voluit

2 illorum debitorum γ. — 3 alter vero E. — 3-5 dimitteret . . . non dimitteret: debenti mille dimittat gratis, debenti autem unum non dimittat E. — 6-8 iudex sententiaret . . . fit iniustitia: Nonne prenunciaretur eum satisfacturum etiam creditori, quare . . . E. — 7 donasse ed; cum donans se H. — 9 dubitationem *sic* α; *omm cett.* 18-19 libera eius voluntate: libertate voluntatis E. — 20 dubitationem *sic* α; *omm cett.* — 27 potentia γ (*cf. supra, p. 419, 10*). — 27-28 finite perfectum E.

1 sqq. *Luc.*, 7: 41. — 27 Cf. supra, p. 419, 11-12.

creare. Et quanquam plures et perfectiores posset facere, non tamen facit, quoniam non vult; neque in hoc alia est quaerenda causa. (35) Et quanquam auribus philosophorum ista videantur deliramenta, tamen standum est autoritati 5 Canonicae Scripturae quae est divinitus data, ut multotiens diximus. Et sic terminatur quintus liber et ultimus |1010|.

EPILOGUS SIVE PERORATIO

(1) In materia *De Fato et libero Arbitrio* numeratae sunt sex opiniones, et nulla harum est sine aliqua efficaci ratione, et 10 nulla est sine maximis difficultatibus et angustiis. Si nanque quis attente consideraverit et sola ratione moveatur, nulla est quae ex toto satisfaciat.

(2) Dico tamen duo. Primum: Quod stando in puris naturalibus et quantum dat ratio humana, ut mea fert opinio 15 nulla harum opinionum est magis remota a contradictione quam opinio Stoicorum. Potissimum enim argumentum est adversus eam quod Deus esset causa peccati et sic Deus peccaret, quod absurdum et erroneum videtur. (3) Verum si ponimus animas humanas esse mortales, veluti existimo 20 Stoicos tenere, apud me nihil est quod incommodum videatur. Non plus enim crudele est, si anima est mortalis, quod aliqui conculcentur ab aliis, aliqui dominentur, aliqui serviant, quod etiam unus devoret alium, quam quod lupus devoret ovem et serpens interficiat alia animalia. Si enim 25 unum |1011| est pro decore universi, et reliquum similiter se habet; nisi enim essent tot mala, non essent tot bona; si demis malum, demis et bonum. Unde cum iste ordo semper fuerit per infinita saecula, et in infinitum erit, quod semper est habet causam necessariam et per se; quare non est 30 in nostra potestate sed in potestate fati. (4) Si etiam ponan-

6 de fato *add* αB. — Finis *ad* E *qui et omittit Epilogum sive Perorationem, pp.* 451, 7 - 454, 20. — 9 aliqua efficaci *om* ed. — 10 nulla est *om* ed. — 11 et sola ratione moveatur *om* γ. — 14 fert: est ed. — 17 esset: est ed. — 27-28 semper *om* ed. — 28 in *omm* Mδ ed.

tur animae immortales, optime hoc salvari potest. Quoniam
numerus animarum est finitus: infinitum enim in actu abhor-
ret natura; quare animae reiterato unientur. Et veluti videmus in universo hoc quod terra fertilis nunc, postea est steri-
5 lis, et sic vicissitudinarie, et de magnis et divitibus fiunt
abiecti et pauperes, et sic discurrendo per universum ut
patet per historias. Nam vidimus Graecos dominari Barbaris,
et nunc Barbari dominantur Graecis, et sic discurrendo per
omnia reliqua. Quare verisimiliter videtur quod qui nunc
10 est rex aliquando erit servus, et e contra. Unde nulla videtur
esse inaequalitas simpliciter inter homines secundum istum
modum. (5) Quod si dicatur: Si ego fui rex et nunc sum
servus, nonne recordarer? Certe ar|1012|gumentum est va-
num: Fui enim in utero matris meae, et tamen non recordor
15 me fuisse in utero matris meae; immo, hodie feci aliqua, et
nunc non recordor eorum. «Sagax enim natura omnibus
provisit pro meliori». (6) Quod si dicatur: Quis ludus est
iste? sic enim ponendo videtur opus Dei ludus esse. Verum
sic argumentans respondeat secundum aliorum opinionem,
20 et maxime secundum Aristotelem: eadem est difficultas.
Immo, si qui recte consideraverit, et universum inspiciat,
videbit quod in universo non sunt nisi fatui et viri scelerati,
et multi qui habentur sapientes sunt aliis stultiores, et qui
habentur meliores multotiens sunt aliis deteriores. Certe
25 sapientia nostra insipientia est, et bonitas nostra nequitia.
(7) Sufficit enim quod in caelo non reperiatur malitia; infra
autem globum Lunae, cum omnia tendant ad interitum,

3 unirentur ed. — 3-4 veluti diximus γ. — 4 est *om* ed. — 6-8 et sic discurrendo . . . Graecis *om* γ. — 8-9 per omnia regna M. — 11 esse tranquillitas G. — 14 Nam et ego fui C. — tamen *om* ed. — 18-19 Verum sic argumentans *sic* ALMC^2 (*sed* A *ad in mg. ead. man.* alius hic *quasi lectio diversa in alio codice quam alii scribae in textum introduxerunt*); Verum alius sic hic argumentans B d ed (argumentas ed); Verum alius sic huic argumento C^1. — 24 multotiens *omm* γ ed. — 25 nequitia est ωLC^2.

16 *De Caelo*, II, 9. 291a 23. — 24-25 Cf. *I Cor.*, 3: 19. — 27-1 Cf. Guill. Alverniensis, *De Virtutibus*, cap. XI: «Quia terra faex est com-

fetida sunt et putrentia. Veluti enim in animali aliquae partes sunt nobiles de necessitate et aliquae ignobiles, sic mundus est unum animal et de necessitate habet ista sublunaria tanquam stercora. Unde veluti luminosum producit latitu-
5 dinem luminis a certo gradu usque ad non gradum, |1013| sic et Deus producit universum. Unde non video rationem naturalem demonstrantem adversus istam opinionem. (8) Et existimo secundum istam opinionem Deum non cognoscere particularia, saltem generabilia et corruptibilia, nisi secun-
10 dum speciem, non autem secundum individuum; quoniam difficile videtur Deum sic cognoscere et velle, tum quoniam infinitum non videtur posse cognosci, tum quoniam videtur hoc fieri non posse absque Dei mutatione; quanquam supra aliter dixerimus. Verum hoc magis mihi placet.
15 (9) Dico secundo quod cum sapientia humana quasi semper sit in errore, neque homo ex puris naturalibus potest attingere ad sinceram veritatem et praecipue archanorum Dei, ideo in omnibus standum est determinationi Ecclesiae quae a Spiritu Sancto regulatur. Quare cum Ecclesia damnet
20 fatum ut Stoici ponunt, ideo simpliciter ipsum habemus negare et firmiter Ecclesiae credendum est. (10) Quomodo autem salvetur divina providentia cum libertate voluntatis apud Christianos, visus est communis modus salvandi qui nunquam a me fuit intellectus, sed mihi modus ille vi-|1014|
25 detur esse praestigiatorius et potius involutio et deceptio quam enodatio et solutio. (11) Ego autem posui alium modum qui mihi satisfacit; et si aliis satisfaciet, Deus laudetur a quo, iuxta sententiam Iacobi, omne bonum procedit; si vero non satisfaciet, mihi imputetur in quo defectus est.
30 (12) Scio autem absque dubio quod lucrum extrinsecum,

17 virtutem δo (F *correx. in* veritatem). — 20 similiter γ; semper M. — 23 visum est ωBC². — 29 satisfaciat ed; satisfacit L.

paratione caeli, et faex elementorum apud philosophos reputatur» (Citat. ex. J. Weser, *Die naturphilosophischen Begriffe Wilhelms von Auvergne* . . ., in Jahrbuch der Görres-Gesellschaft, Bd. 32, Heft 1. Fulda 1919, p. 32, n. 7). M. Maimonides, *Dux* . . . *Perplexorum*, III, 12 (ed. S. Munck, *Le Guide des Egarés*, III, p. 69). — 28 *Jac.*, 1: 17.

non dico quoad divitias, quoniam hae sunt alienae a philosopho, sed quoad famam non possum reportare de his meis lucubrationibus, et praecipue dum vivo; quoniam si fatua dixi, fatuus dicar; si vero bona, proh Deus immortalis, quantam mihi comparavi invidiam! Ego enim nemini peperci ubi existimavi falsum dici; quod si recte reprehendi, tanto maiorem invidiam in me concitavi. (13) Verum ut in praefatione huius libri dixi, hunc non subivi laborem ut nomen meum celebraretur sed ut a magis sapientibus addiscerem quos video innumeros fore. Et scio quod illi qui minus sciunt erunt primi ad componendum libros adversus hunc nostrum tractatum. His autem quae dixi tantum adhaereo quantum approbaverit Romana Ecclesia, cui et in hoc et in aliis me totum subiicio.

|1015| Finis libris quinque de fato et libero arbitrio impositus est Dei gratia per me Petrum filium Ioannis Nicolai Pomponatii Mantuani, Bononiae in Capella Sancti Barbatiani, die xxv Novembris in quo celebratur festivitas Divae Catherinae Virginis & Martyris. Anno M. D. XX, et octavo Pontificatus Divi Leonis Xmi.

3 et praecipue dum vivo *om* M. — 5 enim *om* ed. — memini MDH. — 6 quare si AMB. — 12 ego dixi b. — 13 et in hoc *om* ed. — 14 Deo gratias amen B. — 15-16 « Libri quinque... compositi sunt dei gratia *etc*... C[1] (C[2] *ut cett.*). — 17 Mantuani *om* M. — 19 Virginis *om* A. — 20 amen *ad* L. — finis *ad* G. — Laus Deo uno trinoque *ad* M.

11-12 Cf. *Prolegomena*, p. x n. 1 de Ambrosio Flandino.

APPENDICES

I. p. 33,18 sqq. *Recensio communis C²L²*: Hoc tamen (autem L²) ut existimo sic efficaciter probari potest. Quoniam sit A effectus qui tantum a causis mere naturalibus producetur in uno (a L²) instanti, exempli gratia. Et cum hae causae (de C causa L²) ipsum A producentes erunt infinitae / cf. *Physic.* II, 5. 197a 15-16; 6. 198a 4 /, quoniam ab infinitis non producitur aliquid in tempore finito / cf. *De Caelo* I, 7. 275a 14 sqq /, sint (sunt L²) igitur A (hae C²) causae B et C; per multa enim et per pauca dicere nihil differt. Si igitur inevitabiliter non producetur, poterit igitur non produci. Vel igitur B et C eodem modo se habentibus precise sicuti quando producent ipsum A, vel aliter. Non primum, quoniam (*om* C²) hoc (haec L²) est tantum (una L²) conditio voluntatis quae excluditur in casu. Ergo alio modo se habentibus B et C.

Iste ergo alter modus se habendi B et C, sive ista altera dispositio, vel proveniet ab ipso B et C, sive ex altero ipsorum, vel ex aliquo alio extrinseco. Non primum, per superiorem rationem: quoniam agentia naturalia ex se sunt determinata ad unum, et ab uno naturaliter se habente non potest procedere nisi unum. Ergo illa diversitas erit ab extrinseco. Et cum illa extrinseca ex supposito mere naturalia supponantur, queritur (queratur L²): cur primo non (*ad* se L²) impediverunt B et C a productione (A producentia C²)? Et non est fingere (fingendum C²) nisi ex aliis extrinsecis, per consimilia argumenta prioribus. Et tandem, ut manifestum est, vel procedetur in infinitum, quod non est dabile (dicibile C²), aut inevitabiliter eveniet, si penitus actus voluntatis humanae secludatur quae, secundum peripateticos, est principium (*om* L²) talis varietatis; nam voluntas superior non est ad opposita.

Et firmatur. Quoniam lapis existens in aere, deducto quocumque impedimento extrinseco, tendet deorsum. Stante igitur illa conditione (condictione L²), inevitabiliter cadet deorsum. Nam si deducto quocumque impedimento poterit non cadere, deducatur igitur (v. g. L²) omne et non cadat; possibile namque in esse posito, non sequitur impossibile I *de Caelo* / 12. 281a 26 sqq. / Hoc autem est manifeste (manifestum L²) impossibile (*om* L²); immo, non per potentiam supranaturalem (supernaturalem L²), quoniam quantumcumque Deus posset facere stare lapidem sursum, non, ipso non detinente, et sic non esset (*ex* posset L²) remotum quodcumque impedimentum; quod tamen repugnat proposito. Cum itaque grave, deducto impedimento, si cadet, inevitabiliter cadet, ergo et quodcumque aliud quod secundum naturam fiet, deducto impedimento, inevitabiliter fiet. Vel igitur si non fiet, impedietur a voluntate, aut a re mere naturaliter agente. Primum est contra suppositum, quoniam excludimus voluntatem. Neque secundum, quoniam res naturales sunt determinatae ad (in *ex* nisi L²) unum nisi impediantur. Queritur igitur de impedimento: an naturale sit, vel voluntarium? Et sic (vel *ex* sic L[2]) erit processus in infinitum, vel inevitabiliter eveniet, ut supra dicebatur.

Et firmatur (habetur C[2]) ex IX *Metaphysice*. Quoniam (*ad* de C[2]) activis passivis debite dispositis de necessitate fit actio / *Metaph.*, IX, 5. 1048a 5 sqq /. Cum autem (*om* L[2]) omnia quae debent producere A effectum sint et erunt disposita cum A producetur, ut supponitur, et per casum excluditur voluntas quae per se ad duo potest (addita sunt *pro* ad duo potest L[2]), ergo cetera sunt agentia naturalia. Si ergo talia sunt et erunt convenienter disposita pro A effectu, ergo de (et L[2]) necessitate producent, per dictum citatum IX *Metaphysice*.

II. p. 56, 17. Johannis Buridani *Quaestiones in X lib. Ethic. Aristot.*, III, 1 (Oxon., 1637, p. 149): «Quia agente sufficienter approximato, passo sufficienter disposito et in illa dispositione sufficiente in qua alterum innatum est agere et alterum pati, oportet quod fiat actio quam hoc est innatum agere et illud pati. Sed si, rebus stantibus ut nunc stant, ego sine alio determinante possum velle legere: tunc omnia posita sunt requisita ad hunc actum qui est velle legere: ergo necessario ponetur velle legere.

Respondetur quod major est vera de agente naturali, non de voluntario. Sed contra: quia motor caeli est motor voluntarius et tamen consimiliter arguit Aristoteles octavo Physicorum quod ille necessario movet . . . Sed procul dubio haec opinio est gravis et periculosa valde et in fide et in moribus: nec esse videtur de intentione Philosophi . . . Et ideo simpliciter et firmiter credere volo fide, una cum aliqua experientia ex actibus Sanctorum et Philosophorum huic credulitati concordantibus et firmiter adhaerentibus, quod voluntas caeteris omnibus eodem modo se habentibus potest in actus oppositos . . . Et nullus debet de via communi recedere propter rationes sibi insolubiles; specialiter in his quae fidem tangere possunt aut mores: qui enim credit omnia scire et in nulla opinionum suarum decipi fatuus est». Cf. supra p. 228, 29 sqq.; p. 407, 6 sqq.

III. p. 89, 20 sqq. M. Asin Palacios, *Los precedentes musulmanes del Pari de Pascal* (in Boletín de la Biblioteca Menendez y Pelayo, Santander 1920) primos inter islamicos doctores Ali et Algazel huius argumenti fautores describit. Sed errat H. Busson, *La religion des classiques*, Paris 1948, p. 343 et n. 2, qui doctores Societatis Jesu hispanicos autumat huiuscemodi argumentationem in Galliam introduxisse. Exeunte etenim saeculo XII Alanus de Insulis, *Contra Haereticos* I, 31 (Patrol. Lat. 210, col. 334) ipsissimam argumentationem totidem verbis exponit: «Ad idem probandum possumus uti ea insinuatione qua usus est quidam religiosus contra philosophum (*ed.* Philippum) qui negabat animam esse immortalem. Ait enim: Aut anima est mortalis, aut immortalis: Si mortalis est anima, et credis eam esse immortalem, nullum tibi inde provenit incommodum; si autem est immortalis et credis eam esse mortalem, aliquod potest tibi inde provenire incommodum. Ergo melius est ut credatur immortalis quam mortalis, quia ut ait Aristoteles in libro *de eligendis duobus propositis*, si istius est consecutivum malum, et illius est consecutivum bonum, magis est illud eligendum cuius est consecutivum bonum quam aliud cuius est consecutivum malum . . . » Ut videtur ex p. 85, 11 supra, jam inchoative in Alexandro figuratur sponsionis argumentatio. Utrum ad Arabicos a Palacios memoratos auctores mediante Alexandro migraverit talis argumenti traditio haud inutile foret determinare, cum quoddam Alexandri opusculum *De Providentia* (περὶ προνοίας), a Maimonide autem sub titulo *Liber de Regimine* citatum (cf. supra, p. 168, 13 n.) ab Abu Basar Mata iam translatum erat in arabicum, ut fidem facit cod. Escurialensis arabicus 798 (Casiri 794) II, n. 8, ff. 87v-100v: «Opuscule où l'auteur [*Alexandre*] juge et explique l'opinion de Démocrite, d'Epicure et des philosophes modernes sur la providence (περὶ προνοίας)... Il s'agit sans doute du Kitab al-anaya, mentionné par Ibn Al-Kifti et Ibn Abi Usaybi 'a» (*Les manuscrits arabes de l'Escurial décrits d'après les notes de H. D. Derenbourg*, revues et complétées par le Dr. H.-P.-J. Renaud, T. II, fasc. 2. Médecine et histoire naturelle. Paris 1941, p. 9-10). Cf. J. G. Wenrich, *De auctorum graecorum versionibus* . . . Lipsiae 1842, II, 277; M. Steinschneider, *Die arabischen Uebersetzungen aus dem Griechischen.* Beihefte zum Centralblatt für Bibliothekwesen, XII (1893), p. 95, n. 8; J. Guttmann, in Jewish Studies in Memory of George A. Kohut (N. Y. 1935, pp. 346 sqq.). Vid. supra p. 168, 13 n.

IV. p. 95,19 sqq. H. Bagolini, *Alexandri Aphrodisei liber unicus de fato*, cap. XIV (ed. 1516 fol. C6 r-v): «Quo pacto etiam non est aperte falsum omne quod ad aliquid sequitur ex illo habere causam ut sit, et omne quod ad aliquid praecedit eidem esse causam? videmus enim que se tempore consequuntur non omnia ex prioribus et prius genitis fieri. Nec enim est ambulatio propter surrectionem nec nox propter diem, nec certamen Isthmiacum propter Olympiacum, nec propter hiemem aestas; unde et admiratus quis ipsos non iniuria fuerit qui hoc modo causarum assignationem faciunt ut semper quod primo factum est causam esse dicant eius quod est post ipsum, et faciant nexum quemdam et causarum continuationem et hanc afferunt causam huius quod nihil absque causa fiat. Cum in multis videamus et prius et posterius factis eandem esse causam. Surgendi quippe et ambulandi eadem est causa. Non enim surrectio ambulationis, sed utriusque surgens ipse et ambulans est causa. Et huius electio. Videmus quoque noctis et diei ordinem quendam inter se habentium eandem esse causam. Similiterque mutationis temporum. Non enim est hiems estatis causa sed et horum et illius divini corporis motus et circumlatio. Et declinatio in obliquo circulo qua sol motus omnium prius dictorum pariter est causa. Et quod nox non est diei causa, aut hiems estatis, nec sunt inter se complexa instar cathenae donec hec fiunt, aut si non sic fiant, non divelletur mundi et eorum que in ipso sunt et fiunt unio. Sufficiunt namque divina corpora et horum circumlatio ad servandam eorum que in mundo fiunt continuationem. Verum nec ambulatio est causa, quoniam ex surrectione non habet causam. Quare haec causarum *etc.*» ut supra p. 96, 16-27.

V. p. 134, 14 sqq. H. Bagolini, *Alexandri ... liber unicus de fato*, cap. XIX (fol. E[I]r): «Non: et omnia fato fiunt; et non: prohiberi nequit nec impediri mundi dispensatio. Non: et hoc est, et non est mundus. Non: et mundus est et non sunt dii. Et si sunt dii, boni sunt; quod si est, virtus est; si virtus est, prudentia est; que si est, erit utique et scientia agendorum et non agendorum. Sed agendis adnumerantur Catorthomata, non agendis peccata. Non igitur: et omnia fato fiunt et non sunt peccata et Catorthomata. Atqui Catorthomata honesta sunt, peccata vero turpia, et honesta laudabilia sunt, turpia vituperabilia; non igitur: et omnia Fato fiunt et non sunt laudabilia et vituperabilia. Quod cum sit, laudes et vituperia sunt; sed que laudamus honore afficimus, que vituperamus supplicio; et qui honorat premio afficit, et qui punit castigat. Igitur non: et omnia Fato fiunt et non est praemii contributio et castigatio.»

VI. p. 83, 22 et 126, 2. H. Bagol., *Alexandri ..., liber unicus de fato*, praef. (fol. 3r): «Hieronymi Bagolini Veronensis in Interpretationem Alexandri Aphrodisei de Fato, ad Illustrem Joannem Baptistam Spinellum Comitem Cariati. Veronae Gubernatorem Caesareum praefatio.

Cum incidisset nuper in manus meas Illustris Comes Alexandri Aphrodisei libellus de Fato et libero Arbitrio Ad principes Severum et Antoninum, graeco sermone conscriptus, eum mox libenter avideque amplexus legi atque perlegi saepius. Nam et autoris nomine, quippe qui ex peripateticis esset eminentissimus et indice rei propositae cuius veritatem supra modum omnes nosse desiderant plurimum oblectabar. Inveni profecto (quod sperabam) tractatum argutissimis quaestionibus, acutissimis sensibus, verbis gravissimis iisdemque ornatissimis refertissimum. Sed id me in eo ante omnia incredibili affecit laeticia quod ambiguitates plures perquam difficiles atque insolubiles nodos explorat, enucleat, discutit, quodque veritatem ipsam fidei et Religioni Christianae consentaneam aperit validissimisque et evidentissimis argumentis confirmat, tuetur, et ut prosequamur hortatur. Contra Stoicorum opinionem ceu falsam et veritati adversam insectatur, reicit et inexpugnabili ratione propulsat. Hunc itaque cum perlegissem perlectumque litteratis omnibus utilissimum fore iudicassem, non sine magno labore Latinum feci, cum omnes quotquot viderim codices mendosissimi essent. Et ne continuo sermonis decursu fastidium (fol. 3v) legentibus ingereret, in capita distinxi, suisque indicibus singula pernotavi, ut primo occursu cuncta ante oculos constituta quibuscumque etiam conniventibus obvia et aperta fierent. Verum cogitanti mihi cui potissimum meam hanc qualiscunque esset lucubrationem emissurus dicarem, occurristi tu Comes celeberrime, cui Alexandri interpretationem inscribendam censerem. Cum pulcherrimam de fato et libero arbitrio disceptationem dignam Moderatore iustissimo, dignam aequissimo iudice qualem te omnibus praestas, dignam litterato ac Religioso viro, qualem te omnes et agnoscunt et praedicant non ab re existimassem. Quis enim ignorat te quantum tibi vacare a publicis negociis datur, id totum ad rerum divinarum cultum et cognitionem nunc legentem, nunc audientem plerumque et disputantem impendere? Quis nescit qua sacrorum dogmatum eruditione, qua politicarum legum peritia, quanta in agendis rebus solertia, dexteritate, prudentia polleas? Quis praeterea egregias virtutes tuas caeterasque et corporis et animi tui dotes conspicuas vel invi(d)us / invitus *ed* / dissimulare, aut silentio involvere potest? Quas ob res dignissimum te huius libelli Munere aptissimumque putasse non indecens fuit. In quo ad deos colendos, leges servandas, virtutes capescend(a)s / dis *ed* / praecipue commonemur, utpote qui eiusmodi omnium sitam in nobis facultatem habeamus.

Accedit ut cum haec ipsa que dixi, tum illud quoque nunc me exurgeat, quod si Augustinus Suessanus et Aldus Manucius viri no/(fol. 4r)stri temporis alter Philosophiae, alter humanitatis atque eloquentiae studiis ornatissimi sua tibi opera nuncuparunt, non alia certe de causa nisi quia et ingenuas artes diligis doctisque et studiosis hominibus faves. Mihi profecto qui tuo Magistratui subditus, tuo saepe patrocinio adiutus sum, iure tu praestantissime Comes succenseas nisi uni tibi nostram hanc editionem dicassem. Hinc enim facile suspicari posses, ut quam non ego tantum, sed quam alii de te spem opinionemque hactenus concepissent inanem omnino et falsam in se futuram agnoscerent. Quo quid potest esse in principe turpius atque detestabilius? Tuo igitur auspicio candidatus, tuo praesidio munitus Alexander e graecia migrabit in latium, prodibitque in litterarium forum. Cuius si patrocinium clientelamque susceperis, malivolorum latratus facile se evasurum sperabit.

Sed quid te longiore epistola detineo? Finem dicendi fecissem nisi me quorumdam fati nominum expositio ad se vocasset que inter Chrysippi rationes ab Alexandro adducta graeca permisimus, cum non nisi longo verborum ambitu Latine dici aut apte exprimi possent. Legimus ab antiquis et Philosophis et Poetis qui in Graecia claruerunt fatum modo Imarmenen vocari, modo Pepromenen, nunc Aesan, aliquando Nemesin, quandoque Athraustian, nonnunquam etiam Moeran, plerumque et aliquo parcarum nomine ut Lachesin aut Atropon. Imarmenen aliqui ut Porphyrius dictam putant, quod sorte quadam fata evenire dicantur. Alii (fol. 4v) quia sit quasi series quaedam causarum ad rerum productionem agentium, Pepromenen vero quoniam omnes ad finem suum fata perducant nec ullum sit infinitum. Aesan porro, quasi semper existentem quod fatum ipsum sit sempiternum et causae fati semper fuerint, ut libro de Mundo Aristoteles sensit. Nemesin autem a distributione quam cuivis fata secundum merita exhibere dicuntur. Athraustian quia fatum sui natura inevitabile sit frangique non possit. Moeran quod sua unumquemque fata comitentur. Idem et Lachesis significare videtur quod sua singulis sors contingat et in finem perducat. Atropon vero quia verti omnino aut immutari non possit ipsum fatum.

Haec omnia eo tendunt ut et fatum causam necessario agentem significent subindeque consequentes effectus haudquaquam evitari posse. Quod et eorum de fato definitiones asserunt; est enim quam affert Chrysippus libro de Providentia fati definitio eiusmodi: Fatum est naturalis quaedam series rerum omnium aliis ad alias consequentibus manente inevitabili eiusmodi connexione. Quam et Cicero libro de Divinatione imitatus eisdem fere verbis expressit: Fatumque id appello quod Graeci Imarmenen, idest ordinem seriemque causarum cum causa causae annexa rem ex se gignit, ea est ex omni aeternitate fluens veritas sempiterna. Fatum itaque hoc modo definitum non unam sed omnes simul causas amplectitur. A primo rerum omnium principio serie quadam per ipsos angelos, celestia corpora, elementa omnia ad proximas cuiusque causas descenden(fol. 5r)do. Alii vero et si ordinem hunc essentialem inter causas concesserint effectrices, Fatum tamen non esse universam causarum seriem arbitrantur, sed solam siderum constitutionem et influxum, cum quid aut nascitur, aut concipitur, aut incohatur. Nec significari tantum ex ipsis quaecunque futura sunt, sed effici quoque et invehi, non in naturam tantum, sed et in corpora et animos nostros inevitabilem quandam necessitatem futurorum.

Caeterum Alexander Aphrodiseus novam quidem, nec ab aliis citatam, non tamen a veritate dissonam, physicamque potius quam theologicam fati significationem introduxit, quare nec in universam causarum seriem, nec in astrorum constitutionem putat fatum esse reducendum, sed in ipsam naturam, ut idem omnino sint natura et fatum et quaecunque natura fiunt fato fiant, remeatque ut etiam quae fato fiunt natura fiant. Nam et fato ignis calefacit, equus equum et homo hominem generat. Hec et natura ab eisdem fiunt. Si vero aliquis dissoluto corporis temperamento moritur, fato moritur; at si ex equo praecipitatus aut gladiis confossus, non moritur fato. Quem modum et Virgilius de Didone attigit:

Nam quia nec fato merita nec morte peribat

hoc est, non morte per naturam ei debita sed violenta. Ovidius quoque:

Est aliquid fatoque suo ferro ve cadentem
In solita moriens ponere corpus humo.

Fato suo, hoc est morte sibi ex natura decreta. Astrologi contra in fatum maxime eiusmodi mortem violentam reiciendam putassent. Eo(fol. 5v)dem pacto et Aristoteles quarto physicae auscultationis quasdam dixit esse fatales generationes, hoc est quae secundum naturam fiunt. Cum itaque natura non necessario, sed plurimum suos effectus producat, siquidem impediri potest; nam et multa praeter naturam fiunt; ita et fatum non necessario sed plurimum suos effectus agere dicendum est, fierique multa praeter fatum ut quae nostra electione, fortuna aut casu fiunt. Nam et quae naturali adversante impulsu vi coacti agimus, praeter fatum agere dicimur, cum pugnent inter se vis et fatum, hoc ipsum Alexandro referente primo quaestionum naturalium, cap. quarto (*ed. 1516, fol. F4r-F5v*). Non ignoravit tamen Alexander et alia praeter naturam esse agentia duo principia, deum scilicet optimum et hominem ipsum quibus minime fatum deputavit. Nam et universa Deum maximum sui consilio et providentia gubernare fatetur, totamque causarum seriem ita ab ipso pendere ut suum causandi semel sibi a Deo constitutum modum non deserant aut intermittant. Deum igitur fatum esse, aut fato agere quae agit quippe qui nullam habeat superiorem causam iure dixisse nullus potest, sed ipsum potius fati causam appellasse par est, cum et corporum celestium et totius naturae sit causa. Corporibus quoque celestibus non fatum sed fati causas ascripsit quatenus et ipsa inter causas agentium naturalium numeravit. Nec aliter in subiecta sibi mundana corpora agere opinatur quam per lumen et motum (fol. 6r) quemadmodum et elementa in corpora ex ipsis composita per primas qualitates. Quare et humana corpora cum in varias affectiones et interitus proxime ad naturalem ex illis compositionem incurrant, merito fatis obnoxia dixerimus. Quod si quis affectiones has omnino necessarias fore hoc ipso nitatur ostendere quod causas habent proximas naturaliter et necessario agentes, respondebimus ipsas nihil minus vitari posse, et in contrarium habitum assuetudine permutari adhibita diligentia ex Medicorum praeceptis et victu aliisque eius generis in contrarium dispositis. Eodem modo et longe facilius convelli animi vicia et extirpari possunt quae ex corporis contagio in ipsum redundant. Hunc igitur tertio loco numeravit Alexander quem ea praerogativa et conditionis dignitate praeditum esse testatur, ut non perinde ac corpora legibus naturae devinctus sit, sed liber omnino in quam malit contradictionis partem se flectat. Iccirco nec aliqua fati necessitate astringitur, nec ulli naturae, ne quidem celestium corporum aut Angelorum subicitur.

Sileant igitur qui humanas actiones in ficticias quasdam siderum posituras indirecte referendas putant. Sed et illi gravius peccant qui quod Deus ex aeternitate noverit quicquid acturi sumus id nos coacte et necessario arbitrantur acturos. Si enim nos Deus liberos esse voluit, quicquid egerimus libere agemus, quoniam id nos Deus (fol. 6v) libere facturos praevidit. At certe liberos homines esse constitutos vel inde maxime notum esse potest quod hominis essentia in ipsa rationali natura sita est quae nil aliud est quam vis quaedam et principium homini innatum quo aliquid aggredi potest et non aggredi, et opposita pariter; non quod ab externis causis ipsum ad id cogentibus impellatur quemadmodum bruta quae etsi sponte quaedam subterfugiant, quibusdam inhaereant, quoniam tamen a visis impulsa, non a ratione moventur, libere ad haec ipsa moveri nullus dixerit.

Hec sunt, Comes integerrime, que de Fati nominibus et Alexandri opinione erant mihi declaranda. Reliquum est quod etiam per initia diximus, ut insignem hunc Alexandri tractatum a me in Latinum conversum tuoque nomini creditum amplectaris et foveas; quod si feceris, plurimum certe illi et dignitatis et ornamenti attuleris.»

b) «H. Bagolini Veronensis in Interpretationem Alexandri Aphrodisei de Intellectu, ad Ioannem Batistam Turrium Veronen. praefatio» (*Ibid.*, fol. E3r).

«Enarrationem Alexandri Aphrodisei de trino intellectu ex Aristotelis placitis angustis verborum limitibus clausam sed sensibus effusam, et quaestionibus perquam arduis uberem iampridem a me in Latinum conversam tibi, Ioannes Baptista dicare constitui, simul ut amorem percipuum (*sic*) observantiamque non vulgarem qua excellentissimos olim et omni doctrinae et morum laude cumulatissimos Hieronymum patrem tuum et Marcum Antonium fratrem semper sum prosecutus, viventi tibi munusculo hoc utcunque contester; quamvis sciam eximia eorum erga me beneficia praemia medius fidius longe maiora sibi promereri; simul, ut Alexandri opinionem de Intellectu, quam dum in Gymnasio Patavino naturales Aristotelis disciplinas publice profiterer, Eruditissimo Fratri tuo frustra tamen examinandam pensitandamque tradere decreveram quum morte intempestiva nobis surreptus fuerit, tu qui eius locum doctrina, eruditione, moribus et virtutibus subiisti, ceu hereditario iure tibi debitam perlegas et ex ingenii acie perpendas an ex Averroes sermone perplexo vel ex ipsa Alexandri mente certius et intemeratius possit agnosci; quando quidem te non ignorare certo scio eiusmodi interpretationes quas de rebus graece scrip(fol. E3v)tis ex Arabum lingua Latini mendicavere mendosas et veritati adversas magna parte inveniri. Qualem et mihi ipsius huius opusculi de Intellectu incerto interprete (cf. M. Grabmann, *Mittelalterliche lateinische Uebersetzungen von Schriften der Aristoteles-Kommentatoren Iohannes Philoponos, Alexander von Aphrodisias und Themistios*, in Sitzungsberichte der Bayerischen Akademie der Wiss., Philosoph.-historisch. Abteilung, Jahrgang 1929, Heft 7, pp. 48-61) his diebus a me nunquam ante animadversam vidisse contigit, in qua praeter elocutionis involutam seriem errata non multo verbis pauciora, ab ipso statim limine ad calcem usque sese legentibus nobis obtulerunt. Quae in medium afferre supervacuum duxi, cum nostram cum illa collaturis notissima fore mihi persuadeam. Ita evenit ut quam me ab instituto submoturam suppressuramque verebar, contra potius ad huius nostrae editionem praecipitem impulerit, cum eam studiosis omnibus non inutilem futuram cognoverim.

Caeterum, mi Ioannes Baptista, quicunque hanc nostram interpretationem adituri sunt, hoc loco monendos censeo ne in huiuscemodi genere interpretandi res physicas, quod profecto ex omnibus arbitror difficillimum, verba expetant nova aut translaticia et nullius ante trita solo, ut ait Lucretius, neve ornatam nimis aut perpolitam orationem concupiscant, sed quae modo non sit rudis aut barbara, integrum autoris sensum aperiat. Ne quid desit, ne quid supersit, ne quid subsultet, ne quid immutetur; quem modum Boetius Severinus servavit, et nos quoque servamus et servandum fatemur, quamquam non ignoramus summussores (*sic*) plerosque affuturos qui nostra haec incessere coarguereque non desistant. Sed nos eiusmodi hominum detractiones, cum Grammatistae potius quam Philosophi habendi sint, parvi facimus, modo abs te aliisque qui non nudos, ut aiunt, cortices sed rerum scrutantur praecordia exquisitae doctrinae iudicio perspicaci probari haec ipsa percipiam.»

c) «Hieronymus Bagolinus lectoribus» (*Ibid.*, fol. F2v, ante *Quaestiones naturales* I, 4).

«Quam arduum sit, eruditi Lectores, Latinis hominibus que in aliena et peregrina lingua didicerint in suam sibique cognatam transferre, quamque difficile primum interpretari graeca deinde physica ubi praecipue non elocutionis tantum ratio habenda est, sed et rerum natura servata ipsae nominum notiones ad unguem exprimendae, nemo est certe qui rectius scire possit quam qui utranque probe calleat. Sed id qui fieri potest? nisi in utraque quis natus aut a teneris saltem educatus fuerit, in qua legendis diversorum autorum operibus quocumque genere quacumque materia iugiter versatus diutius insudaverit. Hinc arbitror evenisse ut ad hoc aevi quantum ipse noverim nullus hoc interpretandi munus tam feliciter sit aggressus, tam exacte et citra mendam exercuerit, ut invidentium calumnias et latrantium morsus evitare poterit. Quapropter non defuere qui consulerent ut graecis graeca, latinis latina perscrutanda relinquerem. Fuitque, deum testor, diu is animus mihi ut hanc graeca exponendi provi(n)ciam omnino non attingerem, cum ex ea plus laboris quam laudis, plus detrimenti quam ornamenti consequi datum sit. Vel ea praecipue de causa, quod si quis inter legendum in codicibus graecis qui e Graecia in Italiam plurimum mendosi devenerunt, error aliquem offenderit, non autor, aut scribentium incuria ut par esset, sed interpres accusari solet. Haec me praeter caeteras potissimum in Alexandri de Fato editione ancipitem reddidit. Cum (fol. F3r) in eo innumeros errores et ex his non paucos pene inextricabiles in omnibus exemplaribus invenerim, ab aliisque alioquin eruditis viris pernotatos, nec tamen emendatos certo sciam. Ex his plerosque sanasse aut modum quo sanari possent ostendisse nos credimus, tum ex sensuum consequentia, tum ipsius rei de qua agitur indicante natura, tum ex aliis quibusdam capitibus hanc ipsam materiam pertractantibus, quae ex eiusdem Alexandri libris quaestionum naturalium ad huius libelli de Fato lucidiorem expositionem subnectenda censuimus, quibus easdem opiniones quas libro de Fato insectatur, et fere fusius declarat. Illos vero qui in integrum restitui non potuerunt, qui fere uno capite decimo octavo visuntur, ne plus iusto nobis arrogaremus, ut iacent, nullo dempto aut addito sumus interpretati, unicuique pro viribus ingenii examinandos destinantes. Sed et si haec et alia eius generis multa ab Alexandri editione nos dissuaderent, superarunt tamen amicorum preces quorum amore et utilitate compulsi periclitari non sine Phamae dispendio volvimus ad illam festinantes. In cuius politura et ornatu non diu laboravimus, quandoquidem non ad eloquentiae fastum, sed ad rei sinceram veritatem aperiendam studuimus. Nec illam vobis ceu aliquid magnum expectaturis tradidimus, aut quod omnibus nos satisfacturos crediderimus; illos enim tantum aequo animo nostra haec lecturos speramus qui non tenuem sermonis picturam, sed simplicem rerum naturam amplexi illius cognitioni se totos addixerunt. At si nec hi legerint, non defuturos qui probent saltem illos arbitramur qui nos ad ista promoverint; quorum vel solo iudicio niti insistereque possimus. Si vero tam infausto siderum et (fol. F3v) sinistra avi iniciatos nos fuisse contigerit ut et isti neglexerint, aut omnino damnaverint, superest tandem quem nullus neget Palinodiae locus.»

VII. p. 168, 13. Hieron. Bagolin., *Alexandri Aphrodisei ex libris questionum naturalium capita tria de fato, de Eo quod in nobis est, de Providentia*, Eodem (*Bagol.*) interprete. Veronae 1516, ff. F2v-sqq. (*Quaestiones naturales*, lib. II: cap. iv, cap. xiii, cap. xxi). Cap. XXI: «Cum haberemus nuper sermonem ad alios de providentia, et tentarem ego monstrare quod iuxta Aristotelem divina ipsa curam habent et providentiam, prom (fol. F7r) ptumque esset dicere quaenam esset et quo pacto, dixit quidam eorum qui aderant dignum esse noscere quo pacto respondendum sit interrogantibus utro potius modo a divinis provideri haec dicendum sit, principaliterne, ut nos, an per accidens. Qui enim negant esse iuxta Aristotelem providentiam, quam scilicet nos dicimus fieri, per accidens illam aiunt dici et fieri. At in omnibus quibus additur verbum per accidens, quod hae proprie non sint ea quae dicuntur, signum est; quod vero non est proprie ens, non est ens aliquo modo; sequitur ut quae per accidens dicitur providentia, providentia non sit cum dicitur cum eiusmodi additione...» Fol. F9v: «Sed sermo ille, quem destruximus prius, inquirere mihi videtur quomodo oporteat dicere secundum Aristotelem providentiam fieri, cum nec per se nec per accidens ipsam dicamus fieri. Et quia plures dicti sunt providentiae modi, quaesierit porro quis quaenam horum diis congruere dicamus. — Et ego ad ipsum: Quid narras? Nonne propositum erat nobis propositionem interrogatam ab his qui praecipue et per se dicunt divina generabilibus et corruptibilibus providere, aut inanem esse, nec omnino responsionem dignam, cum plures sint modi quibus dicere possumus providentiam fieri, aut falsam, si de duobus tantum fieret quorum neutro providentiam, quae ex divinis inquiritur, fieri posse ostensum est?...»

VIII. p. 171, 6. Averr., *Metaph.* XII, t. c. 51: «Huic contingit inconveniens in hoc loco et est ut sit ignorans ea quae sunt hic, et ideo dixerunt quidam quod ipse scit omnia quae sunt hic scientia universali, non scientia particulari. Et veritas est quod primum scit omnia secundum quod scit se tantum scientia in esse quod est causa eorum esse verbi gratia qui scit calorem ignis tantum non dicitur nescire naturam caloris existentis in reliquis calidis; sed iste est ille qui scit naturam caloris secundum quod est calor. Et similiter primus scit naturam unitatis in eo quod est ens simpliciter quod est ipsum. Et ideo hoc nomen scientia aequivoce dicitur de scientia sua et nostra, sua enim scientia est causa entis: ens autem est causa nostrae scientiae. Scientia igitur eius non dicitur esse universalis neque particularis; ille enim cuius scientia est universalis scit particularia quae sunt in actu in potentia scita; eius igitur scientia necessario est scientia in potentia, cum universale non est nisi scientia rerum particularium. Et cum universale est scientia in potentia, et nulla potentia est in scientia eius ergo scientia eius non est universalis. Et magis manifestum est quoniam scientia eius non est particularis; particularia enim sunt infinita, et non determinatur a scientia. Ille igitur primus non disponitur per scientiam quae est in nobis nec per ignorantiam quae est ei opposita; sicut non disponitur per istas illud quod non est innatum habere alterum. Declaratum est igitur aliquod ens esse sciens de quo non erit fas dicere sibi ...» (Comin. de Tr. VIII, 351v F).

IX. p. 217, 13 sqq. P. Pomponatii, *Lectiones super II De Generatione*, lect. 66: «Huic parti anni(c)titur aliud dubium. Numquid omnia quae sunt sub sole habeant periodum?: notat (?) de homine et aliquibus animalibus, plantis, et certum est. Sed numquid etiam contineat veritatem de fluviis, civitatibus, lapidibus, regnis, et sic de aliis. Aristoteles in fine *primi metheororum* dicit quod sic ... Sed ista sunt philosophica, sed non sunt vera; unde dimissis cursui naturae vera sunt, sed posita in manu Dei. Deus facit quae vult, quare ... » Ms. *Vatican. Reg. lat. 1279* fol. 267v. Notitia nobis a doct. B. Nardi impertita. De Tarantula, *ibidem* (fol. 268v): «Item ferunt de tarantula, quod si quis morsus erit ab ea, tantum vivit tarantula quantum vixerit homo morsus. Et hoc est quia effectus insequitur suam causam, quia hoc habeat a proprietate individuali data a corporibus celestibus quae est in radice rei et nunquam deserit eam».

X. p. 226, 1 sqq. Cajetan., *In Thom. Aquin. Sum. Theol.*, I, qu. 80, art. 2 n. I (ed. Leon., V, p. 285): «Opiniones simpliciter sunt tres. Alii tenent solum appetitum esse causam activam volitionis: et in his sunt Scotus (*II Sent.*, d. 25), Henricus et Capreolus ... Alii vero tenent solum obiectum esse causam activam: et in his dicitur Godofredus (*de Tribus Fontanis*) [vid. E. Gilson, *Jean Duns Scot*, p. 581, et n. 2; pp. 591 sqq; P. Minges, *J. D. Scoti Doctrina philosophica et theologica*, I, pp. 324 sqq.] ... Alii autem tenent utrumque, obiectum scilicet et appetitum, active concurrere: et in his Hervaeus (*de Nedelec*), Gregorius (*Ariminensis*) et Adam (*de Bochfeld*?) videntur. Opiniones vero in via S. Thomae sunt duae. Capreolus enim Bernardum de Gannaco sequens, tenet apud S. Thomam obiectum non active sed formaliter et finaliter tantum concurrere. Aliis autem videtur quod etiam apud S. Thomam active concurrat, partialiter tamen». — Ipse Cajetanus tenet quod 'utrumque', i. e. obiectum et appetitus, movent (*Ibid.*, n. VI). Non vertitur in dubium istud officium quoad exercitium, sed de specificatione tantum actus dubitatur, et concludit: «Appetitus non est per se causa sufficienter effectiva ad specificationem sui actus ... (n. VII); ... ab obiecto effective est specificatio actus (*ibid.*) ... Verum quia ista reductio de potentia ad actum fit ab obiecto, ut dictum est, multipliciter, scilicet in ratione finis, et termini, et rationis agendi, cautum oportet esse ad intelligendum Doctorum dicta, et singulariter S. Thomae . . . » (*Ibid.*, n. IX; p. 285b).

XI. p. 230, 8. Communiter quidem, ut dicit hic auctor, talis suspensio ponitur a doctoribus medii aevi sicut a Thoma Aquin.: cf. supra p. 254, 16; 257, 20. Ex capite autem 10 sequenti (supra p. 275, 24) aestimavit Fr. Fiorentino (*P. Pomponazzi*, p. 439) Pomponatium quasi inventorem istius actus suspensionis: « Non essendosi saputo d'altra parte districare dagl'impacci del mondo sensibile e del fantasma, nè assurgere alla purezza del concetto, mal poteva (*Pomponazzi*) comprendere nel mondo della libertà uno stato di assoluto affrancamento dalle determinazioni esteriori. Ed il più che può conseguire si riduce a riconoscere in potere del nostro spirito una sospensione che non era nè volere, nè disvolere ma un semplice astenersi . . . Lo sforzo però di voler assegnare alla volontà un'energia propria che non le venisse da causa estrinseca, si rivela pure in cotesto stato medio, che il Pomponazzi cerca d'introdurre, dilungandosi da Aristotile ». –

XII. p. 254, 16. J. Buridan., *Quaest. in X lib. Ethic. Arist.*, III, qu. 4 (Oxon., 1637, p. 172): « Utrum propositis duobus bonis per rationem maiori bono et minori bono incompossibilibus, voluntas dimisso maiori bono possit velle minus bonum? » Opinio scilicet quae dicit « quod in casu posito voluntas necessario fertur in maius bonum » reiicitur sic: « Sed ista positio cum sua ratione, si essent verae, tollerent libertatem et dominium voluntatis et omnino ponerent ex necessitate evenire omnia . . . Ideo mediam opinionem tenendo, ponentur tres conclusiones: prima conclusio est: quod voluntas stante casu posito, non potest tunc et pro tunc velle minus bonum. Et dixi non potest tunc et pro tunc, quia tunc voluntas potest velle minus bonum pro alio tempore in quo non amplius stabit illud iudicium, et est in potestate voluntatis imperare intellectui ut desistat a consideratione illius boni maioris, et tunc poterit acceptare minus: secunda conclusio est: casu posito, voluntas non necessario fertur in prosequutionem maioris boni, sed potest differre actum volendi, ut ante, et fit inquisitio maior de his omnibus quae concomitari possunt vel insequi illud magis bonum. Nam si ipsum esset absque aliquo minori bono praesentatum voluntati, ipsa posset, secundum dicta prius, differre actum volendi, ergo multo magis hoc potest quando praesentatur cum altero incompossibili bono. Et haec conclusio videtur necessaria ad salvandum voluntatis libertatem et dominium . . . tertia conclusio est: si voluntas debeat eligere, ipsa necessario eligit maius bonum; quia aut maius bonum, aut minus: sed non potest minus pro tunc; igitur oportet quod maius » (*Ibid.*, pp. 175-176).

XIII. p. 260, 3. J. Buridan., *Quaest. in X lib. Ethic. Arist.*, III, qu. I (Oxon. 1637, p. 149): « Huic opinioni concordat Parisiensis articulus (art. 131: Denifle-Châtelain, *Chartul.*, I, 551) dicens: *Quod voluntate existente in tali dispositione in qua nata est moveri, et movente* (*al. lect.* manente: Denifle-Chât.) *sic disposito quod natum est movere, impossibile est voluntatem non velle*: *error*. Item (art. 134, Denifle-Ch.): *quod appetitus, cessantibus impedimentis, necessario movetur ab appetibili*: *error est de intellectivo* . . . Contra tamen hanc opinionem fortiter arguitur, quia agente sufficienter approximato *etc.* (cf. supra, append. II). Ideo non miror si in hac altissima materia non possum per rationes et solutiones satisfacere mihi ipsi. Expedit tamen ut consideremus qualiter possunt rationes ad oppositum aliqualiter evitari. »

XIV. p. 269, 26. J. Buridan., *Quaest. in X lib. Ethic. Arist.*, III, qu. I (Oxon. 1637, p. 152-153): « Sed quando dicitur quod propter talem rationem arguebat Aristoteles VIII *Physicorum* motum esse aeternum, licet sciret Motorem esse agentem voluntarium, dicendum quod licet ratio illa neque hic, neque illic verum concludat, tamen maioris erat illic apparentiae quam hic: quoniam potest dici quod voluntas nostra mutabilis est, potest enim in se novum actum volendi aut nolendi recipere a se distinctum, quod de primo motore qui est Deus dici non potest . . . Et quando dicitur: oportet igitur illam causam (*quietis*) removeri ad hoc quod velit, dico quod hoc esset verum ubi contrariorum essent contrariae causae: sed ubi idem est causa libere potens in utrumque contrariorum, illud non est verum: sic autem est de voluntate nostra, licet Aristoteles non concederet ita esse de voluntate primi Motoris, eo quod esset immutabilis. Ad aliam, cum dicitur quod oportet aliquid mutari, volo; ideo concedo quod voluntas nostra mutatur, quia vult et ante non volebat; nego igitur quod voluntas necessario movetur antequam transeat in velle, immo in transeundo mutatur ex eo solum quod vult et ante non volebat. Ita quod non imaginor quod in hac voluntatis mutatione oporteat aliquam rem novam occurrere quam ipsam volitionem esse quae ante non esset ». Cf. *ibid.*, III, qu. 4 (p. 175); et supra pp. 54, 24; 254, 16.

XV. p. 276, 21. a) *De Immortalitate Animae.*

Editio princeps: *Tractatus de immortalitate animae magistri P. Pomponatii Mantuani.* Justinianus Leonardus Ruberiensis. Bononiae 1516, fol. Frequenter in posterum data, hacce vero nostra tempestate curante Giovanni Gentile, qui et de anterioribus editionibus bene discurrit: *Pietro Pomponazzi*, *De Immortalitate Animae*, a cura di G. Gentile. Messina-Roma 1925 (Opuscoli filosofici. Testi e documenti inediti o rari. I). Novissime tandem a Gianfranco Morra, '*Tractatus de immortalitate animae*' *di Pietro Pomponazzi*, Bologna, Nanni & Fiammenghi Editori, 1954, una cum translatione in linguam italicam; de quibus vidend. B. Nardi, *Di una nuova edizione del « De Immortalitate Animae » del Pomponazzi*, in Rassegna di Filosofia IV, fasc. II, Apr.-Giugno 1955, pp. 149-174. Iam vero anglicam in linguam translationem procuraverat W. H. Hay II, *Pietro Pomponazzi – Tractatus de Immortalitate Animae*, translated by William Henry Hay II, followed by a fac-simile of the editio princeps. Haverford College, Haverford, Pa. 1938, quam iterum invenies in E. Cassirer, P. O. Kristeller, J. H. Randall, *The Renaissance Philosophy of Man*, Chicago, 1948, pp. 280 sqq.

b) *Apologia*:

Editio princeps: *Apologia P. Pomponatii Mantuani pro suo tractatu de immortalitate animae.* Justinianus Leonardus Ruberiensis. Bononiae 1518. fol. – Iterum data in *Tractatus acutissimi* . . . infra.

c) *Defensorium*:

Editio princeps: *Petri Pomponatii Defensorium sive Responsiones ad ea quae Augustinus Niphus adversus ipsum scripsit de Immortalitate Animae.* Bononiae, per Justinianum Ruberiensem. 1518, fol. – Iterum datum in *Tractatus acutissimi* . . . infra.

Quae sequuntur notas excerpsimus e *codice* 1675 *III*, ff. 466-468, Bibliothecae Universitatis Patavii: « Adversus Pomponatium de immortalitate animae praedicaverunt Ambrosius Fiandinus Neapolitanus durante Quadragesimali Statione Mantovae et Fr. Michael Milanensis ordinis FF. Min. (Petrus Ravennas in *Phenice*). Deinde in scriptis eumdem impugnaverunt Gasp. Contarini (*Contradictoris tractatus doctissimus* in editione Venetiana 1525 operum Pomponatii: *Tractatus acutissimi* . . .). Apollinaris Offredus Cremonensis (*Anisi Cremon. Liter.* 1, p. 251). Fracastoro in *Dialogo de Anima* (Hieronymi Fracastorii, *Fracastorius, sive de anima Dialogus* ad Ioannem Baptistam Rhamnusium, in H. F. Veronensis *Opera omnia in unum proxime post illius mortem collecta*, Venetiis apud Juntas MDLV, ff. 207r-224r). Fr. Bartholomaeus de Spina Pisanus (B. de Spina, *Opuscula* . . .; *Tutela veritatis de immortalitate animae contra P. Pomponatium* . . .; *Flagellum in tres libros Apologiae eiusdem.* 1519, fol.) qui et totum Pomponatii libellum *de Immortalitate Animae* pedetentim redarguendo reproduxit secundum litteram. Fr. Hieronymus Fornari Papiensis (*Fornarius, De anime humane immortalitate. Examen perspicacissimum totius disceptationis inter Aug. Suessa. et Petrum Pomponatium Mantuanum vertentis circa anime immortalitatem.*: fol. 2r « Incipit aureus tractatus de animae humanae immortalitate ad mentem Aristotelis Reverendi P. Fratris Hieronymi Fornarii Papiensis Or. Pre. Sacrae Theologiae Baccalarii peritissimi Bononiae ordinarie Sacram Theologiam Legentis » . . . *Explicit* fol. g2v: « Explicit pulcherrimum opus R. P. F. Hieronymi fornarii papiensis ordinis praedicatorum congregationis lombard. de animae immortalitate per R. P. F. Crisostomum casalem. eiusdem congregationis sacre theologie professorem celeberrimum, quorum (iuxta lateranensis concilii mandatum) interest iussu visum et approbatum. Subiicitur omnifariam S. R. E. determinationi. Impressum Bononiae per Justinianum Ruber. Anno salutis MDXIX, die 22 decembris). Vicentius Colzade Vicentinus. Fr. Chrysostomus Iavellus de Canapicio (*Approbationes rationum Defensorii* etc. in editione Venetiana, 1525 operum Pomponatii: *Tractatus acutissimi*, infra.). Isti quatuor auctores scil.: de Spina, Fornari, Colzade et Iavellus omnes fratres erant Ordinis Praedicatorum. Quibus adiungendi sunt Petrus Manna Cremonensis; M. A. Zimara (Paris. Biblioth. Nat., ms. lat. 6450, pp. 201-224; 321-332. Vid. *Prolegom.* p. XXX); Paulus Iovius et Augustinus Niphus (Augustin. Niphi S. . . . *de immortalitate animae libellus*, 1518. fol.); Franciscus Lichettus Brixianus (*De Animarum rationalium immortalitate libri quatuor Aristotelis opinionem diligenter explicantes*, autore Fortunio Liceto Genuense in Academia Patavina ordinario philosopho. Patavii MDCXXIX. Lib. I, cc. 28-45, pp. 52-76); denique Lucas Prassicus de Aversa». Haec in codice Patavino.

Paulo autem ante vitae eius terminum, nempe Kal. Martii anno 1525 iterum in lucem prodierunt ista pomponatiana: *Petri Pomponatii Mantuani Tractatus acutissimi, utillimi* (sic) *et mere peripatetici*: *De intensione et remissione formarum ac parvitate et magnitudine* (1514). *De reactione* (1515). *De modo agendi primarum qualitatum* (1515). *De Immortalitate Animae* (1516). *Apologiae libri tres* (1518). [*Contradictoris tractatus doctissimus*. (G. Contarini) 1517.] *Defensorium autoris* (1518). [*Approbationes rationum defensorii* per fratrem Chrysostomum theolog. ord. Praed. (1519).] *De nutritione et augmentatione* (1521). – Venetiis, impressum arte et sumptibus haeredum quondam domini Octaviani Scoti, civis ac Patritii Modoetiensis et sociorum. Anno ab incarnatione dominica MDXXV, calendis martii. – In-fol., 139 ff. (Notanter desunt in ista editione libri *De Incantationibus* atque *De Fato*, quamquam ab anno 1520 iam ambo completi).

XVI. p. 343, 18 sqq. Cajetan., *In Thom. Aquin. Sum Theol.*, I, qu. 22, art. 4 n. VIII (ed. Leon. IV, p. 270a): «Oportet igitur, si quaestionis huius veritas quietare debet intellectum nostrum, alterum duorum dicere: aut quod esse provisum non sequatur inevitabilitas; aut quod inevitabilitas eventus provisi non deroget evitabilitati eorundem eventuum. Et hoc secundum quidem, propter rationem supra adductam, non capio quomodo possit verificari: liquet enim quod non nisi secundum quid evitabilitas salvari apparet. – Primum autem, quamvis communiter a doctoribus destruatur, dicentibus quod esse provisum, seu volitum, seu praedestinatum (pro eodem enim, quoad hanc difficultatem, omnia accipio) sequitur inevitabilitas; ego tamen, non ut opponam me contra torrentem, nec asserendo, sed stante semper captivitate intellectus in obsequium Christi suspicor quod, quemadmodum esse provisum nec contingentiam nec necessitatem ponit in eventu proviso, ut in littera dicitur, eo quia Deus est causa superexcedens, eminenter praehabens necessaria et contingentia (per hoc enim evadit s. Thomas ab illa ratione VI *Metaphys.* hic allata: intendit enim quod propositiones Aristotelis verificantur in causis particularibus, quarum aliae sunt necessariae, aliae contingentes, aliae per se, et aliae per accidens: non autem in causa universalissima excedente necessarias et contingentes, per se et per accidens; quoniam ad eam spectat producere, ut effectus electos, non solum res, sed omnes rerum et eventuum modos); ita, elevando altius mentis oculos ipse Deus, ex sua altiori quam cogitare possimus excellentia, sic rebus eventibusque provideat, ut esse provisum ab eo sequatur aliquid altius quam evitabilitas vel inevitabilitas ut sic ex passiva provisione eventus, neutrius combinationis alterum membrum oporteat sequi. Et si sic est, quiescet intellectus, non evidentia veritatis inspectae, sed altitudine inaccessibili veritatis occultae. Et hoc ingeniolo meo satis rationabile videtur: tum propter rationem praedictam; tum quoniam, ut ait Gregorius, minus de Deo sentit, qui hoc tantum de illo credit, quod suo ingenio metiri potest.» — Id., *ibid.*, n. IX: « Nec propterea negandum aliquid eorum quae ad divinam immutabilitatem, actualitatem, certitudinem atque universalitatem, et similia, spectare scimus aut ex fide tenemus, suspicor: sed aliquod occultum latere, vel ex parte ordinis qui est inter Deum et eventum provisum, vel ex glutino inter ipsum eventum et esse provisum, arbitror. Et sic, intellectum animae nostrae oculum noctuae esse considerans, in ignorantia sola quietem illius invenio. Melius est enim tam fidei catholicae quam philosophiae, fateri caecitatem nostram, quam asserere tanquam evidentia quae intellectum non quietant: evidentia namque quietativa est. Nec propterea omnes doctores praesumptionis accuso: quoniam balbutiendo ut potuerunt, immobilitatem ac efficaciam summam et aeternam divini intellectus, voluntatis, potestatisque insinuare intenderunt omnes per infallibilitatem ordinis divinae electionis ad eventus omnes: quorum nihil praefatae suspicioni obstat, quae altius quid in eis latere credit. Et vere, si sic praedicaretur, nullus forte circa praedestinationem erraret Christianus; sicut non errat in materia Trinitatis, quia dicitur et scribitur, et ita est, quod occulta est humano intellectui, et sola fides sufficit. — Optimum autem atque salubre consilium est in hac re, inchoare ab his quae certo scimus, et experimur in nobis, scilicet quod omnia quae sub libero arbitrio nostro continentur, evitabilia a nobis sunt; et propterea digni sumus poena vel praemio: quomodo autem, hoc salvo divina salvetur providentia ac praedestinatio, etc., credere quod sancta Mater Ecclesia credit. Scriptum est enim: 'altiora te ne quaesieris' (Eccli. 3: 22) plurima enim sunt tibi supra sensus hominum revelata. Et hoc est unum de illis ».

XVII. p. 402, 15. P. Pomponatii, *Lect. super primos tres lib. Physic.*: « Notandum est quod ista ratio non videtur efficax. Bene enim probat quod in eternis ex causa de necessitate sequatur effectus; ratione impedimenti non enim possunt impediri, quia ibi non est materia (*fol.* 147*r*). Possunt tamen eterna velle et nolle. Deus enim habet voluntatem liberam ut nostri theologi libentissime phatentur et tenent. Si ergo eterna possunt velle et nolle, ergo in illis absolute et de necessitate ex prioribus, i. e. ex causa, non sequentur posteriora, i. e. effectus. Ergo male dixit Commentator (*Physic.*, *II*, *t. c.* 88; Comin. de Tr. IV, 67v E: « haec enim est dispositio entis necessarii simpliciter scil. ut non sit propter suam actionem sed actio eius propter ipsum; et iste modus necessitatis invenitur in rebus aeternis, et ista est necessitas simpliciter ») et non videtur quod ex eternis absolute sequatur effectus. Deus enim ex quo habet voluntatem liberam potest velle non movere caelum.

Ad hoc respondeo quod argumentum concludit veritatem. Aristoteles vero (non?) sic dicit et aliter existimavit; concedo. Sed dico tibi quod Aristoteles in hoc sicut et in multis aliis deceptus fuit.

Non enim deus est, et omnis homo mendax praeter Christum. Et iste sermo convenit cum nostra fide, et omnes leges, scilicet moysi, maumeth et iesu christi benedicti quam firmiter tenemus ponunt Deum gloriosum habere voluntatem liberam. Dico tamen unum: quod iste sermo aliqua ratione non potest convinci, nec probari: credendum tamen est: « Ad firmandum enim cor in caelum (sincerum: Thom. Aquin.) sola fides sufficit » (Thom. Aquin., *Hymn. Pange lingua gloriosi*). Sed secundum perhipateticos qui decepti fuerunt, sermo iste est falsus. Deus enim secundum ipsos facit omnia de necessitate . . . » Paris. Biblioth. Nation., ms. lat. 6533, ff. 146v-147r. (Vid. continuationem textus supra: p. 410, 29n).

XVIII p. 405, 18. J. D. Scoti, *Quodlib. XIV*, n. 15: « Haec intelligentia (*de essentia creabili*) . . . non movet ad distinctam notitiam veritatis cuiuscumque complexionis; quia si moveret determinate ad cognoscendam alteram partem in futuris contingentibus, cum naturale movens necessario moveat, sequitur quod intellectus divinus necessario intelligeret hanc partem contradictionis fore veram, et ita vel posset errare, vel oppositum non posset inveniri, et tunc non esset contingens . . . » (P. Vignaux, *Justification* . . ., p. 14) . . « Completo igitur toto ordine motionis necessariae, sequitur motio contingens . . . primo ad intra: quia nisi ipsa voluntas determinetur in se ad volendum alteram partem, nunquam determinabit aliquid ad extra; primo igitur determinat se ad volendum hoc fore determinate; secundo ex hoc, intellectus videns istam determinationem voluntatis infallibilem, novit hoc esse futurum . . . » (*Ibidem*, n. 16; P. Vignaux, p. 15).

XIX p. 408, 20 sqq. P. Pomponatii, *Lect. super primos tres lib. Physic.*: « Sed tunc cadit dubitatio. Quia si Deus movet mundum propter suam bonitatem, et, ut diximus, mundum movere non perficit ipsum, quaeritur: ad quid et cur facit (*fol.* 149*r*) hoc, et quae bonitas addit Deo (*sic*). Ad hoc communiter respondetur a Thoma quod Deus facit hoc ut manifestet gloriam suam. Sed tunc cadit dubitatio et queritur quid est illud: manifestari gloria<m> sua<m> ? et quae utilitas est illi ? Ad hoc inveniuntur duae opiniones (*correct. ex* responsiones) opposite, una vera, alia falsa, utraque tamen inintelligibilis. Nostri christiani dicunt quod si Deus non fecisset mundum, adeo perfectus fuisset; contingenter enim et non necessario Deus creavit mundum. Unde Deus ad extra non fuit aliquo modo necessitatus creare mundum; sed solum creavit illum quoniam sic sibi placuit. Et ista opinio est verissima, sancta, immaculata, sincera, pura et tenenda invitis omnibus malignis, perversis, diabolicis, duris, asperis, iniquis, et prostergandis (?) hereticis perhipateticis si contrarium volunt, et omnibus illis qui me aliter tenere sentiunt. Bonus enim ego Gregorius (*sic*, i. e. *scriptor codicis*, cf. B. Nardi, *Corsi inediti*, p. 268) christianus sum, et sanguinem pro meo Christo libenter milies in die ego et absque controversia[m] profunderem (*cf. supra*, p. 277, 9-11). Istam enim opinionem teneo (ut dixi) verissimam et infallantem (*sic*), licet ut dixi sit inintelligibilis. Nam ut dixit Plato in *Thimeo*, licet dicatur aliquid quod videatur inintelligibile, debemus tamen ei assentire quando ex oraculo divino est (*cf. supra, p.* 417, 20 *sqq*). Et ideo quoniam quod Deus fecit mundum et nullam addat ei perfectionem ex oraculo est, tenemus illam. Bonum enim est mentes nostras defraudari.

Alia opinio philosophorum perhipateticorum quae tenet quod Deus movet mundum et per illam motionem nihil ei acquiritur, quoniam tunc esset in potentia, tamen si non moveret, non esset Deus, et non se conservaret. Et de hoc sunt autoritates et rationes (*Aver.*, *et Aristot.* . . .) . . . Ista opinio est Aristotelis; videtur tamen impossibilis et falsa et inrationabilis, quia dicit quod Deus movendo mundum conservat se, et ideo non potest esse sine mundo . . . Burlaeus, licet non ad hoc propositum, dicit unum et quasi vult salvare istam disptem (?), et dicit quod Deus non movet et nihil agit in genere causae efficientis sed in genere causae finalis, sed aliae intelligentiae citra Deum conservantur quia sunt dependentes et ideo movent, et eiusmodi . . . Sed mihi videtur quod dictum burlei sit falsum et fuga. Primo non est christiana ista opinio . . . non est etiam Aristotelica . . . ». Paris, Biblioth. Nat., ms. lat. 6533, ff. 148v-149r.

INDEX NOMINUM ET LOCORUM

[*Quodcumque nomen vel opus hacce in tabula italicis litteris invenitur sive in apparatu nostro sive in prolegomenis reperiendum; reliqua vero ipsi textui attinent.*]

SACRA SCRIPTURA

CODICES MANUSCRIPTI

HAEC SOCIETATIS THESAURI MUNDI EDITIO CURIS ET AUSPICIIS COLLEGII, CUIUS SODALES SUNT GUALTERUS WILI, IOSEPHUS BILLANOVICH, LUDOVICUS RUSCA, IMPRESSA EST TYPIS OFFICINAE VERONENSIS VALDONEGA MENSE IULII MCMLVII